HISTOIRE DE LA FACULTÉ DE MÉDECINE
DE L'UNIVERSITÉ DE MONTRÉAL
(1843-1993)
de Denis Goulet
est le quatre cent soixante-dixième ouvrage
publié chez
VLB ÉDITEUR
et le trente et unième de la collection
«Études québécoises».

# HISTOIRE DE LA FACULTÉ DE MÉDECINE DE L'UNIVERSITÉ DE MONTRÉAL (1843-1993)

*du même auteur*

LE COMMERCE DES MALADIES, Québec, IQRC, collection Edmond de
Nevers, 1987

TROIS SIÈCLES D'HISTOIRE MÉDICALE AU QUÉBEC. CHRONOLOGIE DES INSTI-
TUTIONS ET DES PRATIQUES (1639-1939), en collaboration avec André
Paradis, Montréal, VLB éditeur, coll. «Études québécoises», 1992

Denis Goulet

# HISTOIRE DE LA FACULTÉ DE MÉDECINE DE L'UNIVERSITÉ DE MONTRÉAL
## 1843-1993

vlb éditeur

VLB ÉDITEUR
Une division du groupe Ville-Marie Littérature
1000, rue Amherst, bureau 102
Montréal, Québec
Tél.: (514) 523-1182
Télécopieur: (514) 282-7530


Maquette de la couverture: Éric L'Archevêque


Photo de la couverture: Laboratoire de chirurgie: les élèves à l'œuvre, 1930. *Annuaire de la faculté de médecine de l'Université de Montréal.*


Distribution:
LES MESSAGERIES ADP
955, rue Amherst
Montréal, Québec
H2L 3K4
Tél.: (514) 523-1182
        interurbain sans frais: 1 800 361-4806


© VLB ÉDITEUR et Denis Goulet, 1993
Dépôt légal – 2ᵉ trimestre 1993
Bibliothèque nationale du Québec
ISBN 2-89005-536-1

*Aux professeurs Serge Gagnon, Guildo Rousseau et Normand Séguin du Centre de recherche en études québécoises.*

# REMERCIEMENTS

La réalisation de cet ouvrage, qui s'est effectuée dans des délais très courts s'échelonnant sur à peine un an, n'a été rendue possible que grâce à l'assistance généreuse et enthousiaste de certaines personnes étroitement associées au projet. Parmi celles-ci, je tiens particulièrement à souligner la collaboration remarquable, associée à une relation d'amitié sincère et réciproque, du docteur Guy Lamarche et de Mlle Chantal Thomas, respectivement président et agente de recherche des fêtes du 150ᵉ de la faculté de médecine de l'Université de Montréal. Je remercie aussi pour leurs encouragements et leur soutien le doyen, docteur Serge Carrière, et la direction de la faculté de médecine de l'Université de Montréal, ainsi que les docteurs P. Bois, G. Desrosiers et B. Millette qui m'ont fait part de remarques pertinentes et m'ont fourni certains documents fort utiles à la rédaction de cet ouvrage. Mes remerciements vont aussi à tous les membres de la faculté qui, de près ou de loin, se sont impliqués dans ce projet.

Je désire exprimer ma reconnaissance particulière à MM. François Hudon et Gaston Rivard, lesquels, à titre d'assistants de recherche, ont étroitement collaboré à la préparation de cet ouvrage.

Mes remerciements vont aussi au Service des archives de l'Université de Montréal, particulièrement à M. Denis Matte et Mme Denise Pélissier, ainsi qu'à Mme Lucille Landry du Service des archives de la faculté de médecine et à M. Bernard Bédard, de la Bibliothèque de la santé, lesquels m'ont généreusement facilité le repérage et la consultation des documents nécessaires. Je remercie également M. Reynald Lessard des Archives nationales du Québec et Mme Sylvie Thibault-Godbout du Service des archives de l'Université Laval.

Enfin, je tiens à exprimer ma reconnaissance à Mme Jocelyne Dorion qui a fait un excellent travail de révision du manuscrit, ainsi qu'à Mme Josée Tétreault qui a coordonné la production de ce livre.

# Préface

> *La première loi de l'histoire, c'est de ne pas mentir; la seconde, de ne pas craindre de dire la vérité.*
>
> LÉON XIII, 1883

L'histoire de la faculté de médecine de l'Université de Montréal est à l'image de celle des Canadiens français de 1843 qui ne constituent ni un peuple, ni une nation, à peine une société: une ethnie dirait-on aujourd'hui.

La défaite de 1759 les a dépouillés de ses élites. Après les répressions brutales de 1837 et 1838 et le rapport Durham, ils sont pauvres, en piètre santé, mal éduqués, sans gouvernement, sans université, encore dominés par une Église qui ne distingue plus les frontières entre sa mission pastorale et son intérêt corporatif, tout occupée qu'elle est à administrer ses terres et ses biens, et divisée elle-même en factions doctrinaires, ultramontaine et gallicane, chacune voulant dominer l'autre. Impuissante et sans vision, l'Église s'en remet constamment à la Sacrée Congrégation romaine de la propagande pour arbitrer ses débats et régler ses conflits.

Tout cela est encore plus vrai à Montréal où les Canadiens français sont en minorité, plus pauvres encore dans la ville riche où les affaires sont anglaises, les clochers protestants et l'Université anglophone.

Il n'est pas étonnant que la première école de médecine accessible à leurs enfants soit non pas francophone mais bilingue, et fondée par cinq médecins anglophones, dépités de n'être partie de la seule faculté de médecine canadienne, l'anglaise de McGill. Les fondateurs, conscients de l'existence et du potentiel professionnel et, disons-le, *financier que représentent les clientèles étudiantes et les nombreux patients français, posent le geste.*

*Ce jour-là, en 1843, débute l'histoire d'une école qui n'aura, pendant son premier cinquantenaire, qu'un objet: survivre.*

*Un jeune prélat, Ignace Bourget, nouvel évêque de Montréal, sonne le ralliement. Dans les collèges et les églises paroissiales, on entonne et entonnera pendant plus d'un siècle «Catholiques et français toujours», deux attributs dès lors indissociables.*

*Rapidement devenue francophone unilingue, «catholique et canadienne-française», l'École de médecine et de chirurgie de Montréal s'attire l'appui indéfectible de Mᵍʳ Bourget, son père adoptif, et par lui, celui des religieuses de l'Hôtel-Dieu, des Sœurs Grises et des Sœurs de la Providence qui ouvrent les portes de leurs hôpitaux et dispensaires à ses professeurs et étudiants.*

*C'est une victoire contre McGill qui avait presque réussi à assimiler l'École en lui tendant le piège du «Montreal General Hospital».*

*Après avoir adressé à tous azimuts des demandes d'affiliation universitaire exigée par la loi, partout rebutée, elle s'affilie, en 1866, à l'University of Victoria College de Cobourg à qui elle n'avait même pas formulé de demande, ni même pensé.*

*Habilitée par l'affiliation à décerner des diplômes ad praticandum, l'École doit maintenant affronter un adversaire plus coriace et puissant, l'Université Laval. Forte de la bulle Inter varias sollitudines de 1876, devenue «université provinciale», elle s'affaire à l'ouverture d'une succursale à Montréal, confiante d'assimiler l'École et d'en faire sa faculté de médecine. Ignace Bourget démissionne. L'École résiste. Ses professeurs et élèves sont privés de l'usage des sacrements. La succursale ouvre en 1878, mais l'École ne ferme pas.*

Suspende omnia, schola continuet anno proximo, *câble le cardinal Simeoni en 1883. L'excommunication est évitée. L'École continue de donner ses cours, Laval aussi. La querelle continue.*

*Rome et le gouvernement du Québec décident finalement la fusion des deux institutions au moment même où l'Université Victoria se joint à l'Université de Toronto et ne peut plus maintenir l'affiliation de l'École.*

*La fusion marque la fin du rêve d'hégémonie de l'Université Laval qui n'a plus de pouvoir sur sa succursale, si ce n'est celui de signer les diplômes.*

*L'École de médecine et de chirurgie garde son nom, son autonomie et ses règlements.*

*Jusqu'en 1920, l'École s'ajuste tant bien que mal aux progrès de l'art médical venus d'ailleurs et continue de former de bons médecins. Devenue la faculté de médecine de l'Université de Montréal, elle sombre, jusqu'en 1965, dans une période de délectation morose et rêve à son centre universitaire médical, négligeant à peu près tout le reste.*

*Toujours inspirée par la médecine française qui veut que la médecine soit un art servi par la science plutôt qu'une science secondée par un art, l'École est critiquée sévèrement, voire menacée par les organismes d'agrément américains qui finissent par l'influencer. Elle effectue le virage vers la médecine scientifique. Son doyen devient temps plein. Elle engage des professeurs cliniciens et des activités de recherche sont amorcées.*

*Au cours des deux dernières décennies, la faculté atteint sa vitesse de croisière et approche petit à petit le niveau des grandes facultés de médecine nord-américaines.*

*Denis Goulet trace avec élégance et précision l'histoire fascinante de la faculté de médecine de l'Université de Montréal. Il dissipe les doutes encore entretenus sur l'unicité de l'École et de la faculté de médecine.*

*Il nous fait découvrir les motivations des acteurs et des institutions qui ont participé à la fondation, la survie, la somnolence et l'épanouissement de la faculté. Il nous rappelle, encore une fois, combien désemparés ont été les Canadiens français laissés seuls à se bâtir une société et un futur.*

*Denis Goulet analyse et reconnaît, à juste titre, le rôle qu'ont joué pendant cinquante ans la Fondation Rockefeller et l'Association médicale américaine dans le façonnement de la faculté de médecine de l'Université de Montréal.*

*L'historien nous éblouit par sa vaste culture médicale. Ses réflexions sur l'évolution des sciences médicales, la bactériologie, la vaccination, la recherche, la pédagogie, l'enseignement clinique, les hôpitaux et leur dévouées et fières religieuses sont d'une profondeur et d'une rigueur tout à fait exceptionnelles.*

*Denis Goulet comprend et décrit avec des mots justes, parfois teintés d'ironie, la mobilisation incroyable qu'a provoqué la création d'une toute petite école de médecine devenue symbole, paralysant presque pendant un siècle les forces vives d'un petit peuple ballotté par ses propres institutions, soumises elles-mêmes aux visées sinon aux caprices de gouvernements qu'il ne contrôle pas, par une Église romaine influençable et changeante et le rouleau compresseur des idéalistes américains.*

*Puissions-nous avoir compris cette brillante leçon de l'Histoire et entreprendre le prochain cinquantenaire avec la sagesse essentielle à la poursuite d'une finalité, cette fois bien définie, comprise et de tous acceptée.*

GUY LAMARCHE, M.D.

# CHAPITRE PREMIER

# La fondation de la Montreal School of Medicine and Surgery/ École de médecine et de chirurgie de Montréal (1843-1877)

## De l'apprentissage privé à l'enseignement universitaire

Des débuts de la colonie jusqu'au premier tiers du XIXe siècle, l'enseignement médical par apprentissage dominait largement la formation du futur praticien. L'apprenti, après une entente passée avec un chirurgien ou un médecin, habitait généralement chez son maître, l'aidait à préparer les médicaments, l'accompagnait lors de la visite des patients et l'assistait dans de petites interventions chirurgicales. La durée de cet enseignement pratique au cours duquel l'apprenti s'initiait aux procédés diagnostiques et thérapeutiques était variable, pouvant parfois s'étendre sur trois ou quatre ans. Bien souvent toutefois, le compagnonnage ne dépassait pas quelques mois. Mis à part Michel Sarrazin, Jean Madry, Jean Martinet de Fonblanche et quelques autres, bien peu de praticiens en Nouvelle-France possédaient une formation médicale qui dépassait le stade d'un apprentissage sommaire[1]. Il y eut au XVIIe siècle quelques initiatives en vue d'instaurer certains modes d'enseignement et de contrôle de la pratique médicale tels qu'ils prévalaient en France. C'est ainsi que Jean Madry reçu, en 1658, de la commission des officiers civils de justice, la permission d'établir la maîtrise et le chef-d'œuvre dans toute la Nouvelle-France, «afin que les passants, allants et séjournants puissent mieux et sûrement être servis, pansés et médicamentés en cas de besoin et nécessité[2]». Ces deux structures d'enseignement, qui prévalent en France jusqu'à la Révolution, se différenciaient par la durée des études, le type d'examens et le niveau d'exercice en chirurgie. La maîtrise, accordée après un compagnonnage de quatre ou cinq ans et à la suite de la réussite d'une épreuve orale, donnait droit au titre de chirurgien externe et à la pratique d'opérations mineures. Le chef-d'œuvre en chirurgie, plus exigeant, était attribué après une série d'examens de chirurgie, d'anatomie, de pharmacie, d'ostéologie et un examen dit de rigueur qui impliquait la rédaction d'une thèse. Le candidat acquérait alors le titre de chirurgien interne qui lui valait la meilleure clientèle des villes et le droit de pratiquer les grandes opérations.

Jean Madry n'usa probablement jamais de ce privilège, mais il est raisonnable de penser que Martinet de Fonblanche, qui avait ouvert une école de chirurgie en 1674, en ait suivi les grandes lignes jusqu'à la fermeture de son école en 1691[3]. Il semble que ce type d'enseignement médical hiérarchisé, qui disparaîtra à la Révolution française, ait été fort peu utilisé en Amérique. Jusqu'à la fin du XVIIIe siècle, en raison de l'absence de collège d'enseignement, la transmission des connaissances médicales passait donc essentiellement par un système individuel d'apprentissage où les étudiants se retrouvaient «en général, tributaires du savoir de leurs maîtres et de l'attention qui leur [était] accordée[4]».

En 1788, une loi intitulée «Acte ou ordonnance qui défend à qui que ce soit de pratiquer la médecine et la chirurgie dans la province de Québec, ou la profession d'accoucheur dans les villes de Québec ou Montréal, sans une permission» imposait les premières contraintes concernant l'exercice de la médecine et de la chirurgie[5]. Cette loi faisait suite aux pressions exercées par certains chirurgiens militaires qui désiraient «exercer un contrôle sur les personnes de plus en plus nombreuses à venir des États-Unis après 1775 et à vouloir pratiquer la médecine dans la colonie[6]». Le préambule de la loi soulignait que «plusieurs inconvéniens éta[ient] arrivés aux sujets de Sa Majesté en cette Province par des ignorans, qui pratiquent la médecine et la chirurgie[7]».

L'ordonnance autorisait la création de bureaux d'examinateurs à Québec et à Montréal, dont la tâche était de déterminer quels candidats étaient aptes à l'exercice de la médecine. Cependant, elle exemptait de l'examen les détenteurs de diplômes des universités britanniques, les médecins et chirurgiens de la marine et de l'armée et les vendeurs de médicaments qui avaient obtenu une «patente royale[8]». Dans les faits, cette ordonnance n'entrera en vigueur qu'à compter de 1794, date de la première assemblée des bureaux d'examinateurs. Jusqu'en 1831, les membres de ces bureaux seront nommés par le gouverneur et choisis parmi les médecins et chirurgiens de l'armée. Cette première loi régissant la pratique médicale ne comportait toutefois aucune disposition quant à la formation des candidats.

Aux pratiques d'apprentissage qui avaient cours au début du XIXe siècle s'ajoutèrent peu à peu des cours privés dispensés par des médecins qui offraient à leurs étudiants des séances théoriques et pratiques. Tel est le cas du docteur F. Blanchet qui donne, en 1804, un cours privé de chimie appliquée à la médecine où il rend compte des composantes des matières animales et végétales. Mais un tel mode d'enseignement relevant de l'initiative privée n'était soumis à aucun contrôle sur le contenu, la durée et le coût des études. La formation de chaque praticien s'avérait donc très inégale, ce qui avait pour effet d'alimenter certains préjugés quant à la compétence des disciples d'Hippocrate. Se fit alors progressivement sentir au sein du corps médical, comme le souligne J. Bernier, le besoin «d'une reconnaissance sociale du médecin civil[9]», laquelle devait passer notamment par l'amélioration de la formation des médecins et par la mise sur pied de petits centres privés d'enseignement. Entre-temps, les étudiants les plus fortunés et les plus aventureux doivent se rendre à Paris, à Edimbourg, à Londres ou aux États-Unis pour acquérir une formation plus uniforme intégrant les progrès récents de la science médicale, notamment de la médecine anatomo-clinique[10]. Dès les années 1820, les étudiants intéressés à une carrière médicale sont un peu plus nombreux, compte tenu de la croissance démographique et de la demande accrue de praticiens dans les villes.

Des cours plus «académiques» sur l'anatomie, l'obstétrique, la chirurgie et la pratique médicale étaient aussi donnés, comme c'est le cas à Québec, en 1819, alors que A. von Iffland, F. Blanchet, P. de Salles Laterrière et C. N. Perreault enseignent ces matières le soir du lundi au vendredi au dispensaire de la ville, première étape d'un déplacement progressif de l'enseignement vers les lieux de soins. Mais là encore, l'expérience fut de courte durée puisque le dispensaire fermait ses portes deux ans plus tard. Il en fallait plus pour décourager von Iffland qui persista à donner des conférences publiques sur l'anatomie galénique. Mal lui en prit, car il sera arrêté et expulsé de la ville pour avoir effectué des dissections. Ses appartements seront saccagés et ses préparations anatomiques enterrées sous la surveillance des militaires du 27e régiment[11]. À peu près au même moment, le docteur Stephenson annonce qu'il dispensera des cours sur l'anatomie, la chirurgie et la physiologie au Montreal General Hospital, alors que son collègue A. F. Holmes dispense des cours de chimie dans une maison privée. Ces initiatives préparent la fondation de la première école de médecine au Bas-Canada. Certes, il y avait eu une première tentative pour mettre sur pied une école de médecine au Bas-Canada dans la ville de Québec en 1798, mais elle avait échoué, vraisemblablement en raison «des réticences des autorités face à la dissection et à l'étude de l'anatomie[12]».

C'est en 1823 que la fondation de la Montreal Medical Institution — qui deviendra, six ans plus tard, la faculté de médecine de l'Université McGill — inaugure le mouvement d'institutionnalisation de l'enseignement médical au Québec. Les docteurs Caldwell, Holmes, Loedel, Stephenson et Robertson détiennent dès lors le privilège de dispenser des cliniques médicales au Montreal General Hospital. La même année, les médecins de l'Hôpital des Émigrés de Québec étaient autorisés à y recevoir leurs étudiants pour les cours de clinique. Eux aussi, à l'instar de leurs collègues de Montréal, espéraient fonder une école de médecine à Québec, mais ils furent moins chanceux. En 1826, «les étudiants en médecine qui s'étaient regroupés depuis peu en association, soumirent eux-mêmes une demande au gouverneur "pour acheter et construire une maison où seraient données des leçons publiques sur la chimie, la médecine et d'autres branches de la philosophie, afin qu'ils puissent avoir toutes les facilités sans être dans la nécessité d'aller dans d'autres pays pour acquérir des connaissances qu'ils peuvent aussi bien acquérir dans le leur"[13]». Les cours privés donnés par quelques médecins demeuraient encore la seule voie pour acquérir une formation théorique en médecine: en 1827, le docteur J. Painchaud met à la disposition du docteur J. Douglas une pièce de sa maison où il pourra pratiquer la dissection et enseigner l'anatomie. Un modeste musée d'anatomie y est aussi aménagé au profit de leurs étudiants[14]. Sept ans plus tard, les docteurs Painchaud, Douglas, Morrin et von Iffland, qui n'ont toujours pas d'école, organisent à l'Hôpital de la Marine un enseignement théorique et clinique.

Entre-temps, la Montreal Medical Institution (MMI), qui avait donné sa première session régulière de cours en 1824, dispensait un enseignement hospitalier au Montreal General Hospital axé sur l'observation clinique au lit du malade (*bedside medicine*[15]), enseignement calqué en grande partie sur la fameuse École de médecine d'Edimbourg. La MMI, en vertu de la loi de 1788, ne pouvait toutefois accorder une licence de pratique à ses étudiants. Cinq ans plus tard, les autorités de l'Université McGill demandaient aux médecins de la MMI de se joindre à l'université afin de répondre aux conditions d'obtention du legs de 15 000 £ de Peter McGill[16]. Les membres de la MMI, qui s'étaient vu refuser l'octroi d'une charte royale, acceptent que leur école devienne la première faculté de médecine universitaire au Canada. Elle comptera alors quatre chaires d'enseignement: *practice of medicine*; *midwifery*; *chemistry-materia medica* et enfin *anatomy-surgery*. Quatre ans plus tard, la faculté de médecine de McGill avait élargi son programme d'études et offrait deux cours de six mois dans les matières suivantes: *anatomy and physiology, chemistry and pharmacy, the theory and practice of medicine, midwifery and the diseases of women and children, surgery materia medica and therapeutics, et clinical medicine and clinical surgery*. S'ajoutaient un cours de six mois en pathologie, histologie et physiologie, un cours de six mois en anatomie pratique ainsi qu'un stage de clinique médicale et chirurgicale au Montreal General Hospital pour au moins deux ans[17].

Il semble qu'il y ait eu à cette époque quelques tentatives d'établir des petites écoles privées. Une note d'un certain A. Hall fait mention dans le *Canada Medical Journal and Medical Record* publié en 1866 de l'existence d'une école francophone entre 1823 et 1830 qui aurait voulu compétitionner avec la Montreal Medical Institution[18]. J. Bernier fait par ailleurs état d'une école de médecine francophone que l'on projetait d'établir à Montréal en 1833, sur l'initiative des docteurs R. Nelson, P. Beaubien et J.-B. Johnston[19]. Des cours d'anatomie descriptive, de physiologie, de médecine, de chirurgie et de chimie sont annoncés dans la livraison du 30 octobre du *Canadien*. Ces écoles ont-elles effectivement vu le jour? C'est possible. En ce qui regarde la dernière, il faut souligner qu'elle coïncide avec l'adoption d'une nouvelle loi médicale qui favorise l'établissement d'une telle institution privée.

La loi temporaire de 1831 qui remplaçait celle de 1788 régissant la pratique médicale n'était guère contraignante en ce qui a trait à l'accès aux études médicales: «Toute personne qui veut étudier la médecine doit se présenter devant le Bureau des examinateurs et subir un examen sur sa langue maternelle et sur la langue latine[20].» Mais elle présentait le double avantage de rendre électifs les membres du bureau des examinateurs devant lequel devaient se présenter les candidats à l'exercice de la médecine agés de 21 ans et plus qui avaient fait un apprentissage d'au moins cinq ans et d'exempter de ces examens les candidats qui avaient fait «cinq années d'étude, au moins, et non autrement» dans une université «ou Collège de Chirurgiens, ou école ou institution de médecine où l'on enseigne publiquement [la médecine et la chirurgie[21]]». Cette loi favorisait en quelque sorte les institutions d'enseignement universitaires et les écoles privées de médecine. De fait, tous les étudiants de la faculté de médecine de l'Université McGill seront exemptés de l'examen du bureau des examinateurs. La loi de 1831 rendue caduque en 1837, comme le prévoyait sa dernière clause, c'est officiellement la loi de 1788 qui prévaudra jusqu'à la charte de 1847[22]. Toutefois, l'Université McGill conservait le privilège, en tant qu'école de médecine affiliée à une université britannique, de décerner des diplômes *ad practicandum* en médecine.

## Une première école de médecine bilingue au Bas-Canada (1843-1850)

Au tournant des années 1840, mis à part les leçons privées données par quelques médecins à Montréal et à Québec, la faculté de médecine de l'Université McGill avait le monopole de l'enseignement médical. Avantage intéressant, le titulaire d'un diplôme de cette institution se voyait exempté de l'éprouvant examen devant le bureau des examinateurs de Montréal et obtenait *sine die* le droit d'exercer la médecine sur tout le territoire de la colonie[23]. La faculté de médecine de McGill exerçait ainsi une attraction importante sur les candidats à l'étude de la médecine, et ce au détriment de la formule traditionnelle de l'apprentissage[24]. Le premier diplôme de médecine au Canada est décerné le 24 mai de l'année suivante par l'Université McGill à W. Leslie Logie lors d'une cérémonie qui eut lieu au musée de la Société d'histoire naturelle[25]. Si les praticiens de Québec sont moins touchés par les avantages qu'offre l'Université McGill, ceux de Montréal s'offusquent d'une telle menace à leur lucratif enseignement. Il faut dire que les leçons pratiques dispensées aux apprentis constituaient pour les meilleurs praticiens un revenu d'appoint intéressant.

Face à ce monopole, certains médecins anglophones et francophones s'étaient mobilisés à Québec et Montréal, afin d'obtenir la création d'une seconde école de médecine au Bas-Canada. Les étudiants de l'Hôpital de la Marine qui y suivaient les cours des docteurs Painchaud, Morrin et Douglas feront parvenir en 1835 une pétition au gouvernement réclamant la création d'une école de médecine à Québec[26]. À Québec, on trouvait anormale l'absence d'une école médicale équivalente à celle de Montréal pour desservir la population étudiante de la région, tandis qu'à Montréal, plusieurs médecins, probablement frustrés de ne pouvoir intégrer les rangs étroits de McGill, craignaient de perdre leur clientèle de jeunes apprentis. Mais il semble que les troubles de 1837 et la suspension des cours à McGill jusqu'en 1839 aient temporairement mis en veilleuse de telles initiatives.

## La fondation et l'incorporation

Au début des années 1840, quelques médecins anglophones s'entendirent pour mettre sur pied une petite école de médecine bilingue susceptible d'attirer les élèves francophones et anglophones. En 1843, les docteurs F. T. Arnoldi, F. Badgley, P. Munro, W. Sutherland et W. McNider[27] fondèrent la Montreal School of Medecine and Surgery qui deviendra peu après l'École de médecine et de chirurgie de Montréal (EMCM). Quelques mois après sa fondation, l'école s'adjoint un nouveau membre anglophone, le docteur Horace Nelson. Modeste institution, l'école était située dans une maison louée à M. G. Perry, au numéro 6 de la rue Saint-Urbain, à proximité de la place d'Armes. Le rez-de-chaussée était occupé par la boutique du propriétaire, maréchal-ferrant, et les cinq pièces libres étaient réparties entre le deuxième et le troisième étage.

Plusieurs motivations avaient présidé à la fondation de cette petite école privée en territoire montréalais: riposte au monopole des membres de la faculté de médecine de l'Université McGill, recrutement d'une clientèle francophone et anglophone, possibilité d'exemption des examens du bureau des examinateurs de Montréal, liberté d'enseignement des professeurs, gain de prestige au sein de la profession médicale et de la clientèle privée et occasions intéressantes de monnayer leur enseignement. Comme c'était le cas pour la plupart des écoles de médecine privées mises sur pied à ce moment-là en territoire nord-américain[28], il était possible de tirer un profit non négligeable des activités d'enseignement. Les professeurs de cette nouvelle école recevront une large part des droits d'assistance aux cours payés par les étudiants. Une notice du procès-verbal indiquait «que les professeurs de pratique de médecine, d'accouchement, et de chimie recevront le montant des recettes de leur cours respectif[29]».

À peu près au moment où est fondée l'EMCM, un projet de loi était présenté à l'Assemblée législative en vue d'uniformiser la pratique de la médecine dans tout le Canada-Uni[30]. Ce projet prévoyait que tous les candidats en possession d'un diplôme d'une université provinciale ou d'une école de médecine puissent recevoir une licence de pratique sans examen à condition d'avoir fait au moins deux années d'études dans une école de médecine ou une université. Le projet ne fut jamais adopté. Une telle loi aurait permis *de facto* à l'EMCM d'attribuer des diplômes donnant droit à la pratique de la médecine. Mais tel n'était pas le cas puisque, avec l'abrogation de la loi de 1831 et le retour en force de la loi de 1788, seuls étaient alors exemptés de l'examen les candidats qui avaient obtenu un diplôme d'une université «*within her Majesty's Dominion*[31]». Les autorités de l'EMCM avaient cependant une autre possibilité.

À la fin de l'année 1844, les propriétaires de l'École, sous la présidence du docteur C.-J. Arnoldi, entreprennent des démarches auprès de la législature canadienne pour obtenir son incorporation. Notons que des démarches similaires avaient été tentées par un groupe de médecins de Québec qui désiraient eux aussi établir une école de médecine francophone dans la ville de Québec[32]. Les demandes d'incorporation ont-elles été faites de concert ou bien parallèlement? Nous n'en savons rien. Mais les deux parties obtiennent gain de cause et voient leurs institutions respectives sanctionnées par la législature le même jour et aux mêmes conditions[33].

Votée le 29 mars 1845, la loi d'incorporation de l'école montréalaise précise que le «Collège de Médecine et de Chirurgie de Montréal [...] fera donner annuellement au moins cent vingt lectures publiques en langue anglaise et autant en langue française, d'au moins une heure chaque[34]». Les matières désignées par le libellé de la loi comprennent les disciplines médicales courantes de l'époque: l'anatomie et la physiologie, la chimie et la pharmacie, la *materia medica*, la théorie et la pratique de la médecine, les principes et la pratique de la chirurgie et de l'art obstétrique ainsi que les maladies des femmes et des enfants[35]. Une clause fort importante de la loi d'incorporation stipulait que, sur présentation du certificat de l'école par les élèves au bureau des examinateurs, ces derniers accorderaient sans examen, avec l'approbation du gouverneur, une licence de pratique. Ce n'était pas la première fois que le gouverneur acceptait une telle dérogation à la loi de 1788. Il semble de plus que celle-ci ait été très libéralement appliquée par les deux bureaux d'examinateurs.

À partir de 1838, le gouverneur, répondant à une demande des examinateurs de Québec, avait contraint les étudiants des diplômés des universités américaines à passer l'examen des bureaux[36]. Bernier souligne qu'à partir de 1837, les bureaux d'examinateurs de Québec et de Montréal vont peu à peu resserrer les exigences à l'égard de la formation des candidats[37]. Il faut dire que la plupart des médecins qui se voyaient alors accorder le droit de pratique avaient reçu une formation à titre d'apprentis. G. Weisz mentionne que, parmi les 187 médecins qui avaient reçu le droit de pratique de 1842 à 1847 dans l'est du Canada, seulement 24 avaient obtenu un diplôme officiel «d'un établissement québécois (McGill)», alors que 28 étaient diplômés d'Europe ou des États-Unis[38]. Bernier montre par ailleurs que la composition du bureau d'examinateurs de Québec demeura jusqu'en 1846 homogène et «stable, composé de médecins urbains, à majorité francophone, constituant un bassin de recrutement très étroit[39]». Mais avec l'incorporation des écoles de Montréal et de Québec, les examinateurs verront leur pouvoir battu en brèche en ce qui regarde l'admission à l'étude et le droit de pratique, domaines encore largement sous la dépendance de l'État. Même la loi de 1847, comme l'a bien montré Bernier, qui permettra au corps médical de se doter d'une structure de contrôle que l'on désirait autonome[40], ne pourra éroder le pouvoir croissant des écoles de médecine.

La répartition des cours telle qu'elle est stipulée dans les procès-verbaux de 1845 montre bien que la vocation bilingue de l'école est respectée. Après la démission du docteur Badgley comme titulaire du cours de *materia medica*, l'École, après avoir annoncé un concours dans la *Montreal Gazette*, embauche un premier médecin francophone, le docteur J.-G. Bibaud[41]. Chaque cours, d'une durée d'une heure, est simultanément dispensé en français dans une salle et en anglais dans une autre. Ainsi, pendant que le docteur Sutherland donne son cours en français, le docteur Munro en fait autant dans la langue de Shakespeare. Ces cours sont donnés du lundi au vendredi, de 8 à 20 heures, le tout entrecoupé d'une pause entre midi et 14 heures et entre 17 et 18 heures. Tous les enseignants étaient chargés quotidiennement du même cours dans les deux langues. Les sessions d'études qui s'étendaient initialement du 1er octobre au 30 avril furent peu après modifiées. Il fut décidé que les cours débuteraient, pour la session 1845-1846, le premier lundi de novembre, «*the chief reason inducting such a change being the saving of the student from the country of one month's boarding away from home*[42]». On se conformait ainsi au même calendrier que McGill[43].

Les étudiants disposaient d'une petite bibliothèque, propriété des professeurs, d'un laboratoire de chimie équipé d'un microscope, d'un musée d'anatomie et d'une petite salle de dissection pouvant contenir trois ou quatre sujets[44]. Comme le souligne Rothstein, les écoles médicales furent alors parmi les premières institutions à promouvoir l'usage du microscope et à enseigner quelques rudiments de chimie. Quant à la salle de dissection, elle était devenue depuis peu indispensable à l'acquisition de certaines notions d'anatomie. Cette installation modeste correspondait à ce qui prévalait généralement sur le territoire nord-américain[45]. Un démonstrateur d'anatomie engagé par l'École veillait au bon déroulement des opérations et à l'approvisionnement, souvent difficile, des cadavres. Les étudiants de l'EMCM pouvaient profiter de la nouvelle loi d'anatomie promulguée en 1843 qui ordonnait de remettre aux médecins ayant trois étudiants et plus les cadavres des personnes trouvées mortes sur la voie publique et les individus décédés dans une institution recevant des subventions du gouvernement[46]. Certes, un telle loi rendait en principe plus accessibles les sujets de dissection puisque, antérieurement, seules les dissections effectuées sur les corps de prisonniers étaient autorisées. Mais une clause de la loi excluait les individus réclamés par des amis ou des parents ce qui réduisait largement les possibilités d'approvisionnement. Les étudiants comblaient parfois le manque de cadavres par des vols qui ne manquaient pas d'indigner la population. Certains spécimens nécessaires aux dissections avaient été dérobés des cimetières catholiques du carré Dominion ou du cimetière protestant du carré Dufferin. La tâche se révélant parfois risquée, il arrivait que les cadavres volés soient choisis en vitesse, sans égard pour leur état. Quelques macchabées arrivaient ainsi à la salle de dissection en état de décomposition avancée. Comme le rappelle le docteur Rottot, en l'absence de substances efficaces pour conserver les cadavres, «l'air imprégné de gaz provenant de ces corps en décomposition était tellement infect qu'il fallait vraiment un courage surhumain pour en faire la dissection[47]».

Si les besoins de l'enseignement magistral ont été satisfaits dès la fondation de l'École, il reste que les membres de la corporation n'ont pu offrir un enseignement clinique régulier aux étudiants. Certes, une association avec le dispensaire de Montréal, ouvert en 1843, avait permis temporairement aux élèves de recevoir un tel enseignement, mais il ferma bientôt ses portes. Le Montreal General Hospital et l'Hôtel-Dieu de Montréal demeuraient les deux seuls hôpitaux susceptibles de répondre aux besoins de l'EMCM. Le premier était déjà lié à la faculté de médecine de McGill, alors que le second, propriété des hospitalières de Saint-Joseph, refusait d'admettre des étudiants dans ses salles. Situation délicate si l'on considère que l'enseignement clinique même rudimentaire devenait, en cette moitié de XIXe siècle, de plus en plus nécessaire à une bonne formation médicale. Les professeurs de l'École — qui avaient suivi un cours médical ou fait un apprentissage selon le modèle britannique et qui avaient tous été plus ou moins influencés par les modèles cliniques européens, notamment par les écoles de médecine de Paris et d'Edimbourg[48] — se désolaient de ne pouvoir offrir une expérience clinique à leurs étudiants. L'École comptait parmi ses professeurs le docteur Badgley, un ardent promoteur de la méthodologie clinique. Après des études en Grande-Bretagne et à Paris vers 1840, il avait été l'un des premiers à diffuser en territoire canadien l'art de l'auscultation.

La situation était d'autant plus frustrante que l'EMCM affrontait la concurrence de la faculté de médecine de McGill de même que celle de l'École de médecine de Québec qui était en voie d'ouvrir officiellement ses portes[49]. Ces deux écoles avaient la possibilité d'offrir un enseignement clinique régulier à leurs étudiants. Soulignons par ailleurs que la formation par apprentissage demeurait encore importante en territoire nord-américain et européen. Or la mise sur pied de facultés et d'écoles privées de médecine modifiait sensiblement le mode d'acquisition des connaissances en faveur d'un enseignement magistral axé sur la théorie. Il était donc imprudent pour ces écoles de se limiter à ce type d'enseignement et de repousser la formation par apprentissage.

Dès 1845, les membres de l'EMCM chargent le docteur H. Nelson d'entrer en rapport avec l'évêque de Montréal, M$^{gr}$ Bourget. Ils souhaitaient que ce dernier intercède auprès des sœurs de l'Hôtel-Dieu afin de les convaincre d'accepter dans leurs salles les étudiants de l'EMCM. Cette démarche ne donne pas les résultats escomptés. Les docteurs Badgley et Arnoldi sont mandatés pour rédiger un mémoire destiné aux gouverneurs du Montreal General Hospital dans lequel on demande la permission d'utiliser deux salles pour l'enseignement clinique[50]. La réponse est d'abord négative. Les membres de l'École renouvellent leur demande à quelques reprises durant les mois suivants, mais sans succès. Finalement, leurs efforts sont récompensés. En 1847, une entente conclue avec McGill accorde un droit d'admission aux élèves de l'EMCM dans les salles du Montreal General Hospital. La portée de cette entente débordait largement la simple accessibilité à un hôpital général. Un important acte législatif voté la même année allait avoir d'importantes répercussions sur l'avenir de l'EMCM.

La loi de 1847, qui créait le Collège des médecins et chirurgiens du Bas-Canada, modifiait substantiellement les conditions d'admission dans les écoles médicales, ainsi que les conditions d'obtention du droit de pratique. Le Collège obtenait le pouvoir de déterminer, pour l'ensemble des écoles de médecine de la province, les normes d'admission aux facultés, la durée des études et les programmes d'enseignement dans les écoles et les facultés de médecine. La loi d'incorporation définissait les conditions minimales que devaient remplir les candidats aux études en médecine pour être reconnus admissibles. Elles étaient relativement sévères. Désormais, tout praticien licencié devait avoir au moins 21 ans; avoir étudié durant une période ininterrompue d'au moins quatre ans auprès d'un ou plusieurs praticiens dûment licenciés; avoir suivi durant ces quatre années, dans une université ou une école de médecine incorporée, pas moins de deux cours de six mois chacun portant sur diverses matières fondamentales (anatomie, physiologie, anatomie pratique, chirurgie, pratique de la médecine, obstétrique, chimie, *materia medica*, physiologie, jurisprudence médicale et botanique). Toute école de médecine était dorénavant tenue de dispenser au moins 120 leçons par année. La loi mentionnait par ailleurs que tout candidat devait avoir pratiqué un an «dans un hôpital d'au moins 50 lits et tenu par au moins deux médecins ou chirurgiens» ou avoir suivi des cours de six mois en clinique médicale et en clinique chirurgicale pour avoir droit à la licence. L'Université McGill se trouvait encore une fois en situation privilégiée. Le libellé de la loi stipulait aussi que personne ne pouvait obtenir une licence pour pratiquer la médecine, la chirurgie ou l'art obstétrique dans le Bas-Canada avant d'avoir reçu, à la suite d'un examen, un certificat de qualification du bureau provincial de médecine[51]. Seuls étaient désormais exemptés de l'examen les détenteurs d'un diplôme en médecine d'une université ou d'un collège. Cette législation enlevait à l'EMCM le privilège de décerner une licence de pratique.

La grande charte de 1847 reconnaissait le mode de formation par apprentissage mais, pour la première fois, rendait obligatoire l'inscription à une faculté ou à une école de médecine. Les écoles de médecine de Québec et de Montréal avaient donc la chance d'augmenter substantiellement leur clientèle, mais ce fut encore une fois la faculté de médecine de l'Université McGill qui se trouva doublement favorisée par son statut universitaire. Une telle législation, pourtant entérinée par tous les membres de l'École[52], pouvait avoir des conséquences négatives sur le développement de l'EMCM. Outre le fait qu'elle se trouvait déjà dans une situation plutôt précaire en ce qui touchait l'enseignement clinique, voilà qu'elle perdait le précieux privilège d'accorder à ses étudiants le droit de pratique. Ceux-ci devaient désormais se soumettre à l'examen et aux décisions parfois arbitraires du bureau provincial de médecine. L'attrait de l'EMCM auprès de la clientèle étudiante était sérieusement menacé. Il fallait agir avec célérité pour maintenir à flot une école qui perdait les plus importants de ses privilèges. En ce qui regarde la disposition de la loi concernant le droit de pratique, trois possibilités s'offraient aux autorités de l'École: rechercher une affiliation avec une institution universitaire, exercer des pressions auprès des autorités législatives, afin qu'elles amendent la loi en faveur d'une reconnaissance des diplômes de l'École ou encore faire amender la loi de 1847 pour obliger les diplômés de la faculté de médecine de McGill à passer l'examen du bureau. Pour répondre à l'exigence clinique de la loi de 1847, il fallait aussi impérativement convaincre une institution hospitalière «d'au moins 50 lits» d'accepter ses étudiants dans ses salles.

Il semble bien, comme le souligne pertinemment Bernier, que les médecins francophones, de même que les membres de l'EMCM, aient appuyé la charte de 1847 dans l'espoir de voir disparaître le privilège de McGill. De fait, nombreux étaient les médecins qui souhaitaient que le nouveau Collège détienne une autorité en matière d'enseignement et de pratique de la médecine. Ce ne sera pas pourtant pas le cas:

> La lutte menée par le Collège pour rétablir son autorité fut longue et difficile. Elle commença dès 1847 et ne se termina qu'en 1909. Elle fut toujours orientée vers le même but: enlever à McGill et aux autres universités le pouvoir qu'elles avaient de décerner des diplômes *ad practicandum*[53].

Temporairement, les membres de la corporation optèrent pour une solution de conciliation. Ils effectuèrent dès 1847 une demande d'affiliation partielle auprès des autorités de la faculté de médecine de McGill. Certes, une telle affiliation occasionnerait une certaine perte de souveraineté de l'École, mais elle présentait l'avantage de résoudre deux problèmes à la fois: obtenir le droit de décerner un diplôme *ad practicandum* et répondre aux exigences de la loi concernant l'enseignement clinique obligatoire par le maintien de l'accessibilité à certaines salles du Montreal General Hospital.

Afin de faciliter une telle affiliation, l'EMCM s'efforça de minimiser la situation de concurrence qui prévalait entre les deux institutions en décrétant une nouvelle vocation unilingue francophone. Désormais, ses cours ne se donneront que dans la langue de Molière. Signalons que l'EMCM avait déjà pris un visage un peu plus francophone en s'adjoignant les services des docteurs Peltier, Boyer et Coderre au début de l'année 1847. La vocation bilingue de l'institution aura donc été de courte durée. La faculté de médecine de McGill accueillit favorablement la requête d'affiliation partielle[54], mais exigea en contrepartie que les étudiants de l'EMCM y fassent leur troisième et dernière année. La faculté se trouvait dans une situation avantageuse: elle évitait une confrontation avec sa rivale et désamorçait ainsi, croyait-elle, de futures actions contre son monopole en territoire montréalais. Elle obtenait de plus un droit de regard sur les activités de l'EMCM et augmentait le nombre de ses diplômés. Chacune des parties y trouvait certes son compte et considérait cette entente plutôt comme un arrangement pragmatique que comme une véritable affiliation. Mais la position avantageuse de la faculté de médecine de l'Université McGill était si flagrante que les membres de l'EMCM ne pouvaient envisager cette inféodation que comme une situation temporaire. De fait, les relations entre les deux parties durant les années 1848 et 1849 ne tarderont pas à se dégrader.

Durant l'année 1848, le nombre d'étudiants inscrits à la faculté de médecine de McGill s'abaissa significativement, chutant de 56 à 36. Or les conclusions d'une enquête royale sur l'Université McGill soulignaient que:

> *The falling off of the number of the pupils is not however in any degree attributable to neglect or incapacity on the part of the College authorities, but solely to the recent establishment of a*

*New School of Medicine, which appears to have absorbed all the French Canadians Youth studying the profession*[55].

Pour atténuer cette décroissance, les membres de ce comité envisageaient favorablement la fusion des deux écoles, lesquelles dispenseraient un enseignement anglophone et francophone:

*Thus instead of appearing in opposition to each other, they would present a combination of scientific ability and Intelligence not to be surpassed in any medical school on this continent*[56].

Mais les autorités de McGill, préférant le *statu quo*, ne transmirent aucune offre formelle en ce sens aux membres de l'EMCM.

Dès 1849, les relations se tendent entre les autorités des deux écoles de médecine. L'EMCM, insatisfaite de sa situation, cherchait vainement à obtenir de la législature le droit de décerner des permis de pratique[57]. Le projet de loi est adopté en deuxième lecture et renvoyé à un comité composé des docteurs Badgley, Laterrière, Taché, Bouthillier et Davignon. Mais il est finalement rejeté. Parallèlement, une initiative du nouveau président du Collège, le docteur W. Nelson, visait un objectif opposé: «faire amender la loi pour que les diplômés de McGill soient soumis à l'examen du Collège[58]». Mais là aussi l'initiative se solda par un échec. L'Université McGill tentait par ailleurs d'affaiblir sa rivale par une pratique efficace de maraudage. Des offres d'emploi furent adressées à certains membres fondateurs anglophones de l'École. Les docteurs Arnoldi, Badgley et Sutherland acceptèrent de joindre les rangs de la faculté de médecine de McGill et démissionnèrent de la corporation de l'EMCM. Ils furent rapidement remplacés par les docteurs Beaubien, d'Orsonnens et Trudel[59]. Avec pour seul membre anglophone le docteur Munro, fidèle à l'institution, l'on décide en 1849 que l'EMCM sera désormais une école «essentiellement canadienne-française» et catholique.

En raison de nouvelles tentatives faites par l'EMCM pour modifier son acte d'incorporation[60], les autorités de l'Université McGill firent parvenir une lettre de rupture officielle. Lors d'une assemblée extraordinaire tenue le 7 septembre 1850, les membres de l'École, en réponse à la lettre de McGill, adoptent dans un style cinglant les résolutions suivantes:

1$^{re}$ — Que l'École de médecine ne se croit pas répréhensible d'aucune action qui puisse justifier le Collège McGill de rompre l'engagement qu'il a fait avec elle.

2$^e$ — Qu'en faisant des concessions libérales au Collège McGill en retour de celles qu'elle en recevait et qui lui étaient utiles dans les circonstances où elle se trouve, l'École de médecine n'a pas accepté par là même la position inégale qu'elle occupe et contre laquelle elle s'est toujours réservée implicitement et nécessairement le droit de réclamer auprès des autorités provinciales. Car elle n'a jamais été libre de faire un pacte, avec qui que ce soit, pour maintenir dans la dépendance et dans la gêne l'Éducation médicale parmi les Canadiens français; et elle ne peut en honneur et en justice, pour quelque raison que ce fut, violer le devoir qui lui est imposé par la société, comme à tous les membres, de travailler à son avancement, à ses progrès et à sa prospérité.

3$^e$ — Que les membres de l'École de médecine en pétitionnant la Législature pour en obtenir des garanties contre toute agression étrangère ont usé individuellement et collectivement du droit commun à tous les hommes de chercher par des moyens honnêtes à augmenter leur bien-être, et élever leur position sociale.

4$^e$ — Que le Collège McGill a méconnu les premiers principes du droit naturel en niant à l'École de médecine son indépendance et sa liberté d'action pour les fins de sa préservation ci-dessus mentionnées.

5$^e$ — Que l'École de Médecine en acceptant la décision du Collège McGill comme la violation de ses engagements le rend seul responsable des conséquences qui pourront en résulter pour lui[61].

Dégagée de l'entente avec McGill, mais contrainte de trouver rapidement une solution à l'interdiction de décerner des permis de pratique, l'EMCM adresse de nouveau, le 23 mai 1851, à l'Assemblée une requête accompagnée d'une pétition signée par 57 partisans demandant le privilège d'émettre des licences *ad practicandum*. Cette requête reçoit un écho plutôt favorable. Un projet de loi est rédigé et est adopté en première lecture. Tout s'annonce bien pour l'École, mais des pressions exercées en coulisses ne tardent pas à renverser la situation. Le projet est finalement retiré en deuxième lecture. Ce retrait serait dû à une contrepétition dirigée par le docteur A.-F. Holmes, doyen de la faculté de médecine de l'Université McGill, et signée par 26 médecins de Montréal. La contrepétition affirmait qu'il n'y avait aucun besoin d'établir une seconde école à Montréal et que l'ouverture prochaine de l'Université Laval à Québec pourrait répondre à elle seule aux aspirations médicales de la population canadienne-française[62]. Elle précisait «que ce serait abaisser le niveau de la profession que d'accorder à des institutions non universitaires l'autorisation d'émettre des permis de pratiquer[63]». Il semble que les autorités du Séminaire de Québec, qui s'apprêtaient à fonder l'Université Laval, aient appuyé la contrepétition dirigée par le doyen de McGill. Si cette supposition est fondée, il s'agit de la première manifestation active d'hostilité des autorités de Laval à l'endroit de l'école montréalaise. Ce ne sera pas la dernière.

## L'École de médecine et de chirurgie de Montréal: une nouvelle administration francophone (1850-1866)

La rupture avec McGill et le Montreal General Hospital redonnait certes à l'EMCM son autonomie d'antan, mais elle se voyait à nouveau confrontée aux exigences de la loi de 1847 et se retrouvait toujours sans institution hospitalière et sans affiliation universitaire. À la fin de décembre 1849, l'assemblée adoptait la résolution suivante:

> Résolu, qu'il est de la plus grande importance pour l'École de Médecine pour soutenir la comparaison avec les institutions du même genre d'avoir à la disposition tous les

moyens capables qui peuvent favoriser l'avancement des Élèves qui suivent ses cours et de leur procurer l'ouverture de quelques établissements où ils verraient mis en pratique les enseignements qu'on leur donne tous les jours dans son sein.

Résolu, qu'il est urgent d'adopter immédiatement des démarches auprès de la communauté des Dames religieuses de l'Hôtel-Dieu de Montréal pour les prier de vouloir bien admettre dans leur établissement, un de ses professeurs, à tour de rôle, outre le médecin actuel de l'Hôtel-Dieu, pour y faire des cliniques pendant l'année, aux élèves qui y seraient admis suivant certains honoraires et suivant les règlements établis par ces Dames[64].

Encore une fois, aucune suite immédiate ne sera donnée par les religieuses à cette missive. Mais heureusement, les demandes faites par le docteur Munro, médecin attitré de l'Hôtel-Dieu, auprès de Mgr Bourget, évêque de Montréal[65], finirent par porter fruit. Ce dernier, prenant tièdement parti pour l'École, obtient une bien mince concession des religieuses de l'Hôtel-Dieu qui consentent seulement à recevoir un professeur de clinique accompagné du docteur Munro. L'EMCM, insatisfaite de cette offre qui est loin de répondre aux exigences de la loi de 1847, insiste à nouveau auprès des sœurs hospitalières pour que l'Hôtel-Dieu devienne accessible à tous ses professeurs. Finalement, la ténacité des autorités de l'École, particulièrement du docteur Munro, vient à bout des résistances et, en novembre 1850, les Dames de l'Hôtel-Dieu acceptent «que la visite des salles de médecine soit faite par chacun des professeurs de l'École, à tour de rôle, tous les trois mois pendant l'espace d'un an[66]».

Une entente signée par les parties stipulait, d'une part, que «les Dames de l'Hôtel-Dieu se réservent le droit d'empêcher le service d'être fait par l'un des médecins quelconque de l'École, en le communiquant à l'École par le canal de leur médecin ordinaire» et, d'autre part, «que les professeurs feront en sorte de se conformer aux vues de ces Dames relativement aux dépenses exigées pour les médicaments[67]». Non seulement les membres de l'EMCM avaient-ils dorénavant accès à un grand hôpital général mais, de surcroît, ils avaient obtenu, en octobre 1849, l'accessibilité à la Maternité Sainte-Pélagie pour les cours d'accouchement. Si, à l'instar de leurs consœurs de Québec[68], les hospitalières se sont fait prier pour accepter la présence des professeurs et étudiants de l'EMCM, nous verrons plus loin qu'elles feront, en revanche, preuve d'une précieuse fidélité à leur égard lors de la période houleuse du conflit universitaire. Les membres de l'École participeront aussi à la mise sur pied de petits dispensaires. Le 1er juin 1864, résultat d'une concertation entre l'évêque de Montréal, Mgr Bourget, les sulpiciens et les professeurs de l'EMCM, est fondé le Dispensaire des Dames de l'Hôpital général de Montréal[69]. Dix ans plus tard, le docteur Peltier deviendra président du Dispensaire des sœurs de la Providence de la rue Fullum à Montréal, inauguré le 5 juillet[70].

## Vers une seconde affiliation universitaire

Désormais affiliée à une institution hospitalière de plus de 50 lits, l'EMCM s'employa à résoudre la question des permis de pratique. Ses étudiants devaient toujours se présenter devant le Collège pour y passer un examen. Face aux refus répétés de la législature d'abroger la loi à cet égard, les autorités de l'École décidèrent de revenir à leur première stratégie et de rechercher une affiliation universitaire. Une nouvelle entente avec McGill étant exclue, d'autres institutions furent sollicitées. Le 6 octobre 1851, les membres de l'École décident de déléguer le docteur Peltier auprès de la faculté de médecine de Castleton aux États-Unis afin qu'il s'entende «avec les membres de ce collège pour l'obtention de leur diplôme pour les élèves de l'école[71]». Cette démarche n'aura aucune suite. Pendant une décennie, l'EMCM s'efforcera en vain de trouver une université prête à l'accueillir.

Malgré un statut inférieur par rapport à la faculté de médecine de McGill et les inconvénients causés par l'examen devant le Collège des médecins, l'EMCM réussit, grâce à un enseignement répondant aux normes fixées par le Collège, à conserver un nombre suffisant d'étudiants. Entre 1845 et 1863, le nombre total d'inscriptions s'élève à 288 pour une moyenne de 18 par année[72], résultat fort appréciable compte tenu des circonstances difficiles. Du moins eut-elle plus de succès que les nouvelles institutions, la Saint Lawrence School of Medicine — qui ouvrit ses portes en 1851 avec 17 étudiants, mais qui ne résista qu'un an à la concurrence de McGill[73] — et l'École de médecine de Berthier fondée la même année par des médecins anglophones et francophones, mais qui, semble-t-il, disparut peu après sa fondation[74].

Sur le plan financier, la survie de l'École, dont les dépenses étaient largement liées à la rémunération des professeurs, dépendait largement du nombre d'inscriptions. Les revenus provenant des cours étaient en grande partie divisés entre les professeurs. Un règlement prévoyait que les frais de cours devaient être «invariablement payés d'avance» et que le montant demandé devait rencontrer «le maximum que la loi exige[75]». Elle recevait aussi une subvention annuelle de 250 £ du gouvernement du Bas-Canada, laquelle était le plus souvent répartie entre les professeurs. Une partie des sommes reçues servait aussi à pourvoir aux besoins, alors modestes, de l'enseignement, tels que l'acquisition d'un mannequin pour le cours d'accouchement, l'achat d'appareils de chimie et d'un microscope ou l'acquisition de quelques ouvrages médicaux déposés à la bibliothèque. En 1853, l'École décide de s'abonner à *La Gazette des Hôpitaux de Paris*, aux *Annales d'hygiène publique et de médecine légale* et à la *Lancette Médicale de Londres*. Pendant la décennie 1850, le programme d'études s'étalait généralement sur quatre ans et comprenait, outre les quelques leçons cliniques de médecine et de chirurgie, des cours de médecine légale, de matière médicale, d'accouchement, de physiologie, de pathologie interne, d'anatomie, de chirurgie et de chimie. Le programme était sensiblement le même qu'à McGill, sauf que cette dernière dispensait des cours de botanique et de zoologie[76].

La loi de 1847 stipulait que les candidats devaient étudier pendant une période ininterrompue d'au moins quatre ans pendant laquelle ils devaient effectuer quelques sessions au sein d'une école ou d'une université. Mais les facultés de médecine suivaient généralement à leur guise ces prescriptions plutôt larges. Il fallait compter alors sur les périodes d'apprentissage qui entrecoupaient les études dans les écoles ou universités. Ainsi, au début des années 1860, l'EMCM n'impose qu'un programme de deux sessions de six mois, mais suggère fortement aux étudiants d'y faire l'ensemble de leurs études:

> L'École désire appeler [sic] l'attention des élèves sur les avantages certains qu'il y a pour eux de ne pas s'en tenir absolument aux exigences de la loi qui réclame 2 sessions de cours; en commençant à suivre les cours dès la première année d'études, les élèves se forment bientôt à l'esprit d'observation, et au goût du travail, outre qu'ils profitent ainsi d'instructions médicales pendant quatre années consécutives sans plus de frais que lorsqu'ils commencent à suivre les cours à leur 3e et 4e années[77].

Les autorités de la faculté de médecine de l'Université McGill faisaient la même recommandation:

> *While the University regulations permit students to graduate after 3 years attendance upon lectures, provided he furnish proof that he has studied one year in addition with a private practitioner, yet he is reccommended to devote 4 sessions to systematic instruction*[78].

Le programme maximal des études de la faculté s'était allongé de trois à quatre ans à compter de mai 1849, mais la scolarité pouvait être réduite à deux ans sur preuve certifiée d'une année de pratique comme apprenti auprès d'un médecin qualifié. Les années scolaires de l'EMCM et de la faculté de médecine de l'Université McGill ne s'échelonnaient alors que sur une période de six mois. Toutes deux ne décernaient qu'un seul diplôme, le doctorat, après la rédaction d'une thèse écrite en français, en anglais ou en latin. Cependant, les cours suivis par les candidats de l'École ne donnaient droit à la licence que si l'étudiant réussissait son examen devant le Collège des médecins et chirurgiens alors que McGill possédait ses propres examinateurs habilités à attribuer le diplôme et, conséquemment, le droit de pratique. Le coût du diplôme à McGill était de «*five pounds Halifax currency, to be paid by the successful candidate imme-diately after his examination*[79]».

Toujours au début des années 1860, la situation était tout à fait différente à la faculté de médecine de l'Université Laval[80]. Celle-ci avait pris pour modèle les universités de Louvain et de Dublin et l'École de médecine de Paris et exigeait quatre années d'études de neuf mois et demi chacune. Le nombre de leçons données était par conséquent plus élevé. Autre caractéristique, Laval était la seule à offrir trois types de diplômes: un bac-calauréat en médecine accordé après neuf sessions d'études de trois mois; une licence en médecine (M.L.) décernée après les quatre années et la réussite de deux épreuves écrites et d'une épreuve orale d'au moins six heures et, enfin, un doctorat en médecine (M.D.) avec la soutenance d'une thèse d'au moins trois heures, qui suivait la licence. En 1865, elle abandonna la thèse au profit de la note bien ou très bien à la fin des études, qui donnait automatiquement droit au doctorat. Évidemment, les diplômes de Laval autorisaient l'exercice de la médecine.

Si les sessions d'études qui s'étendent d'octobre à mai à l'EMCM étaient plutôt courtes, les journées d'études étaient quant à elles longues. Les cours, dispensés du lundi au samedi, de 8 à 20 heures, étaient suivis d'une séance quotidienne de dis-section de deux heures. Le tarif des cours, comme à McGill était de 3 £ et celui des cliniques de 1 £[81]. Le règlement stipulait que «les élèves devront être très réguliers et assidus à suivre les dif-férents cours, les cliniques de l'Hôpital et les dissections, sans quoi leurs cartes seront nulles[82]». Comme dans la majorité des écoles de médecine de l'époque sur le continent nord-américain, les cours étaient essentiellement magistraux, étayés de larges extraits d'ouvrages médicaux. Même les cours cli-niques conservaient ce caractère passif puisque les étudiants devaient se contenter de suivre et d'écouter, en silence, le pro-fesseur qui passait d'un patient à un autre, interrogeait le médecin ou l'hospitalière de service, expliquait les méthodes diagnostiques et présentait les interventions thérapeutiques jugées appropriées[83]. Les examens oraux étaient considérés comme les plus adéquats pour évaluer l'acquisition des con-naissances. Les étudiants, après leur deuxième année d'études, devaient subir un examen préliminaire et, après leur quatrième année, un examen final. Les candidats au diplôme de l'EMCM devaient passer un examen oral public d'environ deux heures et demie et rédiger une courte thèse soumise à l'approbation d'un jury, et ce dans les quinze derniers jours du mois d'avril[84]. Pour l'obtention du droit de pratique, ils devaient ensuite subir un examen devant le bureau des examinateurs de Montréal.

Quelques activités parascolaires s'ajoutaient aux activités scolaires. En 1857, les étudiants mirent sur pied, «dans un but d'émulation et d'encouragement mutuel», l'Institut médical de Montréal. Cet organisme parascolaire avait pour but la diffusion des nouveautés médicales. Les étudiants et les «amis des sciences» y étaient invités à présenter des communications «durant les longues soirées d'hiver[85]». Évidemment, les membres du clergé s'empressèrent aussi de répondre à l'invitation des étudiants. Ils ne pouvaient manquer une telle occasion de défendre les principes d'une bonne philosophie médicale. Cet institut collaborera activement au développement du musée d'anatomie, lequel contenait au dire des autorités «un grand nombre de pièces pathologiques et de préparations anatomiques d'une grande valeur, expressément pour l'usage des élèves de l'École[86]». On avait aussi installé un cabinet de matière médicale qui servait à familiariser les étudiants avec les préparations de remèdes simples et composés.

Avec l'augmentation du nombre d'étudiants — ils sont près d'une cinquantaine — l'EMCM se sent à l'étroit dans ses petits locaux de la rue Saint-Urbain. En mai 1856, elle aménage dans un immeuble plus vaste sur la rue de La Gauchetière, entre les rues Saint-Urbain et Saint-Charles-Borromée. Construite au fond d'une vaste cour, au milieu de laquelle s'élevait une fontaine, cette longue et basse maison d'un étage et demi pouvait loger convenablement les salles de cours, le laboratoire de travaux pratiques, les bureaux d'administration et la bibliothèque. La salle de cours principale se trouvait au rez-de-chaussée et le laboratoire de dissection avait été installé sous les combles. Avantage appréciable, la distance entre l'Hôtel-Dieu, situé alors sur la rue Saint-Paul, et l'École était parcourue à pied en dix minutes.

Au tournant des années 1860, l'enseignement clinique sommaire dispensé par les professeurs de l'EMCM avait été rendu possible grâce à la collaboration des autorités religieuses. Mais les relations des autorités de l'École avec le clergé n'étaient pas toujours harmonieuses. L'esprit d'indépendance qui caractérisera l'EMCM jusqu'à la fondation de l'Université de Montréal était déjà manifeste au tournant des années 1860. Les premières frictions ont pour objet les relations qu'entretiennent le président et le secrétaire de l'École, les docteurs Bibaud et Coderre, avec l'Institut canadien de Montréal. Cet organisme fondé en 1844 possédait une bibliothèque, un musée et se consacrait aussi à l'organisation de conférences sur des sujets divers. Or cet institut laïque faisait concurrence à l'Œuvre des bons livres créée la même année par les autorités ecclésiastiques pour offrir de «saines lectures à la jeunesse de la ville et assurer au clergé la direction de la vie littéraire et intellectuelle[87]». L'Institut, «foyer du libéralisme et de l'anticléricalisme» représentait alors «un concurrent farouche[88]» à l'œuvre du clergé. La fréquentation de l'Institut par des dirigeants de l'EMCM constituait une offense que ne pouvait souffrir le très conservateur archevêque de Montréal. La lettre qu'il adressa au président de l'EMCM en est une vive illustration:

> Je suis profondément affligé en voyant l'attitude que prend votre Faculté de médecine vis-à-vis de la religion. Elle n'ignore pas sans doute que l'Institut Canadien soit en flagrante désobéissance à l'Église qui le condamne comme irréligieux et sa bibliothèque comme impie et immorale. Cependant votre Faculté reçoit dans son sein et met à sa tête, des membres de cette institution dont l'autorité ecclésiastique a signalé aux catholiques de ce diocèse les dangers pour leur foi et leurs mœurs. Par ce procédé que je ne puis m'expliquer, votre société me force à lui retenir la protection que je lui avais donnée de si bon cœur en lui donnant entrée dans nos institutions religieuses où elle n'aurait jamais, je pense, mis le pied sans mon intervention[89].

Malgré ce sévère avertissement, Mgr Bourget maintiendra son appui à l'EMCM.

Le déménagement de l'Hôtel-Dieu sur le mont Sainte-Famille en 1861, dans un nouvel édifice d'une capacité de 400 lits, favorisa l'enseignement clinique de l'EMCM. Les leçons s'étaient aussi diversifiées grâce à des ententes avec l'Hospice Sainte-Pélagie, pour les cliniques d'accouchements, et la prison de Montréal, pour les cours de médecine légale et le diagnostic de la folie. En 1863 s'ajouteront — grâce à la bienveillance de M$^{gr}$ Bourget qui les «a placés sous le contrôle des professeurs de l'école» — les dispensaires de la Providence et des sœurs grises. Ces dispensaires qui recevaient quotidiennement et gratuitement les malades indigents à compter de midi permettaient «aux élèves en médecine de se familiariser avec les nombreux cas de maladies chroniques qui se rencontrent continuellement chez les pauvres[90]». De tels dispensaires étaient très recherchés par les écoles médicales en raison du nombre et de la variété de cas susceptibles d'être rencontrés par le futur médecin dans sa pratique quotidienne.

Même s'il correspondait aux standards de l'époque, l'enseignement clinique donné par l'EMCM, à l'instar de ses rivales, n'était pas toujours très efficace. Certes, l'EMCM s'enorgueillissait d'offrir aux étudiants des cours de médecine et de chirurgie pratique au sein d'un grand hôpital général. Mais un tel enseignement, nous l'avons souligné, confinait l'étudiant à un rôle d'observateur où il devait se borner le plus souvent à écouter les remarques du professeur et à observer passivement les signes cliniques de la maladie et les opérations chirurgicales. Du reste, rares étaient les occasions où il pouvait s'initier sur place à la méthodologie anatomo-pathologique. La plupart des étudiants n'auront vu que rarement une lésion organique ou tissulaire. Il ne s'agissait pas là d'une situation exclusive à l'EMCM puisqu'elle prévalait autant à McGill, avant l'arrivée d'Osler, à Laval et à Queen's que dans les écoles médicales américaines[91]. Mentionnons aussi que les visites cliniques à l'Hôtel-Dieu se déroulaient selon un calendrier assez restrictif et rigide, les professeurs de l'EMCM n'étant admis dans les salles qu'à tour de rôle pour une période de trois mois[92]. Aucun de ces professeurs n'exerçait un véritable contrôle sur les services de médecine, de chirurgie et, à la Maternité, sur le service des accouchements.

Les conditions d'enseignement des professeurs de McGill au Montreal General Hospital étaient certes plus adéquates, mais le profil général des cliniques demeurait, durant les années 1860, sensiblement le même. Ceux-ci auront toutefois plus de latitude pour accroître, durant la décennie suivante, la formation clinique de leurs étudiants. En 1871, un cours clinique d'été facultatif est mis sur pied pour tous les étudiants de la faculté de médecine de l'Université McGill afin qu'ils puissent acquérir une connaissance pratique des maladies «*when [their] time is not otherwise occupied in attendance upon lectures*[93]». Entre le 4 juillet et le 23 septembre, les étudiants avaient donc le loisir d'assister quotidiennement au Montreal General Hospital à des cliniques externes ainsi qu'à des démonstrations cliniques au chevet des malades. La faculté de McGill possédait une plus grande marge de manœuvre que son pendant francophone.

## L'École de médecine et de chirurgie/ Faculté de médecine de l'Université Victoria (1866-1877)

Au tournant des années 1860, le problème d'affiliation n'était toujours pas résolu, même si les autorités de l'École poursuivaient leurs efforts en ce sens. Après une tentative infructueuse auprès de l'Université de Toronto en 1860[94], l'EMCM fait, le 3 novembre de la même année, par l'intermédiaire du docteur P. Beaubien et sur les recommandations de Mgr Bourget, une demande d'affiliation à l'Université Laval. Mais celle-ci, invoquant l'incompatibilité des exigences scolaires des deux facultés, oppose un refus. Le 27 août 1862, l'EMCM décide de renouveler sa tentative d'affiliation à la faculté de médecine de l'Université Laval et envoie une délégation auprès des autorités de l'Université Laval. Le recteur soumet la proposition au conseil de l'université, mais elle est une fois de plus refusée[95]. L'une des causes importantes du refus de l'Université Laval tient alors à la position rigide de l'EMCM quant à sa loi d'incorporation, laquelle lui permettait, dans le cas d'une affiliation, de conserver une autonomie que ne pouvaient accepter les autorités de Laval.

Devant l'insuccès de ses démarches auprès de l'Université Laval, l'EMCM n'avait d'autre choix que de se tourner vers une université du Haut-Canada. De nouvelles tentatives d'affiliation auprès des universités d'Ottawa et Queen's en 1866 s'étaient aussi soldées par des échecs[96]. Cependant, une démarche inattendue de la part d'une petite université ontarienne allait avoir des conséquences importantes sur l'avenir de l'école. À la fin du mois d'août 1866, les autorités de l'École reçoivent du Victoria College de Cobourg une lettre les invitant à déléguer des représentants à Toronto afin de discuter d'une éventuelle affiliation[97]. Cette lettre faisait suite, semble-t-il, à une démarche d'un étudiant anglophone de l'EMCM, Thomas Bulmer[98]. Ce dernier aurait informé les dirigeants de Victoria des tentatives de l'EMCM. Ceux-ci ne voyant aucun inconvénient à accepter une seconde faculté de médecine en leur sein invitèrent les délégués de l'EMCM à venir les rencontrer. Deux membres de l'École, les docteurs Peltier et Beaubien, se rendirent donc à Toronto le 7 septembre pour discuter des modalités d'entente entre les parties. D'entrée de jeu, les représentants de l'EMCM exprimèrent le désir d'être associés à l'université Victoria selon des conditions semblables à celles qui la liaient à la Toronto School of Medicine depuis 1854[99].

Les autorités de l'université, considérant «*that the sphere of usefulness and influence of this University would be greatly extended by the establishment of a Medical Department in Montreal*», acceptèrent que l'EMCM soit reconnue comme la «Faculty Department of the University of Victoria College in Montreal[100]». Les conditions étaient les suivantes: l'admission et le programme d'études devaient être approuvés par l'université; les frais de la collation des grades lui revenaient; toutes les dépenses de la nouvelle faculté étaient à la charge de l'EMCM; le bureau de Victoria avait le pouvoir de désigner des inspecteurs qui se rendront à Montréal aux frais de l'EMCM et les diplômes devaient être conférés à la collation des grades convoquée par l'université.

Les autorités de Victoria trouvaient ainsi l'occasion d'accroître leurs revenus sans avoir à offrir ni locaux ni équipements. L'entente était financièrement avantageuse pour l'université: les frais de collation des grades étaient de 30 $, somme élevée pour l'époque. Elle gagnait en outre un prestige supplémentaire. L'entente ne comportait d'ailleurs aucun objectif scolaire véritable puisque l'université possédait déjà depuis 1854 une école de médecine affiliée, propriété du docteur Rolph, la Victoria University's Toronto School of Medicine[101]. L'université Victoria possédait aussi des facultés de théologie et d'arts à Cobourg ainsi qu'une faculté de droit à Toronto. Il semble, d'après Travill, MacDermot et Canniff, que l'affiliation de la Toronto School of Medicine au Victoria College, effective en 1854, se poursuivra jusqu'en 1887[102]. Ces liens peu contraignants qui unissaient l'Université Victoria, la Toronto School of Medicine et l'EMCM inauguraient une pratique qui sera reprise par certaines facultés canadiennes. Tel sera le cas de la faculté de médecine de la University of Western Ontario, fondée en 1881, qui aura à ses débuts des relations très distantes avec l'université, conservant une grande autonomie[103]. La seule relation concrète entre les deux parties demeurera l'octroi de diplômes.

Le 10 septembre 1866, les autorités de l'EMCM entérinèrent à l'unanimité les principes d'une association formulés trois jours auparavant par les délégués de l'École et les autorités de l'Université Victoria[104]. Le 28 septembre suivant, ces dernières reçurent un document officiel attestant l'accord des membres de l'EMCM[105]. Le docteur Brouse fut alors désigné pour assister aux prochains examens de la nouvelle faculté. En tant qu'associée à cette université, l'École — désormais dénommée officiellement École de Médecine et de Chirurgie/Faculté de Médecine de l'Université Victoria (EMC/FMUV) — gagnait automatiquement un statut de faculté universitaire et obtenait le droit de décerner des licences de pratique.

Les clauses de l'accord accordaient une grande liberté à l'EMC/FMUV. Celle-ci n'avait pas à se soumettre à des contraintes administratives ou idéologiques susceptibles d'affecter son autonomie. Les nominations de ses professeurs devaient être approuvées par Victoria, mais celle-ci n'opposera jamais de refus à cet égard. Durant les vingt-cinq années que durera l'entente, les autorités de l'École n'auront guère à se plaindre de leur *alma mater*. Bien au contraire, elle lui accordera, en des temps plus durs, un soutien certes effacé mais indéfectible. Par exemple, au printemps 1879, deux représentants de l'EMC/FMUV présents à la collation des grades de l'Université Victoria défendent certains de leurs candidats qui n'ont pas complété leurs quatre années d'études, invoquant le fait que l'Université Laval viole les dispositions de la loi provinciale en offrant un programme plus court créant ainsi une concurrence déloyale à l'EMC/FMUV. Les autorités de Victoria acquiescent à cette requête et décernent le diplôme de M.D. aux candidats concernés[106]. Cela illustre aussi l'indépendance affichée par les institutions d'enseignement face aux prescriptions législatives.

Malgré leur nouvelle association universitaire qui leur permettait de satisfaire à la seconde prescription de la loi médicale de 1847, les autorités de l'École tenteront quelques années plus tard d'obtenir le droit de conférer des certificats de pratique sans affiliation universitaire. C'est ainsi qu'en septembre 1870, «les docteurs Pelletier et Beaubien sont priés de s'occuper auprès des membres de la Législature d'une manière non officielle de la possibilité d'obtenir que l'école devienne Université[107]». Encore une fois, cette démarche ne donnera aucun résultat. La tentative indique toutefois que l'affiliation avec Victoria était considérée par les autorités de l'École comme une solution de rechange acceptable mais non idéale.

La transition administrative qui s'opère en 1866 n'entraîne aucune modification importante des règlements de la faculté. Les examens pour l'admission à l'EMC/FMUV demeurent basés, «comme ils l'étaient avant[108]», sur le français, l'arithmétique, l'algèbre, la géométrie élémentaire, les langues latine et grecque et, au choix du candidat, sur l'anglais, l'allemand ou l'italien ou encore «à défaut de ces langues, de bonnes notions sur les branches de la physique qui concernent la mécanique, l'hydrostatique et le pneumatique[109]». Détail anodin, le programme des études est allongé d'un mois afin d'être conforme à celui de l'Université Victoria qui débute sa session universitaire le premier jour d'octobre[110]. Quant aux conditions d'obtention de la licence de pratique, elles demeurent sensiblement identiques: âge minimum de 21 ans, patronage d'un médecin pratiquant, cours suivis pendant quatre années consécutives, examen oral et écrit et rédaction d'une thèse. Les obligations de la faculté à l'endroit du Victoria College n'étaient guère contraignantes. Certains délégués de la faculté devaient se rendre une ou deux fois par année à Cobourg pour obtenir la sanction universitaire des diplômes décernés. Mais encore faut-il souligner que de telles visites se feront de plus en plus sporadiques.

Il est remarquable par ailleurs qu'une telle association n'ait soulevé aucun écho défavorable important. Les autorités de l'École couraient le risque, en s'affiliant avec une université méthodiste, de mettre en péril leur association avec l'Hôtel-Dieu et les autres institutions catholiques. Cependant, aucune menace à ce propos ne semble avoir été proférée par les autorités religieuses concernées. Il ne semble pas que l'affiliation à Victoria ait alors remis en cause les ententes avec les institutions hospitalières. Il faut dire aussi que les refus d'association de l'Université Laval et le monopole exercé par McGill à Montréal rendaient plus acceptable le geste de l'EMC/FMUV. Du reste, les professeurs de l'École rendaient bénévolement de précieux services médicaux au institutions concernées, notamment à l'Hôtel-Dieu de Montréal.

Les médecins de l'École, plus particulièrement les docteurs Munro et Beaubien[111] affectés aux cours de pathologie externe et de médecine théorique et pratique, assuraient à tour de rôle les cliniques chirurgicale et médicale de l'Hôtel-Dieu dispensées du 1er novembre au 1er mai. Les étudiants conservaient par ailleurs le privilège de suivre les cliniques d'obstétrique à l'Hospice de la Maternité Sainte-Pélagie sous la direction du docter Trudel, médecin de l'établissement, alors que les professeurs de l'École y étaient médecins-consultants[112]. De même, les dispensaires de la Providence et des sœurs grises permettaient toujours aux élèves de se «familiariser avec les nombreux cas de maladies chroniques qui se rencontrent généralement chez les pauvres[113]».

Le programme d'études avait subi peu de modifications depuis la fondation de l'EMCM. L'anatomie, la chimie, la médecine théorique et pratique (où étaient présentés des exemples de lésions anatomo-pathologiques), la pathologie, l'histologie et la physiologie (accompagnées de quelques démonstrations microscopiques), la chirurgie théorique et pratique, la matière médicale (présentation de substances médicinales), l'obstétrique (qui comprenait les maladies des femmes et des enfants, les préparations anatomico-obstétriques ainsi qu'un enseignement pratique au moyen d'un mannequin et des instruments «particuliers à cette partie de la science médicale[114]»), la médecine légale (notamment la toxicologie) et la botanique constitueront les matières enseignées jusqu'à la décennie 1870.

En réponse à l'accroissement de sa clientèle — elle formait alors la majorité des médecins francophones[115] — l'EMC/FMUV décide en 1869 d'aménager, pour l'ouverture de ses cours en octobre, dans une «spacieuse bâtisse» située sur la rue Craig au coin de la rue Saint-Urbain. À l'instar des grandes écoles européennes et nord-américaines, l'école possède maintenant un petit amphithéâtre où seront présentés de longs exposés théoriques et quelques démonstrations pratiques. La location de ce nouvel immeuble était néanmoins envisagée comme une solution temporaire. La distance à parcourir entre le Vieux-Montréal et le plateau Mont-Royal indisposait professeurs et étudiants.

Les membres de l'École songeaient sérieusement à acquérir ou à ériger un nouvel immeuble, à proximité de l'Hôtel-Dieu, mieux adapté à l'enseignement médical. Désirant se rapprocher de leur principal lieu d'enseignement clinique, ils demandèrent aux sœurs hospitalières de leur céder le terrain nécessaire à la construction d'une nouvelle faculté. Le 1er octobre 1873, après une délibération capitulaire, les religieuses acceptèrent de vendre aux membres de la corporation de l'EMC/FMUV un terrain situé en face de l'hôpital. Elles s'engagèrent aussi à prêter à la corporation une somme de 20 000 $ au taux d'intérêt de 6 %. Ce prêt constituera, nous le verrons, un élément déterminant de la future querelle universitaire.

L'inauguration solennelle du nouvel édifice, érigé sur l'avenue des Pins, eut lieu le mardi 7 octobre 1873 à 15 heures dans le grand amphithéâtre de l'école. Le docteur d'Odet d'Orsonnens fut invité à prononcer le discours d'ouverture. Dessiné par l'architecte de l'Hôtel-Dieu de Montréal, l'élégant bâtiment de pierre de style victorien comptait deux étages et était surmonté d'un toit en ardoise[116]; il pouvait accueillir 250 étudiants. Aménagé en fonction des besoins, l'intérieur comprenait au rez-de-chaussée un grand amphithéâtre d'une capacité de 200 personnes, un salon de réception, un musée, une bibliothèque et une salle de réunion pour les professeurs. L'étage supérieur comprenait un second amphithéâtre plus petit réservé aux leçons magistrales, une salle d'anatomie pratique et des laboratoires de physique et de chimie. On y avait aussi aménagé une grande salle de dissection, «bien aérée et bien éclairée[117]». Les autorités de l'EMC/FMUV se montrèrent fort satisfaites de posséder «un édifice convenable sous tous les rapports pour rencontrer les exigences des études médicales: édifice qui peut rivaliser avec tout autre de ce genre dans la Puissance[118]». On ne manqua pas cependant de faire remarquer que cette nouvelle faculté «qui coûte plus de 25 000 $ a été érigée grâce aux sacrifices que se sont imposés les professeurs eux-mêmes[119]». Sacrifice peut-être, geste désintéressé, sûrement pas. Les membres de l'École comptait à juste titre sur ce nouvel aménagement pour attirer une clientèle plus nombreuse et donc plus lucrative. De fait, même si la concurrence sera forte avec la faculté de médecine de Laval, les inscriptions augmenteront sensiblement durant les décennies suivantes. À partir de 1877, l'EMC/FMUV s'adjoindra une nouvelle clientèle en accueillant les étudiants de la section française du Montreal Veterinary College. Un accord avec l'université Victoria permettra à ceux-ci d'assister aux cours de botanique, de zoologie, de chimie, de physiologie et d'histologie.

À la suite de l'aménagement de la nouvelle faculté, les membres de l'EMC/FMUV multiplient leurs liens avec l'Hôtel-Dieu. Toujours en 1873, ils obtiennent des sœurs hospitalières la création du premier poste d'interne détenu par le docteur G. A. Beaudry[120]. La proximité de l'hôpital favorisa une telle nomination puisque ce dernier logeait à l'EMC/FMUV et prenait ses repas à l'Hôtel-Dieu. Les sœurs reconnaissaient les avantages d'une présence accrue des médecins au sein de l'hôpital.

En retour, ceux-ci obtenaient de plus grandes facilités pour la coordination de l'enseignement clinique.

Quelques ajouts au programme d'études laissent présager, bien qu'encore très timidement, l'organisation d'un enseignement spécialisé davantage axé sur l'apprentissage clinique et pratique. En 1873, soit seulement deux ans après Harvard[121], une clinique d'ophtalmologie à l'Asile Nazareth[122] est mise sur pied par le docteur E. Desjardins. Par ailleurs, une clinique pour les maladies des enfants et des vieillards s'ajoute à la clinique médicale déjà donnée aux dispensaires de la Providence et des sœurs grises. Phénomène révélateur, les professeurs de l'EMC/FMUV mettent davantage l'accent sur l'anatomie-pathologique lors des cliniques médicales et chirurgicales, «laquelle plus que jamais le professeur s'appliquera d'inculquer aux étudiants[123]». L'École est encore pourtant loin d'offrir un formation anatomo-clinique complète. Les étudiants ont peu le loisir d'observer postmortem les lésions macroscopiques et microscopiques sur les patients décédés qui avaient été soumis à une investigation clinique. Une tel enseignement anatomo-clinique est certes valorisé par certains professeurs de l'École, mais dans les faits, il demeure encore peu structuré, comme c'est le cas d'ailleurs de la plupart des écoles médicales nord-américaines. La méthodologie anatomo-clinique à l'EMC/FMUV, se résumait la plupart du temps à étayer quelques «explications théoriques par des exemples d'anatomie-pathologique[124]». Tout de même, les conditions d'enseignement s'améliorent. Par exemple, l'organisation d'une salle de dissection plus propice à l'investigation anatomique permit d'assurer une meilleure formation de base à l'étudiant. Les techniques évoluent: à partir de 1878, les cadavres servant à une dissection seront préalablement désinfectés.

La loi de 1872 «relativement à la pratique de la médecine et de la chirurgie et l'étude de l'anatomie[125]» facilitait l'approvisionnement en cadavres pour les professeurs en stipulant que les personnes décédées dans les institutions publiques recevant une subvention du gouvernement, qui n'étaient pas réclamées par des parents d'au moins de la troisième génération, devaient être remises à l'inspecteur d'anatomie, lequel se chargeait de distribuer les sujets aux médecins et aux écoles de médecine qui en faisaient la demande[126]. Il s'agissait d'une amélioration par rapport à la loi précédente de 1859. Néanmoins, en l'absence de sanctions contraignantes, la loi de 1872 demeura plutôt inefficace. La plupart des institutions se dérobaient aux prescriptions de la loi. La dissection anatomique étant une activité fondamentale de l'apprentissage médical et les étudiants en médecine plus nombreux, les vols de cadavres, encore fréquents au cimetière catholique de la Côte-des-Neiges, palliaient la carence de bons sujets pour la dissection. Chaque cadavre pouvant valoir entre 30 $ et 50 $[127], quelques individus en faisaient même un commerce lucratif. Aussi les autorités de l'EMC/FMUV mettent-elles en garde leurs étudiants contre tout «trafic de cadavres, dans ou hors de l'École[128]», sous peine d'expulsion. Les dissections anatomiques demeuraient des exercices essentiels de l'enseignement de l'anatomie générale et de l'anatomie pratique auxquelles s'ajoutait la présentation de pièces anatomiques préparées, de pièces de cire ou de planches anatomiques[129]. De telles dissections étaient aussi effectuées sur des patients décédés d'une maladie quelconque à l'Hôtel-Dieu, comme cela se faisait au Montreal General Hospital pour les étudiants de McGill dans le cadre des cours de pathologie. On pouvait alors y appliquer la méthodologie anatomo-clinique qui impliquait la recherche d'une corrélation entre les signes cliniques de la maladie et les lésions pathologiques. Mais le plus souvent, les séances anatomo-pathologiques à l'EMC/FMUV restaient circonscrites à des fins didactiques plutôt qu'à des fins de recherche. Certaines investigations servaient aussi d'introduction à la dimension médico-légale de la pratique anatomique.

De tels cours ne pouvaient toutefois se comparer à ceux que donnait W. Osler à McGill à partir de 1876. Après un stage d'études dans les centres médicaux de Londres, Berlin et Vienne et après avoir été associé à titre bénévole au Montreal General Hospital, Osler sera nommé pathologiste de l'hôpital. Il aura alors l'occasion d'introduire une méthodologie largement basée sur celle qu'utilisait Virchow au Pathological Institute de Berlin[130]. Le docteur Osler mettra sur pied l'un des premiers véritables services de pathologie au Canada. Il pratiquera près de 800 autopsies qui seront consignées jusqu'en 1884 dans une série de publications annuelles, une première du genre au Canada, intitulées *Montreal General Hospital: Reports Clinical and Pathological*[131]. Ses cours d'histologie normale et pathologique étaient dispensés le samedi à partir des spécimens qu'il avait recueillis durant la semaine[132]. Les étudiants étaient aussi chargés de pratiquer des autopsies au Montreal General Hospital — «*the method followed being that of Virchow*[133]» — sous la supervision d'Osler, et une attention particulière était apportée aux organes abdominaux et thoraciques. Osler contribuera largement au développement de l'histologie en territoire québécois et publiera, en 1882, un manuel de laboratoire intitulé *Students' Notes: Normal Histology for Laboratory and Class Use*. Cet ouvrage avait été conçu pour familiariser les étudiants avec les méthodologies de préparation et d'observation des tissus et avec l'utilisation du microscope dans les investigations pathologiques[134]. Osler avait le mérite de systématiser une pratique plutôt empirique qui avait déjà cours depuis quelques années à l'EMC/FMUV, à la faculté de médecine de Bishop's et à McGill. Les trois facultés possédaient d'ailleurs un musée anatomique contenant des préparations pathologiques ainsi que des planches anatomiques illustrant les effets des maladies sur les tissus et les organes.

## Une nouvelle loi régissant l'enseignement médical

Quoique plus contraignante que la loi de 1847, la loi de 1876 n'incitait pas à une réforme en profondeur de l'enseignement médical dans la province[135]. Reflet de l'importance accrue des facultés de médecine depuis les années 1850, elle consolidait le modèle adopté précédemment en faisant reposer la formation médicale sur ces institutions. Adoptée le 28 décembre, à la suite des pressions du Collège des médecins et chirurgiens et des propriétaires de l'*Union médicale du Canada*, cette loi augmentait à quatre ans la scolarité minimale dans une institution d'enseignement et abolissait à toutes fins utiles la formation par apprentissage. La clause XIV annulait l'un des règlements de l'EMC/FMUV selon lequel les étudiants étaient tenus de fournir «la preuve qu'ils sont depuis leur entrée à l'étude sous le patronage d'un médecin pratiquant[136]». Les étudiants de l'École conservaient toutefois la possibilité, après avoir fait une session complète dans une école de médecine, de passer une des trois années suivantes chez un médecin praticien[137]. Était ainsi conservé, en contradiction avec le libellé de la loi, l'un des derniers reliquats de la formation par apprentissage dans les études médicales. La loi rendit aussi obligatoires six nouveaux cours de 120 leçons — chimie, hygiène, botanique, instituts de médecine, thérapeutique générale, pathologie générale — et ajouta au programme 25 leçons d'anatomie, de physiologie et de pathologie microscopique. La période de stage dans les hôpitaux fut portée à un an et demi et les candidats à l'exercice de la médecine devaient avoir assisté à six accouchements et avoir manipulé des remèdes pendant au moins six mois.

Voyant son autorité passablement érodée par les affiliations universitaires, le Collège avait exercé des pressions pour accroître ses possibilités de contrôle sur les facultés de médecine. Il eut partiellement gain de cause. La loi autorisait la création d'un nouveau comité formé de quatre personnes nommées par le Collège qui détenait désormais le pouvoir de sanctionner les admissions dans les écoles et les facultés de médecine. Elle obligeait également les universités à admettre des assesseurs aux examens terminaux pour qu'ils en surveillent le déroulement et en rendent compte au Collège. En revanche, chacune des facultés obtenait une représentation de deux délégués au Collège.

Si la loi de 1876 modifiera peu le programme des études théoriques, elle incitera tout de même l'École à uniformiser et à préciser la durée et le contenu des cours. Ce n'est certes pas un hasard si les règlements de l'EMC/FMUV à partir de 1877 gagnent en précision et en rigueur. Ainsi, aux disciplines déjà enseignées s'ajoutent un cours de six mois de physiologie, un cours de trois mois d'hygiène et un cours «de pas moins de 25 démonstrations d'anatomie, de physiologie et de pathologie microscopiques». L'enseignement pratique devient aussi plus important puisque l'étudiant, après avoir assisté aux deux cours d'une durée de six mois de cliniques médicales et chirurgicales, est tenu de suivre pendant au moins dix-huit mois la «pratique médicale et chirurgicale d'un hôpital» et d'assister à six accouchements dans une maternité ou en pratique privée sous la surveillance d'un médecin[138]. Il devait aussi pendant au moins six mois faire l'apprentissage de la manipulation et de la préparation des médicaments dans un hôpital, un dispensaire ou chez un médecin qualifié. À cela s'ajoutaient aussi quelques cours facultatifs, tels que les cours libres de médecine opératoire, de chimie médicale et de diagnostic médical donnés le samedi. Les étudiants avaient aussi la possibilité d'effectuer un stage externe à l'Hôtel-Dieu où ils pouvaient pratiquer la petite chirurgie, faire les bandages, les pansements, les applications d'appareil, etc. Les cadres de la formation s'étaient sensiblement resserrés.

À partir de 1876 et jusqu'aux premières décennies du XXe siècle, les autorités de l'École accorderont de plus en plus d'importance à l'enseignement pratique. L'enseignement théorique demeurera dominant, mais l'augmentation des heures consacrées aux études médicales se fera surtout au profit de la clinique. Il est significatif que les annuaires de l'EMC/FMUV, qui servent en grande partie de réclame publicitaire pour attirer les candidats, mettent l'accent sur l'enseignement pratique dispensé dans cette institution. Ainsi, après avoir énuméré les différentes cliniques offertes dans les institutions hospitalières et les dispensaires de Montréal, les auteurs soulignent que «Montréal offre plus d'avantages pour l'étude de la médecine qu'aucune autre ville de la Puissance. Sa population, ses fabriques de tout genre, son port, ses nombreuses maisons en construction, sont une source féconde d'accidents et conséquemment de cas de chirurgie[139].»

De fait, les victimes d'accidents constitueront, jusqu'aux premières décennies du XXe siècle, une clientèle importante des hôpitaux généraux de Montréal. L'Hôpital Notre-Dame deviendra à ce moment-là un centre d'urgence spécialisé dans les soins aux accidentés[140]. L'enseignement dispensé à l'Hôtel-Dieu de Montréal, hôpital général de 225 lits, qui permet d'offrir aux étudiants des «connaissances pratiques sur toutes les branches de la médecine» était aussi mis en valeur. Les étudiants auront alors l'occasion d'examiner les «malades eux-mêmes, prendre des observations et s'exercer au diagnostic des maladies[141]». Les autopsies sont un peu plus fréquentes depuis que les professeurs disposent d'une salle spéciale d'anatomie pathologique: «des autopsies minutieuses et répétées» y seront effectuées pour «rendre compte des ravages causés par la maladie sur le corps humain[142]». L'Hospice de la Maternité de Sainte-Pélagie offre elle aussi, grâce aux fonds fournis par les professeurs pour l'aménagement des salles, une grande variété de cas et de nombreux «accidents divers qui surviennent soit pendant la grossesse, soit pendant l'accouchement[143]». Enfin, les dispensaires de la Providence, de Saint-Joseph, du Sacré-Cœur et de l'Enfant-Jésus permettent aux étudiants de troisième et de quatrième année, en plus d'assister aux examens, de visiter les malades à domicile, sous la direction d'un médecin[144].

Certes, comme dans toute réclame publicitaire visant à attirer une clientèle, on exagère la participation pratique des étudiants et la fréquence des examens pathologiques, mais il demeure que l'enseignement clinique dispensé à l'EMC/FMUV s'était amélioré depuis la décennie 1870, notamment grâce à la présence de professeurs qui avaient été initiés à ce type d'enseignement à Paris. La plupart des professeurs de l'EMC/FMUV étaient maintenant sensibilisés à l'importance d'un enseignement clinique où ils pouvaient, en présence de leurs étudiants, faire la démonstration de leur savoir et de leur expérience au chevet du malade. Les modalités de cet enseignement varieront assez peu jusqu'au début du XXe siècle. La clinique médicale, considérée comme l'une des plus importantes, consistait en une traditionnelle tournée des salles publiques où le professeur initiait l'étudiant à la recherche des symptômes à l'aide des instruments appropriés.

La précision du diagnostic dépendait surtout de la reconnaissance des signes cliniques par le médecin. Cette reconnaissance passait par des procédés en constante évolution, mais dont les principes de base avaient été posés dès le dernier tiers du XVIIIe siècle. L'interrogation, l'inspection, la palpation, la percussion et l'auscultation[145] constituaient alors les façons de déterminer une maladie. Tout au long du XIXe siècle se développeront des techniques et des instruments reliés à ces principes. Outre le stéthoscope, inventé par Laennec en 1819, utilisé pour l'auscultation[146], mentionnons aussi le plessimètre, instrument de percussion médiate conçu par Piorry en 1828. S'ajouteront aussi de nouveaux procédés endoscopiques tels que le laryngoscope[147] ou l'ophtalmoscope[148] dont les premières utilisations méthodiques remontent au milieu du XIXe siècle. L'usage du thermomètre clinique est aussi introduit vers la même période, de même que l'usage du spiromètre qui sert à mesurer la capacité respiratoire des poumons[149].

Les étudiants étaient donc appelés à établir la valeur des symptômes spécifiques et accessoires relevés à l'aide du stéthoscope, du thermomètre ou du laryngoscope[150] et à prescrire le traitement approprié. De telles cliniques, associées aux cours de chimie médicale et de diagnostic médical, avaient pour but de «fournir au médecin praticien des moyens de reconnaître les maladies[151]». Les observations chimiques se bornaient le plus souvent à une analyse quantitative et qualitative des «divers fluides de l'économie», soit l'examen chimique du sang, des urines (notamment des dépôts et calculs urinaires) et du lait. Il n'était pas rare que de telles observations à l'aide de réactifs se fassent sur la petite table installée à côté du lit du malade.

Les cliniques chirurgicales, généralement précédées d'une présentation détaillée du cas, permettaient aux élèves d'assister dans un petit amphithéâtre à la plupart des opérations pratiquées sur les patients des salles publiques. On leur enseignait alors le diagnostic, le pronostic et le traitement à l'aide de pièces anatomiques, d'appareils, de planches, etc. Ils s'initiaient ensuite, quoique passivement, «aux règles de l'art chirurgical», aux procédés d'anesthésie à l'éther et au chloroforme[152] ainsi qu'aux procédés de ligature et de suture des plaies. Une telle formation avait toutefois le désavantage de confiner l'étudiant dans un rôle d'observateur. De même, durant le cours de pathologie externe, l'étudiant assistait passivement aux démonstrations de chirurgie opératoire effectuées sur un cadavre au cours desquelles lui étaient expliqués les usages des appareils et des instruments. En revanche, le cours de médecine opératoire avait été «établi dans le but d'habituer les étudiants à faire eux-mêmes

les opérations chirurgicales sous la direction du professeur[153]».
Ils apprenaient alors l'application des bandages, l'utilisation
des appareils à fractures, les ligatures d'artères, les amputations
et résections sur des cadavres. Au dispensaire de l'Asile
Nazareth, les étudiants pouvaient observer, sur une cinquantaine de malades, différentes maladies des yeux et s'exercer au
maniement de l'ophtalmoscope. Les plus intéressés avaient
aussi la possibilité d'assister aux interventions ophtalmologiques
les plus courantes pratiquées à l'Hôtel-Dieu par le docteur
Desjardins: ablation de cataractes, strabotomie, extirpation du
globe oculaire, etc.

Au tournant des années 1880, la présence du professeur
et de ses cohortes d'étudiants est donc devenue une scène familière dans les institutions hospitalières. Jamais la médecine hospitalière — largement popularisée tout au long du XIX^e siècle
par les écoles de médecine de Paris, de Vienne, de Londres et
d'Edimbourg — n'aura eu autant d'influence sur la pratique
médicale québécoise et surtout francophone que durant le
dernier tiers du XIX^e siècle. Plusieurs professeurs de l'École
étaient allés parfaire leur science au sein des institutions médicales parisiennes ou britanniques[154]. Parmi ceux-ci mentionnons les docteurs Brosseau et Desjardins qui s'embarquèrent
pour Paris le 6 mars 1873, afin d'y accomplir un stage d'études
d'environ un an. Brosseau séjournera par ailleurs à Londres. Il
est certain que ces médecins et leurs collègues ont contribué à
favoriser l'enseignement clinique à l'EMC/FMUV. Mais en contrepartie, les recherches physiologiques et expérimentales telles
que les mène une médecine allemande en pleine expansion
seront parfois outrageusement négligées. Nous y reviendrons.

Le développement du savoir médical exigera de plus en
plus, surtout à partir des années 1880, une spécialisation des
matières enseignées, un plus grand nombre de professeurs et
une meilleure formation des titulaires. L'EMC/FMUV, qui
s'efforçait avec plus ou moins de bonheur de se conformer à
ces trois exigences, couvrait alors un éventail assez large de
matières médicales. De nouvelles chaires s'étaient progressivement ajoutées à son programme: hygiène, histologie, physiologie, dermatologie et pathologie interne. Quelques-unes

étaient issues de la division du contenu de certains cours. Une chaire d'histologie et de microscopie fut créée en 1877 sous la direction du docteur A. Lamarche, mais il faudra néanmoins attendre le début du XXe siècle avant que les organes ou tissus prélevés chez le patient ne fassent l'objet d'un examen histologique plus soutenu. Les instituts de médecine qui comprenaient la pathologie, la physiologie et l'histologie disparurent en 1876 pour laisser place à des cours indépendants de physiologie, de pathologie interne, de pathologie externe et d'histologie. L'essor considérable de ces champs médicaux rendait impossible leur enseignement conjoint. L'histologie exigeait désormais au moins 25 leçons pour rendre compte des tissus à l'état normal et pathologique, pour enseigner le maniement du microscope, son application à la clinique et au diagnostic et, enfin, pour illustrer la préparation — injection, coloration, durcissement, division — des tissus microscopiques. Les cours de physiologie et de pathologie générale, tout en couvrant les principales fonctions normales du corps — nutrition, relation, reproduction —, s'attardaient aux origines et à la nature des lésions ainsi qu'aux «principales modifications des organes [occasionnées] par les maladies[155]». Outre cette nécessaire division des cours, il devenait essentiel de mettre à jour le contenu des cours traditionnels. Par exemple, le cours d'accouchement et de maladies des femmes et des enfants comprenait désormais le recours aux anesthésiques «durant le travail» ainsi que la présentation de pièces anatomo-pathologiques.

L'EMC/FMUV s'était adjoint à partir de 1877 trois nouveaux professeurs: le docteur E. Desjardins, l'un des premiers «chirurgiens oculistes», le docteur A. Lamarche, professeur d'histologie, et le docteur E. P. Lachapelle, professeur d'hygiène[156]. À partir de 1878, les professeurs de l'École sont divisés en trois catégories: professeurs honoraires, titulaires et agrégés. S'y trouveront comme professeurs titulaires, les deux années suivantes, les docteurs W. H. Hingston, A. B. Craig, G. O. Beaudry, N. Fafard, L. B. Durocher, C. F. Painchaud, A. C. Macdonnell, N. B. Desmarteau, et A. Demers. Les autorités de l'École, face à la toute nouvelle spécialisation du savoir médical, ajoutent à leur personnel enseignant sept nouveaux agrégés «qui tous se préparent d'une manière spéciale pour une branche particulière[157]». Fait significatif, l'on mentionne — probablement en réponse à des critiques formulées sur la compétence de certains professeurs — que l'engagement de ces agrégés à la faculté vise à «donner les plus grandes garanties aux étudiants et au public[158]». Le titre de professeur titulaire, loin de refléter la compétence scientifique des enseignants, était plutôt basé sur l'ancienneté. Or certains professeurs titulaires de l'École, à l'instar de plusieurs de leurs collègues des autres facultés médicales, ne suivront guère le progrès des sciences médicales. Leur savoir n'avait été renouvelé qu'en fonction de leur expérience — ils n'avaient jamais cessé leur pratique privée —, ce qui ne pouvait toujours compenser les carences théoriques. Peu intéressés par les expérimentations médicales et accordant la préférence aux faits établis par la pratique, la plupart affichaient un fort scepticisme face aux nouveautés médicales. L'annuaire de l'École n'en fait pas mystère: «Tout en acceptant pour ce qu'elles valent les théories nouvelles, on s'efforce surtout de faire adopter par les élèves celles qui ont été sanctionnées par l'expérience et la pratique[159].»

Un telle orientation didactique n'est pas toujours anodine. Le docteur Rottot, professeur de pathologie interne, se propose de donner aux étudiants «une idée juste des principes de la médecine», de leur expliquer «la différence des théories des diverses écoles» et de leur exprimer «les opinions émises par les divers médecins qui font autorité en Europe et en Amérique[160]». Or le docteur Rottot sera jusqu'au début du XXe siècle l'un des plus farouches opposants aux thèses bactériologiques et grand défenseur de la théorie de l'inflammation. De même, on imagine mal le docteur J. E. Coderre, farouche antivaccinateur, vanter les mérites de cette pratique prophylactique durant ses cours d'hygiène ou durant ses leçons de clinique médicale ou de matières médicales et thérapeutiques. Quant au cours de chirurgie et de pathologie externe donné par le docteur Munro, certains sujets à l'étude — inflammation, suppuration, érysipèle, pyoémie — n'étaient le plus souvent envisagés sur le plan étiologique qu'à partir de postulats liés à la génération spontanée sans que soit abordée l'hypothèse pasteurienne, pourtant alors très sérieuse même si encore controversée, des germes infectieux. D'autres professeurs, tels les docteurs Hingston, Brunelle et Brosseau, faisaient davantage preuve d'éclectisme et associaient certaines nouveautés pratiques et quelques théories nouvelles aux pratiques traditionnelles. Mentionnons à titre d'exemple l'ajout occasionnel de certaines pratiques antiseptiques à leur rituel opératoire.

Soucieux de communiquer à leurs collègues de la profession l'expérience acquise lors des cliniques médicales, certains membres de l'École décidèrent de fonder en 1878 une nouvelle revue médicale, *L'Abeille médicale*, «consacrée à la chirurgie, à la pathologie et à la gynécologie»:

> Elle croirait, malheureusement, ne pas remplir toute sa mission, si elle ne continuait pas son œuvre en dehors même de ses murs en négligeant de faire part aux membres de la profession médicale, et surtout à ses anciens élèves, des faits les plus importants qui se présentent dans les cliniques des différents établissements religieux qui sont sous son contrôle immédiat [...]. Le journal sera donc purement scientifique et repoussera toute polémique personnelle. Une attention toute particulière sera de plus donnée à la littérature médicale, afin de guider les médecins dans le choix des ouvrages qu'ils devront adopter, et sur lesquels ils pourront sans crainte se reposer, pour les guider sûrement dans leur pratique[161].

Les objectifs poursuivis par l'EMC/FMUV ne seront guère respectés, puisque ce journal servira surtout de voie de communication pour défendre de façon polémique la position de l'École dans la querelle qui l'opposera bientôt à sa nouvelle concurrente montréalaise. Il disparaîtra en 1882 après la parution de quatre numéros. Les professeurs de l'EMC/FMUV continueront à publier ou à présenter les résultats de leur expérience clinique dans *L'Union médicale du Canada* ou encore à la Medico-Chirurgical Society.

Au moment où un décret papal permet la fondation de la succursale de l'Université Laval à Montréal, l'EMC/FMUV est parvenue à se tailler une situation très enviable. Ses locaux sont adéquats, ses étudiants sont nombreux — elle compte 118 étudiants en 1878 —, ses revenus s'avèrent suffisants, son programme remplit très adéquatement les exigences du Collège des médecins et ses affiliations hospitalières permettent un enseignement clinique fort satisfaisant. Les membres de l'École ont certes raison de souligner «que l'instruction théorique et pratique qu'elle donne n'est en rien au-dessous de celle des collèges du pays et du continent américain[162]».

## Notes

1. Sur la pratique médicale en Nouvelle-France, voir R. Lessard, *Se soigner au Canada aux XVIIe et XVIIIe siècles.*
2. Sur ce point et les suivants, voir D. Goulet et A. Paradis, *Trois siècles d'histoire médicale au Québec,* p. 387.
3. C. M. Boissonnault, «J. Martinet de Fonblanche», *Dictionnaire biographique du Canada,* vol. II, p. 485-486.
4. J. Bernier, *La médecine au Québec, naissance et évolution d'une profession,* p. 32.
5. Sur l'évolution du processus législatif, voir *ibid.,* p. 43-61. Sur les débats entourant le contrôle de la licence au Bas-Canada, voir B. Tunis, *The Medical Profession in Lower Canada: Its Evolution as a Social Group, 1788-1838.*
6. J. Bernier, *op. cit.,* p. 43.
7. *Ordonnances de la Province de Québec,* 1788, George III, chap. 8.
8. D. Goulet et A. Paradis, *op. cit.,* p. 310.
9. J. Bernier, *op. cit.,* p. 33.
10. D. Goulet et A. Paradis, *op. cit.,* p. 33-34.
11. *Ibid.,* p. 388.
12. *Ibid.,* p. 36.
13. J. Bernier, *op. cit.,* p. 37.
14. M. Abbott, *History of the Medicine in the Province of Quebec,* p. 55.
15. Voir O. Keel, *Cabanis et la généalogie de la médecine clinique* et «La place et la fonction des modèles étrangers dans la constitution de la problématique hospitalière de l'École de Paris»; M. Foucault, *Naissance de la clinique.*
16. Sur ce point et les suivants, voir D. Goulet et A. Paradis, *op. cit.,* p. 391.
17. Université McGill, Osler Library, *University McGill,* p. 131-132.
18. «Elle aurait duré plusieurs années: "*I have already alluded to the French School of medicine established simultaneously with the foundation of this school (Montreal Medical Institution)*". Nous n'avons pas trouvé d'autres sources qui confirmeraient l'existence de cette école. Selon l'auteur, c'est cette école qui aurait été relancée en 1843 (vraisemblablement donc l'École de médecine et de chirurgie).» (D. Goulet et A. Paradis, *op. cit.,* p. 390. )

19. Sur cette école, voir J. Bernier, *op. cit.*, p. 76.

20. «Acte pour rappeler un certain Acte ou Ordonnance y mentionnée, et qui pourvoit d'une manière plus efficace à des règlements relativement à la pratique de la médecine, la chirurgie et la profession d'accoucheur», SPBC, 1831, chap. 27.

21. *Ibid.*

22. La situation législative entre 1837 et 1847 est plutôt vague. La loi de 1831 avait été rendue caduque en 1837 par sa dernière clause: «Cet Acte restera en force jusqu'au premier jour de Mai, mil huit cent trente sept, et pas plus longtemps.» La loi de 1847 mentionne d'ailleurs qu'elle abroge la loi de 1788 et ne fait aucune mention de la loi de 1831. Bernier souligne qu'entre 1837 et 1846, «la loi en vigueur fut en principe celle de 1788» (*op. cit.*, p. 58).

23. La loi de 1831 statuait «que toute personne qui veut étudier la médecine doit se présenter devant le Bureau des examinateurs et subir un examen sur sa langue maternelle et sur la langue latine. Aucun étudiant ne peut recevoir une licence s'il n'a pas atteint l'âge de 21 ans et s'il n'a pas fait un apprentissage régulier et sans interruption de cinq ans chez un médecin, chirurgien ou accoucheur licencié ou dans une école médicale» (SPBC, 1831, chap. 27).

24. Par exemple, les docteurs J. Douglas, J. Painchaud, J. Morrin et A. von Iffland avaient décidé d'organiser à l'Hôpital de la Marine un enseignement médical. Il semble que la médecine y sera enseignée jusqu'en 1839. (D. Goulet et A. Paradis, *op. cit.*, p. 393.)

25. *Ibid.*

26. *Ibid.*

27. Le docteur McNider, souffrant d'une grave maladie, quittera l'école peu après sa fondation.

28. «*The schools were owned by the professors, who operated them for profit. For that reason medical schools were called "proprietary schools" [...] Very few schools had university affiliations or were connected with teaching hospitals.*» (K. M. Ludmerer, *Learning to Heal. The Development of American Medical Education*, p. 3.)

29. PVEMC, 1849-11-13, p. 21.

30. J. Bernier, *op. cit.*, p. 54.

31. *Ibid.*, p. 59.

32. Une pétition avait été signée par les docteurs J. Painchaud, J. Rowlaey, J. Parent, C. Frémont, J. A. Sewell, P. M. Bardy, J. Morrin, J. Blanchet, J. Douglas, J. Racey, A. Jackson et J. Z. Nault (SPC, 1845, chap. 80). Par ailleurs, le docteur J.-A. Sewell avait obtenu de 1843 à 1845 la permission de donner un cours de six semaines à ses étudiants (F. Rousseau, *La croix et le scalpel. Histoire des Augustines et de l'Hôtel-Dieu de Québec*, p. 266).

33. Voir SPC, 1845, chap. 80 et 81.

34. *Ibid.*

35. En 1844, les cours dispensés par la première faculté de médecine de Toronto sont à peu de chose près les mêmes: *practical anatomy; anatomy and physio; chemistry; theory and practice of medicine; principles and practice of surgery; midwifery and diseases of women and children; materia medica*. À ces cours s'ajoutait

un enseignement clinique décrit comme suit: *hospital attendance and clinicals lectures* (*The University of Toronto and its Colleges, 1827-1906*, Toronto, The University Library, 1906, p. 173).

36. J. Bernier, *op. cit.*, p. 49.

37. *Ibid.*

38. G. Weisz, «Origines géographiques et lieux de pratique des diplômés...», p. 130-131.

39. J. Bernier, *op. cit.*, p. 47.

40. *Ibid.*, p. 43-61.

41. Les procès-verbaux du Conseil médical de l'EMC mentionnent que le docteur Bibaud a réussi son examen pour devenir titulaire des cours de *materia medica*: «*The "concours" was held this day at 1/2 past ten o'clock A. M. Drs Bibaud and Regnier having in a most satisfactory manner answered the questions.*» (PVEMC, 1845-08-01, p. 4.)

42. *Ibid.*, 1845-07-30.

43. *McGill University Calendar*, 1854-1855, p. 9.

44. À McGill, la salle de dissection est décrite comme suit: «*For Dissections, the institution is provided with an ice-house and large and well ventilated dissecting rooms, which are open every working day and evening, and are well lighted by gaz.*» (*McGill University Calendar*, 1857-1858, p. 17.)

45. Voir W. G. Rothstein, *American Medical Schools and the Practice of American Medicine*, p. 50-51. Le Medical Department of the University of Queen's College possédait en 1854 deux petites salles de cours, une salle de dissection et un démonstrateur d'anatomie (A. A. Travill, *Medicine at Queen's 1854-1920*, p. 23).

46. «Acte pour régler et faciliter l'étude de l'anatomie», SPC, 1843, chap. 5. La loi de 1859 intitulée «Acte concernant la pratique de la médecine et de la chirurgie, et l'étude de l'anatomie» contraignait les surintendants de ces établissements à déclarer chaque décès et à tenir un registre des personnes décédées et obligeait les médecins voulant profiter des dispositions de la loi à déposer préalablement une somme d'argent pour garantir l'inhumation décente des cadavres disséqués et pour obtenir le droit d'ouvrir une chambre de dissection (SRC, 1859, chap. 76).

47. J. P. Rottot fut l'un des premiers élèves de l'EMCM. Il fut nommé professeur en 1848, à la suite de la résignation du docteur L. Boyer.

48. Le docteur McNider était diplômé de l'université d'Edimbourg.

49. L'EMQ dès son ouverture en 1848 offrira des cours de chirurgie pratique et de médecine clinique à l'Hôpital de la Marine.

50. PVEMC, 1845-10-28.

51. «Acte pour incorporer les Membres de la Profession Médicale dans le Bas-Canada et régler l'étude et la pratique de la Médecine et de la Chirurgie en icelui», SPC, 1847, chap. 26.

52. Les membres de l'EMCM sont tous présents dans le préambule de l'acte de 1847. Probablement ont-ils jugé qu'ils obtiendraient aisément un amendement pour que leur soit accordé le droit d'émettre les licences de pratique.

53. J. Bernier, *op. cit.*, p. 73.

54. *La Minerve* du 17 mai 1847 fait le compte rendu de l'entente entre McGill et l'EMCM.

55. Université McGill, Osler Library, *University McGill*, p. 132-133.

56. *Ibid.*

57. Sur ce point et les suivants, voir D. Goulet et A. Paradis, *op. cit.*, p. 398-402.

58. J. Bernier, *op. cit.*, p. 73.

59. Annuaire de l'EMCM, 1878-1879, p. 3. La même source mentionne par ailleurs qu'en 1848, «les Drs T. Arnoldi, W. Sutherland, et F. Badgley se retirèrent et furent remplacés par les Drs Beaubien, Trudel et d'Orsonnens». Il semble que les premiers aient terminé leur mandat en décembre 1848.

60. Encore une fois, la motion présentée par l'École se solde par un échec. Le projet de loi échoue en troisième lecture (PVEMC, 1850-09-02).

61. PVEMC, 1850-09-07.

62. D. Goulet et A. Paradis, *op. cit.*, p. 401.

63. L. P. Audet, «H. Peltier», *Dictionnaire biographique du Canada*, Québec/Toronto, Presses de l'Université Laval/Toronto University Press, vol. X, p. 643.

64. PVEMC, 1849-12-28.

65. M$^{gr}$ Bourget en fera mention dans une lettre adressée en 1861 au docteur Bibaud où il souligne la protection qu'il avait «donnée de si bon cœur [à l'école] en lui donnant entrée dans nos institutions religieuses où elle n'aurait jamais, je pense, mis le pied sans mon intervention». (Voir E. Desjardins, *Un doyen remarquable, J. G. Bibaud,* notes manuscrites, p. 4.)

66. PVEMC, 1850-11-16. Contrairement à ce qu'affirme Lavallée, les négociations entre l'Hôtel-Dieu et l'EMCM ne s'achevèrent pas le 23 octobre 1850 puisque l'entente définitive n'est toujours pas conclue le 9 novembre. Munro interviendra à nouveau auprès des religieuses pour obtenir pour tous les professeurs le droit de dispenser des leçons cliniques à l'Hôtel-Dieu. (Voir A. Lavallée, *Québec contre Montréal. La querelle universitaire 1876-1891*, p. 39; «Les religieuses hospitalières de Saint-Joseph et l'École de médecine et de chirurgie dans la querelle universitaire (1843-1891)»).

67. PVEMC, 1850-11-16.

68. Il est à noter qu'il s'agit ici de l'Hôpital général de Montréal, institution francophone fondée en 1694 et non du MGH. Voir *ibid.*, p. 61-62.

69. Les membres de la FMUL n'obtiendront la permission d'utiliser les salles de l'Hôtel-Dieu de Québec qu'en 1854, et encore cette décision n'est acceptée qu'avec réticence par les sœurs (D. Goulet et A. Paradis, *op. cit.*, p. 403).

70. *Ibid.*, p. 95, 104.

71. PVEMC, 1851-10-06. Soulignons que cette faculté de médecine existait depuis au moins 1830 puisqu'un étudiant de ce collège, Sylvestre Cartier, se présente devant le bureau d'examinateurs de Québec en 1836 après avoir étudié cinq ans la médecine au collège de Castleton. (Voir J. Bernier, *op. cit.*, p. 59.)

72. AEMC, 1862-1863, p. 16. En 1851-1852, la FMUMG comptait 64 étudiants.

73. D. Goulet et A. Paradis, *op. cit.*, p. 399-400.

74. L'École de médecine de Berthier, mise sur pied par les docteurs L.-H. Turcotte, L.-H. Ferland, L.-G. Moll et J.-G. Bethune, offrait des cours d'obstétrique, de médecine, de chirurgie, d'anatomie de physiologie d'anatomie pratique et de chirurgie pratique (D. Goulet et A. Paradis, *op. cit.*, p. 402). En Ontario, un enseignement médical structuré est organisé en septembre 1843 au King's College (A. A. Travill, *op. cit.*, p. 9 et W. Canniff, *The Medical Profession in Upper Canada 1783-1850*, p. 183). En 1850 est fondée par les docteurs J. Bovell et E.-M. Hodder la Upper Canada School of Medicine. Elle s'affiliera au Trinity College, puis deviendra une partie de la Toronto University's Faculty of Medicine en 1903 (A. A. Travill, *op. cit.*, p. 10). Le Medical Department of the University of Queen's College ouvre ses portes le 6 novembre 1854 (*Ibid.*, p. 23).

75. PVEMC, 1854-06-20.

76. *McGill University Calendar*, 1857-1858, p. 16-17. Le cours de chimie donné par Sutherland à McGill était présenté comme suit: «*including the morganic and organic departments, with especial reference to Physiology, Medicine and the useful Arts*» (*ibid.*).

77. Annuaire de l'EMCM, 1860-1861, p. 6.

78. *McGill University Calendar*, 1870-1871, p. 34.

79. *Ibid.*, 1854-1855, p. 9.

80. Sur les exigences de l'Université Laval, voir J. Bernier, *op. cit.*, p. 67-68.

81. À partir de la Confédération, la livre sterling sera remplacée par le dollar canadien. «*The Fee for each class shall be Three Pounds currency with the following exceptions: For the anatomical and chemical classes, the fee shall be for each three pounds fifteen shillings, for that of medical jurisprudence, two Pounds ten shillings; and for those of clinical medicine and clinical surgery, one pound ten shillings each.*» (*McGill University Calendar*, 1854-1855, p. 9.)

82. Annuaire de l'EMCM, 1860-1861, p. 5.

83. À McGill, les cours cliniques magistraux de médecine et de chirurgie se donnaient deux fois par semaine au MGH, mais la visite de l'hôpital était quotidienne (*McGill University Calendar*, 1857-1858, p. 17).

84. «Les conditions pour obtenir le titre de licencié de l'École sont: d'avoir complété ses cours à l'École de Médecine et de Chirurgie, de présenter une thèse, et de soutenir ses examens d'une manière satisfaisante.» (Annuaire de l'EMCM, 1860-1861, p. 5-6.)

85. «Confiants dans les nobles efforts et l'éducation de nos jeunes compatriotes, nous espérons, qu'à l'exemple de plusieurs Sociétés du même genre en Amérique et en Europe, l'Institut Médical servira de berceau à la future réputation de nos élèves qui comprennent si bien que nul ne peut être médecin qu'à la condition de travailler toujours.» (*Ibid.*, p. 8.)

86. *Ibid.*, p. 5.

87. L. Chartrand *et al.*, *Histoire des sciences au Québec*, p. 87.

88. *Ibid.*

89. AUM, Fonds Desjardins, texte ronéotypé.

90. Annuaire de l'EMCM,1869-1870, p. 5-6. À McGill, on insistait aussi auprès des étudiants sur l'importance des cliniques: «*As daily bedside-instruction is almost necessary to the student of medicine, the undergraduate is earnestly advised to spend at least the last 2 summers in availing himself of the opportunities afforded by the large hospitals –general and lying-in– of our city; in which, moreover, dresser-ships should be obtained.*» (*McGill University Calendar*, 1870-1871, p. 34.)

91. Dans les écoles de médecine américaines «*the students sometimes attended a local hospital once or twice a week where they either sat in the amphitheater or walked the wards. In both cases their only activity was to listen to the attending physicians. Laboratory training occured in dissection and sometimes in chemistry*» (W. G. Rothstein, *op. cit.*, p. 53). «*Students were passive observers, witnessing rather than participating in the medical work. Although frequently perceived as prac-tical bedside instruction, section teaching in reality was little more than an illus-trated lecture.*» (K. M. Ludmerer, *op. cit.*, p. 153.)

92. En 1858, une résolution du procès-verbal de l'EMCM propose que «les médecins de l'École de Médecine fassent la visite à l'Hôtel-Dieu dans l'ordre suivant: Drs Beaubien, Peltier, Boyer, Bibaud, Coderre, Trudel, d'Orsonnens. Chaque médecin devra continuer le service pendant trois mois à commencer le premier août 1858 par le docteur Trudel.» (PVEMC, 1858-09-06, p. 161.)

93. *McGill University Calendar*, 1870-1871, p. 37.

94. PVEMC, 1860-12-24, p. 195.

95. *Ibid.*, 1862-08-27, p. 226; 1862-08-29, p. 227; 1862-10-06, p. 228-229.

96. *Ibid.*, 1866-08-24, p. 278. «La réponse, couchée dans des termes fort polis, n'a pas semblé donner à l'école l'assurance d'un succès.» (PVEMC, 1866-09-03, p. 280.)

97. *Ibid.*

98. L. D. Mignault, «Histoire de l'École de médecine et de chirurgie de Montréal», *L'Union médicale du Canada*, 1926, p. 622.

99. «*The Faculty of the School of Medicine and Surgery of Montreal have expressed a desire to become a part of this University upon terms similar to those already in existence in the case of the Medical Department in Toronto.*» (Procès-verbaux de l'Université Victoria, Board of Regents, Toronto, 7 septembre 1866, p. 20.)

100. *Ibid.*, p. 21. Selon O. Maurault, l'Institut canadien qui avait mis sur pied des cours de droit en 1866 se rattachera à l'Université Victoria en 1868, puis à l'Université McGill en 1871 (O. Maurault, *L'Université de Montréal*, Montréal, Cahier des Dix, 1952, p. 16-17).

101. Elle sera aussi dénommée le Toronto Medical Department of Victoria University. Une première école privée avait été créée en 1832 par le docteur John Rolph à York mais qui, à la suite des troubles de 1837, s'était vu con-traint de s'exiler. Profitant de l'amnistie décrétée en 1843, Rolph revient à Toronto et met sur pied pour la seconde fois en 1843 la Toronto School of Medicine (W. Canniff, *op. cit.*, p. 598-599).

102. «*In 1887, its faculty members [Toronto Medical Department of Victoria University] became the nucleus of the restored medical faculty of the University of Toronto.* (A. A. Travill, *op. cit.*, p. 10.) *Dr Rolph's School, as the Medical Departement*

*of Victoria University, enjoyed many years of prosperity [...] He finally resigned his office of Dean in the early part of 1870.»* (W. Canniff, *op. cit.*, p. 600.) Voir aussi H. E. MacDermot, *One Hundred Years of Medicine in Canada*.

103. *«At first the relationship between the University and the medical school was loose — a characteristic of other Canadians Schools at the time; the school was self-governing and independent of the University, and the Medical Faculty had no representation on the Senate.»* (H. E. MacDermot, *op. cit.*, p. 102.)

104. «[...] il est résolu: Que les bases de ladite association, telles que convenues entre les délégués de l'École de Médecine et de Chirurgie de Montréal et l'Université du Victoria College sous le titre de *"Basis of agreement between the School of Medicine & Surgery of Montreal and the University of Victoria College, adopted at Toronto, on the 7th september 1866"*, avec les résolutions du Bureau de Victoria College [...] soient et sont ratifiées et adoptées par l'École de Médecine et de Chirurgie de Montréal comme bases d'agrégation entre elle et ladite Université pour l'établissement de la "Faculté de Médecine de Victoria College", à Montréal.» (PVEMC, 1866-09-10, p. 285.)

105. Procès-verbaux de l'Université Victoria, Board of Regents, Toronto, 28 septembre 1866, p. 25.

106. *Ibid.*, 30 avril 1879, p. 67.

107. PVEMC, 1870-09-05, p. 626.

108. Annuaire de l'EMCM, 1866, p. 11.

109. *Ibid.*

110. «L'École de Médecine et de Chirurgie de Montréal, Faculté médicale de l'Université du Collège Victoria, Cobourg, Ontario, ouvrira les cours de la présente session le 1$^{er}$ jour d'octobre prochain, afin de se conformer au curriculum de l'Université à laquelle elle a l'honneur d'être affiliée.» (Annuaire de l'EMCM, 1869-1870, p. 3.) Rappelons que la session d'études de l'EMCM débutait, au tournant des années 1860, le 1$^{er}$ novembre.

111. Le docteur Beaubien se retirera de l'EMCM en 1874. Il sera alors nommé professeur honoraire.

112. Annuaire de l'EMCM, 1866, p. 9.

113. *Ibid.*

114. *Ibid.*, p. 5.

115. Sur la clientèle des écoles de médecine au Québec, voir G. Weisz, *op. cit.*; M. Fournier *et al.* (dir.), *Sciences et médecine au Québec. Perspectives sociohistoriques*, p. 129-161. Durant la décennie 1870, l'EMCM sera à égalité avec McGill pour le nombre de diplômés en médecine. Entre 1846 et 1930, l'EMCM accueillera 91 % d'étudiants du Québec contre seulement 30 % pour McGill (*ibid.*, p. 140).

116. «La façade couvrait 50 pieds et l'édifice avait une profondeur de 55 pieds. La bâtisse consistait en un sous-bassement et un rez-de-chaussée de 17 pieds de hauteur [...] Les murs extérieurs étaient en pierre; le parement extérieur en pierre à bosse avec garnitures en pierre taillées aux angles et aux ouvertures.» (AUM, Fonds Desjardins, texte ronéotypé.)

117. Annuaire de l'EMCM, 1877-1878, p. 5.

118. *Ibid.*, 1873-1874, p. 5.

119. *Ibid.*, 1875-1876, p. 5.

120. Le docteur S. Duval succédera au docteur Beaudry le 28 mai 1876. (*L'Union médicale du Canada*, 1976, p. 439-445.)

121. «*The first professors in ophthalmology and dermatology were appointed in that year [1871], and in otology in the next.*» (W. G. Rothstein, *op. cit.*, p. 104.)

122. Annuaire de l'EMCM, 1873-1874, p. 6. Cette clinique est dispensée par le docteur E. Desjardins. Une clinique semblable est mise sur pied à la FMUL sous la direction du docteur Simard. La FMUMG met en aussi en place en 1873 un département d'ophtalmologie et d'otologie.

123. *L'Opinion publique*, 16 septembre 1875.

124. Annuaire de l'EMCM, 1875-1876, p. 7.

125. «Acte pour amender le chapitre 76 des statuts refondus du Canada, concernant la pratique de la médecine et de la chirurgie et l'étude de l'anatomie», SPQ, 1872, chap. 29.

126. Un article de la loi de 1859, repris en 1872, stipulait par ailleurs qu'une somme d'argent devait être versée par les demandeurs de façon à garantir l'inhumation décente du sujet disséqué («Acte concernant la pratique de la médecine et de la chirurgie et l'étude de l'anatomie», SRC, 1859, chap. 76).

127. D. Goulet et A. Paradis, *op. cit.*, p. 410.

128. Annuaire de l'EMCM, 1875-1876, p. 12.

129. À McGill, le professeur «*employs chiefly the fresh subjects in the illustration of the lectures, aided, however, by dried preparations, wax models, plaster casts of dissections, plates, etc., the full size of life. [...] Every student must be examined at least 3 times on each part dissected and, if the examinations are satisfactory, a certificate is given*». (*McGill University Calendar*, 1880-1881, p. 73).

130. Les démonstrations pathologiques sont faites «*[...] as far as possible, in the same way as that of Professor Virchow, at the Berlin Pathological Institute*» (*ibid.*, p. 74).

131. H. Cushing, *The Life of Sir William Osler*, p. 179.

132. Sur l'origine de l'histologie, voir O. Keel, *La généalogie de l'histopathologie*.

133. *McGill University Calendar*, 1880-1881, p. 74.

134. En 1892, Osler expliquera en détail sa philosophie médicale dans un ouvrage devenu célèbre intitulé *The Principles and Practice of Medicine: Designed for the Use of Practitioners and Students of Medicine*.

135. «Acte pour amender et refondre les actes relativement à la profession médicale et la chirurgie dans la province de Québec», SPQ, 1876, chap. 26. Voir aussi J. Bernier, *op. cit.*, p. 72-73.

136. Annuaire de l'EMCM, 1875-1876, p. 11.

137. *Ibid.*, 1878-1879, p. 22.

138. *Ibid.*, p. 22-23.

139. *Ibid.*, p. 6.

140. Voir D. Goulet *et al.*, *Histoire de l'Hôpital Notre-Dame (1880-1980)*.

141. Annuaire de l'EMCM, 1878-1879, p. 7.

142. *Ibid.*

143. *Ibid.*, p. 8.

144. *Ibid.*, p. 9.

145. La percussion est proposée pour la première fois par le docteur viennois L. Auenbrugger lors de la publication de son traité *Inventum novum ex percussione thoracis humani*, paru à Vienne en 1761. L'ouvrage sera peu lu jusqu'à ce que Corvisart en fasse la traduction et la promotion en 1808.

146. Il semble bien que le stéthoscope est introduit au Canada par le docteur Beaubien, de retour de Paris, en 1825. (Voir D. Goulet et A. Paradis, *op. cit.*, p. 450.)

147. Le laryngoscope, inventé par le médecin tchèque J. N. Czermak en 1857, est présenté pour la première fois dans une revue médicale québécoise en 1864. (*ibid.*, p. 453).

148. Le *Canada Medical Journal and Monthly Record* en fait mention dans une livraison de 1866. Le docteur Brosseau en présentera les avantages lors d'une conférence donnée à la Société médicale de Montréal en 1873 (*ibid.*, p. 454, 456).

149. Le *Canada Lancet* en fait mention dans un numéro de l'année 1863 (*ibid.*, p. 452).

150. Annuaire de l'EMCM, 1875-1876, p. 7.

151. *Ibid.*, p. 12.

152. «Le docteur E. D. Worthington, ancien élève du docteur J. Douglas, effectue la première intervention chirurgicale majeure à l'aide de l'éther sulfurique le 14 mars à Sherbrooke. Il s'agit d'une amputation du genou. [...] Le docteur H. Nelson publie de son côté un article dans le numéro de juin 1847 du *British American Journal of Medical and Physical Science* où il rapporte les résultats d'expériences effectuées sur les propriétés de l'éther. [...] La première utilisation du chloroforme au Canada serait l'œuvre du docteur A. F. Holmes, professeur de médecine théorique et pratique à l'Université McGill. [...] Il s'agit de légères anesthésies pour des cas d'obstétrique. Il aurait obtenu le chloroforme de la S. J. Lyman & Co. de Montréal.» (D. Goulet et A. Paradis, *op. cit.*, p. 451-452.)

153. Annuaire de l'EMC, 1878-1879, p. 19.

154. Ils avaient eu quelques prédécesseurs. Dès les années 1840, le docteur H. Peltier avait suivi certains cours à la faculté de médecine de Paris et avait obtenu vers 1845 son diplôme de médecine à l'université d'Edimbourg. Il sera nommé deux ans plus tard professeur de physiologie à l'EMCM.

155. Annuaire de l'EMCM, 1878-1879, p. 12.

156. Ce dernier sera l'instigateur de la création du premier Conseil provincial d'hygiène au Québec.

157. Annuaire de l'EMCM, 1878-1879, p. 10.

158. *Ibid.* «*Medical schools willingly added specialty courses to the curriculum because junior faculty specialists taught them at minimal cost, treated patients at the school dispensary or hospital, and attracted students to the medical school.*» (W. G. Rothstein, *op. cit.*, p. 103.)

159. Annuaire de l'EMCM, 1877-1878, p. 19.

160. *Ibid.*, p. 13.
161. *Ibid.*, p. 4-5.
162. *Ibid.*, 1875-1876, p. 3. Les enseignements donnés à la FMUMG — outre la remarquable méthodologie mise en vigueur par W. Osler — et dans les facultés médicales ontariennes sont relativement similaires.

CHAPITRE II

# L'École de médecine et de chirurgie et la succursale de l'Université Laval à Montréal (1877-1920): un mariage de raison

## La fondation de la succursale de l'Université Laval à Montréal*

Depuis déjà le milieu du siècle, l'évêque de Montréal, M^gr Bourget, souhaitait, à l'instar des évêques des autres diocèses, consacrer le caractère confessionnel du système d'éducation québécois. Craignant les initiatives laïques en ce domaine, il avait tenté à quelques reprises d'établir sur le territoire montréalais une université catholique provinciale[1]. Mais il était en concurrence avec son confrère de Québec. Le projet de Bourget s'évanouit en décembre 1852, lorsque le Séminaire de Québec obtint une charte universitaire royale l'autorisant à créer une université provinciale. Les autorités de la nouvelle Université Laval obtenaient ainsi le monopole de l'enseignement universitaire catholique en territoire québécois. Ce privilège accordé à Laval irritait l'évêque de Montréal pour deux raisons. D'une part, l'absence d'une université montréalaise catholique favorisait les inscriptions des Montréalais à l'université protestante

McGill[2]. D'autre part, Mgr Bourget, ultramontain très conservateur, se méfiait de l'enseignement «libéral» dispensé à Laval[3].

Il décida donc de poursuivre les démarches afin d'établir une université catholique montréalaise qui serait confiée à la communauté des jésuites. Des demandes répétées en ce sens effectuées durant les années 1860 et au début des années 1870 auprès des autorités de Rome et auprès de la législature provinciale[4] ne donnèrent aucun résultat tangible. Les autorités de Laval, fortes d'importants appuis, s'opposaient aux démarches de Bourget. Elles faillirent pourtant porter fruit en 1874 lorsque le préfet de la Congrégation de la Propagande, le cardinal Franchi, proposa la fondation d'une université montréalaise qui posséderait une indépendance administrative, mais qui serait soumise aux mêmes règlements, au même enseignement, aux mêmes examens et aux mêmes titres que celle de Québec. Depuis déjà quelques années, les autorités de Rome envisageaient de créer deux institutions distinctes coordonnées par une organisation centrale. Mgr Bourget se montra favorable à une telle idée, mais l'Université Laval et l'archevêque de Québec s'y opposèrent vivement, voyant dans ce projet une menace aux prérogatives universitaires de Laval au Canada français. Comme ils avaient de solides appuis au Saint-Siège, le projet ne fut pas mis à exécution. Les autorités de Laval proposaient en revanche l'établissement d'une succursale de l'Université Laval à Montréal, qui serait entièrement soumise à son autorité.

Le 1er février 1876, un rescrit du pape Pie IX ordonnait l'établissement d'une succursale de l'Université Laval à Montréal. La bulle papale *Inter varias sollicitudines*[5] précisait que cette succursale aurait à sa tête un vice-recteur résident, nommé par les autorités cléricales de Québec, sous la dépendance d'un seul et unique conseil universitaire. Le point de vue défendu par Mgr Taschereau l'avait emporté. Mgr Bourget démissionnera peu après. Au lieu d'une université indépendante, les Montréalais héritaient d'une simple succursale de Laval. À l'automne 1877, Mgr Conroy, délégué de Rome, demanda à l'Université Laval «de traiter avec les sulpiciens pour la Faculté de théologie, avec l'École de Médecine et de Chirurgie pour la Faculté médicale

et avec les jésuites pour la Faculté de droit et celle des Arts[6]».
Ainsi vit le jour la succursale de l'Université Laval à Montréal.

## Une première tentative d'union avec l'École de médecine et de chirurgie (1877-1879)

Les négociations avec l'EMC/FMUV débutèrent en octobre 1877. Peu enclines au compromis, les autorités de Laval allèrent droit au but. Désirant absorber et non affilier l'École à la nouvelle succursale inféodée à Laval, elles proposèrent aux autorités de l'École l'obtention du statut de faculté de la nouvelle succursale placée sous l'autorité de l'Université Laval. Cette proposition revenait à enlever toute souveraineté aux propriétaires de l'École. Ceux-ci devraient désormais se plier aux décisions des autorités centrales. Or, d'entrée de jeu, les professeurs de l'École désapprouvaient l'établissement d'une succursale de l'Université Laval[7]. Les pourparlers furent difficiles.

Lors d'une réunion tumultueuse tenue le 31 octobre, une résolution statua «que l'École de Médecine et de Chirurgie de Montréal ne peut entretenir l'idée de devenir une succursale de l'Université Laval[8]». Mais les avis des membres de la corporation étaient partagés. Certains craignaient, à juste titre, des représailles de la part des autorités religieuses si l'offre de Laval était refusée. D'autres y étaient favorables dans la mesure où l'École conserverait son autonomie. Finalement, à la suite de maintes discussions, les membres de la corporation de l'École, après avoir décidé «de se plier au décrêt de Rome établissant une succursale de l'Université Laval à Montréal», acceptèrent d'entrer «en pourparler avec le recteur de l'Université Laval pour établir les bases de cette union[9]».

Les membres de l'École exigèrent comme base de négociation le respect de leur autonomie[10] et le maintien des privilèges attachés à leur charte d'incorporation. Ils demandaient aussi un droit de regard sur la nomination des nouveaux professeurs, la conservation des règles d'ancienneté établies à l'École[11] et le respect du calendrier universitaire de six mois. Rappelons que l'année scolaire était fixée à neuf mois à Laval. De telles conditions signifiaient clairement que l'EMC/FMUV exigeait une affiliation à Laval en tant que corporation reconnue et fermait la porte à toutes tentatives d'absorption. Les autorités de Laval furent certes irritées par ces exigences, mais elles acceptèrent finalement, en apparence, les conditions de l'École.

Le 15 décembre, une convention, entérinée par le nouvel archevêque de Montréal, Mgr Fabre, est signée entre les professeurs de l'École et le conseil universitaire de Laval.

> [...] le Conseil universitaire était disposé à nommer d'abord trois professeurs choisis dans ses rangs pour former le noyau initial de la faculté et, ainsi constituée, cette équipe serait consultée pour la nomination des autres professeurs qui n'auraient qu'à obtenir l'approbation de Mgr Fabre. Afin de permettre aux étudiants déjà engagés dans le programmme de l'École de poursuivre leurs études dans les mêmes conditions, l'on décida qu'après les deux prochaines années seulement la durée du cours à Montréal serait la même qu'à Québec, soit neuf mois au lieu de six. Les implications de l'entente avec Mgr Fabre furent différentes. L'École acceptait de céder tous ses biens, propriétés et revenus de ses cours à la corporation épiscopale et en retour l'évêque de Montréal s'engageait à lui remettre tout l'argent qu'il retirerait pour les frais de scolarité afin qu'il soit partagé entre les professeurs. À tous les ans, l'École devenue la Faculté de médecine de Laval à Montréal devait élire ses officiers dont le secrétaire-trésorier qui recevrait de l'évêque les sommes d'argent ci-devant mentionnées [...] Tous les professeurs de l'École devaient entrer en corps dans la nouvelle faculté et on leur adjoignait les docteurs Hingston et Desjardins. Enfin, selon des conventions verbales, seul le conseil de l'École, une fois nommé par le Conseil universitaire, devait faire les autres nominations et fixer le rang de priorité de chacun avec l'accord de Mgr Fabre[12].

Le 22 décembre suivant, M^gr Fabre annonce l'organisation de la succursale de l'Université Laval à Montréal et fixe le début des cours à l'automne 1878. En apparence, tout augurait bien. Mais bientôt, des querelles intestines entre les nouveaux professeurs engagés à la succursale et les anciens professeurs de l'École ne manquèrent pas d'envenimer les relations avec les autorités de Laval.

Comme le souligne Lavallée, deux clans se formèrent rapidement: les prolavallois et les défenseurs de l'École. Les premiers — les docteurs Rottot, Brosseau, Lamarche et Lachapelle — s'inquiétaient des prérogatives accordées par le droit d'aînesse aux anciens de l'École. Lorsque les professeurs de l'École décidèrent de refuser certains membres proposés par l'université, les défenseurs de Laval y virent «l'exécution d'un plan qui consiste à éliminer les amis de l'Université[13]» et insistèrent auprès du recteur de Laval pour que les professeurs soient tous mis sur un pied d'égalité[14]. Le recteur Hamel leur donna en partie raison, passa outre aux préséances de l'EMC/FMUV et rédigea unilatéralement une liste de professeurs[15]. La nomination des officiers de la nouvelle faculté favorisait nettement les professeurs partisans de Laval. Hamel justifiait cette attitude en s'appuyant sur «la Charte royale, confirmée par la décision romaine[16]». D'après cette charte, soulignait le recteur de Laval, «les professeurs d'une même faculté, à Québec et à Montréal, sont [...] absolument sur le même pied, soumis aux mêmes règlements et jouissant des mêmes privilèges[17]».

Les membres de l'EMC/FMUV ne l'entendaient pas ainsi. Ils voyaient avec mécontentement leurs prérogatives battues en brèche par l'autoritarisme de l'Université Laval. La situation était tellement confuse que les professeurs de l'École avaient jugé prudent de conserver leur affiliation avec Victoria[18]. Sage précaution puisque les relations entre la nouvelle succursale et l'École ne tarderont pas à se détériorer sérieusement. Les tensions atteindront leur point culminant lorsque le recteur de Laval prétendra avoir autorité sur les horaires des cours, les modes d'examens, la durée du programme, autorité que les professeurs ne lui reconnaîtront pas. Comme le souligne à juste titre Rumilly, les professeurs de l'École «tenaient d'autant plus à leur indépendance qu'ils craignaient, après une longue lutte avec Laval, des représailles portant sur leur avancement, leurs positions mêmes[19]». Les membres du conseil de l'École adoptèrent le 21 mai 1878 une ferme résolution quant aux conditions de fusion entre les deux parties:

> L'École ne peut vivre qu'en conservant son autonomie, nous déclarons formellement que nous ne consentirons jamais à une fusion avec l'Université Laval sans que cette autonomie nous soit parfaitement garantie[20].

Une lettre datée du 15 juillet 1878 rédigée par le docteur Trudel informa le recteur Hamel que les cours de l'École seraient annoncés dans l'annuaire sous la dénomination École de médecine Victoria. Une résolution de l'École statua aussi que les membres de l'École devaient s'engager «sur l'honneur de toujours travailler pour maintenir l'existence indépendante de l'École, son nom, son autonomie parfaite[21]...» À ce moment-là, seul le professeur Rottot refuse d'entériner une telle déclaration d'allégeance[22]. Même les docteurs Brosseau et Lamarche — qui, plus tard, opteront pour la succursale — acceptèrent de s'y conformer. À l'automne 1878, la rupture entre les parties était inévitable[23].

Durant l'été 1878, les autorités de Laval avaient compris qu'il serait très difficile, sinon impossible, de s'entendre avec les membres de l'École. Il fallait donc envisager la création d'une nouvelle faculté de médecine distincte de l'EMC/FMUV. Cela ne causait pas de difficultés insurmontables puisqu'il y avait suffisamment de candidats aptes à remplir les postes de professeurs. L'Université Laval pouvait aussi dénicher assez facilement les locaux nécessaires. Par contre, il était beaucoup moins aisé d'organiser au sein de cette future école un enseignement clinique sans une entente préalable avec un grand hôpital général. Aussi les autorités de Laval décidèrent-elles de rechercher une entente avec les hospitalières de l'Hôtel-Dieu de Montréal et de l'Hôpital de la Miséricorde afin de répondre aux exigences de la loi médicale provinciale. Elles n'avaient guère le choix. Il existait toutefois un obstacle à une telle entente et il était de taille.

L'EMC/FMUV, qui eut vent des négociations de Laval avec les hospitalières de l'Hôtel-Dieu, s'opposa avec vigueur à l'entrée d'une faculté rivale dans les salles de cet hôpital. Aussi rappela-t-elle aux hospitalières les liens médicaux, contractuels et financiers qui unissaient depuis longtemps l'École et l'Hôtel-Dieu. Ce rappel eut l'effet escompté, car les hospitalières rejetèrent les demandes de la succursale. Ni les pressions de M$^{gr}$ Fabre et de M$^{gr}$ Taschereau, ni celles provenant de Rome n'eurent raison de leur refus. Comme le rappelle pertinemment Lavallée, la nature des contrats passés entre elles et l'École

> est d'une importance capitale pour comprendre les refus systématiques des religieuses et des médecins d'annuler les contrats existants pour permettre à l'université d'établir sa succursale. Une délibération capitulaire du 1$^{er}$ octobre 1872 en indiquait la teneur. En vendant à crédit un terrain à l'école, les religieuses lui avaient réservé l'accès de leur hôpital. En 1878, les médecins qui s'étaient engagés personnellement envers l'Hôtel-Dieu devaient une somme d'environ $25 000. Satisfaits des services rendus par l'École, les religieuses ne voulaient pas courir le risque d'un procès en brisant unilatéralement leurs contrats, comme M$^{gr}$ Fabre et l'université le leur demandaient. Il était donc impossible pour Laval de s'entendre avec l'Hôtel-Dieu afin d'entrer dans ses salles[24].

Ajoutons que, conséquemment à un accord avec les sœurs, l'École, en échange de services médicaux gratuits à l'Hôtel-Dieu, n'avait jamais remboursé cette dette, mais en payait seulement les intérêts. Même une lettre du préfet de la Propagande transmise par M$^{gr}$ Fabre enjoignant aux hospitalières d'ouvrir leurs salles à la succursale de Laval demeura sans effet. Par contre, les démarches des autorités de Laval et de M$^{gr}$ Fabre eurent raison des résistances des sœurs de la Miséricorde qui accordèrent à la succursale un droit d'entrée hebdomadaire en alternance avec l'École[25]. Il faut dire que, malgré une entente tacite et une excellente collaboration entre cette institution et l'EMC/FMUV, aucun contrat ne les liait formellement[26]. Le docteur Trudel ne manqua pas de leur rappeler que l'École s'était «toujours montrée disposée à vous faire du bien, même dans les temps où votre œuvre était regardée de mauvais œil par le public[27]», mais rien n'y fit.

À l'automne 1878, l'EMC/FMUV, amputée de seulement deux professeurs titulaires et de deux agrégés, ouvrit ses portes aux étudiants. Rien ne sera pourtant plus comme avant. Les membres de l'École s'étaient fait de solides inimitiés qui ne lui laisseront guère de répit. Le recteur de Laval la considérait maintenant comme une menace pour la succursale et, durant la décennie à venir, «ne songe[r]a plus qu'à l'anéantir[28]».

## Deux facultés de médecine francophones à Montréal (1879-1890)

Grâce à l'ouverture de la faculté de droit à la session 1878-1879, l'inauguration de la succursale de l'Université Laval eut bien lieu comme prévu le 1er octobre 1878 dans la salle du cabinet de lecture paroissial. En l'absence d'une entente avec l'Hôtel-Dieu, l'on avait décidé de reporter l'ouverture de la nouvelle faculté de médecine. Dans son discours inaugural, Mgr Fabre exprimait l'espoir «que la faculté de médecine ne tardera pas longtemps à ouvrir ses portes[29]».

Le problème d'accès à une institution hospitalière d'au moins 50 lits fut temporairement résolu grâce à la collaboration des autorités du Montreal General Hospital qui acceptèrent de recevoir les étudiants de la nouvelle école. La situation était plutôt ironique si l'on considère que les autorités de Laval, lors des négociations avec l'EMC/FMUV, ne s'étaient jamais privées de dénoncer l'affiliation de cette dernière avec une université protestante. Cependant, cet accord temporaire, certes inconfortable pour les autorités cléricales, assurait à l'Université Laval les conditions nécessaires à un enseignement clinique. Elle pouvait enfin procéder à l'installation de la nouvelle faculté. Elle obtint des sulpiciens une subvention de 1000 $ pour s'installer dans les locaux de l'École normale Jacques-Cartier prêtés par le gouvernement[30]. Celle-ci était alors installée dans le château Ramezay sur la rue Notre-Dame[31]. La faculté de médecine de la succursale de l'Université Laval à Montréal (FMSULM) engagea sept des seize professeurs prévus initialement, soit les docteurs Rottot, Brosseau, Lamarche, E. P. Lachapelle, Ricard, Dagenais et Laramée. Elle ajouta à son corps professoral les docteurs Fafard, Filiatrault, Berthelot, S. Lachapelle, Desrosiers, Duval, Brodeur et Foucher[32]. C'est le docteur Rottot, fidèle défenseur de la succursale, qui avait été désigné doyen de la nouvelle faculté. Les docteurs Brosseau et l'agrégé Lamarche, anciens membres de l'EMC/FMUV, choisirent de joindre les rangs de la succursale. Le docteur Lamarche obtenait un poste de professeur titulaire. L'ouverture des cours de la FMSULM eut lieu le 1er octobre 1879. Elle n'eut pas le succès escompté. Seulement 30 étudiants s'y inscrivirent lors de la première année (1879-1880) contre 130 pour l'EMC/FMUV.

Il fallait trouver une autre solution concernant l'entente qui liait la succursale au Montreal General Hospital. Outre les désavantages confessionnels, les professeurs se plaignaient du rôle passif qui leur était dévolu durant l'enseignement clinique. Par exemple, lors des cliniques présentées en langue anglaise, le docteur Brosseau devait se contenter d'assister en spectateur aux interventions chirurgicales pour ensuite en faire l'explication à ses étudiants[33]. Une telle limitation de l'enseignement clinique constituait à court terme une menace pour la survie de la faculté. Il fallait trouver ou fonder un établissement catholique d'au moins 50 lits. En l'absence d'établissements convenables, les autorités de la faculté adoptèrent la seconde solution et mirent en branle plusieurs initiatives afin de procéder le plus rapidement possible à la fondation d'un hôpital général.

En guise de soutien à la fondation d'un hôpital francophone catholique, les professeurs de la succursale de l'Université Laval à Montréal s'engagèrent, le 15 avril 1880, à «sacrifier leur salaire pendant 4 ou 5 ans s'il le faut, pour monter un hôpital de 50 lits[34]» et à «fournir les remèdes pendant 3 ans» à la condition expresse qu'une «des communautés religieuses de

Montréal déjà employées au soin des malades spéciaux, consent[e] à s'en charger[35]». Le docteur E. P. Lachapelle fut mandaté pour rechercher les appuis nécessaires auprès des autorités susceptibles de faciliter la concrétisation du projet. Parmi cellesci se trouvait le curé Rousselot, curé de la paroisse Notre-Dame qui était particulièrement éprouvée par l'indigence et démunie en matière de soins médicaux: les résidents malades ou blessés «devaient parcourir à pied des distances énormes pour recevoir des soins[36]». Le curé Rousselot, qui désirait, depuis quelques années déjà établir un hôpital dans sa paroisse, accepta avec empressement de soutenir le projet de la succursale. Il s'engagea même à «subvenir au loyer et au chauffage de l'édifice ainsi qu'à la nourriture du personnel[37]». Il intervint aussi avec succès auprès de la communauté des sœurs grises pour solliciter leur engagement envers le nouvel l'hôpital[38].

> L'entente conclue entre les parties établissait que la communauté accepte d'assurer l'organisation et l'administration interne de l'hôpital, les soins aux malades et la préparation des médicaments à la condition qu'elle n'en fasse pas les frais et qu'on subvienne aux besoins en vêtements, au logis et à la nourriture des religieuses en poste à l'hôpital [...]. Le rôle dévolu aux sœurs grises dans la prise en charge de l'hôpital et du soin des malades assurait aux autorités médicales une minimisation des coûts et des responsabilités de gestion quotidienne de la nouvelle institution[39].

Finalement, l'ancien hôtel Donegana et ses dépendances furent loués pour 450 $ par an. L'inauguration officielle et la bénédiction de l'Hôpital Notre-Dame par Mgr Fabre eurent lieu le 25 juillet 1880. Les autorités de Laval avaient agi avec célérité. Avec la création du premier hôpital général catholique, laïque et canadien-français, les professeurs de la succursale «obtenaient, en échange de soins gratuits pour les indigents et d'une présence non rémunérée à l'hôpital, l'opportunité de pratiquer un enseignement clinique selon une organisation qu'ils pouvaient eux-mêmes définir. Ils se voyaient de plus accorder l'usage de certains privilèges médicaux et chirurgicaux en faveur de leurs clientèles privées[40]».

Nouvel appendice de la succursale, l'Hôpital Notre-Dame était situé sur la rue Notre-Dame à proximité du château Ramezay, toujours occupé par la succursale de l'Université Laval à Montréal. Lors de l'ouverture, le 27 juillet 1880, l'hôpital ne possède qu'une trentaine de lits mais, quelques mois plus tard, le nombre légal de 50 est atteint. Ayant aussi accès à la Maternité, la faculté de médecine de la succursale pouvait offrir un enseignement clinique répondant aux exigences du Collège.

Tout au long de la décennie 1880, les rapports entre les deux écoles de médecine demeureront très tendus. La succursale fera tout en son pouvoir pour absorber l'École de médecine. En contrepartie, cette dernière, par l'intermédiaire de l'avocat J. L. Archambault, tentera de démontrer l'illégalité de la nouvelle faculté de médecine de l'Université Laval. En 1881, l'École de médecine et de chirurgie sommera l'Université Laval de fermer sa succursale montréalaise sous menace d'un procès civil. Elle reçoit alors un fort appui de la part de M$^{gr}$ Bourget, de M$^{gr}$ Laflèche ainsi que du maire de Montréal «qui ne cache[ra] pas l'impatience avec laquelle Montréal supporte l'établissement de la succursale d'une université québécoise[41]». Le procès est intenté le 14 avril 1881. Entre-temps, les membres de Laval, pour contrecarrer la menace, s'efforcent de faire passer un projet de loi provinciale leur donnant le droit d'ouvrir des facultés «dans les limites de la province de Québec[42]». La résistance est vive, mais la loi est adoptée le 13 juin 1883. Le procès intenté par l'École devient donc inutile.

Le 27 février 1883, un nouveau décret de la Sacrée Congrégation de la Propagande oblige l'EMCM à se joindre à la succursale montréalaise de Laval. M$^{gr}$ Fabre et M$^{gr}$ Taschereau exigent alors la rupture de l'École avec l'université protestante de Cobourg. Les membres de l'École refusent de rompre une telle alliance avant d'avoir reçu de Laval le droit de conférer ou de faire conférer des diplômes universitaires. Rompre avec Victoria sans cette garantie aurait été, «de la part de l'École, renoncer à la collation des diplômes, c'est-à-dire se suicider[43]». Les médecins de l'École posent donc comme condition d'affiliation avec Laval la reconnaissance de «son existence comme corporation civile, avec les droits et privilèges qui en découlent suivant la loi du pays [et de] ses droits et privilèges à l'Hôtel-Dieu, à la Maternité des sœurs de la Miséricorde, aux dispensaires de la Providence et des sœurs grises[44]». Ces exigences sont jugées inacceptables par la partie adverse. Condamnant formellement les directeurs de l'École pour insoumission, les évêques de Montréal et de Québec enjoignent aux «sœurs de l'Hôtel-Dieu de ne plus recevoir ni les professeurs de l'École, ni leurs étudiants[45]». L'École fait appel et revendique son droit d'enseignement à l'Hôtel-Dieu. En juillet 1883, Mgr Fabre prononce un anathème, lu dans les églises le dimanche 5 août, contre l'École de médecine[46]. Il libérait la communauté de l'Hôtel-Dieu de toute obligation envers l'École, interdisait aux catholiques de la fréquenter et déclarait les professeurs et les élèves inadmissibles aux sacrements de l'Église. L'École était pour ainsi dire condamnée. Mais, par suite des représentations de Mgr Laflèche et du docteur Desjardins à Rome, l'anathème est suspendu, ce qu'annonce un télégramme en provenance de Rome signé par le cardinal Siméoni: «L'École a proposé au Pape une réconciliation; suspendez toutes choses que l'École continue l'année prochaine[47].» À partir de ce moment, le Saint-Siège tolérera l'existence de l'École de médecine. Le conflit ne connaîtra son dénouement que lors de la fusion définitive de 1891.

Durant toute la durée du conflit, l'EMC/FMUV demeurera nettement plus populaire auprès des étudiants que sa rivale de Laval. Par exemple, en 1884, elle accueillit 150 étudiants contre à peine 50 pour la succursale. Plusieurs raisons expliquent cet écart. La bonne réputation d'un enseignement clinique établi depuis plusieurs années à l'Hôtel-Dieu favorisait l'École; la compétence des vieux professeurs de l'École était jugée supérieure — parfois même à tort — à celle de leurs jeunes collègues de la succursale; le climat de liberté intellectuelle dont jouissaient les étudiants de l'École avantageait grandement le recrutement de candidats au détriment de sa rivale qui avait acquis rapidement une réputation de sévérité et d'austérité. La «révolte de la toge» relatée par Rumilly est à cet égard révélatrice[48].

En 1884, les étudiants de la succursale décidèrent, en guise de protestation contre des règlements disciplinaires jugés trop sévères, de ne plus revêtir la toge obligatoire pour l'assistance aux cours. Ils recoururent à cette tactique afin de protester contre la défense qui leur était faite de participer à des assemblées politiques, d'écrire dans les journaux et de fréquenter les théâtres. Menaçant les autorités de passer les uns à la faculté de droit de McGill, les autres à l'EMC/FMUV, ils obtinrent finalement un adoucissement des règlements et furent exemptés du port de la toge. Néanmoins, la succursale eut bien du mal à augmenter sa clientèle, et ce malgré un enseignement clinique qui se développait rapidement à l'Hôpital Notre-Dame.

Les autorités de Laval caressaient un ambitieux projet pour la succursale de Montréal. Entre 1886 et 1888, elles envisagèrent la construction d'un imposant édifice universitaire susceptible d'attirer un plus grand nombre d'étudiants. Un concours fut ouvert aux architectes «du Canada et des États-Unis»; les projets présentés étaient jugés par un comité composé de l'abbé Audet, de E. E. Taché et de N. Bourassa et des prix de 700 $, 500 $ et 300 $ étaient offerts aux trois meilleurs[49]. Les corps de logis de l'université devaient être situés sur la rue Saint-Denis, entre les rues Sherbrooke et Ontario, avec façade principale sur la rue Sherbrooke. L'édifice devait loger l'administration, la faculté de droit, la faculté des arts et la faculté de médecine. Selon les critères définis officiellement par le recteur de Laval, la faculté de médecine se verrait octroyer un très grand pavillon comprenant deux amphithéâtres pouvant recevoir 225 et 150 étudiants, deux auditoires pour 100 et 75 élèves, une salle de lecture, une grande salle de dissection dotée d'un amphithéâtre à pente rapide pour 200 auditeurs, une chambre «pour préparer et conserver les cadavres avec ascenseur[50]», une chambre pour le prosecteur d'anatomie, deux chambres de travail pour les professeurs, un laboratoire d'histologie avec amphithéâtre, des laboratoires «bien ventilés, munis de cheminées nombreuses[51]» de physiologie, de physique médicale, de pharmacologie et matière médicale et de chimie médicale. À cela devaient s'ajouter des musées de pathologie, d'anthropologie, d'anatomie humaine et comparée, etc. Fait assez remarquable pour l'époque — nous ne sommes qu'en 1886 — l'on prévoyait même un laboratoire de bactériologie. Même si l'occasion ne fait pas toujours le larron, la réalisation d'un tel aménagement aurait certes fourni aux professeurs et étudiants les conditions d'une nette évolution de l'enseignement médical. Le projet global selon l'un des plans soumis était évalué à 600 000 $[52]. La communauté Saint-Sulpice accepta de payer une partie des frais prévus mais, finalement, cette énorme entreprise, jugée beaucoup trop coûteuse et entrant en conflit avec un projet de construction d'une gare ferroviaire à proximité, fut abandonnée[53].

Dans l'ensemble, c'est le développement de l'enseignement médical francophone qui a fait les frais de la querelle. La division des ressources et les dépenses d'énergie canalisée dans des recours politico-juridico-religieux souvent stériles ne pouvaient nullement favoriser le progrès d'un tel enseignement en milieu francophone. Certes, ce sont surtout, comme le souligne Lavallée, «la rivalité traditionnelle entre Québec et Montréal et les difficultés financières[54]» qui ont constitué le moteur de la querelle. Mais il ne faut pas non plus minimiser la mainmise quasi despotique du clergé sur l'enseignement francophone catholique au Québec[55]. Il est à souligner aussi que la majorité des médecins de la province appuyait les revendications de l'EMC/FMUV. Il est désolant de constater que de telles luttes intestines — opposant en un rapport de force inégal une institution laïque vouée essentiellement à l'enseignement médical à une institution catholique autoritaire surtout dévouée à conserver ses prérogatives dans l'enseignement supérieur — se soient déroulées en dehors de toutes considérations concernant le rôle des écoles médicales, leurs besoins financiers et immobiliers, le type de formation et le nombre de praticiens nécessaires pour répondre aux besoins réels de la société québécoise en matière médicale[56].

## La fusion des deux écoles (1888-1891)

Les premières prémisses d'une résolution du conflit entre les deux écoles apparaissent en février 1889 quand Rome publia la bulle papale *Jam dudum*. Le décret pontifical accordait, au grand dam des autorités de Laval, une plus grande autonomie administrative à la succursale de l'Université Laval à Montréal. Celle-ci se voyait octroyer le pouvoir d'engager les professeurs, de nommer le vice-doyen de la faculté de médecine et de structurer les programmes d'études[57]. De telles dispositions allaient dans le sens des revendications de l'EMC/FMUV. L'un des obstacles majeurs à l'unification des deux écoles étant ainsi levé, des pourparlers furent entrepris avec la FMUL. Une entente à l'amiable conclue entre les parties le 20 septembre stipulait que les membres de l'École «consentent à devenir professeurs titulaires de la Faculté de médecine de l'Université Laval à Montréal, et à fonctionner comme tels suivants les règlements universitaires, à la condition que d'ici à deux ans, ils auront à se décider d'une manière définitive s'ils doivent rester avec Laval, ou à s'en dégager[58]».

Toutefois, cet accord ne fit pas l'unanimité parmi les professeurs de l'École. Trois des neuf professeurs — Durocher, Brunelle, Poitevin — s'y opposèrent avec force, exigeant au préalable «la reconnaissance de la charte de l'École, de son autonomie et de ses privilèges[59]». Une nouvelle entente signée le 12 octobre répondit en partie à ces demandes mais, après un mois d'essai, les étudiants des deux écoles suivirent à nouveau leurs cours dans des locaux séparés. Finalement, un accord entre les parties est paraphé à l'automne 1890, puis entériné par la législature le 4 décembre 1890[60]. Selon les termes de la loi qui amende l'acte d'incorporation de l'École, la fusion entrera officiellement en vigueur le 1er juillet 1891[61].

Outre la reconnaissance d'une plus grande autonomie de la succursale aux dépens de Laval, un important facteur externe avait facilité ce rapprochement. En 1887, la faculté de médecine de l'Université de Toronto avait fusionné avec la faculté de médecine de l'Université Victoria[62]. Des négociations avaient aussi été entreprises entre l'Université Victoria de Cobourg et l'Université de Toronto en vue d'une fusion des deux universités. L'EMC/FMUV risquait donc de perdre son affiliation à Victoria et ainsi de se retrouver sans statut universitaire, condition toujours nécessaire à l'octroi d'une licence de pratique.

Cela comportait certains risques quant à la clientèle. L'EMC/FMUV attirait beaucoup plus d'étudiants que sa rivale: à la rentrée de l'automne 1890, elle comptait 225 élèves contre seulement 65 pour la faculté de médecine de la succursale de l'Université Laval à Montréal. Mais avec la concurrence d'une faculté rivale de mieux en mieux organisée et la perte de son statut universitaire, elle risquait fort de voir diminuer ses admissions. Inquiets de la situation, les dirigeants de l'EMC/FMUV envoyèrent, le 4 avril 1888, deux représentants, les docteurs Hingston et Durocher, rencontrer les dirigeants de Victoria. Ils exprimèrent l'espoir de demeurer au sein de la nouvelle fédération prévue avec l'Université de Toronto[63], mais ne reçurent aucune assurance à cet égard de la part des autorités de Victoria. Les membres de l'EMC/FMUV se doutaient bien que le maintien d'une telle affiliation était fort peu probable. La question demeura en suspens jusqu'à l'automne 1890, soit au moment où Victoria adressa une notice officielle à l'EMC/FMUV selon laquelle son affiliation future avec Toronto rendait caducs ses liens avec l'École. Elle s'engageait tout de même à décerner des diplômes en médecine jusqu'en juillet 1892[64]. L'union avec Laval survenait donc à point.

## L'École de médecine et de chirurgie/Faculté de médecine de l'Université Laval à Montréal (1891-1920)

Reflet du souci de sauvegarder l'héritage antérieur des institutions en cause, la nouvelle faculté se dénommera désormais l'École de Médecine et de Chirurgie/Faculté de médecine de l'Université Laval à Montréal. Lorsque vint le moment de choisir un président pour la faculté, on s'efforça d'éviter toute prérogative de l'une ou l'autre école en écartant l'ancien doyen de la faculté de médecine de Laval, le docteur Rottot, ainsi que le président de la corporation de l'EMCM, le docteur Hingston. Le choix se porta néanmoins sur un des plus ardents défenseurs de l'École, le docteur L.-B. Durocher. Les docteurs Desrosiers et Demers de la succursale furent nommés respectivement secrétaire et trésorier. En réalité, l'EMCM avait davantage absorbé la succursale que l'inverse, et le nouveau président, lors de l'allocution prononcée à l'ouverture des cours, n'en fit pas mystère:

> Nous appartenons donc tous à la même institution: l'École de Médecine et de Chirurgie de Montréal, espérant éviter les mauvais génies qui tenteraient encore de nous diviser, espérant dans un court délai faire partie d'une grande université qui répondra aux besoins du district de Montréal [...]. Nous ouvrons aujourd'hui nos portes, en inaugurant la session 1891-1892, la 49e de cette institution[65].

Les «mauvais génies» de Laval dépités se firent une raison:

> Depuis le 1er juillet de la présente année 1891, l'Université Laval n'a pas le droit de faire enseigner la médecine à Montréal [...] le titre de Faculté médicale de l'Université Laval à Montréal a été donné à l'École de Médecine et de Chirurgie de Montréal, qui seule a désormais le contrôle de l'enseignement médical catholique à Montréal, et qui, en vertu de la loi précitée, s'est adjoint tous les professeurs de l'ancienne section montréalaise de la Faculté de Médecine de l'Université Laval[66].

Comme le souligne Rumilly, «les Montréalais considéraient l'union des facultés comme une étape vers l'université indépendante[67]». De fait, la nouvelle faculté s'efforcera d'obtenir une plus grande autonomie administrative et financière. À ce propos, les ressources de l'EMC/FMULM étaient à peine suffisantes pour supporter les émoluments des nombreux professeurs associés à l'institution, les frais de laboratoire, les frais de chauffage et d'entretien, etc.[68]. Devant l'indépendance manifestée par la nouvelle faculté, l'Université Laval se montrait peu empressée à la secourir financièrement. Quant au recours aux legs et souscriptions privées qui avaient fait la bonne fortune de McGill, les autorités de la faculté trouvaient inopportun de solliciter les Montréalais bien nantis pour une institution dépendante de

Québec. Pour les mêmes raisons, les riches sulpiciens hésitaient à soutenir la faculté. Il fallait donc acquérir davantage d'autonomie dans la gestion des finances de la succursale. Une solution s'imposa peu après la fusion. Elle se manifesta sous la forme d'un projet de loi qui modifierait la loi de 1887 en remplaçant le syndicat financier de la succursale de l'Université Laval à Montréal par une corporation d'administrateurs de cette université, lesquels seraient habilités à recevoir et à gérer des fonds destinés à la succursale montréalaise.

Les abbés Colin et Proulx, les juges Jetté et Pagnuelo ainsi que les docteurs Rottot et Hingston mirent au point ce projet qui reçut l'appui des évêques Fabre, Moreau et Racine. Soumis à Rome, il obtint l'aval du pape. Malgré l'irritation des autorités de Laval, la loi fut adoptée le 6 juin 1892 par la législature provinciale[69]. Lesdits administrateurs comprenaient principalement l'archevêque de Montréal, le vice-recteur de la SULM, le supérieur du séminaire Saint-Sulpice de Montréal, les doyens des facultés de théologie, de droit, de médecine et d'arts, deux délégués des diplômés de chacune des facultés de droit et de médecine[70]. La corporation obtenait «le droit d'acquérir et de posséder des biens meubles et immeubles[71]», et l'EMC/FMULM conservait ses droits et privilèges antérieurs. En somme, «le recrutement des administrateurs sera exclusivement montréalais, et la gestion financière échappera définitivement à Laval[72]». La fusion des deux écoles augmentait considérablement les charges administratives et financières, mais elle assurait en contrepartie aux Montréalais une plus grande stabilité de l'enseignement médical francophone. Du reste, la seule véritable dépendance de l'EMC/FMULM à l'endroit de la maison mère de Québec consistait à lui faire approuver ses diplômes:

> Elle donnera les diplômes de l'Université Laval au lieu de ceux de l'Université de Toronto [Victoria]. Elle possède les mêmes privilèges qu'autrefois, se gouvernant et faisant ses règlements comme par le passé[73]...

La nouvelle faculté héritait des deux diplômes qui étaient accordés à la FMSULM, soit le baccalauréat en médecine après les examens des matières primaires et le doctorat après les examens des matières finales. Néanmoins, les membres de l'EMCM, avec la complicité des professeurs de la FMSULM, avaient réussi à conserver une autonomie semblable à celle que l'École avait connue avec l'Université Victoria.

## Un nouvel édifice universitaire

L'ouverture officielle des cours de l'EMC/FMULM eut lieu le 5 octobre 1891, à 15 heures, dans le grand amphithéâtre de l'Hôtel-Dieu en présence de M$^{gr}$ Fabre, du président Durocher, du père Renaud, supérieur des jésuites, du vice-recteur Proulx et, évidemment, des élèves et professeurs de la faculté. Dès l'automne, les membres des deux écoles s'étaient réunis pour étudier le nouveau programme et distribuer les cours aux professeurs. La faculté comptait vingt professeurs titulaires et cinq agrégés. Mais, comme le nombre de titulaires dépassait celui des chaires disponibles, on décida que temporairement chaque cours important aurait deux titulaires, qui se partageraient les tâches d'enseignement. Il faut dire que la clientèle étudiante se chiffrait à près de 300 si l'on compte les «étudiants dentistes et les étudiants vétérinaires[74]». Du reste, l'âge avancé de plusieurs professeurs aura tôt fait d'éclaircir les rangs[75].

L'union des deux facultés présentait l'avantage d'augmenter les ressources humaines, la clientèle étudiante, le matériel didactique et les disponibilités cliniques. L'EMC/FMULM héritait en effet des nombreuses cliniques dispensées à l'Hôtel-Dieu, à l'Hôpital Notre-Dame ou à l'Hospice de la Maternité. En revanche, elle se retrouvait face à un sérieux problème de locaux puisque aucun des deux édifices antérieurs ne pouvait convenir aux nouveaux besoins de l'enseignement théorique et pratique. Les autorités optèrent pour les locaux de l'ancienne succursale tout en conservant la salle de dissection aménagée dans l'édifice de l'EMCM sur l'avenue des Pins, organisation temporaire puisque les membres de l'EMC/FMULM projetaient déjà la construction d'un nouvel édifice universitaire. Pour recueillir les fonds nécessaires à l'érection d'un tel édifice, le docteur d'Orsonnens sollicite ouvertement, dès le discours inaugural, la collaboration du gouvernement du Québec qui avait donné «une somme de quarante mille dollars à l'Université de Toronto», du séminaire Saint-Sulpice «qui est si riche», du «puissant» archevêché et enfin des «citoyens riches» de Montréal[76].

La requête de la faculté fut en partie entendue. En 1893, des travaux d'érection d'un modeste édifice universitaire furent entrepris sur la rue Saint-Denis près de Sainte-Catherine. La construction du nouvel édifice, dessiné par les architectes Perrault, Mesnard et Venne, au coût de 180 000 $, est en grande partie attribuable à la générosité du séminaire Saint-Sulpice qui, en plus d'une contribution financière de 80 000 $, avait légué le terrain vacant évalué à 40 000 $[77]. L'inauguration solennelle eut lieu le 8 octobre 1895 sous la présidence de Mgr Fabre et du lieutenant-gouverneur A. Chapleau[78]. L'édifice était relativement sobre mais élégant avec son porche à colonnes et son perron monumental.


## L'enseignement à l'EMC/FMULM: une période de transition


Durant la décennie 1880, des cours d'obstétrique, de médecine légale, de pharmacologie, ainsi que des cours portant sur les maladies mentales, les maladies vénériennes et les maladies du système nerveux s'étaient ajoutés au programme général des études médicales. Au moment de la fusion, l'année universitaire fut prolongée d'un mois, s'étendant du 1er octobre à la fin de juin. Les examens d'admission avaient lieu au début du mois de mai. Le programme des études comprenait toujours quatre ans d'études, comme c'était le cas dans la plupart des écoles de médecine nord-américaines[79], mais la répartition des cours théoriques et cliniques avait été légèrement modifiée. Les matières se trouvaient divisées en deux sections, les primaires et les finales, et répondaient aux exigences du Bureau provincial de médecine pour l'obtention de la licence. Au début des années 1890, les matières enseignées à l'EMC/FMULM sont exactement les mêmes que celles de la FMUL[80], mais celle-ci, avec des sessions annuelles réparties sur neuf mois, offrait presque deux fois plus d'heures de cours (3240) que son pendant de Montréal (1670). La FMUL offrait 1400 leçons primaires et 1840 leçons finales contre 810 leçons primaires et 860 leçons finales pour l'EMC/FMULM. Laval donnait beaucoup plus de leçons cliniques (660) que la faculté de Montréal (240).

Les primaires qui s'étendaient sur deux ans, comprenaient 300 leçons d'anatomie descriptive et pratique, 60 leçons d'histologie, 180 leçons de physiologie, 60 leçons de pathologie générale, 60 leçons d'hygiène, 240 leçons de chimie générale, médicale et biologique et enfin 30 leçons de botanique. À la fin de la première année, les étudiants devaient passer un premier examen éliminatoire portant sur l'histologie, l'hygiène, la botanique et la physiologie, et, à la fin de la seconde année, des examens sur l'anatomie, la physiologie, la pathologie générale et la chimie.

Les finales, réparties sur les deux dernières années d'études, comportaient 240 leçons de matière médicale et thérapeutique, 240 leçons de pathologie externe et médecine opératoire théorique, 20 leçons de médecine opératoire pratique, 120 leçons de pathologie interne, 240 leçons de tocologie, 60 leçons de médecine légale, 60 leçons de toxicologie, 180 leçons de clinique externe, 180 leçons de clinique interne, 120 leçons cliniques d'ophtalmologie et d'otologie et un nombre indéterminé de leçons cliniques sur les accouchements, les maladies des enfants, la gynécologie et la laryngologie[81]. Chaque leçon avait une durée fixe d'une heure. Un examen de troisième année et un examen final consacraient la fin des études[82].

Une très grande assiduité aux leçons était exigée des élèves. Leur présence était contrôlée par des cartes signées par le professeur, et le règlement à cet égard était très sévère: «[l'étudiant] ne pourra être admis à aucun des examens si toutes ses cartes n'attestent pas qu'il a suivi assidûment les leçons[83].» Pour parer à l'indiscipline probable de nombreux étudiants, il était strictement interdit «de chanter ou de faire du bruit durant les leçons[84]». L'ivrognerie, la mauvaise conduite, le trafic de cadavres et le manque de bienséance durant la dissection entraînaient une expulsion immédiate. Le coût annuel des études se répartissait comme suit: inscription: 2 $; cours théoriques: 60 $; dissection: 3 $; Maternité: 6 $; Hôpital Notre-Dame: 4 $ à 6 $ (6 à 12 mois) ; Hôtel-Dieu: 4 $ à 8 $ (6 à 12 mois). Le coût total annuel tournait autour de 80 $[85].

Plusieurs matières récemment ajoutées au programme — dermatologie, maladies vénériennes, maladies mentales, pharmacologie — ne faisaient l'objet d'aucun examen obligatoire et n'étaient pas requises pour l'obtention du diplôme. Il s'agissait le plus souvent d'un enseignement facultatif des matières nouvellement «importées» par de jeunes médecins qui étaient allés en Europe suivre les nouveaux développements de la science médicale. Le plus souvent, l'ajout de ces cours faisait suite aux demandes du médecin désireux de promouvoir sa nouvelle spécialité. Cela permettait au futur praticien d'étendre le champ de ses connaissances, mais la plupart du temps les nouvelles matières enseignées demeuraient trop longtemps en marge du programme obligatoire établi par les instances du Bureau de médecine du Collège.

## L'organisation des cliniques à l'Hôpital Notre-Dame et à l'Hôtel-Dieu

Depuis son ouverture en 1880, l'Hôpital Notre-Dame avait vu sa clientèle s'accroître de façon importante. Après six ans de fonctionnement, le service interne avait doublé ses admissions — 1547 contre 772 en 1881 — alors que les consultations dans les dispensaires avaient connu une poussée foudroyante: de 3872 consultations en 1881-1882, le nombre grimpe à 31 606 en 1888-1889. Un tel accroissement de la clientèle dans ces deux sections parallèles répondait aux deux grands objectifs des fondateurs de l'hôpital: soins aux indigents et organisation d'un enseignement clinique en médecine et en chirurgie. Les services externes et internes répondaient aux exigences d'un enseignement clinique diversifié. Les liens qui unissaient la FMSULM et l'Hôpital Notre-Dame étaient si étroits que les cours commencés à la succursale se terminaient souvent au lit des malades.

À sa création, l'Hôpital Notre-Dame ne comptait que deux services internes: le service de médecine et le service de chirurgie. S'ajoutera l'année suivante, grâce à l'initiative du docteur A. A. Foucher, considéré à juste titre comme l'un des pionniers de l'oto-rhino-laryngologie, un nouveau service d'ophtalmologie et d'otologie. Foucher dispensera à l'Hôpital Notre-Dame un enseignement clinique qui correspondait aux connaissances les plus avancées de l'époque. Conséquemment aux nombreux cas de gynécologie admis au service de médecine, l'Hôpital Notre-Dame décide en 1891 de mettre sur pied un nouveau service des «maladies des femmes» sous la direction du docteur M. T. Brennan, promoteur acharné de cette spécialité[86]. Le Montreal General Hospital avait été, en 1883, le premier hôpital général à offrir un tel service[87]. Mais, au moment où l'Hôpital Notre-Dame y consacre 15 de ses 135 lits, l'Hôtel-Dieu ne disposait pas encore d'un tel service. Auparavant, les problèmes gynécologiques n'étaient abordés que succinctement lors des cliniques tenues à l'Hospice de la Maternité. Ce nouveau service comblait un besoin considérable, tant en matière de demande de soins qu'en matière de formation pratique des étudiants.

L'ophtalmologie-otologie, l'obstétrique et la gynécologie mises à part, peu de spécialités sont alors reconnues et pratiquées dans les hôpitaux généraux. Plus de 80 % des patients hospitalisés dans tous les grands hôpitaux généraux d'Europe et d'Amérique étaient envoyés aux services de médecine et de chirurgie. En 1891, les services de médecine, de chirurgie et d'ophtalmologie-otologie de l'Hôpital Notre-Dame sont occupés par des professeurs de la faculté de médecine de Montréal[88]. La cohorte des étudiants suivant le professeur de clinique était devenue une scène familière aux patients des salles publiques.

L'Hôtel-Dieu et l'Hôpital Notre-Dame répondaient donc adéquatement aux besoins de l'époque en matière d'enseignement pratique. Ces deux hôpitaux généraux constituaient une source abondante de cas cliniques pour les professeurs de la faculté et, d'une certaine manière, agissaient complémentairement. Les patients admis dans leurs services de médecine permettaient aux étudiants de se familiariser avec les maladies «constitutionnelles», avec les maladies du système digestif, du système respiratoire, du système circulatoire, du système nerveux, du système locomoteur, du système cutané et ganglionnaire, ainsi qu'avec diverses formes d'intoxication.

Les services de chirurgie de l'Hôtel-Dieu et de l'Hôpital Notre-Dame offraient aussi aux élèves la possibilité de s'initier aux petites et grandes interventions chirurgicales. Les petites opérations sont fréquentes — incision des abcès, extraction des dents, injections, réductions de fractures, sutures et pansements des plaies, etc. — alors que les interventions majeures sont plutôt rares et concernent en grande partie les amputations, les amygdalectomies, les ligatures, les réductions de hernie, les lithotomies, les uréthrotomies, qui exigent le plus souvent une anesthésie générale. Le service d'ophtalmo-oto-rhino-laryngologie de l'Hôpital Notre-Dame constituait une clinique essentielle pour tous les étudiants qui auront au cours de leur pratique à soigner de nombreuses maladies des yeux et des oreilles ainsi que de nombreux accidents oculaires. Il faut se rappeler qu'en période d'industrialisation croissante et souvent anarchique, les mesures de prévention font largement défauts, surtout en certains milieux de travail tels que les usines, manufactures, ports, chantiers de construction, etc. L'extirpation de corps étrangers dans les yeux étant une intervention fréquente, les étudiants sauront tirer profit de ces cliniques. Nombreux sont aussi les cas de conjonctivite, de kératite ou de cataractes. De même, pour des raisons similaires, les problèmes reliés aux organes auditifs sont-ils largement répandus[89]. La clinique de gynécologie permet enfin aux élèves de se familiariser avec les nombreux cas de métrite, de fibrome utérin, de cancer utérin, de rétroversion utérine, d'avortement, etc.[90]

Bien que l'Hôtel-Dieu bénéficiait de l'avantage d'accueillir un plus grand nombre de patients avec ses 250 lits, l'organisation de l'enseignement pratique et la mise sur pied de nouvelles cliniques étaient généralement plus faciles à l'Hôpital Notre-Dame. La raison en est que le nouvel hôpital possédait un bureau médical composé, encore durant la décennie 1890, essentiellement de professeurs de l'EMC/FMULM[91]. Or ce bureau avait «le contrôle absolu de tout le département médical». Dès lors, les initiatives de la faculté en ce qui regarde l'organisation de l'enseignement clinique étaient largement facilitées, et elle ne manquera pas d'en profiter. En général, les seuls véritables obstacles tenaient à des impératifs financiers dictés par le bureau d'administration de l'hôpital. Durant les premières décennies de l'hôpital, les intérêts des uns s'ajustaient le plus souvent aux intérêts des autres, mais ce ne sera pas toujours le cas durant les décennies subséquentes. Un tel bureau médical n'existait pas encore à l'Hôtel-Dieu. Les hospitalières avaient conservé leur pouvoir quant au fonctionnement général de leur hôpital. La marge de manœuvre du personnel médical y était moins grande qu'à l'Hôpital Notre-Dame même si, généralement, les sœurs ont fait preuve d'ouverture et ont facilité la mise en œuvre de certaines réformes.

En 1890, à la suite d'un accord entre les parties, d'importantes modifications sont apportées à l'organisation des cliniques de l'Hôpital Notre-Dame, modifications qui allaient dans le sens d'une plus grande participation des étudiants aux activités de l'hôpital. Les autorités de l'hôpital et de la faculté avaient décidé de créer des postes d'externes destinés aux étudiants de quatrième année[92]. Or les objectifs visés par la faculté et le bureau médical sont convergents: fournir une meilleure formation pratique aux étudiants et porter assistance aux médecins de service et aux internes débordés par l'accroissement de la clientèle. Deux postes étaient libres dans les services de chirurgie, médecine, gynécologie, petite chirurgie et ophtalmo-oto-rhino-laryngologie, un poste d'externe en électricité médicale, au dispensaire général, au dispensaire des enfants et au dispensaire de dermatologie. Deux postes d'assistants sont aussi créés dans les laboratoires d'histologie, de chimie et à la salle d'autopsie. Chaque étudiant, nommé par l'interne en chef et les professeurs, recevait, après deux mois de travail sous la direction du chef de service, un certificat d'externat.

La création de l'externat modifiait sensiblement les rapports entre les élèves et les patients de l'hôpital. Jusque-là, les étudiants étaient fortement encadrés et confinés surtout dans un rôle d'auditeurs passifs. Il leur était interdit de pénétrer dans les salles des malades sans être accompagnés du professeur;

pendant la visite des malades, ils étaient tenus de suivre «pas à pas» le clinicien et obtenaient rarement la permission d'examiner ou d'interroger des malades autres que celui faisant l'objet de la démonstration[93]. Bref, aucun malade ne leur était accessible «sans la surveillance immédiate du médecin de service ou du médecin interne[94]». Les cliniques chirurgicales demeuraient encore beaucoup plus didactiques que pratiques. Les étudiants qui s'entassaient dans les gradins de l'amphithéâtre et observaient en silence le déroulement de l'intervention ne devaient «descendre dans l'enceinte que sur la demande expresse du professeur» et ils devaient retourner à leurs places dès que l'examen pour lequel ils avaient été appelés était terminé. Le bureau médical de l'Hôpital Notre-Dame avait par ailleurs décidé «de faire placer autour de l'enceinte une garde de fer afin de fermer toute communication avec l'estrade[95]». On n'accorda qu'aux élèves en stage d'externat le privilège d'assister de près aux opérations «pour éviter l'encombrement autour du professeur, prévenir le vol d'instruments et rendre populaire et efficace le service de l'externat[96]». D'autres initiatives furent prises pour attirer les candidats: le bureau médical de l'Hôpital Notre-Dame demanda à l'EMC/FMULM que les certificats d'externat soient reconnus comme équivalant au certificat d'assistance aux autres cliniques[97]. La création de cet externat ajoutait à ces leçons cliniques une expérience pratique, de courte durée certes, mais néanmoins profitable. Peu à peu, les tâches intègrent de nouvelles activités. En 1902, le bureau médical de l'Hôpital Notre-Dame décide «que les examens élémentaires des urines seront faites par chaque externe de service sous la surveillance de l'interne et du chef de service[98]».

Les étudiants avaient le loisir d'opter pour le clinicien ou le chirurgien de leur choix et de suivre les cliniques médicales et chirurgicales dispensées dans les deux hôpitaux. Avantage intéressant si l'on considère que les chirurgiens avaient généralement leurs propres méthodologies, des options théoriques déterminées et des façons personnelles de présenter leur savoir. En une période où la spécialisation est à peine amorcée, où les méthodologies opératoires sont peu uniformisées, où les théories — le plus souvent éphémères — sont largement contestées et parfois contestables et où les idéologies contaminent largement les choix théoriques et pratiques, l'enseignement clinique varie d'un professeur à l'autre. C'est ainsi qu'entre l'enseignement d'un Rottot, d'un Coderre ou d'un Laramée et celui d'un Brennan, d'un Desrosiers ou d'un Foucher, il y avait certes des différences importantes. Tous font cependant partie d'une élite médicale et, compte tenu de l'époque, peuvent être à juste titre considérés comme de bons praticiens et, selon les objectifs essentiellement pratiques d'une éducation médicale axée sur la formation de médecin généraliste, comme de bons professeurs.

Jusqu'aux années 1890, l'embauche d'un nouveau professeur à la faculté était favorisée le plus souvent par une recommandation d'un ancien professeur ou d'un collègue. Un stage d'études médicales en Europe inscrit sur le curriculum du candidat constituait certes un atout important. La possession d'un diplôme de spécialisation d'outre-mer favorisait certainement une nomination, mais peu nombreux étaient encore ceux qui possédaient une telle marque de compétence. De même, la réputation du candidat et le fait qu'il ait à son actif quelques publications dans *L'Union médicale du Canada* et des conférences dans les sociétés médicales facilitaient l'entrée à la faculté. Il arrivait parfois que des postes fassent l'objet d'une tractation entre deux médecins: une chaire d'anatomie à la faculté pouvait s'échanger contre une clinique médicale à l'Hôpital Notre-Dame. Mis à part les docteurs Hingston, Desrosiers et Foucher, rares étaient ceux, parmi les vingt professeurs titulaires de la faculté en 1892-1893, dont la réputation dépassait les frontières du pays[99]. Au moment de la fusion des deux écoles, plusieurs professeurs, formés dans les années 1850, avaient atteint l'âge de la retraite. La nouvelle faculté avait certes besoin de sang neuf pour renouveler le contenu de l'enseignement et rencontrer les nouvelles exigences d'une médecine qui s'orientait vers de nouvelles pratiques axées sur le développement technologique et les travaux de laboratoire. De jeunes médecins de retour de stages d'études en territoire européen allaient bientôt s'affirmer au sein de la faculté.

# Notes

\* Sans nous attarder ici aux détails du célèbre conflit entre Québec et Montréal, conflit qui a fait l'objet d'une excellente analyse de la part d'A. Lavallée (*Québec contre Montréal. La Querelle universitaire 1876-1891*), nous nous bornerons à présenter les événements majeurs qui ont jalonné le parcours sinueux conduisant à la fusion des deux écoles rivales.

1. Sur ces points et les suivants, voir A. Lavallée, *ibid.*, p. 13-17.

2. Dans une lettre adressée à M$^{gr}$ Taschereau, M$^{gr}$ Bourget se montrait convaincu «qu'après tous les essais qui ont été faits, on ne réussira jamais à attirer à Québec les étudiants en droit et en médecine de Montréal. Il s'en suivra qu'ils demeureront affiliés aux universités protestantes, et exposés au danger de perdre la foi sans aucun profit pour l'Université Laval. Une université à Montréal les sauverait, sans nuire à Laval, qui aura toujours son nombre d'élèves, fourni par les institutions qui lui sont affiliées.» (R. Rumilly, *Histoire de la province de Québec*, t. I, p. 248.)

3. R. Rumilly, *op. cit.*, t. II, p. 246.

4. Soutenus par M$^{gr}$ Bourget, les jésuites, en 1872, «présentèrent à la législature provinciale un bill les autorisant à fonder une université à Montréal», mais, devant les protestations de Laval qui avait de sérieux appuis politiques, le projet échoua. (*Ibid.*, p. 247.)

5. Datées du 10 mai 1876, les lettres érigent canoniquement l'Université Laval de Québec.

6. A. Lavallée, *op. cit.*, p. 17.

7. «[...] l'École de médecine et de chirurgie de Montréal désapprouve le mouvement qui se fait actuellement par un certain nombre de citoyens de cette ville pour obtenir une succursale de l'Université Laval». (PVEMC, 1877-10-10, p. 174.)

8. *Ibid.*, 1877-10-31, p. 176.

9. *Ibid.*, p. 177.

10. «[...] l'École de médecine [...] sera toujours prête à discuter les moyens qui pourraient lui permettre de faire partie d'une université catholique, pourvu que celle-ci lui conserve son autonomie.» (*Ibid.*)

11. A. Lavallée, *op. cit.*, p. 42.

12. *Ibid.*, p. 44.

13. «Rottot, Brosseau, Lachapelle et Lamarche à Taschereau», 1877 ou 1878, cité par Lavallée, *op. cit.*, p. 45.

14. *Ibid.*

15. Voir PVEMC, 1878-01-12, p. 1-2; 1878-01-23, p. 3; 1878-02-14, p. 9.

16. *Annuaire de l'Université Laval*, 1878-1879, p. 92.

17. *Ibid.*

18. Des délégués de l'EMCM se rendirent à Cobourg au printemps 1878 pour aller chercher les diplômes de ses étudiants (PVEMC, 1878-04-03, p. 28).

19. R. Rumilly, *op. cit.*, t. II, p. 244.

20. PVEMC, 1878-05-21, p. 50.

21. *Ibid.*, 1878-09-29, p. 58-59.

22. Le professeur Rottot qui avait refusé de «donner sa garantie de ne plus travailler contre la majorité des professeurs» est prié de donner sa démission (*ibid.*, 1878-09-05, p. 61).

23. L'EMCM envoie, en décembre 1878, un certificat au gouverneur Joly, prouvant qu'elle n'a plus aucun rapport avec l'Université Laval. Ce certificat lui donnera droit à l'allocation annuelle du gouvernement (*ibid.*, 1878-12-05, p. 71). Curieusement, ce n'est qu'en juin 1879 que le recteur Hamel met en demeure les professeurs d'opter entre l'École et la succursale de l'Université Laval. Les autorités de Laval conservaient-elles l'espoir d'une réconciliation? C'est possible (*ibid.*, 1879-06-16, p. 4).

24. A. Lavallée, *op, cit.*, p. 55.

25. «L'École fut avertie "que suivant l'ordre de l'Autorité Ecclésiastique, nous [les sœurs de la Miséricorde] admettons à notre Maternité les deux écoles. Chacune aura sa semaine".» (*Ibid.*, p. 59-60.)

26. Voir A. Lavallée, *op. cit.*, p. 57-60.

27. Le docteur Trudel à sœur Sainte-Thérèse de Jésus, 9 octobre 1879, cité par A. Lavallée, *ibid.*, p. 60.

28. *Ibid.*, p. 52.

29. *Ibid.*, p. 53.

30. *Annuaire de l'Université Laval*, 1879-1880, p. 59 et *L'Union médicale du Canada*, 1879, p. 383. En juin 1879, un comité avait été chargé de rencontrer «les messieurs de Saint-Sulpice afin d'obtenir un local où la faculté pourrait donner ses cours» (PVFMULM, 1879-06-29, p. 6).

31. Selon O. Maurault, la faculté de médecine de la succursale était installée en 1882 dans un bâtiment voisin sur la place Jacques-Cartier. Le château Ramezay logeait les bureaux d'administration de l'université (O. Maurault, *L'Université de Montréal*, Montréal, Cahier des Dix, 1952 p. 22).

32. PVFMULM, 1879-06-28, p. 6.

33. L. D. Mignault, «Histoire de l'École de médecine et de chirurgie de Montréal», *L'Union médicale du Canada*, 1926, p. 632.

34. *Bulletin de l'exécutif du conseil des médecins et dentistes de l'Hôpital Notre-Dame*, vol. I, n° 1, 1978, p. 4.

35. «M. l'abbé Thomas Hamel, recteur de l'Université Laval à Montréal à son Éminence le cardinal Siméoni, préfet de la Congrégation de la Propagande», le 15 avril 1880, Archives des Sœurs Grises de Montréal, Fonds Hôpital Notre-Dame. Soulignons que cette entente sera formalisée «par acte sous seing privé daté du 30 avril 1880, en faveur de M. Rousselot, et par acte notarié en date du 20 juillet 1880 en faveur du Séminaire de Québec, les susdits professeurs, quoique peu fortunés, sacrifiaient leurs émoluments de professeurs» (*Bulletin de l'exécutif du conseil des médecins et dentistes de l'Hôpital Notre-Dame*, vol. I, n° 1, 1978, p. 4).

36. *Archives des Sœurs Grises de Montréal*, Fonds Hôpital Notre-Dame, lettre de l'abbé Thomas Hamel, recteur de l'Université Laval à Montréal, au cardinal Siméoni, 15 avril 1880.

37. *Ibid.*, lettre de sœur Olier à sœur Charlebois, 20 déc. 1880.

38. «Entente entre les Sœurs de Miséricorde et les professeurs de l'Université Laval à Montréal pour la fondation d'un hôpital», avril 1880, cité par A. Lavallée, *op. cit.*, p. 62.

39. D. Goulet *et al.*, *Histoire de l'Hôpital Notre-Dame (1880-1980)*.

40. *Ibid.*

41. R. Rumilly, *op. cit.*, t. IV, p. 107.

42. J. Heagerty, *Four Centuries of Medical History in Canada*, p. 108.

43. R. Rumilly, *op. cit.*, t. IV, p. 83.

44. *Ibid.*, p. 82.

45. A. Lavallée, *op. cit.*, p. 153.

46. Il fut appuyé, entre autres, par M^gr Moreau de Saint-Hyacinthe qui publia une lettre pastorale en août 1883, menaçant d'excommunication «tout catholique du diocèse qui entretiendrait des relations avec l'École Victoria» (R. Rumilly *op. cit.*, t. IV, p. 84). Or une partie de la clientèle de l'École provenait du diocèse de Saint-Hyacinthe.

47. P. Bois, «Les origines des facultés de médecine de Montréal», *Infomed*, Faculté de médecine, Université de Montréal, vol. 14, n° 5, mai-juin 1991, p. 7.

48. R. Rumilly *op. cit.*, t. IV, p. 202-203.

49. M. E. Méthot, *Concours ouvert aux architectes du Canada et des États-Unis pour la préparation des plans*, Montréal, Imprimerie générale, 1886, p. 1-2.

50. *Ibid.*, p. 10.

51. *Id.*

52. *Concours, Description du plan, des devis et du prix des édifices de la Succursale de l'Université Laval à construire sur la rue Sherbrooke, Saint-Denis et Ontario à Montréal*, 1887. Maurault fait état du projet d'un édifice de style renaissance française dessiné par les architectes Perrault et Mesnard (O. Maurault, *op. cit.*, p. 22).

53. Selon Maurault, «Saint-Sulpice consentit à faire sa part, mais le projet était trop ambitieux. On dut l'abandonner, pour cette raison et parce qu'une gare de chemin de fer menaçait de se construire dans les mêmes parages» (*ibid.*, p. 22-23).

54. R. Rumilly *op. cit.*, t. IV, p. 233.

55. Lavallée note, en parlant des sœurs de l'H-D, «[qu']en obéissant aux décrets de Rome comme le leur demanda sans cesse l'évêque de Montréal, elles risquaient de se retrouver devant les tribunaux et de perdre les sommes considérables que leur devaient les professeurs de l'École. En s'appuyant sur cette force que leur conférait leur contrat, les médecins résistèrent aux ordres pontificaux. Leur réaction s'inspira des intérêts économiques en jeu. Ils ne voulaient pas perdre le capital qu'ils avaient investi. C'était légitime et compréhensible. Sans doute cette nécessité vitale en fit-elle des Ultramontains d'occasion et des Montréalistes farouches.» (A. Lavallée, *op. cit.*, p. 234.) Ce dernier argument est plausible mais ne nous convainc guère. Tout en reconnaissant que ce facteur ait joué un rôle dans l'attitude ferme manifestée par les membres de l'École, il nous semble que Lavallée néglige la problématique interne d'une institution dévouée à l'enseignement médical, problématique

qui ne se réduit pas seulement à des considérations financières. Surmontant leur problème d'affiliation universitaire, les membres de l'École avaient réussi à instituer un programme d'enseignement dont ils étaient fiers, notamment en ce qui regarde l'enseignement clinique, et s'étaient assuré une clientèle fort nombreuse tout en conservant une très grande autonomie permise par la libéralité dont a fait preuve l'université Victoria. Or, au moment où la situation de l'École est enviable, la voilà assujettie aux décisions et humeurs des autorités de l'Université Laval qui n'ont de cesse de prétendre l'assimiler.

56. La loi de 1890 qui unifie officiellement les deux facultés en fait état: celle-ci est, en partie, adoptée «en vue de mettre fin aux divisions qui nuisent au progrès et au développement de l'enseignement médical et paralysent les efforts des amis de l'enseignement supérieur» («Acte pour amender l'acte constituant en corporation l'École de Médecine et de Chirurgie de Montréal, 8 Vict., chapitre 81, et pour ratifier certaines conventions intervenues entre ladite École et l'archevêque et les évêques catholiques romains de la province ecclésiastique de Montréal», SPQ, 1890, chap. 90.)

57. Sur ce point et les suivants, voir A. Lavallée, *op. cit.*, p. 224-232. Les travaux de Rothstein et Ludmerer montrent bien que les attaques subies par certaines institutions médicales privées, tout en étant parfois entachées de considérations mercantiles liées au marché lucratif de l'enseignement médical, n'en étaient pas moins, en général, essentiellement dirigées sur les aspects internes de l'enseignement donné aux étudiants et non sur de quelconques considérations idéologico-cléricales fort éloignées des objectifs didactiques. Malheureusement, à la fin du XIXe siècle en milieu francophone québécois, on n'en est pas encore là. (Voir W. G. Rothstein, *American Medical Schools and the Practice of American Medicine*, et K. M. Ludmerer, *Learning to Heal. The Development of American Medical Education.*)

58. *Premier rapport sur la gestion universitaire fait à Rome à Sa Grandeur Mgr Ed. Chs Fabre, archevêque de Montréal par l'abbé J.-B. Proulx*, Montréal, Beauchemin, 1891, cité par Lavallée, *op. cit.*, p. 229.

59. *Id.*

60. «Acte pour amender l'acte constituant en corporation l'École de Médecine et de Chirurgie de Montréal, 8 Vict., chapitre 81, et pour ratifier certaines conventions intervenues entre ladite École et l'archevêque et les évêques catholiques romains de la province ecclésiastique de Montréal», *SPQ*, 1890, chap. 90.

61. «[...] ladite école de médecine et de chirurgie de Montréal constituera à partir du premier juillet prochain, la faculté médicale de Laval à Montréal, et ladite Université Laval ne pourra plus dès lors, établir d'autres chaires d'enseignement médical à Montréal, nonobstant l'acte 44 Victoria, chapitre XLVI.» (*Ibid.*)

62. H. E. MacDermot, *One Hundred Years of Medicine in Canada*, p. 97 et A. A. Travill, *Medicine at Queen's...*, p. 10.

63. «[...] *expressed the unanimous desire of the authorities of the school, in the event of the Federation of Victoria University with the Provincial University, to come into*

*the Federation in virtue of their affiliation with Victoria.*» (Procès-verbaux de l'Université Victoria, 1888-04-04, p. 141.)

64. *Ibid.*, 1890-10-16, p. 35.

65. «Discours du Dr Durocher», *La Gazette médicale*, 1891, p. 453.

66. *Annuaire de l'Université Laval*, 1891-1892, p. 25.

67. R. Rumilly, *op. cit.*, t. VI, p. 297.

68. Sur ce point et les suivants, voir *ibid.*, p. 298-300.

69. *Loi abrogeant la loi qui constitue en corporation le «Syndicat Financier de l'Université Laval à Montréal», et constituant en corporation «Les administrateurs de l'Université Laval à Montréal»*, Montréal, C. O. Beauchemin & Fils, 1892.

70. *Ibid.*, p. 2-3.

71. *Ibid.*, p. 3.

72. R. Rumilly, *op. cit.*, t. VII, p. 19.

73. «Discours du Dr Durocher», *op. cit.*, p. 452.

74. «Près de trois cents élèves ont suivi les cours de la Faculté durant l'année 1891-1892.» (*Annuaires de l'EMC/FMULM, 1892-1893*, Montréal, Typ. Gerhardt-Berthiaume, 1892, p. 18.) La loi d'incorporation de l'École vétérinaire canadienne-française de Montréal avait établi en 1886 que l'École inclura *ex officio* les médecins de l'École de médecine et de chirurgie occupant les chaires de physiologie, de chimie, d'histologie et de botanique. (Voir D. Goulet et A. Paradis, *Trois siècles d'histoire médicale au Québec*, p. 420.)

75. Décéderont les docteurs Paquet en 1891, d'Orsonnens, Berthelot et Laramée l'année suivante, le docteur Poitevin en 1893, le docteur Dagenais en 1896 et le docteur Brosseau en 1900.

76. «Discours du Dr d'Orsonnens», *La Gazette de Montréal*, 1891, p. 458-459.

77. *Annuaire de l'Université Laval à Montréal*, 1903, p. 126. Desjardins mentionne un prêt de 74 000 $ sans intérêts de la part des sulpiciens, alors que Maurault fait état d'un legs de 50 000 $.

78. *L'Université de Montréal - Guide 1946*. Un accroc au protocole blessa M$^{gr}$ Laflamme, recteur de Laval, qui refusa d'occuper la place réservée au second rang sur l'estrade et choisit de retourner à Québec. L'université devait y demeurer près d'un demi-siècle pour ensuite être remplacée par l'École des arts et métiers.

79. «*By the turn of the century, practically all medical schools had adopted a four-year graded course of instruction. The major beneficiaries of the graded course were the clinical specialties.*» (W. G. Rothstein, *op. cit.*, p. 104.)

80. Sur le programme de la FMUL, voir *L'Électeur*, 6 août 1890, cité par J. Bernier, *La médecine au Québec, naissance et évolution d'une profession*, p. 77.

81. La FMUMG ouvrait en 1882 son département de laryngologie (Université McGill, Osler Library, *University McGill*, p. 285).

82. *Annuaire de l'École de médecine et de chirurgie de Montréal. Faculté de médecine de l'Université Laval à Montréal*, Montréal, Typ. Gebhardt-Berthiaume, 1892, p. 9-38.

83. *Ibid.*, p. 35.

84. *Id.*

85. *Ibid.*, p. 38.

86. C'est en 1883 que la FMUMG organise une chaire autonome de gynécologie (Université McGill, Osler Library, *University McGill*, p. 285). Sur le développement de la gynécologie à l'HND, voir L. Brodeur, *Les débuts de la spécialisation de la gynécologie au Québec...*

87. C'est le docteur W. Gardner, professeur de gynécologie à l'Université McGill, qui en assume la direction. En 1885, il devient le premier médecin à abdiquer la pratique de la médecine générale pour s'adonner entièrement à la gynécologie. (Voir D. Sclater Lewis, *Royal Victoria Hospital 1887-1947*, p. 39, et D. Goulet et A. Paradis, *op. cit.*, p. 460.)

88. Le service de médecine compte trois médecins visiteurs, les docteurs J. A. Laramée, H. E. Desrosiers et J. D. Gauthier, et cinq médecins consultants, les docteurs J. P. Rottot, A. Dagenais, E. P. Lachapelle, N. Fafard et S. Duval. Quant au service de chirurgie, il est sous la direction du docteur A. T. Brosseau. (Voir D. Goulet *et al., Histoire de l'Hôpital Notre-Dame..., op. cit.*)

89. Pour la seule période comprise entre le 1er juillet 1891 et le 30 juin 1892, le «dispensaire pour les maladies des yeux, des oreilles, du nez, du pharynx et du larynx» effectue 1397 interventions (*Rapport annuel de l'HND, 1891-1892*, Montréal, C. O. Beauchemin & fils, 1892, p. 56-57).

90. Dès la première année du nouveau service, soit du 30 juin 1891 au 1er juillet 1892, sont accueillies 134 patientes pour des cas de métrite (23), de fibrome utérin (11), de cancer utérin (5), de rétroversion utérine (7), d'avortement (8), etc. (Voir D. Goulet *et al., Histoire de l'Hôpital Notre-Dame..., op. cit.*)

91. En 1891 et 1892, le bureau médical est formé des docteurs E. P. Lachapelle, Rottot, Dagenais, Laramée, Brosseau, Lamarche, S. Lachapelle, Fafard, Duval, Desrosiers, Foucher et Brennan, tous professeurs à l'EMC/FMULM.

92. *Rapport annuel de l'HND, 1891-1892, op. cit.*, p. 17-18, et AEMC/FMULM, 1892, p. 31. La FMSULM avait déjà institué en 1882 des stages d'externat obligatoires à l'HND pour les élèves des 2e, 3e et 4e années (PVBMHND, 1882-09-05, p. 6).

93. *Rapport annuel..., op. cit.*, p. 18.

94. *Id.*

95. PVBMHND, 1892-10-01, p. 77-78.

96. *Ibid.*

97. *Ibid.*, 1898-11-19, p. 189.

98. *Ibid.*, 1901-03-30, p. 225.

99. Le docteur Hingston était alors membre de l'Académie impériale de Léopold, membre de la Société Pollichia de Bavière et membre honoraire de la société gynécologique de Boston. Le docteur Desrosiers était membre «associé-étranger de la société française d'hygiène» et le docteur Foucher, membre de la «Société française d'ophtalmologie de Paris» (*ibid.*, p. 10-11).

CHAPITRE III

# De l'enseignement traditionnel aux pratiques de laboratoire (1890-1920)

À la fin du XIX$^e$ siècle, les progrès instrumentaux permirent aux praticiens de pousser l'investigation clinique classique largement popularisée par l'École anatomo-clinique. Aux instruments cliniques déjà employés s'ajoutèrent progressivement l'uréthroscope (1879), le cystoscope[1] (1879), le topomètre (1896) ou la radiologie (1896). Le sphygmomanomètre, appareil servant à mesurer la pression artérielle, fit son apparition en 1881 lorsque S. S. von Bach en construisit le premier prototype[2]. Le «sphygmographe», appareil servant à enregistrer sur un graphique les qualités du pouls, et le «pléthysmographe», appareil destiné à l'enregistrement des variations de volume d'un organe, furent présentés en territoire québécois en 1893 et en 1896[3]. Les paramètres sensualistes fondamentaux de l'observation clinique — la vue, l'ouïe et le toucher — se prolongeaient dorénavant à des zones organiques jusque-là invisibles ou inaudibles. De nouvelles méthodes d'anesthésie firent aussi leur apparition. Les praticiens québécois qui suivaient les développements de la médecine clinique européenne soit au cours de séjours d'études au sein des principales écoles européennes, soit par l'intermédiaire des revues médicales étrangères et locales introduisirent ces nouveaux procédés d'investigation clinique. Ceux-ci ne constituaient pourtant plus les seules voies d'accès à la maladie. Les intenses travaux de laboratoire qui progressaient en Europe allaient bientôt non seulement modifier les procédés diagnostiques et thérapeutiques, mais aussi certaines représentations de la maladie.

## Les prémisses d'une médecine de laboratoire

Depuis la décennie 1880, une transformation essentielle de l'étiologie des maladies contagieuses et infectieuses est en cours dans le monde médical. Les travaux bactériologiques entrepris par Pasteur en France et Koch en Allemagne contribuaient de plus en plus à modifier les pratiques préventives à la fois dans le champ de l'hygiène et dans celui de la pratique chirurgicale. Le vibrion cholérique (Koch) et le bacille du tétanos (Nicolaïer) sont découverts en 1884; Pasteur vaccine Joseph Meister contre la rage en 1885; Chantemesse et Vidal proposent la vaccination typhoïdique en 1887; l'Institut Pasteur est inauguré en 1888 presque au moment où Roux et Yersin isolent la toxine du bacille diphtérique. C'est cependant durant la décennie suivante que les recherches débouchent sur des applications cliniques et thérapeutiques. Les travaux des bactériologistes européens sur l'étiologie et le diagnostic des maladies contagieuses et sur les traitements sérothérapiques, de même que les nouvelles données sur l'immunologie[4], rendent de plus en plus crédibles aux yeux de l'ensemble de la profession médicale les thèses bactériologiques. Les modifications fondamentales des représentations de la nature des processus infectieux impliquaient en effet la reconnaissance du rôle pathogène spécifique de certains germes au détriment des thèses empiriques sur le rôle de l'atmosphère ou de la génération spontanée de matières organiques nocives. Mais en même temps que les fondements étiologiques en ces domaines sont bouleversés, le processus de pénétration des idées nouvelles est lui aussi amplifié. Alors que les deux décennies précédentes sont caractérisées par une lente modification des représentations à la suite des pressions qu'exerce parmi la communauté médicale la théorie des germes défendue par les pionniers de la bactériologie, on assiste tout au long des années 1890 à une consolidation des représentations où les germes ou microbes deviennent les référents obligés du nouveau savoir médical en matière d'infection. À l'approche du XX^e siècle, il devient de moins en moins possible, en regard de la science médicale, d'ignorer les nouveaux acquis de la bactériologie et de continuer à pratiquer cet éclectisme empirique des décennies précédentes où s'amalgamaient miasmes et germes, génération spontanée et reproduction bactérienne, etc. Les conséquences de l'acceptation généralisée de la théorie microbienne et surtout de son enseignement dans les facultés médicales et les cliniques hospitalières au début du XX^e siècle seront considérables.

Parmi ces conséquences, mentionnons le développement des tests bactériologiques qui s'ajoutaient aux nouveaux procédés d'investigation clinique. Selon Lichtenthaeler, «la bactériologie est le premier triomphe de la médecine de laboratoire [...] les progrès théoriques et pratiques immenses de la bactériologie ouvrent [aux cliniciens] des horizons nouveaux, créant ainsi les conditions préalables à d'autres changements plus radicaux encore dans le domaine clinique[5]». Certaines analyses avaient déjà cours durant les décennies précédentes, mais elles se bornaient le plus souvent à un examen, à l'aide de réactifs, du taux d'albumine dans les urines ou encore à quelques analyses sanguines[6] sommaires. S'ajoutera en 1893, grâce aux travaux du bactériologiste allemand J. Petruschy, l'hémoculture, c'est-à-dire la culture microbienne à partir d'un échantillon de sang.

Les nouvelles investigations diagnostiques rendues possibles par le développement des tests bactériologiques — Ehrlich, 1882; Schick, 1913; etc. — ont passablement transformé le paysage de la clinique privée et de la clinique hospitalière. Déjà en 1902, un médecin américain de l'Université du Minnesota attribuait l'introduction récente des pratiques de laboratoire dans la médecine clinique aux «*theories now well advanced of the germ origin of disease*[7]». En 1906 est mis au point le test Bordet-Wassermann qui permet le dépistage de la syphilis. Quatre ans plus tard, L. Ambard établit un test de mesure de l'urée qui portera son nom. Le travail de Bordet sur l'immunité humorale, qui lui vaudra le prix Nobel de physiologie, fut particulièrement utile pour faire évoluer le diagnostic et le contrôle des maladies infectieuses[8]. Certains espoirs thérapeutiques et préventifs avaient aussi été suscités par de nouvelles découvertes scientifiques et techniques: Behring et Kitasato proposent en 1890 le traitement sérothérapique du tétanos; Roux met au point en 1894 le sérum antidiphtérique; Widal et Gruber proposent le sérodiagnostic de la fièvre typhoïde en 1897. Soulignons aussi que, grâce aux recherches effectuées à l'Institut sérothérapique de Paris entre 1894 et 1900, «les sérums antitétaniques, antistreptococciques, antipesteux sont entrés dans la pratique, distribués ou vendus[9]».

Les progrès de la biochimie exercent aussi des pressions en milieu hospitalier pour une plus grande utilisation clinique des laboratoires. Au début de notre siècle, les tests cytologiques permettaient de diagnostiquer les pleurésies[10], alors que le diabète pouvait être dépisté par des tests d'urine ou par la recherche de glucose dans le sang.

De telles découvertes en laboratoire étaient susceptibles de profiter largement aux médecins, de même qu'elles apportaient des instruments essentiels à la lutte contre les maladies contagieuses[11]. Les hôpitaux n'hésiteront pas eux aussi à mettre à profit la possibilité d'accroître la précision diagnostique. À partir des années 1900, de nombreux hôpitaux généraux se doteront d'un laboratoire. Le laboratoire médical en milieu hospitalier deviendra à plus ou moins long terme un outil essentiel pour assister les praticiens dans l'établissement du diagnostic, pour préciser les observations lors d'autopsies pratiquées par le pathologiste et pour initier les étudiants aux nouveaux paramètres de la pratique clinique. Rothstein note l'importance que prendront les laboratoires aux États-Unis au tournant du XXe siècle:

> It was not until the 1890s, after medical schools had adopted a three-year graded curriculum and after the state licensing boards demanded improvements, that medical schools instituted laboratory courses in pathology, bacteriology, chemistry and physiology. Waite examined the catalogues of all medical schools in

*Ohio from 1870 to 1910 and found that laboratory courses were
first required in most of the schools in the 1890s[12].*

Maulitz montre aussi que si les découvertes étiologiques
et diagnostiques de la bactériologie n'ont pas, à elles seules,
provoqué l'installation des laboratoires cliniques, elles n'en ont
pas moins accéléré leur mise en place. Les succès obtenus par
les bactériologistes durant la décennie 1890 ont animé

*a process which, by the end of decade, had helped to redefine the
roles of hygiene as a discipline, the public health specialist as a
professional, and the laboratory as an institutional form [...]. The
promise of bacteriology in 1896, and the role of the bacteriology
dictated by that promise, eclipsed what had gone twenty or even
ten years before[13].*

Alors que la théorie des germes était de plus en plus admise
par la majorité des élites de la profession médicale — hygiénistes,
médecins, chirurgiens — durant les décennies 1880 et 1890
comme fondement de la prévention du processus infectieux,
les procédés diagnostiques et thérapeutiques de la bactériologie commenceront timidement à s'implanter au Québec au début
du XXe siècle[14], notamment grâce à l'introduction de cours de
bactériologie dans les programmes des facultés de médecine.
L'EMC/FMULM, à l'instar de sa consœur anglaise en matière
de médecine clinique et de pathologie médicale, jouera un rôle
très important dans l'introduction et l'évolution de la bactériologie en territoire québécois.

## Les premiers enseignements de la bactériologie au Québec

Durant la décennie 1890, l'enseignement de la bactériologie connaît des débuts difficiles. Les autorités se montrent plutôt
réticentes à investir dans les sciences de laboratoire, et les premiers pionniers de cette discipline en territoire québécois tra-

vaillent avec des moyens très modestes. Il faut dire que la plupart des membres des conseils des facultés de médecine avaient été formés selon un enseignement intégrant largement les acquis de la méthodologie clinique et bien peu d'entre eux, à l'instar de leurs collègues français et britanniques, étaient véritablement sensibilisés à la pertinence et à l'efficacité des techniques bactériologiques.

Il y eut pourtant, dès la décennie 1880, certains efforts visant à promouvoir cette nouvelle discipline. En 1886, le concours ouvert aux architectes pour la construction d'un édifice universitaire à Montréal sous les auspices de l'Université Laval prévoyait l'aménagement d'un grand laboratoire de bactériologie dans les locaux de la FMSULM. Cette initiative était fort précoce si l'on considère que les premiers laboratoires de bactériologie ne verront le jour qu'une dizaine d'années plus tard et que cette discipline n'était pas encore très valorisée par l'ensemble de la profession médicale. La faculté de médecine avait probablement répondu aux demandes de M. T. Brennan puisqu'il se voit confier, la même année, l'installation à l'Hôpital Notre-Dame d'un petit laboratoire de microscopie, de pathologie, de bactériologie et de chimie «munis de tous les appareils nécessaires pour procurer aux élèves des études cliniques pratiques en rapport avec les malades qu'ils voient journellement[15]». Il s'agissait certainement là d'une des premières initiatives du genre au Canada.

Certaines pressions commençaient à s'exercer quant à la nécessité d'offrir un enseignement théorique et pratique de la bactériologie. Aussi les facultés de médecine laisseront-elles à de jeunes médecins l'occasion de donner quelques leçons sur cette matière. En 1889, le docteur Hamel, professeur à la faculté de médecine de l'Université Laval à Québec, introduit quelques leçons théoriques de bactériologie dans son cours d'histologie pathologique. En 1890, la faculté de médecine du Bishop's College met sur pied des laboratoires d'histologie et de bactériologie[16]. L'année suivante, la FMUMG décide de confier durant l'année scolaire 1891-1892 au docteur W. G. Johnston, déjà démonstrateur de pathologie depuis 1885, l'un des premiers, sinon le premier poste de maître de conférences (*lecturer*) en bactériologie en territoire canadien. Johnston est alors assisté du docteur C. F. Martin.

Il faut attendre l'année 1894, trois ans après l'Ontario, pour que soit rendu obligatoire l'enseignement de la bactériologie dans les facultés médicales du Québec[17]. Les arrêtés proposés par le Bureau médical de la province et ratifiés par le gouverneur en conseil les 4 janvier 1894 et 28 octobre 1896 ajoutaient au programme plusieurs cours spéciaux dont un cours d'histologie pathologique et de bactériologie tout en laissant indéterminé le nombre de leçons à donner. Un examen primaire de bactériologie était désormais prescrit. Les universités gardaient toutefois le pouvoir de décider le rapport des cours théoriques et des séances de laboratoire. En 1894, l'EMC/FMULM confie au docteur Brennan les 60 leçons d'histologie normale et de bactériologie élémentaire destinées aux étudiants de première année, ainsi que les cours de bactériologie pratique pour les étudiants de troisième et de quatrième année[18]. Deux ans plus tard, le programme des étudiants de deuxième année est augmenté d'un cours de bactériologie .

L'enseignement de la bactériologie en milieu francophone a été largement favorisé par l'Institut Pasteur qui avait inauguré, le 15 mars 1889, un cours de «microbie technique[19]» destiné à enseigner «les méthodes microbiennes dans leur application à la médecine[20]». Entre 1892 et 1905, de nombreux jeunes médecins québécois francophones intéressés par cette nouvelle discipline iront se perfectionner à Paris[21]. La plupart de ceux-ci, à l'instar de leurs collègues anglophones qui préfèrent se rendre en Allemagne[22], deviendront en quelque sorte, selon l'expression de Jacques Léonard, les «hommes-relais» de la bactériologie en terre québécoise[23]. Ils ne tarderont pas à s'intégrer à l'élite universitaire et médicale de la première décennie du XXe siècle et à promouvoir le développement, selon leurs propres termes, d'une médecine «scientifique[24]». Or, parmi ces premiers pastoriens, nombreux seront ceux qui feront carrière au sein de l'EMC/FMULM.

Dès 1896, quatre des cinq jeunes médecins québécois — les docteurs Benoit, Parizeau, Marien, Mercier et Lasnier — qui figurent sur la liste des inscrits au cours des docteurs Roux et Metchnikoff seront de futurs professeurs de la faculté. Marien et Mercier se consacreront surtout à introduire les applications chirurgicales qui découlent des thèses bactériologiques. Marien obtiendra aussi le cours d'histologie à l'EMC/FMULM en 1896, ce qui favorisera certainement l'analyse des pièces chirurgicales au laboratoire, même si cette pratique demeurait, nous le verrons, encore marginale dans les hôpitaux affiliés à la faculté. En 1898, la faculté confie le cours d'anatomie-pathologique et de bactériologie à T. Parizeau, poste qu'il occupera jusqu'en 1902. Son assistant, nommé la même année, le docteur W. Derome, avait lui aussi effectué un séjour à l'Institut Pasteur. Il publiera dans *L'Union médicale du Canada* ses notes de cours où il rendra compte des travaux de Kitasato, Faber, Berhing, Metchnikoff, etc.[25]. Le docteur Derome dirigera en 1908 le laboratoire provincial de recherche médico-légale à la morgue de Montréal qui deviendra l'Institut de médecine légale[26]. En 1902, un autre ancien étudiant de l'Institut Pasteur, L.-A. Bernier, prend la relève de Parizeau. Après avoir passé un an sous la tutelle des bactériologistes Roux et Martin en 1898, le docteur Bernier deviendra à son retour, l'année suivante, démonstrateur de bactériologie et chef du laboratoire de bactériologie de l'Hôpital Notre-Dame. Il sera aussi nommé bactériologiste en chef du Conseil d'hygiène de la province de Québec en 1908 et deviendra le premier professeur titulaire de bactériologie à l'EMC/FMULM en 1910[27], postes qu'il conservera jusqu'en 1928. Il cumulera aussi au cours de sa carrière les fonctions de directeur du laboratoire de l'Hôpital Notre-Dame et de bactériologiste-consultant de l'Hôtel-Dieu. Lorsque le docteur A. Bernier prend la relève de Parizeau en tant que professeur titulaire, les cours d'histologie/bactériologie et de bactériologie/anatomie pathologique comprennent 120 leçons, chaque cours débouchant sur un examen primaire et sur un examen final. L'année suivante, les docteurs Bernier et Aubry sont respectivement chargés des cours de bactériologie théorique et de bactériologie pratique. Bernier occupait aussi le poste de chef du laboratoire de l'Hôtel-Dieu de Montréal.

Néanmoins, l'orientation que prenait progressivement le programme des études vers les pratiques de laboratoire était encore loin de faire l'unanimité. Au tournant du XXᵉ siècle, certains membres du conseil de la faculté — Rottot, Hingston, Brunelle, S. Lachapelle — ne partageaient guère l'enthousiasme des jeunes médecins «pour les nouvelles théories microbiennes». Le doyen Rottot, fort de l'appui général de ses collègues qui siégaient au conseil de la faculté, possédait un large pouvoir quant à l'organisation didactique et «scientifique» de la faculté. Lorsque la clinique médicale de l'Hôtel-Dieu de Montréal inaugure, durant la session 1904-1905, un programme d'enseignement de la pathologie et des procédés diagnostiques de laboratoire, le pathologiste de l'hôpital mentionne que l'assistance est peu nombreuse et que «l'absence d'heures allouées, le défaut de matériel et de local demeurent de grands obstacles[28]». Autre exemple, lorsque Parizeau est nommé professeur de bactériologie, il doit fournir gratuitement le matériel qu'il avait acheté à Paris avec les docteurs Harwood, Dubé et Lesage pour réorganiser le laboratoire de la faculté. Les moyens alloués à l'organisation des laboratoires demeuraient à la mesure du scepticisme de certains dirigeants, scepticisme d'ailleurs encore partagé par de nombreux membres de la profession.

Mais il y aurait ici outrance à présenter l'ensemble des vieux professeurs de la faculté comme étant tous réfractaires aux théories nouvelles. Parmi les professeurs titulaires de la faculté se trouvent des médecins qui font preuve d'éclectisme, ajoutant aux thèses et aux pratiques traditionnelles du XIXᵉ siècle des éléments nouveaux issus des recherches en laboratoire. Les docteurs Brosseau, Lamarche, Desrosiers, E. P. Lachapelle ou Desjardins se montrent parfois ouverts à certaines nouveautés médicales, telles que la bactériologie ou l'électrothérapie. Cependant, ceux-ci ne possèdent pas toujours les éléments théoriques nécessaires à leur enseignement. Aussi, soucieux de ne pas être dépossédés de leur droit d'ancienneté, manifestaient-ils une prudence légitime face à de jeunes médecins désireux de réformer une partie du savoir traditionnel. À l'instar de leurs collègues français, ils n'appréciaient guère l'importance accrue accordée aux travaux de laboratoire dans les écoles médicales américaines et allemandes et s'interrogeaient sur la pertinence d'augmenter la part des sciences fondamentales dans l'enseignement médical. Après tout, il s'agissait de former des praticiens et non des hommes de science, et ces deux objectifs étaient parfois jugés incompatibles. Du reste, il ne faut pas non plus négliger le fait que l'enseignement médical basé sur les pratiques de laboratoire et les sciences fondamentales, de plus en plus valorisées par les écoles médicales américaines largement influencées par la philosophie médicale allemande, n'étaient pas encore un trait dominant de la formation médicale en Occident. On oublie trop souvent que l'enseignement clinique au chevet du malade était bien établi en Grande-Bretagne et en France, et qu'Osler lui-même proposait certes un nouvel enseignement articulé sur le rapport étudiant-patient en milieu hospitalier *(clerkship)*, mais poursuivait la tradition britannique et française des leçons cliniques à l'amphithéâtre chirurgical et incitait ses étudiants à consulter les grands ouvrages médicaux[29]. De plus, il est certain que les liens «culturels» qui se sont tissés dans la deuxième moitié du XIXe siècle, en territoire québécois, entre les anglophones et la Grande-Bretagne, et entre les francophones et la France, ont joué un rôle important dans l'orientation de l'enseignement de la médecine, comme ils ont joué un rôle dans l'importation de nouveautés méthodologiques telles que l'antisepsie au Montreal General Hospital et l'asepsie à l'Hôtel-Dieu et à l'Hôpital Notre-Dame[30].

Si les autorités de la faculté accordèrent une nette préférence à la tradition clinique et à l'enseignement magistral, elles ne rejetaient pas complètement certains idéaux pédagogiques qui agitaient nos voisins américains tels que le «*learning by doing*» ou la «*self-education under guidance*[31]». Les objectifs pratiques des institutions hospitalières favorisèrent un pragmatisme accru de la formation au détriment de l'enseignement de la méthodologie scientifique et de ses principes fondamentaux. Cela était aussi le cas en bien des endroits aux États-Unis: «*By 1925, a review of the field [biochimie] expressed concern about the "tendency to subordinate the field to its practical applications and to teach not the fundamental principles illustrated by specific applications, but only the immediate applications themselves"[32].*» Ludmerer souligne par ailleurs qu'en général aux États-Unis, l'enseignement médical «*improved more dramatically in the scientific than in the clinical subjects [...] this was because medical schools at this time possessed much better facilities for laboratory than for clinical teaching*[33]». Du reste, la plupart du temps les praticiens des hôpitaux avaient tendance à subordonner les travaux de laboratoire à un enseignement essentiellement pratique.

Quelques initiatives prises par certains membres de la faculté illustrent néanmoins le souci d'améliorer la qualité de l'enseignement scientifique au sein de la faculté. Tous n'étaient pas réfractaires, comme l'ont laissé croire certains auteurs, aux recherches expérimentales. En 1899, une campagne de souscription est organisée par L. J. Vital Cléroux pour doter la faculté d'une chaire d'anatomie-pathologique et d'un centre de physiologie expérimentale[34]. Ces deux sciences de base étaient alors les plus populaires au sein de la profession médicale en Occident. Une telle démarche faisait écho aux jeunes médecins de la faculté qui se plaignaient de l'insuffisance des subsides disponibles pour l'organisation des laboratoires. Le projet était ambitieux puisque la souscription visait la collecte d'une somme de 80 000 $ pour l'aménagement des laboratoires et l'engagement de professeurs spécialisés. Une entente entre le comité des donateurs et la faculté, signée le 12 mai 1899, stipulait que dès que la fiducie aurait entre les mains la somme de 8000 $, elle procéderait au choix d'un professeur d'anatomie-pathologique. Il était aussi entendu que lorsque les souscriptions atteindraient la somme de 50 000 $, l'on procéderait à la création d'une chaire de physiologie expérimentale[35]. Ce projet de souscription visait à combler les besoins grandissants de la faculté en matière d'enseignement et aussi de recherche. Mais en raison du peu d'intérêt suscité par une telle initiative, le projet demeura sans suite.

Il faut dire que les sommes demandées devaient servir en partie à rémunérer de nouveaux professeurs. Or, au tournant du siècle, la perspective de souscrire à la rétribution de certains professeurs de la faculté ne soulevait guère d'enthousiasme. Du reste, le développement de l'enseignement scientifique ne jouissait que de très rares appuis et ne pouvait susciter la même ferveur que les campagnes de souscription lancées par les institutions hospitalières comme l'Hôpital Notre-Dame. Néanmoins, l'initiative du docteur Cléroux illustre l'intérêt manifesté par certains membres de la faculté pour un enseignement scientifique accru. L'absence de subsides importants en vue de l'aménagement des laboratoires et de l'achat des équipements nécessaires a largement contribué à freiner les initiatives en ce sens.

Cependant, parmi les professeurs agrégés se constitue une relève qui sera appelée à jouer un rôle important dans le développement futur de la faculté. La proportion des agrégés augmentait considérablement: en 1902, la faculté comptait 35 professeurs agrégés contre seulement 13 professeurs titulaires. Entre les jeunes médecins initiés aux nouvelles méthodes bactériologiques, aseptiques, anesthésiques ou radiologiques et les anciens de la faculté se noueront peu à peu des liens moins marqués par une rivalité entre deux générations de praticiens que par une collaboration bienveillante, parfois paternaliste, des anciens vis-à-vis des plus jeunes. Or une telle collaboration permettra d'améliorer l'enseignement pratique et clinique. Les Lesage, Virolle, Saint-Jacques, de Cotret, Marien, Mercier ou Parizeau accentueront l'importance d'une médecine «scientifique» au sein de la faculté en collaboration de plus en plus étroite avec les anciens.

## Un enseignement clinique qui se modifie lentement (1900-1920)

La structure de l'enseignement clinique subira certaines modifications durant les deux premières décennies du XX$^e$ siècle. Réparties entre l'Hôtel-Dieu et l'Hôpital Notre-Dame, les cliniques médicales et chirurgicales étaient toujours dispensées dans un cadre traditionnel partagé entre la visite des salles publiques et les leçons à l'amphithéâtre chirurgical. Toutefois, le contenu des enseignements sera sensiblement transformé avec le remplacement progressif des «anciens» titulaires par les premiers pastoriens du Québec. Les professeurs titulaires très occupés par leur pratique privée et par différentes activités sociomédicales étaient souvent remplacés par de jeunes assistants bénévoles qui donnaient les cours en leur absence[36]. L'intérêt de ces derniers pour les postes hospitaliers tenait au fait qu'ils ouvraient la voie non seulement à une pratique privée lucrative, mais aussi à des postes de professeurs au sein des facultés médicales. L'hôpital représentait aussi un lieu institutionnel privilégié pour promouvoir et transmettre les nouveaux savoirs bactériologiques. De nombreux jeunes médecins, de retour d'un stage de spécialisation en Europe, obtinrent des postes d'assistants dans les différents services des hôpitaux[37].

## De l'antisepsie à l'asepsie (1895-1920)

Au moment où le docteur Mercier remplace le docteur Brosseau comme directeur du service de chirurgie de l'Hôpital Notre-Dame et professeur de clinique chirurgicale à la faculté, se trouvaient réunies les conditions de la mise en place des premières procédures rigoureuses d'asepsie du champ opératoire, lesquelles suppléeront peu à peu aux procédés antiseptiques. Ces méthodes nouvelles de prévention des infections des plaies étaient l'aboutissement naturel des découvertes de Pasteur[38], des déductions listériennes et des démonstrations de Koch:

> *This shift from Lister's original antisepsis to asepsis was more process than event, for it presupposed the elaboration of an integrated assortment of techniques, tools, and procedures aimed at keeping bacteria from coming in contact with exposed tissue[39].*

La pratique listérienne reposait sur l'idée que les germes présents dans l'air constituent une source importante de contamination des plaies et qu'il fallait absolument les détruire. La désinfection n'était pas sans occasionner quelques inconvénients puisque les vaporisations d'acide phénique provoquaient chez le personnel certains malaises physiques: étourdissements, maux de cœur, fièvres, dermatites[40]. Cela rendit plus circonspecte l'utilisation de cet antiseptique. Du reste, Pasteur souligna que l'atmosphère n'était qu'exceptionnellement dangereuse pour les plaies.

Vers la fin des années 1880, certaines expérimentations bactériologiques et chirurgicales mirent en évidence l'idée que lorsqu'une incision sur une plaie saine était effectuée par des opérateurs et des instruments non infectés, celle-ci demeurait saine. L'évolution de la théorie des germes modifia les pratiques antiseptiques en des pratiques aseptiques où des procédés prophylactiques prirent le dessus sur les procédés thérapeutiques. Une intervention chirurgicale en un territoire non infecté ne nécessitait plus une utilisation massive d'antiseptiques, mais plutôt des mesures de stérilisation rigoureuses de tous les objets susceptibles d'être en contact avec la zone opérée. Des chercheurs avaient aussi montré que plusieurs antiseptiques perturbaient certains processus vitaux et complexes dans les tissus organiques, ce qui avait pour effet de retarder la cicatrisation des plaies et de provoquer des irritations et des réactions parfois graves chez le patient. De plus, beaucoup de chirurgiens durant la première décennie de notre siècle pensaient que les antiseptiques pouvaient purifier et stériliser les plaies infectées alors qu'en réalité ils perdaient leurs effets en présence du sang et du sérum et ne pouvaient pénétrer les plaies profondes[41].

Le processus de la phagocytose[42], découvert par Metchnikoff en 1886 et enseigné à partir de 1889 à l'Institut Pasteur, qui mettait en évidence les défenses naturelles de l'organisme contre l'introduction de certaines bactéries, et la constatation que l'on avait exagéré à la fois le volume et la virulence des bactéries présentes dans l'air rendirent peu à peu désuètes les pulvérisations d'acide carbolique[43]. Lister lui-même avait, en 1887, abandonné cette pratique et favorisera à partir de 1893 les méthodes prophylactiques.

La transition vers des mesures opératoires aseptiques s'est véritablement amorcée à partir de 1885 avec l'apparition de l'asepsie physique qui prendra le relais des mesures aseptiques chimiques. Le besoin créant l'outil, c'est à ce moment que le jeune chirurgien Schimmelbusch mit en place dans la clinique de von Bergmann à Berlin le premier appareil de stérilisation à la vapeur à 100 ° C. Von Bergmann sera d'ailleurs, avec Neuber en Allemagne et Kocher en Suisse, l'un des premiers à proposer une méthodologie générale de l'asepsie. Le chirurgien parisien

Pozzi l'utilisera l'année suivante dans son service à l'Hôpital Broca. En 1887, Redard fait construire un autoclave pour stériliser les instruments et les objets de pansements pendant que Terrillon, suivi de peu par Terrier, propose une chirurgie aseptique exempte d'antiseptiques. L'année suivante, Poupinel met en fonction, chez son maître Terrier, une étuve sèche pour la désinfection des instruments. Si Halsted introduit l'usage des gants de caoutchouc en 1891, c'est à Bloodgood que revient l'honneur de les avoir utilisés de façon routinière à partir de 1896, année où Mikulicz opérait avec des gants de coton stérilisés tout en portant un masque facial. L'introduction de ces techniques d'asepsie ont peu à peu démontré l'inutilité de l'usage des pansements antiseptiques sur les plaies suturées[44]. Il n'en demeure pas moins que, jusqu'au début des années 1890, les antiseptiques étaient largement en usage, et ce même chez ceux qui préconisaient une asepsie rigoureuse.

Déjà à partir de 1885, la préférence de certains chirurgiens québécois commençait à se porter vers une irrigation de la plaie par de nouveaux antiseptiques et vers l'observation d'une prophylaxie rigoureuse. L'acide salicylique, moins irritant et moins toxique, et l'iodoforme, même s'il provoque certaines allergies, remplacent peu à peu l'acide carbolique de plus en plus critiqué pour la désinfection des plaies. S'imposera aussi graduellement avec force en sol canadien, à mesure que gagne en crédibilité la théorie des germes, l'idée qu'il fallait préserver de la souillure microbienne tout ce qui est en contact avec la plaie opératoire et qu'il valait mieux mettre l'accent sur une prophylaxie rigoureuse plutôt que de s'acharner à détruire les germes par l'irrigation des plaies. En 1900, l'idée est définivement admise:

> *The stage of controversy and argument as to the benefits of asepsis and antisepsis, is past, and the surgical world is at one to the value of these methods. The bacteriological proof that suppuration, erysipelas, and all other similar dangers, arise from pyogenic organisms, is now practically absolute, and the clinical proof is equally strong[45].*

Certes, de tels revirements théoriques et pratiques au cours de la décennie 1890 donnèrent lieu à des controverses entre, d'une part, les tenants des méthodes traditionnelles et les partisans convaincus de la chirurgie antiseptique et, d'autre part, les tenants d'une pratique chirurgicale que l'on peut déjà qualifier de postlistérienne. Le cas québécois n'est pas isolé. En 1891, un chirurgien parisien déclarait devant ses collègues que «le traitement aseptique avec l'eau bouillie, etc., gaze stérile et autres pansements non imprégnés de liqueurs antiseptiques, ne donnant pas de garantie contre une contamination possible, doit être rejeté comme dangereuse pour les malades[46]».

Les antiseptiques étaient devenus d'usage si courant que bien des chirurgiens percevaient avec scepticisme les nouvelles pratiques aseptiques inaugurées par Terrillon, Terrier, Tripier, Halmsted, Neumann, Mikulicz ou von Bergmann. Telle était l'attitude adoptée par les Hingston, Brunelle ou Rottot au sein de la faculté. Ces pratiques, issues d'un heureux mélange de théories qui ont pris naissance en laboratoire et d'observations quotidiennes des chirurgiens, ne tarderont pas toutefois à être adoptées par de jeunes chirurgiens des hôpitaux récemment initiés aux thèses bactériologiques.

Aux pratiques antiseptiques toujours utiles, les chirurgiens Marien, Mercier et Parizeau, tous trois professeurs à l'EMC/FMULM, ajouteront de nouveaux procédés d'asepsie plus efficaces dont l'emploi se généralisera durant les premières décennies du XXe siècle. Une histoire de la faculté de médecine de l'Université de Montréal ne peut manquer de souligner l'apport considérable de ces professeurs dans l'introduction des premiers procédés aseptiques dans la pratique chirurgicale québécoise. L'enseignement dispensé par ces pionniers a certes largement contribué à standardiser de telles pratiques.

Les docteurs O. Mercier et A. Marien avaient suivi, en 1896, le cours de «microbie technique» donné par Roux et Metchnikoff dans les laboratoires de l'Institut Pasteur[47]. Avec ses 45 leçons théoriques ponctuées d'exercices pratiques, le cours de microbie constituait une excellente initiation à la théorie microbienne et aux techniques bactériologiques[48]. Certaines leçons étaient susceptibles d'intéresser vivement les chirurgiens. La 20e leçon, intitulée «Suppuration et microbes pyogènes», démontrait les liens entre les microbes et la suppuration au moyen d'un exposé de la plume de Pasteur, «Peut-il y avoir suppuration sans microbes?», décrivant l'action des microbes pyogènes (aérobiques et anaérobiques) et les substances qu'elles élaborent. Les étudiants se familiarisaient alors avec les staphylocoques et les streptocoques à l'aide de différents exercices pratiques, notamment par la recherche de ces microbes dans le sang d'un animal inoculé, par les méthodes de coloration et de cultures en milieu solide et liquide. Autopsies de lapins tués par le streptocoque *erisipelatis* et de souris mortes de septicémie, ensemencements dans la gélatine des divers microbes pyogènes du bacille de la septicémie des souris, cultures de staphylocoques constituaient les exercices pratiques de cette leçon[49]. La 35e leçon, intitulée «Désinfection et antiseptiques», traitait des procédés physiques de «destruction des microbes et de leurs spores[50]» — chaleur sèche, chaleur humide, avantages et inconvénients des étuves à vapeur ou de l'eau bouillante — et des procédés chimiques: antiseptiques gazeux, minéraux ou aromatiques (acide phénique, salicylique, iodoforme), dosage selon le milieu de culture et l'état du microbe, «accoutumance des microbes aux antiseptiques», substances entravant l'action des antiseptiques, etc. Ce cours était aussi organisé de façon à intéresser l'hygiéniste puisqu'on y présentait les différents types de désinfection durant les épidémies — linges souillés, appartements, individus, etc. — ainsi que les procédés de désinfection des intestins. Les 38e et 39e leçons abordaient respectivement «la théorie des phagocytes» et «la virulence et l'immunité». La précieuse formation donnée à l'Institut Pasteur, et acquise par Mercier, Marien et Parizeau, était le plus souvent complétée par un stage clinique au sein d'une grande institution hospitalière.

La faculté de médecine s'associera tout au long de la décennie 1890 ces jeunes médecins ou chirurgiens qui modifieront considérablement l'enseignement théorique et pratique de la chirurgie, de la pathologie externe et de l'anatomie pathologique. Le décès du chirurgien Brosseau à l'Hôpital Notre-Dame en 1900 avait permis au jeune Mercier de prendre la direction du service de chirurgie de l'hôpital et de remplacer Brosseau à la chaire de clinique chirurgicale de la faculté. Il sera secondé par T. Parizeau qui remplacera bientôt le docteur Brunelle à la chaire de pathologie externe. Viendra s'ajouter le docteur A. Lesage, lui aussi initié à la bactériologie et aux techniques antiseptiques et aseptiques à l'Institut Pasteur. Il soutiendra Mercier dans l'implantation d'une pratique aseptique opératoire de plus en plus soutenue.

L'Hôtel-Dieu aussi connaîtra durant les deux premières décennies du XX<sup>e</sup> siècle une transformation importante de sa clinique chirurgicale. À son retour de Paris en 1896, Marien est nommé assistant des chirurgiens Hingston, Brunelle et Merrill à l'Hôtel-Dieu de Montréal[51]. Il sera secondé dans l'application des procédés aseptiques par les docteurs J. E. Dubé et E. Saint-Jacques. Après avoir effectué un stage à l'Institut Pasteur et assisté à plusieurs cliniques chirurgicales des hôpitaux de Paris, le docteur Dubé devient en 1899 assistant-chirurgien à l'Hôtel-Dieu de Montréal. L'année suivante se joindra un nouvel allié en la personne du docteur E. Saint-Jacques qui, après avoir effectué un séjour de trois ans en France et en Allemagne où il a étudié la bactériologie et suivi les cliniques chirurgicales de Tillaux, Tuffier, Pozzi, Letulle et Segond à Paris, de von Bergmann à Berlin et de Trendelenberger à Leipzig, est nommé interne en chef de l'Hôtel-Dieu de Montréal. Chargé du cours théorique de bactériologie et d'anatomie-pathologique en 1902, Saint-Jacques deviendra assistant à la clinique chirurgicale de l'Hôtel-Dieu en 1907 et agrégé en pathologie chirurgicale l'année suivante. Il sera nommé titulaire de la clinique chirurgicale de l'Hôtel-Dieu en 1921. Le docteur Saint-Jacques fut dès son arrivée à l'Hôtel-Dieu un allié important dans l'instauration d'une asepsie rigoureuse[52].

À partir de 1900, les étudiants à la clinique chirurgicale de l'Hôpital Notre-Dame et de l'Hôtel-Dieu — après avoir suivi les cours de bactériologie décrivant les processus d'infection et les procédés de désinfection des plaies — étaient initiés aux techniques de prévention des infections opératoires: désinfection de la salle d'opération; stérilisation à l'autoclave des instruments, des pansements et des compresses[53]; désinfection des mains et des avant-bras de toute l'équipe chirurgicale par une immersion, suivant la méthode employée par Halsted, dans une solution de permanganante de potasse et rinçage au bisulfite de soude; port de la coiffe, du vêtement chirurgical et des tabliers de caoutchouc aseptisés; rasage, brossage et désinfection de la zone opératoire avec une solution de sublimé au 1/500 ou 1/1000 d'iodoforme ou de teinture d'iode à 10 %; sutures au catgut; etc. Soulignons que Marien préconisait aussi le port du masque et des gants de coton blanc[54].

Dès l'instauration de ces nouvelles procédures opératoires aseptiques se fait aussi sentir l'urgent besoin de former le personnel infirmier. C'est ainsi qu'en 1905, les docteurs Merrill, Marien et Saint-Jacques dispensent des cours de bactériologie et de pathologie chirurgicale aux gardes-malades de l'Hôtel-Dieu de Montréal. Mercier et Parizeau font de même à l'Hôpital Notre-Dame. Sont enseignés les causes et les mécanismes d'infection des plaies, le traitement des plaies infectées, les mesures de prévention des infections, les procédés d'asepsie physique et chimique, les conditions d'un pansement aseptique, les effets d'un médicament antiseptique, etc. De tels cours ne sont pas superflus si l'on considère qu'encore en 1905, bien peu de membres du personnel savaient réellement ce qu'est un microorganisme et ce qui constitue ses modes de transmission. Les pratiques aseptiques dans les interventions chirurgicales seront, à partir de là, suffisamment implantées, même si de nombreuses améliorations, tout au long du XXe siècle, modifieront sensiblement le bloc opératoire.

Les cliniques de gynécologie et d'obstétrique à l'Hospice de la Maternité de Montréal, sous la direction du professeur DeCotret de l'EMC/FMULM, avaient aussi pris un virage aseptique. Dès 1902, ce dernier souligne à ses étudiants que les «règles de la plus stricte asepsie et antisepsie [doivent être] observées scrupuleusement[55]».

Les étudiants de la faculté de médecine de l'Université Laval à Montréal avaient donc, grâce à l'enseignement de ces médecins qui appliquaient les nouveaux protocoles opératoires, l'occasion de s'initier aux derniers développements des procédés d'antisepsie, d'asepsie et d'anesthésie. Mais si l'enseignement clinique évoluait en fonction de la médecine pasteurienne, les cours théoriques devaient s'adapter aux nouvelles conceptions de la pathologie médico-chirurgicale. Ce n'était malheureusement pas toujours le cas. Par exemple, en 1902, l'enseignement d'un S. Lachapelle — sceptique quant aux thèses bactériologiques — en pathologie générale différait sensiblement de celui du docteur Marien en histopathologie ou de celui de Parizeau en pathologie externe. De même, les contenus de cours d'un Rottot et d'un Hingston à l'Hôtel-Dieu — adeptes de la théorie de la génération spontanée — s'écartaient grandement de ceux d'un Marien ou d'un Saint-Jacques.

La structure administrative de l'EMC/FMULM était fortement hiérarchisée au profit d'un petit groupe de médecins. Même les professeurs titulaires étaient divisés en deux clans distincts: ceux qui étaient membres de la corporation de la faculté et ceux qui ne l'étaient pas. Le premier groupe, constitué généralement des onze plus anciens membres de la faculté, formait le conseil de la faculté, alors que le second, comptant dix membres, ne bénéficiait que d'un pouvoir consultatif. Les professeurs membres de la corporation jouissaient aussi d'avantages pécuniaires appréciables puisqu'ils recevaient un salaire variant entre 500 $ et 700 $ pour chaque cours donné[56]. Quant aux professeurs titulaires non membres de la corporation, ils recevaient «durant les trois premières années 2 $ par leçon; durant les trois années suivantes 3 $ par leçon; et à partir de la septième année, 4 $ par leçon[57]», salaire de beaucoup inférieur à celui des membres, la plupart des cours comportant 60 leçons. Les salaires, qui constituaient alors près de 75 % des dépenses de la faculté, étaient répartis fort inégalement entre les parties[58]. Un règlement de l'acte de fusion de 1890 stipulait par ailleurs que les nominations des membres du personnel enseignant «qui ne font pas partie de la corporation sont faites à merci et révocables à loisir sans qu'il soit nécessaire d'assigner des motifs[59]». En ordre décroissant de la structure hiérarchique, les professeurs agrégés, les assistants et les démonstrateurs ne possédaient pratiquement aucun pouvoir. Une telle structure ne favorisait guère de grandes initiatives ni de grandes réformes au sein de la faculté. Les professeurs les plus enclins à promouvoir un enseignement davantage orienté vers les sciences de base et les pratiques de laboratoire se voyaient relégués temporairement à un rôle subalterne.

Pendant la décennie 1900, les adeptes d'une médecine axée plus largement sur les postulats fondamentaux des sciences de laboratoire dispensent de plus en plus de cours au sein de la faculté et se voient confier la direction de plusieurs cliniques. Généralement, l'enseignement des matières qui nécessitent l'usage des laboratoires était dévolu aux jeunes professeurs titulaires qui avaient effectué un stage dans une institution européenne[60]. De même, les matières encore considérées comme secondaires telles que la bactériologie, l'initiation aux méthodes d'asepsie ou «l'électricité médicale» leur étaient confiées. Les docteurs Marien et Mercier obtiennent en 1908 et 1910 la direction et l'organisation des cliniques chirurgicales de l'Hôtel-Dieu et de l'Hôpital Notre-Dame. Les docteurs Bernier et Saint-Jacques dispensent les cours de bactériologie et d'anatomie-pathologique. Le docteur Parizeau enseigne la médecine opératoire et la pathologie externe. Les cliniques externes de chirurgie à l'Hôpital Notre-Dame sont données par Mercier, la pathologie interne par le docteur Benoît et l'histologie par le docteur Marien. Les titulaires «incorporés» se réservaient la plupart du temps les cours de base traditionnels: pédiatrie, physiologie, anatomie descriptive, pathologie interne, obstétrique, médecine légale. Les décisions concernant les grandes orientations de l'institution demeuraient encore majoritairement entre les mains des «anciens». Mais ceux-ci devront bientôt, pour des raisons de santé, laisser la place à quelques représentants de la nouvelle génération.

Les rares demandes pour la mise sur pied de petits laboratoires et l'enseignement d'une médecine pasteurienne avaient été en grande partie satisfaites grâce à l'intervention de membres du conseil favorables aux idées nouvelles. Les docteurs Foucher et Hervieux figurent parmi les premiers à intercéder en ce sens. Foucher, qui avait lui-même organisé un petit laboratoire de physique et d'électricité à l'université, appuya l'installation d'un laboratoire de bactériologie et d'histologie. Quant à Hervieux, rapporte un témoin de l'époque, il faisait partie des «hommes-relais» québécois:

> Il fut le premier de notre groupe à entrer dans ce nouvel Olympe, en 1907. Il deviendra l'avocat, en ce milieu exclusif, de la médecine moderne annoncée par notre génération[61].

La nomination de E. P. Lachapelle en 1910 au poste de doyen en remplacement de Rottot constituera par ailleurs un acquis dans la reconnaissance et le développement de la médecine pasteurienne:

> Sa direction, empreinte de prudence et de sollicitude pour les jeunes médecins de retour d'Europe, qui rapportaient dans leurs cahiers un nouvel évangile scientifique, contribua largement à leur avancement. [...] C'était la consécration officielle de la nouvelle religion pasteurienne répandue dans le monde entier[62].

C'est en effet durant les décennies 1910 et 1920 que la plupart des pionniers de la médecine pasteurienne obtiendront progressivement des postes de commande au sein de la faculté. Pourtant, malgré qu'ils aient favorisé l'organisation d'un enseignement pratique de la bactériologie et la mise sur pied de petits laboratoires, les activités de recherche demeurèrent très restreintes. La faculté en 1910 possède bien des laboratoires de chimie, d'histologie, de bactériologie et «d'électricité médicale», mais ceux-ci servent surtout à enseigner les rudiments pratiques nécessaires au diagnostic et à la thérapeutique[63].

## L'EMC/FMULM et ses hôpitaux affiliés

Les liens étroits qui uniront la faculté et l'hôpital, la théorie et la pratique, encourageront l'introduction des nouveautés médicales. Généralement, les nouvelles spécialités s'implantaient selon un processus qui correspond grosso modo à celui-ci: organisation d'un service externe, mise en place d'un service interne et instauration d'un enseignement clinique. La sanction de la faculté n'est le plus souvent obtenue qu'après l'implantation de la nouvelle spécialité au sein de l'institution hospitalière. L'enseignement de l'électrothérapie, de la radiologie, de la bactériologie, de la dermatologie ou de l'anesthésie a aussi suivi cet itinéraire. Une telle structure répondait à peu de frais aux exigences encore limitées mais néanmoins croissantes de l'enseignement médical. Les avantages d'un développement externe de la faculté, résolument axé sur l'intensification de l'enseignement clinique au détriment des sciences de laboratoire et de la recherche médicale, sont doubles. En premier lieu, la faculté s'évitait des dépenses considérables en repoussant l'organisation de nouveaux laboratoires. En second lieu, elle avait le loisir de s'associer de jeunes agrégés prometteurs qui voyaient dans la pratique hospitalière, en un temps où les revenus des médecins provenaient presque essentiellement de la pratique privée, un moyen fort intéressant d'accroître leur prestige de praticien auprès d'une clientèle favorisée.

Les liens deviennent si étroits entre la faculté et l'hôpital que les nominations au sein de ces deux types d'institutions se font à double sens. D'une part, les professeurs agrégés sont choisis parmi les assistants des hôpitaux et, d'autre part, les postes de chirurgiens sont réservés à ceux qui ont occupé le poste de démonstrateur bénévole à la faculté. Ainsi, en 1908, les dirigeants de la faculté décident de hausser sans aucun coût additionnel le nombre de démonstrateurs d'anatomie: «Vu que cette position est un acheminement au poste de chirurgien des hôpitaux, leurs services doivent être entièrement gratuits[64].» La même année est créée à l'Hôtel-Dieu une classe d'assistants en médecine et en chirurgie. La résolution stipule que seront choisis «pour médecins ou chirurgiens de l'Hôtel-Dieu ceux qui auront rempli le poste d'assistants[65]». Quant à la sélection des assistants, elle sera faite parmi «ceux qui auront travaillé pendant trois années aux laboratoires de la Faculté, ou des hôpitaux, ou qui auront dans le cas des chirurgiens donné des démonstrations au laboratoire d'anatomie[66]». Les assistants auront pour tâche d'accompagner les chefs de service, d'établir l'histoire clinique des malades et, le cas échéant, de remplacer temporairement un chef de service[67].

La faculté soutenait alors un cheminement du candidat qui s'établissait comme suit: cours théoriques et cliniques, travaux de laboratoire et pratique hospitalière. Les travaux de laboratoires, demeuraient cependant assez peu entendus, même si l'on décide de les promouvoir par quelques mesures incitatives. Les carences en matière de locaux, de matériel et surtout de professeurs-chercheurs à plein temps ne contribuaient guère à l'essor de la recherche à la faculté[68]. En revanche, les postes d'externes et d'assistants en milieu hospitalier favorisaient à la fois le développement de l'enseignement clinique et le développement de la pratique hospitalière. En une période où tous les professeurs de la faculté enseignent à temps partiel et exercent une pratique privée lucrative mais contraignante, plusieurs enjeux présidaient à une orientation ouvertement externe de la faculté.

Les professeurs agrégés et titulaires acquéraient la possibilité de faire bénéficier à leurs patients des avantages des nouvelles techniques médicales. Ils obtenaient de surcroît la possibilité d'expérimenter les nouveautés diagnostiques et thérapeutiques auprès d'une clientèle indigente abondante et somme toute assez peu exigeante. Enfin, la légitimité de la médecine se trouvait accrue non seulement par le progrès des techniques et des savoirs, mais aussi et surtout, en ce début de siècle, par la mise en valeur de la vocation charitable — parallèlement à leurs fonctions médicales — des institutions hospitalières. Les campagnes de souscription en faveur d'une faculté risquaient certes d'être moins populaires[69] que celles en faveur d'un hôpital général.

Quant aux hôpitaux affiliés, tels que l'Hôtel-Dieu et l'Hôpital Notre-Dame, ils profitaient à peu de frais des avantages d'un personnel médical nombreux et compétent ainsi que du développement des pratiques et des techniques médicales. En conséquence, ils obtenaient face à leurs souscripteurs une légitimité accrue quant à leurs fonctions d'assistance médicale aux indigents et de haut lieu de soins spécialisés. L'établissement en 1898 d'un bureau médical à l'Hôtel-Dieu renforça la position des médecins de l'hôpital, mais la direction du service médical demeurait toujours sous l'autorité de la faculté qui se réservait la possibilité d'en reprendre les commandes[70]. En 1910, c'est toujours l'EMC/FMULM qui décide «de la distribution des services de médecine et de chirurgie entre les différents médecins et chirurgiens de l'Hôtel-Dieu[71]». L'année suivante, la supérieure de l'Hôtel-Dieu, mère Brosseau, demande à la faculté de payer les coûts de réfection des salles et des laboratoires de dissection. La faculté répond positivement à cette

demande en souscrivant 1000 $ «à la condition que ces labora-
toires soient sous le contrôle de la Faculté comme les départements de clinique en ce qui concerne la nomination des chefs
et de leurs assistants et de l'organisation qui s'y fera[72]». Juste
reflet de la complicité qui règne entre les membres de la faculté
et les membres du bureau médical, une résolution adoptée le
27 avril 1911 stipule que «le Bureau médical consent avec plaisir,
dans l'intérêt de l'enseignement, à mettre sous le contrôle de la
Faculté, la direction des laboratoires cliniques de l'Hôtel-Dieu,
et lui cède le droit de faire les nominations des titulaires et assistants de ces laboratoires qui dorénavant seront faites comme
celles des autres services par les Religieuses et la Faculté, sur
recommandation du Bureau médical de l'Hôtel-Dieu[73]». De tels
exemples illustrent le rôle de plus en plus important joué par
les autorités médicales de la faculté au sein d'une institution
qui avait toujours fait preuve d'une farouche autonomie.

La situation de l'Hôpital Notre-Dame est, à cet égard, assez
particulière. Aux yeux des dirigeants de la faculté, l'Hôpital
Notre-Dame était considéré depuis sa fondation davantage
comme une succursale de la faculté que comme une institution
affiliée ayant ses objectifs propres. Cette relation plutôt paternaliste aura de plus en plus tendance à s'effriter au cours des
prochaines décennies. Mais entre-temps, le contrôle exercé par
les membres du bureau médical — lesquels, rappelons-le, sont
tous professeurs titulaires de la faculté — donne une plus grande
latitude à la faculté dans l'organisation des cliniques.

En somme, les relations entre l'hôpital et l'université constituent, au début de notre siècle, le cœur médico-scientifique
de la faculté. C'est en grande partie au sein de ces institutions
que sont introduits et développés les nouveaux savoirs médicaux. Certes, nombre de décisions concernant l'enseignement
théorique et clinique sont prises au sein de la faculté, mais celles-
ci répondent souvent à des actions déjà amorcées au sein de
l'institution hospitalière[74]. Par exemple, lorsque le docteur
V. B. Cléroux, professeur adjoint de clinique médicale à l'Hôtel-
Dieu, demande à la faculté de mettre à la disposition des professeurs de clinique de cet hôpital un «sphygmomanomètre»,
la faculté, reconnaissant «l'opportunité de cette requête pour le

besoin des patients et le bénéfice des élèves[75]», accepte d'en faire l'achat.

## La loi médicale de 1909

En 1909 avait été adoptée à la législature provinciale une refonte de la loi médicale de 1876[76]. Cette loi est importante à plus d'un égard puisqu'elle modifiait sensiblement les cadres de l'enseignement médical. La loi allongeait le programme des études à cinq années[77], précisait les matières d'examen, les modalités de ces examens, les préalables pour l'obtention de la licence et donnait en détail la liste des cours obligatoires de médecine, y compris les cours de clinique[78]. De nouvelles matières telles que la bactériologie, la dermatologie ou la pédiatrie devenaient obligatoires. La loi de 1909 reprenait les dispositions d'une loi votée en 1890 qui rendait admissibles aux études de médecine les bacheliers ès lettres, ès arts et ès sciences sans qu'ils aient à se présenter devant le Collège des médecins[79]. Cette mesure constituait en principe une reconnaissance du cours classique des collèges, même si leurs programmes de mathématiques et de sciences étaient largement déficients. Tous les autres aspirants non bacheliers devaient subir l'examen — oral ou écrit — requis par le Bureau provincial de médecine «sur les matières formant l'objet d'un cours classique[80]».

La durée de l'examen — qui avait lieu à Montréal deux fois par année, le premier mercredi d'avril et le deuxième mercredi de septembre[81] — s'échelonnait sur deux jours, le premier étant réservé aux sciences et le second aux lettres. L'importance accordée aux lettres par rapport aux sciences est illustrée par le nombre de points attribués aux matières de ces deux champs: l'arithmétique et la chimie comptent alors respectivement pour 100 points contre 120 pour le latin, la littérature et les langues étrangères; la botanique et la zoologie ne comptent que pour 40 points contre 80 pour l'histoire et la géographie; l'algèbre et la géométrie comptent pour 60 points alors que l'examen de philosophie vaut 100 points[82]. La physique et la «langue maternelle» méritent le plus grand nombre de points avec 200 chacun. En somme, les humanités comptaient pour 55 % de la note totale. Encore faut-il souligner qu'il fallait avoir conservé une moyenne de 60 % en latin, en français, en anglais et en arithmétique contre 50 % pour les autres matières[83].

De tels préalables, axés sur une culture générale classique, ne répondaient guère aux exigences pressantes d'une formation scientifique prémédicale plus poussée. Il fallait, pour répondre aux progrès d'une médecine dont les fondements s'appuyaient de plus en plus sur les sciences physiques, chimiques ou mathématiques et sur une méthodologie scientifique, intensifier et valoriser davantage l'étude des sciences. Mais les autorités médicales devaient composer avec les prérogatives du clergé en matière de formation préuniversitaire. Certains correctifs en ce sens, nous le verrons, seront mis en œuvre au gré des facultés de médecine.

Le libellé de la loi de 1909, tout en formalisant les exigences minimales de la formation médicale, suivait surtout les principales orientations déjà définies dans les facultés de médecine du Québec. Cette loi — élaborée à l'image des élites médicales conservatrices — n'accentuait guère l'orientation scientifique de l'enseignement médical, mais elle était susceptible de favoriser la coordination entre les facultés. Celles-ci obtenaient le pouvoir de désigner parmi leurs professeurs les deux tiers des membres du nouveau bureau des examinateurs, le dernier tiers étant composé de membres du Collège. Rappelons que c'est ce bureau qui régira à l'avenir l'examen final standard des étudiants en médecine, lequel pouvait avoir lieu deux fois l'an, soit à la fin ou au commencement des années universitaires: «Désormais tous les aspirants à la pratique médicale seraient soumis aux mêmes examens. La lutte avait été longue et difficile; il avait fallu 62 ans avant d'en arriver là[84].» Aussi était-ce un gain pour la profession médicale. Quant aux facultés médicales, elles n'auront guère de difficultés à s'adapter à un programme d'études médicales qui correspondait déjà largement au leur.

# Le rapport Flexner: une évaluation trompeuse de l'EMC/FMULM

En mars 1909, un visiteur inattendu, délégué par un grand organisme médical américain, se présente à la faculté de médecine au 85 de la rue Saint-Denis. Il désire examiner les installations de la faculté. Le docteur E. Saint-Jacques, en l'absence du doyen qui n'est à la faculté que quelques heures par semaine, lui servira de guide durant sa brève visite de trente minutes. Visite apparemment anodine mais qui aura, l'année suivante, des répercussions importantes sur la réputation de l'EMC/FMULM. Il s'agissait du délégué de la Carnegie Foundation, chargé d'enquêter sur l'enseignement médical aux États-Unis et au Canada.

Cette enquête concrétisait une démarche entreprise en 1908 par l'American Medical Association Council on Medical Education qui avait demandé à la Carnegie Foundation for the Advancement of Teaching de prendre les moyens nécessaires pour évaluer l'enseignement médical en territoire nord-américain[85]. Cette dernière avait confié la tâche à un enseignant d'une école secondaire, Abraham Flexner, spécialiste des problèmes généraux de l'éducation américaine. L'enquête de Flexner fut préparée en collaboration avec les autorités de la faculté de médecine de la Johns Hopkins University. Or une telle collaboration ne pouvait manquer d'influencer Flexner qui orientera son étude d'après la philosophie médicale défendue par cette importante faculté. L'enquête de Flexner sera fondée sur les critères suivants: conditions d'admission, nombre de professeurs et d'étudiants, ressources financières, disponibilités cliniques et qualité de l'organisation des laboratoires. Or, comme le souligne Rothstein, Flexner ne s'attarda guère à la nature de l'enseignement et à la structure relationnelle qui unissait les étudiants, les professeurs et la faculté[86].

> *Flexner apparently believed that good facilities, high entrance requirements, and a sufficient number of qualified faculty members automatically produced quality education. In this regard,*

*Flexner followed the standards of the AMA Council on Medical Education, which had also disregarded teaching in its two evaluations[87].*

Du reste, la méthodologie d'enquête adoptée par Flexner présentait certaines failles. Les autorités de la succursale l'apprendront à leurs dépens. Les résultats de cette ambitieuse étude furent dévoilés en 1910 avec la publication du rapport intitulé *Medical Education in the United States and Canada*. L'ensemble des facultés médicales du Canada et des États-Unis y était jugé selon les critères mentionnés ci-haut. Le rapport Flexner indiquait que la faculté de médecine de la succursale de Laval ne comptait que huit professeurs. Erreur pour le moins grossière puisque celle-ci comptait alors 20 professeurs titulaires et 30 professeurs agrégés. Flexner mentionnait aussi erronément que la chimie n'était pas enseignée à la faculté et que celle-ci ne possédait qu'un maigre laboratoire alors que la faculté en comptait quatre. Enfin, l'auteur rapportait laconiquement que l'anatomie se limitait à la dissection, alors que des cours d'anatomie descriptive et d'anatomie pratique étaient donnés quotidiennement. Avec de telles erreurs, on ne peut s'étonner que Flexner ait jugé à ce point déficiente la faculté de médecine de Laval à Montréal. Situation d'autant plus injuste que la revue médicale ontarienne *The Canada Lancet* avait repris à son compte les allégations de Flexner en écrivant une tirade pour le moins opportuniste et maladroite:

> *The authorities in connection with the college in Montreal associated with Laval University must wake up. They ought at once to realize that they are no in the 20th century, and that medical education cannot be conducted with such facilities. The French speaking students are entitled to a fair chance to acquire a proper training in the various branches of medical science[88].*

Le rapport Flexner risquait de propager, en une période où le terrain y était fertile, de graves préjugés contre l'enseignement médical canadien-français. Les autorités de la faculté, sous la direction du doyen E. P. Lachapelle, réagirent avec fermeté. Des lettres corrigeant les faits et demandant la publication d'excuses publiques furent envoyées à Flexner, à Pritchett, président de la Carnegie Foundation, ainsi qu'à l'éditeur du *Canada Lancet*. Flexner fit amende honorable en publiant en 1911, dans le *Journal of the American Medical Association* les rectifications demandées[89]. Le *Canada Lancet* publia la lettre du doyen Lachapelle et offrit ses excuses à la faculté.

Mais, outre ces erreurs grossières, le rapport Flexner péchait aussi par omission. L'auteur mentionnait que la faculté ne possédait, pour son enseignement clinique, que 250 lits alors qu'en réalité elle en comptait 290 pour les seuls hôpitaux généraux, sans compter les autres hôpitaux spécialisés qui lui étaient affiliés. Le nouvel Hôpital Saint-Paul ouvert en 1905 — qui accueillait annuellement en moyenne depuis 1905 plus de 500 malades — constituait par ailleurs une ressource clinique précieuse en une période où les maladies infectieuses étaient très fréquentes. Alors qu'il jugeait excellent l'enseignement clinique dispensé par la FMUMG et très bonnes les facilités cliniques de la faculté de médecine de l'Université Laval à Québec, Flexner se bornait à souligner que «*the school has access to two hospitals, containing together 250 beds*» et que «*the dispensary has a fair attendance[90]*». Il avait largement sous-estimé la qualité de l'enseignement clinique dispensé par l'EMC/FMULM au sein de ses institutions hospitalières affiliées.

Nous avons vu que la création des postes d'internes et d'assistants à l'Hôpital Notre-Dame et à l'Hôtel-Dieu représentait une mesure susceptible de fournir une bonne formation clinique aux étudiants désignés, même si ces postes ne demeuraient accessibles qu'à une fraction de l'ensemble du corps étudiant[91]. Les seuls dispensaires de l'Hôpital Notre-Dame — chirurgie, médecine, maladie des enfants, dermatologie, maladies nerveuses, radiographie et électrothérapie, maladies vénériennes, gynécologie — constituaient un réservoir de cas cliniques fort important que n'aurait certainement pas dédaigné Flexner s'il en avait pris connaissance. Conséquence d'une sous-évaluation de l'organisation clinique et du nombre de professeurs à l'Université Laval à Montréal, le rapport Flexner lui portait un grave préjudice en statuant que celle-ci n'était d'aucune utilité pour combler les besoins en effectifs médicaux du Canada au cours des prochaines décennies[92].

Mais si le rapport sévère de Flexner est dans l'ensemble attribuable à des prémisses erronées, il n'en demeure pas moins qu'en regard de la philosophie médicale défendue par l'auteur — philosophie positiviste largement inspirée de la faculté de médecine de Johns Hopkins —, le programme et les installations de l'EMC/FMULM ne correspondaient pas aux orientations privilégiées par son rapport. Flexner s'appuyait sur l'idée encore assez peu populaire en Amérique et en Europe que toute pratique et toute recherche médicales doivent être soutenues par une rigoureuse méthodologie scientifique articulée autour du laboratoire.

*A tone of medical positivism pervaded the book; medicine was regarded as an experimental discipline governed by the laws of general biology[93].*

Il se montrait convaincu de la nécessité d'orienter la formation médicale vers la recherche et l'enseignement scientifique plutôt que vers la formation professionnelle[94]. Les facultés et les écoles médicales devaient en conséquence promouvoir l'enseignement des sciences fondamentales et augmenter considérablement le temps consacré à la formation dans les laboratoires. L'enseignement clinique était aussi jugé important, mais Flexner l'envisageait surtout comme une expérience pratique de l'étudiant au lit du malade, étroitement liée au laboratoire et à la salle d'investigation anatomo-pathologique. En somme, la formation des étudiants, après une période d'initiation aux sciences de base et aux fondements théoriques de la science médicale, devait largement s'appuyer sur la fréquentation régulière des laboratoires et des salles des hôpitaux[95].

*To Flexner, «scientific medicine» encompassed two concepts. One was the recognition that physics, chemistry, and biology provided the intellectual foundation of modern medicine [...]. The second concept — and more important to Flexner — was the recognition that scientific method applied to practice as well as research [...]. To Flexner, the scientific nature of modern*

*medicine imposed new requirements on those who would teach
it. «On the pedagogic side», he wrote, «modern medicine, like
all scientific teaching, is characterized by activity. The student
no longer merely watches, listen, memorizes; he does» [...].
Descriptive teaching through lectures or textbooks could provide «no substitute for tactile and visual experience»*[96].

L'école médicale idéalisée par Flexner devait remplir quatre
conditions principales. Primo, elle devait être spacieuse, adéquatement équipée et comprendre des laboratoires modernes suffisamment outillés pour répondre aux besoins de chaque
étudiant. Secundo, ses critères d'admission devaient être élevés
de façon à s'assurer que les étudiants aient une formation scientifique suffisante pour entreprendre des études médicales. Tertio,
elle devait être en mesure de contrôler ses hôpitaux d'enseignement. Enfin, l'école médicale devait avoir des revenus suffisants
pour être en mesure de verser des salaires convenables aux professeurs à temps plein[97] et pour répondre à une éventuelle
expansion immobilière. Il était en effet indispensable aux yeux
de Flexner de créer une assemblée de professeurs à plein temps
dans les départements tant cliniques que scientifiques et
d'assurer à l'institution d'enseignement médical une étroite
relation universitaire[98]. Ces principes étaient déjà appliqués par
certaines écoles médicales américaines.

La faculté de médecine de l'Université Laval à Montréal,
à l'instar de la plupart des écoles et des facultés médicales américaines et canadiennes, ne satisfaisait certainement pas à toutes
les exigences formulées par Flexner, et ce malgré les réformes
entreprises depuis les années 1890 au chapitre des matières
enseignées — bactériologie, chimie et physique médicale —, de
la durée des études — prolongées à cinq ans à partir de 1909 —,
de la mise en place de petits laboratoires et du développement
de l'enseignement clinique. La philosophie médicale qui avait
présidé jusqu'à ce jour à son orientation différait de celle
défendue par Flexner, l'AMA ou la faculté médicale de Johns
Hopkins. L'importance accordée aux cours magistraux et l'accent
mis sur l'enseignement clinique visaient surtout à développer
les aptitudes et les qualités du praticien en négligeant quelque
peu les exigences d'une médecine qui s'orientait vers une for-

mation physico-chimique et microbiologique plus poussée. Elle dispensait un enseignement calqué en grande partie sur le régime des études médicales françaises, enseignement qui se situait à un niveau fort acceptable quant à la formation de médecins destinés à la pratique familiale. Durant la décennie 1890, le programme des études en France et celui de l'EMC/FMULM renferment à quelques exceptions près les mêmes matières. Sans présenter ici une chronologie comparative de l'évolution des programmes d'études entre les facultés francophones québécoises et françaises, soulignons que bien des initiatives prises par les Français seront importées en territoire québécois francophone au même titre que certaines initiatives britanniques au XIXe siècle ou américaines au XXe siècle seront introduites dans les facultés canadiennes anglophones[99]. Par exemple, l'organisation de travaux pratiques de sciences fondamentales obligatoires en France à partir de 1878 et l'instauration d'une année scientifique préparatoire en 1893 ont été copiées avec plus ou moins de décalage par l'EMC/FMULM[100].

Il faut aussi souligner que la faculté ne possédait pas les ressources financières pour répondre aux standards d'une médecine scientifique encore en gestation sur le territoire américain. Ne recevant qu'un maigre subside tournant autour de 2000 $ du gouvernement provincial et puisant ses revenus essentiellement dans les cotisations annuelles obligatoires des étudiants, qui atteignaient en 1909 près de 24 000 $[101], la faculté n'avait pas la possibilité d'entreprendre une vaste réorganisation de sa structure didactique, clinique ou scientifique. Flexner en faisait état d'ailleurs dans son rapport et jugeait nettement insuffisants les revenus de la faculté. La FMUMG, qui comptait 328 étudiants en 1909, bénéficiait alors d'un budget annuel de 77 000 $, tandis que celui de l'EMC/FMULM dépassait à peine 30 000 $ pour subvenir aux besoins de 217 étudiants. Mais encore, la FMUMG pouvait compter en cas de nécessité sur de généreuses souscriptions de la part de la haute bourgeoisie anglaise[102]. Cependant, on ne peut considérer de telles contraintes financières comme étant les seuls déterminants dans les choix des autorités quant aux orientations de la faculté[103]. Au moment de la parution du rapport, il y avait certainement,

comme dans de nombreuses écoles et facultés médicales américaines, désaccord de principe avec Flexner à propos de l'orientation de l'enseignement médical. L'attachement des membres
de la faculté de médecine à la tradition clinique française demeurait encore très solide.

## La dernière décennie de l'EMC/FMULM

Le nombre d'étudiants inscrits à la faculté subira une baisse
considérable entre 1909 et 1915, passant de 214 à 121 étudiants.
Le programme de cinq ans et la Première Guerre mondiale sont
en grande partie responsables de cette diminution. Pendant la
décennie 1910, la faculté ne comptait toujours pas de professeur
à temps plein. Tous les professeurs s'adonnaient à une pratique
privée qui ajoutait au revenu modeste provenant de leur chaire
et de leur pratique hospitalière. Certains multipliaient les charges
médicales au sein d'hôpitaux, de bureaux médicaux ou d'associations sanitaires. De nombreuses occupations paramédicales
— réunion d'associations, direction de revues médicales, organisation de congrès, œuvres hygiéniques et sociales — accaparaient aussi leur temps, et il ne leur en restait généralement
que peu à consacrer aux recherches médicales, à l'organisation
des laboratoires et même à la préparation de leurs cours. Il n'était
pas rare de voir les jeunes assistants remplacer à main levée un
professeur surchargé. Les conséquences d'une telle organisation sont évidentes: les étudiants n'avaient pas toujours
l'encadrement nécessaire, les cours théoriques étaient souvent
une répétition de notes dont la teneur scientifique était parfois
périmée et les professeurs les plus susceptibles de modifier
l'orientation scientifique de la faculté demeuraient en position
subalterne par rapport aux «anciens». Malgré tout, une sensible amélioration marquait l'enseignement pratique. Outre la
consolidation des cours de base, les modifications du programme
accentuèrent l'orientation antérieure de l'enseignement vers un
développement de la clinique lié à des champs plus spécialisés
et vers une intensification des travaux pratiques de laboratoire.

Il y avait à la faculté trois types d'enseignement qui correspondaient à des fonctions distinctes: 1) un enseignement théorique présentant l'ensemble des connaissances nécessaires au futur docteur en médecine; 2) un enseignement technique donné dans les laboratoires sous la forme de travaux pratiques et coordonné à l'enseignement théorique; 3) un enseignement clinique donné dans les divers hôpitaux[104]. L'organisation des laboratoires à la faculté était certes meilleure que ne le supposait Flexner. Le laboratoire de physiologie permettait aux étudiants d'assister «aux expériences sur les cobayes, sur les lapins et autres animaux[105]». On y démontrait «d'une manière pratique l'action des sucs gastriques [ainsi que] les phénomènes de la circulation et de la respiration[106]». Le laboratoire de chimie pratique, bien que modeste, permettait néanmoins aux étudiants de mettre en pratique les leçons du professeur et de reproduire les expériences, notamment en chimie organique et en chimie «biologique» où sont étudiés sommairement les sucs gastriques, les urines «et autres produits physiologiques et pathologiques[107]». Le laboratoire d'histologie, équipé de microscopes et de microtomes, permettait aux étudiants de se familiariser avec l'examen des tissus. Enfin, le laboratoire de bactériologie initiait l'étudiant aux «manipulations que le médecin peut être appelé à faire dans l'exercice de sa profession pour le diagnostic des maladies microbiennes[108]».

Révélateurs d'une approche toujours essentiellement didactique et pratique, les liens deviendront de plus en plus étroits entre l'enseignement clinique et les activités de laboratoire au sein de l'institution hospitalière. C'est la faculté qui pourvoit aux dépenses occasionnées par l'amélioration des laboratoires hospitaliers. Des négociations à cette fin avaient été entreprises entre les membres de la faculté et la supérieure de l'Hôtel-Dieu. Celle-ci accordait aux élèves de la faculté la permission de fréquenter le laboratoire. En retour, «toutes les dépenses qui ne regardent pas strictement les besoins de l'hôpital pour ce qui concerne le laboratoire, seront à la charge de la Faculté, surtout s'il y a besoin de se pourvoir d'articles, d'appareils, ou d'instruments dispendieux, pour favoriser l'enseignement des élèves et dont l'achat aura été demandé par la Faculté[109]». À la suite

de cette entente, la faculté accorde un crédit de 1000 $ au doc-
teur Bernier pour l'achat de matériel pour le laboratoire de bactériologie de l'Hôtel-Dieu auquel s'additionnera bientôt une
allocation de 250 $. Le laboratoire de l'Hôpital Notre-Dame
bénéficiera aussi d'un montant de 500 $[110].

Autre reflet de l'importance accrue des travaux didactiques
de laboratoire au sein de la faculté en cette année 1913, un comité
des laboratoires est créé afin de proposer les améliorations jugées
indipensables à leur bon fonctionnement. Conséquemment à
ses recommandations, des efforts sans précédent sont consentis: subvention de 1200 $ pour «l'outillage et l'ameublement du
laboratoire d'anatomie pathologique» et allocation de 3000 $
pour l'installation et l'ameublement du laboratoire de chimie,
d'anatomie et de physiologie pratique. Est aussi prévue une
réorganisation complète de la salle de dissection de la faculté
qui sera dorénavant située dans le sous-sol de l'université[111].
Mais une telle localisation est considérée comme temporaire
puisque l'on insiste auprès des gouverneurs de l'université afin
que soit construit un édifice réservé aux travaux d'anatomie[112].
Cette demande demeurera sans effet. On décide donc, quelques
mois plus tard, de procéder à un aménagement complet du
sous-sol. La direction des travaux est confiée aux docteurs
Delorme et Rhéaume. La pièce aménagée comprend deux grands
réservoirs de béton, une scie à ruban électrique, deux boîtes
pour la conservation des pièces anatomiques, un appareil de
chauffage à gaz avec hotte et ventilation et une armoire pour le
rangement des pièces et des instruments. On procède aussi à
l'achat des appareils nécessaires pour le lavage, la congélation
et l'injection des cadavres[113]. À ce propos, la faculté se voit contrainte de supporter une dépense nouvelle lorsque la maison
funéraire Bourgie, qui jusque-là livrait gratuitement les cadavres
à la faculté, donne avis qu'à partir du 1er décembre, elle ne
pourra «transporter les cadavres de la prison de Bordeaux, de
l'Asile St-Jean-de-Dieu et de l'Asile des aliénés de Verdun que
moyennant une rétribution de 4 $ par sujet[114]». Les sommes
versées pour la réorganisation des laboratoires et pour l'achat
du matériel d'enseignement sont suffisamment importantes
pour que l'on décide de faire appel à l'archevêque de Montréal

qui acceptera de combler les déficits causés par ces dépenses «imprévues». La subvention accordée à la faculté par les gouverneurs de l'université s'élevait toujours à 20 000 $ en 1914 et 1915.

Le volume des travaux pratiques en bactériologie devient tel que, l'année suivante, le docteur Bernier demande un salaire annuel de 2000 $, jugé suffisant pour lui permettre d'abandonner la direction du laboratoire de l'Hôtel-Dieu et de se consacrer entièrement à son cours de bactériologie et de pathologie générale qui, ajoutait-il, «exige un temps considérable[115]». Sa proposition étant acceptée par la corporation de la faculté, le docteur A. Bernier devint l'un des premiers professeurs à temps plein de la faculté.

Peu de temps après, sur recommandation du comité des laboratoires, la corporation de la faculté accepte d'accorder la somme de 1096 $ pour l'achat de livres et d'instruments destinés au laboratoire d'anatomie pathologique. Malgré l'augmentation des dépenses justifiées par la vétusté des locaux et des équipements des laboratoires de la faculté et de ses institutions hospitalières affiliées, les étudiants de la faculté ne disposent toujours pas des instruments nécessaires à leur formation. Lorsqu'en 1915, le docteur A. Saint-Pierre, dans une lettre adressée à la faculté, demande l'acquisition de nouveaux microscopes pour le laboratoire d'histologie, de façon que chaque élève possède le sien, il se fait répondre que le conseil a cru bon «de charger M. Chamberlain de réunir pour les jours du cours d'histologie les microscopes des laboratoires de bactériologie et d'anatomie pathologique, ce qui avec les microscopes qui se trouvent déjà à l'histologie mettra trente-huit instruments à la disposition du docteur Saint-Pierre[116]».

Mais, signe des temps, l'insistance du docteur Saint-Pierre — qui recevra l'appui de certains membres influents de la faculté — aura finalement raison des résistances du conseil. L'année suivante, on procède à l'achat de 25 microscopes «au coût de 35 $ pièce pour le laboratoire d'histologie[117]». Deux ans plus tard, devant «l'augmentation du nombre des élèves», la faculté achète 15 microscopes supplémentaires[118]. D'autres mesures ponctuelles, prises à la suite des recommandations du comité des laboratoires dirigé par Marien, visaient aussi à pourvoir aux besoins les plus immédiats des laboratoires. Ainsi, en 1919, une somme de 3476 $ est octroyée «pour compléter l'installation et l'instrumentation du laboratoire de chimie[119]».

L'organisation des laboratoires ne répondait qu'en partie aux objectifs définis par Flexner et la Carnegie Foundation. Elle était liée à une perception très répandue dans le monde médical de l'époque où le laboratoire était considéré essentiellement comme un soutien à l'enseignement technique et comme un complément à la formation théorique et clinique de l'élève. La perspective de mener des recherches originales n'était pas au cœur des préoccupations des membres de la faculté. À cet égard, les cours qu'avaient suivis les Mercier, Marien, Parizeau, etc. à l'Institut Pasteur incitaient davantage à faire usage d'une bactériologie pratique qu'à entreprendre de nouvelles recherches fondamentales. Les pastoriens québécois auront tendance à reproduire une telle valeur fonctionnelle des travaux de laboratoire, laissant aux chercheurs étrangers le soin de faire évoluer la science médicale. Les finalités de l'enseignement au laboratoire se juxtaposaient aux finalités pragmatiques de l'enseignement clinique.

Il s'agissait essentiellement de former de bons praticiens et non de former ou de recruter quelques futurs chercheurs. En un temps où les besoins prophylactiques et thérapeutiques de base sont immenses, la médecine comme science appliquée, aux yeux des membres les plus progressifs de la faculté, l'emportait aisément sur le médecine comme science fondamentale. C'est dans cette perspective qu'il faut comprendre l'apparente apathie du corps médical francophone et de la faculté de médecine à l'endroit de la recherche médicale.

La structure de l'enseignement en milieu hospitalier s'adaptait aussi à ce schéma puisque les petits laboratoires de l'Hôtel-Dieu et de l'Hôpital Notre-Dame n'étaient perçus que comme un prolongement de l'investigation clinique au lit du malade. L'indifférence de la plupart des médecins en matière de recherche est telle que l'on se plaindra à maintes reprises au sein des bureaux médicaux de la rareté des investigations anatomo-pathologiques. Les travaux de laboratoire coïncidaient la plupart du temps avec les valeurs fonctionnelles de la médecine clinique.

L'enseignement clinique se trouvait certes favorisé par une telle orientation pragmatique et se rapprochera des prescriptions de Flexner. Dès la deuxième année, les élèves avaient le loisir de se familiariser «au dispensaire chirurgical de l'Hôpital Notre-Dame avec la pratique de la petite chirurgie, des traitements des plaies, des injections locales, des petites opérations, des pansements, etc., pratique, en somme, qui devient plus tard, l'apanage du médecin non spécialiste[120]».

Les leçons, réservées aux élèves de troisième, quatrième et cinquième année, étaient partagées en séances théoriques et pratiques. La clinique médicale avait lieu les lundis, mercredis et vendredis de 10 heures à midi. La première heure était consacrée à l'examen des malades — observation, diagnostic, traitement — alors que la seconde se déroulait à l'amphithéâtre de l'hôpital où le professeur donnait des leçons détaillées «sur l'étiologie, l'anatomie pathologique et la thérapeutique des maladies observées dans les salles» et effectuait des «démonstrations techniques (ponctions, lavages, saignées[121])». Lors du décès d'un patient, professeur et étudiants se rendaient à la salle d'autopsie «aussi souvent que possible». La clinique chirurgicale obéissait à peu près au même schéma: visite au lit du malade, leçons théoriques sur les cas observés, opération dans l'amphithéâtre chirurgical. Les étudiants étaient invités à prendre part à l'examen clinique, à rédiger les feuilles d'observation et à faire les pansements. Néanmoins, les thèmes abordés étaient subordonnés à la présence des cas:

> Le sujet de chaque leçon, affiché à l'avance, peut être ainsi illustré par une série de malades choisis pour démontrer les diverses phases d'une même maladie et son traitement chirurgical[122].

Cependant, les leçons cliniques d'opthalmo-oto-rhino-laryngologie, d'obstétrique, de gynécologie ou des maladies mentales et nerveuses laissaient peu d'occasions aux étudiants de troisième et quatrième année d'intervenir activement. Par exemple, la clinique obstétricale est définie comme un «cours théorique de 120 leçons» indispensable pour fournir à l'étudiant des connaissances «que les hasards de la clinique ne mettront pas sous ses yeux[123]». Elle est par ailleurs suivie d'un cours «essentiellement clinique, expliqué et surveillé par le professeur et auquel assistent les élèves par comités de six à douze successivement[124]». La clinique gynécologique offerte aux étudiants de quatrième et cinquième année n'est que partiellement pratique:

> Après un certain nombre de leçons didactiques préparatoires, les élèves apprennent la pratique courante de la gynécologie au dispensaire de gynécologie de l'Hôpital Notre-Dame fréquenté par un grand nombre de malades. Les élèves visitent aussi le service interne de gynécologie et reçoivent des leçons au lit des malades. De nombreuses opérations, auxquelles assistent les élèves, leur font parcourir tout le champ opératoire de la gynécologie[125].

L'ajout d'une cinquième année d'études était censé permettre aux élèves de participer plus concrètement aux travaux cliniques. On mentionnait par exemple, pour ce qui est du cours d'anatomie pathologique, qu'avec «l'adjonction d'une cinquième année, des travaux pratiques, plus personnels et plus approfondis, seront exigés des élèves, qui auront ainsi une base solide pour édifier l'étude des pathologies interne et externe et de la thérapeutique[126]». Malgré les efforts consentis depuis la fusion des deux écoles pour donner aux élèves plus de travaux pratiques, l'enseignement clinique demeurait encore largement basé sur l'observation passive des malades sans par ailleurs que soient valorisés les travaux de laboratoire, qui étaient réservés aux «analyses spéciales[127]». Trop souvent, la coordination des soins aux patients l'emportait sur les besoins de l'apprentissage clinique. La structure hospitalière était généralement plus dynamique que celle de la faculté. Les demandes d'enseignement provenaient le plus souvent de l'hôpital plutôt que de la faculté. Un exemple parmi d'autres: les autorités de l'Hôpital Notre-Dame déplorant le manque de personnel qualifié pour faire les nombreux pansements, demandèrent à l'EMC/FMULM «d'astreindre les élèves à faire un stage de pansements dans les hôpitaux» et «que ce temps leur soit compté sur le même pied que l'assistance aux cliniques[128]».

## La mise en place d'un internat facultatif

Au moment de la fusion des deux écoles, la FMSULM avait déjà institué à l'Hôpital Notre-Dame depuis 1880 un internat volontaire d'un an accessible aux médecins diplômés. De façon à mieux répondre aux besoins de l'hôpital, on ajouta l'année suivante un poste d'assistant interne. Les membres du bureau médical avaient aussi décidé, à partir de 1882, d'offrir aux bacheliers en médecine, à la suite d'un concours, un poste d'une année au titre d'élève interne[129]; cette fonction sera abolie en 1891. Le médecin interne et son assistant, placés sous le contrôle immédiat des chefs de service, étaient rémunérés selon un salaire fixe — 200 $ pour le premier et 100 $ pour le second en 1884 — et devaient résider en permanence à l'hôpital. Les soins qu'ils prodiguaient devaient être exclusivement réservés aux malades de l'institution.

La nouvelle EMC/FMULM héritait donc de cette structure qui préfigurait le système d'internat mis en place dans toutes les facultés de médecine durant les premières décennies du XXe siècle. Le système d'internat connaissait certaines lacunes — absences fréquentes des internes, pansements mal faits, diagnostics erronés, etc. —, mais l'on se concerta pour accentuer les mesures de contrôle. Le bureau médical de l'Hôpital Notre-Dame décida de ne décerner le diplôme d'internat qu'après une évaluation du candidat par le bureau médical. Les internes devaient faire quelques mois de service dans chaque service de l'hôpital. Certes, certains problèmes d'organisation se posaient, mais il faut se rappeler qu'il n'y avait alors aucun standard en Amérique du Nord concernant cette fonction. Le Conseil de l'enseignement médical de l'AMA ne recommanda qu'en 1905 la mise sur pied d'un internat chez les finissants en médecine et encore, ce ne sera qu'en 1919 qu'il en établira les standards.

Si les postes étaient rares — seulement cinq internes sont désignés en 1897 et sept en 1907 —, les postulants étaient peu nombreux: plusieurs candidats potentiels préféraient plutôt se rendre en Europe, plus précisément à Paris. Les démissions des docteurs A. Lesage et A. Mercier en 1894 et 1895, qui s'embarquèrent vers le vieux continent sans terminer leur stage, soulevèrent l'ire du bureau médical. L'Hôpital Notre-Dame fut parfois contrainte d'offrir ce poste à des bacheliers en médecine. Tel est le cas du jeune Larue, étudiant de quatrième année, qui se vit confier le service de gynécologie et d'ophtalmologie moyennant chambre et pension[130]. Mais si les candidats sont rares, la cuvée est dans l'ensemble excellente: quelques futurs doyens de la FMUM ou surintendants de l'Hôpital Notre-Dame — Lesage, Mercier, de Lotbinière-Harwood et Derome — ont accompli leur internat à Notre-Dame. Plusieurs autres — Brennan, Chagnon, Parizeau, Benoît, Demers, Éthier, Larue, Lamarche, etc. — deviendront des professeurs titulaires à la faculté. Ces jeunes internes inexpérimentés, qui n'avaient reçu le plus souvent qu'une formation essentiellement axée sur les démonstrations du professeur, commettaient parfois certaines erreurs qui, sans être tragiques, étaient parfois embarrassantes pour les autorités de l'hôpital:

> Le docteur Mercier prie le chef interne de faire remarquer aux internes d'être excessivement prudents dans le diagnostic porté au cahier d'ambulance après chaque sortie, afin d'éviter que les journaux ne publient pas de sottise telles que celle-ci: un blessé à qui l'on a diagnostiqué la veille une fracture du crâne a quitté l'hôpital le lendemain parfaitement guéri[131].

Rothstein a souligné les problèmes éthiques que soulevait le fait de confier des patients à de jeunes étudiants qui les soumettaient à des examens parfois douloureux ou qui posaient des diagnostics erronés. Comme à Notre-Dame ou à l'Hôtel-Dieu, peu d'écoles américaines «*had formal orientation programs for clerks, systematic mechanisms to monitor the performance of clerks, or close faculty supervision of clerks*[132]».

En 1906, les sept internes de l'hôpital sont divisés en deux groupes: quatre résidents se partagent les services de chirurgie, de médecine et des maladies contagieuses; trois non-résidents sont affectés aux services de gynécologie, d'ophtalmologie, du

Monseigneur Ignace Bourget, évêque de Montréal, en 1848, cinq ans après
la fondation de l'École de Médecine et de Chirurgie.
*Archives de l'Archevêché de Montréal.*

Les armoiries de l'École après la fusion avec la succursale
de l'Université Laval. *Archives de la faculté de médecine.*

Premier bâtiment de l'École en 1843, au 6 de la rue Saint-Urbain.
Au-rez-de-chaussée, la boutique d'un maréchal-ferrant.
*Fonds Édouard Desjardins, archives de l'Université de Montréal.*

L'École et la
boutique à l'ombre
de Notre-Dame,
*circa* 1845. Gravure,
*collection Guy
Lamarche.*

Deuxième bâtiment de l'École, rue de La Gauchetière, 1856.
*Fonds Desjardins.*

La succursale de l'Université Laval, Château Ramesay, 1878.
*Fonds Desjardins.*

Les rivales coexistent; la faculté de la succursale Laval,
place Jacques-Cartier…

L'École de médecine et de chirurgie de Montréal/faculté de médecine de
l'Université Victoria, rue des Pins. *Fonds Desjardins.*

Le projet abandonné. *Archives de l'Université de Montréal.*

L'Université de Montréal rue Saint-Denis, 1895.
*Archives de l'Université de Montréal.*

L'École affiliée à l'Université Victoria. Les professeurs et les diplômés.
Au centre, le président, le docteur Hingston.
*Fonds Desjardins.*

École de médecine et de chirurgie/
faculté de médecine de l'Université Laval.
Diplômés et professeurs entourent le doyen Durocher.
*Fonds Desjardins.*

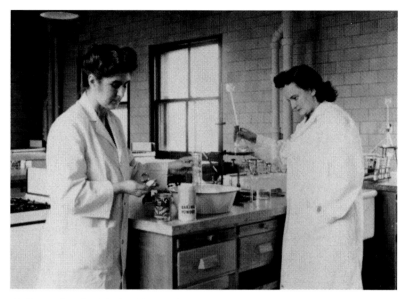

Laboratoire de chimie alimentaire. Département de nutrition, 1946-1949.
*Département de nutrition.*

Laboratoire de chimie textile. Département de nutrition, 1946-1949.
*Département de nutrition.*

chloroforme et des laboratoires. Le progrès de la chirurgie accroissait les besoins en personnel médical. Ces jeunes internes pouvaient fort bien s'acquitter de la préparation du patient, des procédures d'asepsie et d'antisepsie, de l'anesthésie et des soins postopératoires. Ils apportaient à peu de frais une assistance médicale très prisée par les autorités de l'Hôpital Notre-Dame et de l'Hôtel-Dieu.

L'accroissement considérable de la clientèle et l'organisation de nouveaux services exigeaient une structuration plus adéquate de l'internat. En 1910, le bureau médical de l'Hôpital Notre-Dame, de concert avec l'EMC/FMULM, décidait, «pour augmenter l'efficacité du service des internes et en même temps donner aux internes une formation plus complète[133]», de créer deux groupes distincts: les internes permanents et les internes «permutants», organisation qui correspondait grosso modo au *mixed internship* américain[134]. La première catégorie comprenait les internes attachés pour un an à l'un ou l'autre des services publics de médecine, de chirurgie ou des maladies contagieuses. La seconde catégorie, qui annonce en quelque sorte l'internat rotatoire, comprenait un système d'alternance des internes qui faisaient un stage de trois mois dans les quatre services demi-payants[135] suivants: médecine, chirurgie, gynécologie et «ambulance/urgence[136]». L'on avait par ailleurs décidé de ne plus affecter les internes aux services des laboratoires et du chloroforme, afin qu'ils puissent se consacrer entièrement à leur assignation.

Mais l'organisation des cliniques était improvisée et souffrait parfois d'un manque de coordination avec les institutions affiliées. En 1917, les autorités de la faculté, constatant que «l'admission des élèves à l'internat dans les hôpitaux paralyse complètement l'enseignement médical aux élèves de 5e année et rend impossible l'organisation méthodique du programme d'études de la Faculté[137]», décidèrent d'avertir les hôpitaux affiliés — (Notre-Dame, Saint-Paul, Hôtel-Dieu et Saint-Jean-de-Dieu — «de ne plus admettre à l'internat les élèves de la faculté pendant la durée des cours[138]». En conséquence, à partir de 1918, les internes engagés à l'Hôpital Notre-Dame seront tous des médecins diplômés[139]. Les hôpitaux avaient grandement besoin de cette main-d'œuvre médicale, désormais mieux encadrée et assumant d'importantes responsabilités: admissions, histoire de cas, examens des malades, rapports d'observation, ordonnances d'analyses de laboratoire, visites matinales quotidiennes des salles, observation des patients des chambres privées (à partir de 1921). Certes, il s'agissait ici aussi d'une structure établie davantage en fonction des besoins hospitaliers qu'en fonction des besoins pédagogiques de l'ensemble des étudiants de la faculté[140].

Les formules d'internat facultatif adoptées durant cette décennie se rapprochaient sensiblement du *clerkship* américain. Rappelons qu'une enquête menée par l'AMA sur les écoles de médecine montrait que seulement six d'entre elles «*had hospital privileges where medical students could examine patients and write histories (i.e. clerkships) and 5 other schools could engage in ward walks at hospitals. Another 88 had clinics in hospital amphitheaters either regularly or occasionally, and 55 had no hospital connections*[141].» Les autorités de la FMUM, sous la conduite de Harwood, en attendant la mise en vigueur de l'internat obligatoire en 1927, favoriseront l'imposition d'un stage prolongé des internes dans chaque service.

L'approche pédagogique de l'EMC/FMULM avait tendance, à la fin des années 1910, à s'écarter des modèles magistraux du XIX<sup>e</sup> siècle pour s'orienter de plus en plus vers les nouveaux idéaux de l'enseignement médical qui se répandaient en Amérique du Nord et en Europe. Ludmerer en souligne les quatre exigences fondamentales:

> The importance of teaching the scientific subjects; the shift from didactic to practical training; the view that traditional teachings should be discarded when contradicted by empirical evidence; the ideal that students should learn to reason rather than be force to memorize[142].

Le premier point constituait certes la faiblesse de la faculté. Mais en ce qui regarde les autres, elle tendait graduellement à s'y conformer. L'EMC/FMULM avait déjà amorcé ce glissement de l'enseignement didactique vers l'enseignement pratique et penchait vers un enseignement intégrant les nouveautés médi-

cales (mesures d'asepsie, enseignement de la bactériologie, etc).
Quant au dernier point, plusieurs professeurs de la faculté
favorisaient une participation plus active des étudiants au processus d'apprentissage. Au printemps 1919, un comité d'études
sur l'enseignement formé de membres de la faculté recommandait que la formule d'observation en vigueur à l'Hôtel-Dieu
soit généralisée et félicitait le docteur Latreille pour le soin qu'il
prenait «à faire travailler ses élèves». Le comité insistait pour
que l'enseignement clinique soit «basé surtout sur l'observation des malades et le raisonnement de la maladie[143]». Dans
l'ensemble, l'enseignement clinique de la faculté, même s'il était
largement subordonné aux besoins des hôpitaux affiliés, se comparait alors avantageusement à la majorité des facultés médicales canadiennes et américaines[144]. Mais l'EMC/FMULM, en
l'absence d'une politique d'encouragement de l'enseignement
des sciences fondamentales et de la médecine expérimentale,
négligeait la possibilité d'établir des liens étroits et fructueux
entre les soins aux patients et la recherche fondamentale, comme
cela se faisait dans les grandes facultés de médecine, notamment à McGill.

## Les premières spécialités

L'ajout d'une cinquième année, promulgué en 1910 et en
vigueur à partir de 1914, qui était consacrée aux «cours de perfectionnement dans les cliniques générales et spéciales et dans
les laboratoires[145]», constituait certes une amélioration de la
formation pratique de l'étudiant. De nouveaux cours théoriques
et cliniques étaient offerts aux élèves de cinquième année. Cette
année supplémentaire représentait aussi une excellente occasion pour ajouter quelques nouvelles spécialités au programme
des étudiants. Une chaire de phtisiologie et de phtisiothérapie
fut créée grâce à une dotation de 10 000 $ de J. A. Richard. Elle
est confiée au docteur Dubé qui dispense ses cours cliniques à
l'Institut Bruchési[146]. La même année, des leçons théoriques et
cliniques de dermatologie et de syphiligraphie sont données
par le docteur Décarie au laboratoire de la faculté et à la clinique externe de l'Hôtel-Dieu. Grâce à des ententes avec l'Hôpital

Sainte-Justine et l'Hôpital Saint-Paul, une nouvelle clinique de pédiatrie est accordée aux élèves de cinquième année[147]. Celle-ci s'ajoutait au cours théorique dispensé depuis plusieurs années aux élèves de quatrième année. Les rayons X, considérés un peu hâtivement comme «un merveilleux instrument d'investigation et un merveilleux agent thérapeutique», avaient suscité suffisamment d'intérêt pour que les autorités accordent au docteur Panneton une clinique de radiologie et d'électricité médicale à l'Hôpital Notre-Dame: «Les heureux effets de la radiologie dans le traitement de certaines affections sont démontrés aux élèves afin qu'ils puissent plus tard en faire bénéficier leurs clients[148]», note-t-on dans l'annuaire de la faculté[149]. Il n'était pas rare que les élèves demandent des cours cliniques dans de nouvelles spécialités. La dermatologie fit l'objet d'une telle requête en 1900, mais les élèves essuyèrent un refus en raison de l'incompatibilité des horaires du dispensaire. Une chaire de chirurgie opératoire et d'anatomie topographique placée sous la direction du docteur Z. Rhéaume est aussi inaugurée le 15 avril 1915.

Autre nouveauté qui répondait à des besoins prophylactiques importants, l'EMC/FMULM, en même temps que la faculté de médecine de l'Université Laval à Québec, crée en 1911 un cours d'hygiène publique appliquée. Ces cours, qui s'adressaient aux médecins, conduisaient à l'obtention du diplôme d'«hygiéniste expert». L'instauration de cet enseignement faisait apparemment suite aux pressions exercées par le Conseil d'hygiène de la province de Québec qui, depuis 1907, désirait former des officiers et des inspecteurs sanitaires compétents. Or, la division du territoire québécois en dix districts sanitaires ajoutait alors aux besoins de former des spécialistes dans ce domaine. Une requête demandant l'organisation de ces cours d'hygiène fut adressée au printemps par le Conseil d'hygiène aux deux universités. Les cours d'hygiène pratique de l'EMC/FMULM disparaîtront en 1939, après avoir permis l'obtention de 27 diplômes[150]. La faculté de médecine s'enrichissait là d'un nouveau créneau qui prendra de plus en plus d'importance pendant les décennies suivantes[151].

Cependant, en raison du conflit mondial qui secoue l'Europe à partir de 1914, les autorités se voient contraintes d'apporter certaines modifications dans le calendrier des activités. Devant les besoins croissants de médecins sur le front européen, des pressions furent aussi exercées par les autorités militaires pour que soit accélérée la formation médicale. En 1916, le service médical militaire exprime le désir que soit établie durant l'été «une session spéciale d'études médicales afin de faire graduer aussitôt que possible les élèves de la promotion de 1917». Les autorités de la faculté hésitent à approuver une telle demande puisque «pendant la session normale de 5<sup>e</sup> année, le programme d'enseignement comporte un total de 769 leçons didactiques, cliniques et démonstratives, tandis que, pendant la session projetée qui commencerait le 1<sup>er</sup> juillet pour se terminer forcément à la fin de septembre à cause de la rentrée des élèves au mois d'octobre, le nombre des cours et cliniques ne pourrait être que de 279[152]». Finalement, la modification demandée ne sera jamais mise en œuvre.

La faculté devra néanmoins faire certaines concessions telles que l'exemption des cliniques du dispensaire de l'Hôpital Notre-Dame pour les étudiants qui participent à l'entraînement des officiers canadiens. Certaines équivalences seront aussi accordées aux étudiants faisant partie du corps d'ambulanciers sur la ligne de feu. Ceux-ci obtiendront une exemption de cours durant l'année de leur engagement, mais ils seront tenus de subir les examens prévus[153]. En 1918, à la suite de la conscription, un programme de cours abrégés et d'examens spéciaux est adopté pour satisfaire aux besoins médicaux de l'armée. Tout au long de la Première Guerre mondiale, particulièrement lors de la conscription, les activités de la faculté ont été sensiblement perturbées: assistance réduite des étudiants, enrôlement d'étudiants et de professeurs, protestations étudiantes, contacts étrangers réduits, subsides limités, etc.

## Une participation active
## à la Première Guerre mondiale

La faculté entendait bien participer médicalement à l'effort de guerre des alliés, mais les autorités militaires se montrèrent initialement beaucoup trop exigeantes pour ses capacités. Ainsi, en 1915, une délégation militaire avait exprimé le désir que la faculté établisse sur le territoire français un hôpital général de 1040 lits pour le soin des blessés. Le conseil offrit plutôt de mettre sur pied un hôpital de 520 lits, proposition temporairement refusée par les autorités militaires:

> La Faculté après avoir remis la question à l'étude, et après mûre délibération, regrette d'avoir à arriver à la conclusion qu'elle ne peut pas assumer la responsabilité d'organiser un hôpital de 1040 lits, et se voit dans la nécessité de décliner l'honneur qui lui est fait par les autorités militaires[154].

En septembre de la même année, les autorités militaires, devant les besoins grandissants en secours médicaux sur le champ de bataille, modifient leurs positions en faveur de la mise sur pied d'un hôpital de 400 lits, dénommé hôpital militaire canadien n° 6. L'organisation, l'administration et une partie des frais d'exploitation de cet hôpital furent confiées à une commission de l'hôpital militaire Laval relevant de l'EMC/FMULM présidée par le docteur de Lotbinière-Harwood. Les officiers furent choisis parmi les membres de la faculté. C'est le docteur A. Beauchamp qui en assura le commandement. Les autorités de la faculté avaient certainement mal évalué la réponse des souscripteurs[155] et du corps médical et paramédical, puisque les demandes d'engagement incitèrent rapidement la commission à demander au gouvernement la permission d'établir un hôpital général militaire. Or les standards d'un tel hôpital coïncidaient avec les demandes initiales des autorités militaires rejetées par la faculté: une capacité de 1040 lits et un personnel de 32 médecins, de 72 infirmières et de 195 infirmiers. Les effectifs réunis s'installèrent d'abord au manège militaire du 65e bataillon, puis dans des baraquements situés sur la rue Saint-Jacques en attendant l'embarquement pour l'Angleterre qui eut lieu le 20 mars 1916. De juillet 1916 à janvier 1917, l'hôpital fut temporairement installé à Paris, puis se fixa dans la ville de Troyes dans un orphelinat où il pouvait recevoir 1400 blessés[156]. Enfin, le personnel fut affecté de juin 1918 à janvier 1919 à la

direction du nouvel hôpital construit par la Croix rouge canadienne à Joinville-le-Pont, à proximité de Paris[157].

L'engagement militaire de la faculté obéissait certes à des
impératifs humanitaires, mais il n'était pas exempt d'intérêts
didactiques et scientifiques. Les autorités voyaient là un moyen
de resserrer les liens qui unissaient la faculté aux universités
françaises, lesquelles «en reconnaissance des services rendus»
par la faculté accueilleront «à bras ouverts» les jeunes médecins
qui iront compléter leurs études en Europe[158]. De plus, soulignent ouvertement le président et le secrétaire de la commission de l'hôpital stationnaire Laval, «les tranchées, les villes
assiégées et les champs de bataille, alors qu'ils seront pour nos
médecins, pour nos chirurgiens, pour nos étudiants et pour nos
gardes-malades l'occasion de dévouements héroïques, seront
aussi un enseignement clinique comportant de profondes leçons
de science et d'expérience, qu'il importe de recevoir sur place
pour pouvoir, plus tard, en faire bénéficier pleinement la science
canadienne-française[159]».

Certes, l'enseignement clinique et la réputation qu'y gagnait la faculté étaient au cœur de l'engagement militaire des
membres de la faculté de Laval à Montréal. En attendant leur
affectation à l'hôpital militaire, de nombreux jeunes médecins
et professeurs de la faculté avaient l'occasion de travailler dans
les grands hôpitaux parisiens. Du reste, devant la pénurie de
médecins français, le docteur Gauvreau invitait les «jeunes
médecins canadiens-français» à s'engager, sans obligations militaires, comme internes des hôpitaux de Paris[160]. L'invitation
semble avoir porté fruit puisque, l'année suivante, une requête
des élèves de quatrième année «désirant prendre du service
dans les hôpitaux militaires d'outre-mer» demande une session
spéciale d'été afin de leur permettre de terminer plus tôt leurs
études médicales[161]. Aux impératifs d'une aide médicale
soutenue aux alliés s'ajoutait la possibilité de faire bénéficier
les étudiants et professeurs de la faculté des pratiques liées à la
médecine d'urgence et à la chirurgie de guerre. Science, enseignement clinique et œuvre humanitaire constituaient en fait les
trois volets de l'engagement pris par l'EMC/FMUM. L'occasion était aussi belle pour convaincre les autorités britanniques,

françaises et canadiennes «de la valeur scientifique de [l']hôpital, partant de [l']université[162]».

Sans en exagérer la portée, il est certain que les médecins stagiaires québécois dans les hôpitaux militaires britanniques et français profitèrent des développements de la chirurgie d'urgence et des nouveaux procédés de désinfection des plaies mis au point par Alexis Carell. Ces acquis chirurgicaux seront particulièrement précieux quant au développement des soins aux victimes d'accidents[163].

## Le décès du doyen E. P. Lachapelle

À l'été 1918 disparaissait l'une des grandes figures médicales de la médecine québécoise. Le docteur E. P. Lachapelle — doyen de la faculté de médecine de Laval à Montréal, fondateur du Conseil d'hygiène de la province de Québec en 1888 et surintendant de l'Hôpital Notre-Dame de 1884 à 1905 — avait certes marqué les deux dernières décennies par son engagement en faveur de l'hygiène, par sa participation dans l'évolution de l'Hôpital Notre-Dame et par sa direction à la faculté.

Malgré une nature plutôt conservatrice, il avait néanmoins contribué par sa souplesse d'esprit et son préjugé favorable à l'endroit de la médecine de laboratoire à améliorer l'enseignement médical dispensé à la faculté. Le bilan de son règne est relativement positif, même s'il n'a jamais vraiment été à l'origine d'une réorientation significative de la faculté. Son principal mérite est surtout d'avoir favorisé l'enseignement clinique, tout en accordant une attention particulière aux demandes formulées par certains de ses jeunes collègues quant au développement des sciences de laboratoire dans l'enseignement et la pratique médicale. Médecin très connu du milieu des affaires et très influent auprès de certains politiciens, il a certes contribué à assurer le soutien financier nécessaire à l'expansion tranquille de la faculté. Ainsi était-il perçu par ses pairs:

> [...] il n'est pas exagéré de dire que c'est grâce à la prévoyance de ses vues et à son esprit d'administration que notre faculté est entrée dans la voie du progrès qu'elle suit

aujourd'hui [...]. La partie technique de l'enseignement, qui à un moment donné, fut légèrement en souffrance, fut l'objet particulier de son attention et quand les moyens financiers ont fait défaut il n'a jamais hésité à mettre au service de l'université son influence politique[164].

Le docteur Louis de Lotbinière Harwood, professeur de gynécologie, fut choisi pour succéder au doyen Lachapelle. Assisté du secrétaire L. D. Mignault et du trésorier A. A. Foucher, le nouveau doyen était entouré de médecins favorables au développement d'une médecine clinique de plus en plus axée sur les laboratoires. Nous y reviendrons.

## La grippe espagnole et la reprise des activités régulières

Au moment où le docteur Harwood préparait sa première session en tant que doyen de la faculté coïncidant avec la fin de la guerre en Europe, s'était déclarée, à l'automne 1918, la terrible pandémie de grippe espagnole. Plus de 18 millions d'individus succomberont à cette virulente infection. La maladie, signalée pour la première fois en territoire québécois sur un bateau amarré à la Grosse-Île, le *Somali* en provenance de l'Inde, se répandit rapidement. Plus de 500 000 personnes en furent atteintes dans la province. La ville de Montréal fut particulièrement touchée avec plus de 17 000 personnes affectées par la maladie[165].

Certains hôpitaux (Hôpital Notre-Dame, Montreal General Hospital, Hôpital Civique) sont partiellement transformés pour recevoir les patients atteints de cette maladie. Les églises et les établissements publics (écoles, théâtres) sont fermés jusqu'au début du mois de novembre. Différentes mesures sanitaires seront prises par les autorités des services d'hygiène de la ville de Montréal: fermeture des lieux publics tels que les cinémas, théâtres, écoles, salles de danse, etc.; distribution de circulaires à la population indiquant certaines mesures préventives; mise sur pied de bureaux d'information sur la grippe; création de refuges pour les

indigents atteints de la maladie; réglementation des heures
d'ouverture des commerces pour éviter la congestion dans
les tramways et réglementation de l'hygiène dans les édifices publics[166].

L'EMC/FMULM fut mise à contribution pour assister les
médecins de Montréal débordés par l'ampleur de l'épidémie.
À la demande des autorités gouvernementales, les internes ainsi
que les étudiants de quatrième et cinquième année se joignirent
aux médecins des hôpitaux réguliers et provisoires. La faculté
dut retarder le début de ses activités scolaires. Elle perdit 28 de
ses membres dont deux de ses professeurs. Les docteurs A.
Mercier et R. Falardeau décédèrent peu après avoir contracté
la maladie durant l'exercice de leurs fonctions[167]. Finalement,
au début du mois de novembre, l'épidémie se résorbait. Pour
la première fois depuis 1914, les activités de la faculté allaient
enfin pouvoir suivre leur cours normal.

Lorsque Harwood prend la direction de la faculté à l'été
1918, il est entouré, au conseil de la faculté, de médecins pro-
fondément attachés à la «science médicale française» et qui
avaient été les principaux intervenants en matière d'organisation scientifique de la faculté: A. Marien, O. F. Mercier,
T. Parizeau, A. Bernier, R. de Cotret et L. E. Fortier. L'année suivante s'ajoutera au conseil, en remplacement du docteur
Desjardins, le docteur A. Lesage, diplômé de l'université de
Paris[168]. Ces membres du conseil étaient soucieux de combler
les lacunes les plus évidentes: carence de fonds[169], locaux
inadéquats et peu nombreux, installation médiocre des laboratoires, enseignement clinique peu adapté au nombre des élèves,
encadrement insuffisant des étudiants, etc. À l'automne 1918,
les membres du conseil avaient un important défi à relever
puisque le nombre des élèves inscrits s'élevait à 243 contre seulement 162 à la session précédente. Une telle augmentation du
nombre d'étudiants ajoutait à la difficulté de réorganiser un
enseignement médical qui avait été passablement perturbé au
cours des dernières années.

La faculté comptait alors 39 professeurs agrégés, 32 professeurs titulaires, 2 professeurs adjoints et 12 démonstrateurs,
mais peu de ces professeurs étaient engagés à temps plein.

L'organisation des cours, des travaux de laboratoire et de l'enseignement clinique constituaient des tâches de plus en plus lourdes qui demandaient un sérieux effort de coordination. Il était aussi devenu impérieux d'élargir les objectifs de la faculté qui ne pouvait plus se borner simplement à fournir la formation théorique et clinique minimale nécessaire à l'exercice d'une médecine privée. La nomination d'un doyen favorable au relèvement scientifique de la faculté et les négociations qui avaient cours à ce moment-là en vue de détacher la succursale de sa maison mère à Québec et de fonder l'Université de Montréal permettaient aux membres de la faculté d'envisager avec optimisme l'avenir de la faculté. Un événement imprévu allait toutefois affecter cet avenir.

### Le premier incendie de l'édifice universitaire

La faculté de médecine est à peine remise des contretemps causés par la guerre et l'épidémie de grippe espagnole lorsque se déclare, le 22 novembre 1919, un incendie dans l'immeuble principal de la rue Saint-Denis. Trois étages de l'édifice subissent alors de lourds dommages. Les laboratoires de chimie, de bactériologie et de physiologie sont détruits de même que les salles de cours. Sont heureusement épargnés par le feu le musée d'anatomie pathologique et ses nombreux microscopes ainsi que la bibliothèque. Celle-ci a cependant été fortement endommagée par l'eau. Le conseil de la faculté, réuni le lendemain, met en place une série de mesures qui évitent une interruption trop longue des cours. Objet de l'habituelle sympathie que ce genre d'épreuves suscite, la faculté se voit offrir pour ses cours théoriques certains locaux à l'École des hautes études commerciales et dans l'immeuble désaffecté des Chevaliers de Colomb situé sur la rue Sherbrooke au coin de la rue Berri. Les cours pratiques seront dispensés à l'École dentaire situé sur la rue Saint-Hubert. Une demande est faite par des délégués du conseil auprès de la Ville de Montréal, afin que les travaux pratiques de bactériologie, d'histologie et de chimie soient effectués dans le laboratoire municipal de bactériologie[170]. Les cours d'anatomie pathologique seront dispensés à la grande salle d'opération de l'Hôtel-Dieu les mardis et jeudis de 14 à 16 heures et une salle dissection est aménagée à l'École vétérinaire[171]. Trois jours seulement après l'incendie, les cours de la faculté de médecine reprennent en partie[172].

Une aide financière substantielle de un million donnée par les sulpiciens permit d'entreprendre rapidement la réfection de l'immeuble[173]. De plus, une souscription publique en faveur de la nouvelle université, organisée peu avant l'incendie, avait déjà permis de récolter 1 400 000 $. S'ajoutait aussi un déboursé de un million par le gouvernement provincial[174]. Cette souscription venait à point puisque la nouvelle université, tout comme celle de Québec, était loin de bénéficier de fonds comparables à ceux de l'Université McGill. L'Université Laval et la succursale de Laval à Montréal n'avaient ensemble en 1915 qu'un fonds de dotation de 15 000 $, alors que McGill disposait de 6 720 896 $[175]. Or celle-ci recevait proportionnellement la même somme du gouvernement que les deux premières.

Cependant, les montants recueillis lors de la souscription ne pouvaient être que partiellement employés pour la reconstruction de l'immeuble, car cet argent devait servir à construire un nouvel immeuble dans un quartier plus propice aux expansions immobilières. L'on procéda néanmoins aux aménagements jugés les plus urgents. La disposition des locaux fut sensiblement modifiée au profit de la construction de petites salles de cours qui se substituaient à la grande salle académique. Le laboratoire d'anatomie pathologique fut réinstallé au sous-sol de l'édifice qui, une fois rénové, disposait d'un espace un peu plus grand puisque la salle de promotion et la bibliothèque de la faculté avaient été relocalisées à la bibliothèque Saint-Sulpice. Malgré la célérité avec laquelle les autorités entreprirent la reconstruction de l'édifice, la faculté de médecine ne réintégra ses locaux qu'en 1921.

Le conflit mondial, la conscription, le décès du doyen de la faculté, l'épidémie de grippe espagnole et l'incendie de 1919 avaient passablement perturbé l'enseignement médical au sein de la faculté. Sans doute ces contretemps ont-ils amenuisé en partie les efforts consentis tout au long de la décennie 1910 par les membres du conseil de la faculté, notamment en ce qui a trait à la mise sur pied de laboratoires de travaux pratiques. Il demeure qu'au début des années 1920, l'enseignement dispensé à la faculté était loin de suivre l'évolution des standards de plus en plus élevés d'un enseignement relevant étroitement de la science et de la clinique. Au même moment, la FMUMG était en pleine expansion: installation de laboratoires de recherche, engagement à temps plein de professeurs et de chercheurs de grande réputation, structuration efficace d'un enseignement clinique axé sur la recherche au Montreal General Hospital et au Royal Victoria Hospital, assise financière confortable, expansion immobilière importante et rayonnement international croissant[176]. Il est indéniable que l'écart entre la faculté anglophone montréalaise et son pendant francophone en matière de recherche s'était considérablement agrandi depuis le tournant du XX<sup>e</sup> siècle.

Devant l'évolution du savoir médical fondé en partie sur la science expérimentale et la surprenante progression scientifique accomplie par de nombreuses facultés nord-américaines, les modifications apportées au programme de la faculté et à l'enseignement des sciences de laboratoire étaient certainement insuffisantes pour rivaliser avec les grandes facultés du continent. Au tournant des années 1920, la faculté ne possédait encore aucun véritable laboratoire de recherche, ses locaux étaient généralement inadéquats[177] et son rayonnement demeurait plutôt provincial. Mais, à la fin de l'année 1919, les démarches pour obtenir l'indépendance complète de l'université se concrétisaient, et les autorités de l'Université de Montréal envisageaient, grâce à la récente et généreuse contribution du public, l'érection d'un nouvel immeuble répondant aux besoins d'une université moderne.

## Notes

1. Le cystoscope destiné à l'examen endoscopique de la vessie est apparu sur le continent nord-américain vers 1903. Il permettra une avance rapide de l'urologie dans les premières décennies du siècle.

2. Le médecin français P. C. E. Potain proposera un sphygmomanomètre à air en 1889.

3. D. Goulet et A. Paradis, *Trois siècles d'histoire médicale au Québec*, p. 463-646, 468.

4. Grâce notamment aux travaux de Metchnikoff à l'Institut Pasteur. Voir à ce propos A. M. Moulin, *Le dernier langage de la médecine. Histoire de l'immunologie de Pasteur au Sida.*

5. C. Lichtenthaeler, *Histoire de la médecine*, p. 451.

6. C'est le docteur W. Osler qui découvrira en 1873, lors d'un séjour dans un laboratoire de Londres, les plaquettes sanguines (H. Cushing, *The Life of Sir William Osler*, p. 104-105). En 1882, il publiera, au moment où il est professeur de pathologie à l'Université McGill, un manuel de laboratoire intitulé *Students' Notes: Normal Histology for Laboratory and Class Use.*

7. K. M. Ludmerer, *Learning to Heal. The Development of American Medical Education*, p. 76.

8. L. E. Kay, «Virus, enzyme ou gène? Le problème du bactériophage — 1917-1947», dans M. Morange (dir.), *L'Institut Pasteur. Contributions à son histoire*, p. 190.

9. C. Salomon-Bayet, (dir.), *Pasteur et la révolution pastorienne*, p. 61, note 82.

10. C'est le bactériologiste français F. Widal qui, à partir de 1900, en fera la promotion.

11. Créé en 1894 au Québec, le laboratoire provincial de bactériologie dirigé par W. G. Johnston sera mis, deux ans plus tard, à la disposition de la profession médicale (D. Goulet et A. Paradis, *op. cit.*, p. 259). Vers 1882, l'Hôtel-Dieu de Québec possédait un petit laboratoire constitué d'un microscope, de flacons de réactif et d'une lampe à alcool (F. Rousseau, *La croix et le scalpel. Histoire des Augustines et de l'Hôtel-Dieu de Québec*, p. 285). L'Hôtel-Dieu de Montréal possédait aussi au tournant des années 1880 un petit laboratoire. Un nouveau laboratoire plus spacieux et mieux équipé sera aménagé en 1886 (D. Goulet et A. Paradis, *op. cit.*, p. 461). Dès son ouverture en 1894, le Royal Victoria Hospital possédait un petit laboratoire clinique dirigé par le docteur Bruère (D. Sclater Lewis, *Royal Victoria Hospital 1887-1947*, p. 119 et 139).

12. W. G. Rothstein, *American Medical Schools and the Practice of American Medicine*, p. 106.

13. R. C. Maulitz, «"Physician versus bacteriologist": The ideology of science in clinical medicine», p. 96.

14. Sur ce point et les suivants, voir D. Goulet, *Des miasmes aux germes...*, *op. cit.*; D. Goulet et O. Keel, «L'introduction de la médecine pasteurienne au Québec», p. 823-838.

15. *Rapport annuel de l'Hôpital Notre-Dame*, 1887-1888, p. 15.

16. E. Hearn Milner, *Bishop's Medical Faculty Montreal 1871-1905*, p. 453.

17. C'est en 1891 que le Medical Council of Ontario instaure l'enseignement obligatoire de la bactériologie et de la pathologie. La faculté de médecine de Queen's University consacrait en 1891 deux heures par semaine à l'enseignement de la bactériologie et le premier professeur titulaire de pathologie et de

bactériologie, le docteur W. T. Connell, est nommé en 1895. Ce dernier publiera, en 1899, son *Practical Bacteriology* (A. A. Travill, *Medicine at Queen's 1854-1920*, p. 111, 167-168).

18. Voir à ce propos les annuaires de EMC/FMULM, de 1894 à 1910.

19. Lors de l'inauguration de l'Institut Pasteur, le 18 novembre 1888, Pasteur soulignait les trois fonctions essentielles qui incombaient à cette nouvelle institution: «[Il] sera à la fois un dispensaire pour le traitement de la rage, un centre de recherche pour les maladies infectieuses et un centre d'enseignement pour les études qui relèvent de la microbie.» (M. Faure, *Histoire des cours de l'Institut Pasteur*, p. 3.) Sur l'histoire de l'Institut Pasteur, voir M. Morange, *op. cit.*

20. Archives de l'Institut Pasteur, Paris, document 9474. Essentiellement basé sur la pratique des méthodes microbiennes, l'enseignement de Roux visait à faire connaître aux élèves «les organismes microscopiques les plus intéressants, surtout ceux qui sont pathogènes, et les mettre à même de faire des travaux personnels». Un tel choix n'est pas anodin si l'on considère l'importance que prendront les techniques bactériologiques dans la pratique médicale et l'appui qu'apportera ultérieurement la profession médicale à la promotion de cette nouvelle discipline. Une telle orientation favorisait une clientèle surtout composée de médecins susceptibles de répandre parmi leurs collègues les habitudes de laboratoire.

21. C'est durant la période comprise entre les années 1896 et 1905 que la représentation québécoise à l'Institut Pasteur sera la plus forte: vingt médecins francophones québécois s'inscrivent au cours de microbie technique dispensé par Roux et Metchnikoff (Archives de l'Institut Pasteur, *Cours de microbie technique 1889-1956, Liste des élèves*).

22. Les médecins anglophones préféraient, probablement en partie pour des raisons de langue, se rendre à Berlin suivre les cours théoriques et pratiques de Koch. Tel est le cas du docteur W. G. Johnston qui, au tournant des années 1890, séjourne en Allemagne dans les laboratoires de Virchow et de Growitz et se consacre exclusivement à l'étude de la bactériologie. C'est là qu'il puise les connaissances fondamentales qui lui permettront de pratiquer et d'enseigner la bactériologie à l'Université McGill et au Montreal General Hospital. Il deviendra l'un des premiers Canadiens à joindre à ses tous débuts la Society of American Bacteriologists (D. Goulet, *Des miasmes aux germes...*, *op. cit.*).

23. En ce qui regarde les États-Unis, Rothstein souligne que «*to teach the laboratory courses, the medical schools turned to the young European-traind medical scientists, who were the only ones trained in microscopy and laboratory methods. Many medicals schools turned over the entire basic science curriculum to one or two individuals.*» (*Op. cit.*, p. 106.)

24. L'emploi fréquent de cette expression par les Parizeau, Dubé, Mercier, etc., est fort mal à propos puisque la médecine québécoise était, depuis au moins la deuxième moitié du siècle, une médecine basée sur une approche clinique qui suivait les enseignements des écoles de Paris, de Londres, de Berlin ou d'Edimbourg et dont les pratiques s'appuyaient en partie sur les

acquis de la physiologie expérimentale à partir des travaux de Magendie, Bernard, Traube ou Müller. On peut comprendre néanmoins que les nouvelles méthodes diagnostiques et thérapeutiques issues de travaux en laboratoire soient apparues aux yeux de certains comme les fondements d'une nouvelle médecine «scientifique».

25. Voir par exemple, W. Derome, «Le tétanos. Cours de bactériologie. Quarante-deuxième leçon. Notes recueillies à l'Institut Pasteur», *L'Union médicale du Canada*, 1898, p. 207-217. Derome retournera à Paris en 1908 pour se spécialiser en anatomie-pathologique et devient médecin légiste de l'Université de Paris. À son retour en 1909, il reprend son travail au laboratoire d'anatomie-pathologique et se voit confier la tâche de constituer «une collection de spécimens pathologiques». Il deviendra aussi en 1912 directeur du laboratoire de l'Institut Bruchési (*Rapport annuel de l'Hôpital Notre-Dame*, 1909, p. 25).

26. D. Goulet et A. Paradis, *op. cit.*, p. 475.

27. PVEMC/FMULM, 1910-03-07, p. 53.

28. C. A. Daigle, «Les procédés d'exploration, le laboratoire et la clinique», *IIIᵉ congrès de l'Association des médecins de langue française de l'Amérique du Nord*, Trois-Rivières, 1906, p. 512.

29. Voir à ce propos K. M. Ludmerer, *op. cit.*, p. 65-72.

30. Sur cette problématique, voir D. Goulet, *Des miasmes..., op. cit.*

31. K. M. Ludmerer, *op. cit.*, p. 71.

32. W. G. Rothstein, *op. cit.*, p. 157.

33. *Ibid.*, p. 82.

34. E. Desjardins, *Une souscription sans lendemain*, notes manuscrites, Archives de l'Université de Montréal.

35. PVEMC/FMULM, 1899-02-07.

36. À Harvard, le poste d'assistant professeur fut créé en 1857 (W. G. Rothstein, *op. cit.*, p. 91).

37. Nombreux étaient les médecins américains qui se rendaient en Europe pour obtenir un supplément de formation, notamment à Vienne pour les spécialités et en France pour l'enseignement clinique. «*Between 1870 and 1914, Bonner estimated that 10 000 Americans studied in Vienna, 3 000 in Berlin, and perhaps 1 000 to 2 000 elsewhere.*» (W. G. Rothstein, *op. cit.*, p. 100.)

38. Pasteur expose le 30 avril 1878 devant l'Académie de médecine de Paris sa théorie des germes et suggère aux chirurgiens de n'employer que des pansements à stérilisation parfaite, de n'utiliser que de la charpie et de l'eau portée à une température de 130° C. Sur l'introduction de l'asepsie en territoire québécois, voir D. Goulet, *Des miasmes..., op. cit.*

39. C. E. Rosenberg, *The Care of Strangers. The Rise of America's Hospital System*, p. 147.

40. «Les médecins et les infirmières qui assistaient aux opérations étaient pris d'étranges malaises. Leur urine prenait une coloration verte, ils éprouvaient des frissons fébriles...» (W. von Drigalski, *L'homme contre les microbes. Les maladies contagieuses dans l'histoire et la vie des hommes*, p. 115.)

41. Ce problème fut résolu lorsque Alexis Carrel utilisa la solution de Dakin pour désinfecter les plaies profondes. Voir à ce propos Z. Copp, «The treatment of wounds through the ages», *Medical History*, n° 11, 1958, p. 172; B. Marc, «Des principes antiseptiques de Lister au traitement antiseptique de Carrel».

42. Le docteur Rottot, qui n'est pourtant pas considéré comme un adepte de la théorie des germes, reconnaît le phénomène de la phagocytose mis en évidence par Metchnikoff et mentionne que les leucocytes «vont livrer un véritable combat en règle contre les microbes» (*L'Union médicale du Canada*, 1900, p. 19). Sur les résistances à la théorie microbienne, voir D. Goulet et O. Keel, «Généalogie des représentations et attitudes face aux épidémies au Québec depuis le XIX^e siècle», p. 205-228; D. Goulet, *Des miasmes..., op. cit.*

43. «On donnait autrefois un trop grand rôle à l'air dans la propagation des maladies infectieuses. D'après les expériences de chirurgie journalière et de travaux micro-biologiques, il est devenu évident que les bactéries sont rares dans l'air.» (*Congrès français de chirurgie*, 5^e session, Paris, 1891, p. 646.)

44. Jayle affirme que Terrillon avait abandonné l'usage des antiseptiques dans les plaies «dès avant 1892» (F. Jayle, «Aperçu historique de l'antisepsie et de l'asepsie», *La Presse médicale*, 5 septembre 1928, p. 1132).

45. J. L. Chabot, «Asepsis and antisepsis in surgery», *Montreal Medical Journal*, 1900, p. 275.

46. Il ajoute: «On ne peut faire de l'asepsie, mais il faut toujours faire de l'antisepsie, non seulement dans les opérations par la voie abdominale, mais dans toutes les opérations gynécologiques.» (*Congrès français de chirurgie*, 5^e session, Paris, 1891, p. 645.) Lors du III^e congrès français de chirurgie tenu à Paris en 1888, le docteur Backer rend compte dans une communication des nouveaux procédés aseptiques et présente à ses collègues un stérilisateur portatif de sa fabrication. Lors de la discussion qui suit, Lucas-Championnière s'oppose à un tel procédé qui, trop complexe, s'éloigne des principes de Lister (De Backer, «De l'antisepsie et de l'asepsie au moment de l'opération», *Congrès français de chirurgie*, 3^e session, Paris, 1888, p. 352-356).

47. Le docteur Marien, qui est accompagné du docteur Parizeau, futur bactériologiste et chirurgien de l'HND, s'est inscrit à la session d'été alors que le docteur Mercier suit les cours durant la session d'automne (Archives de l'Institut Pasteur, *Cours de microbie technique 1889-1956, Liste des élèves*, p. 31 et 36).

48. Archives de l'Institut Pasteur, *Cours de microbie technique*, 1896.

49. *Ibid.*, 20^e leçon.

50. *Ibid.*, 35^e leçon.

51. Diplômé de l'EMCM en 1890, A. Marien se rend, deux ans plus tard, à Paris pour parfaire ses connaissances chirurgicales. Il étudie la bactériologie sous la direction de Weinberg à l'Institut Pasteur et l'anatomie-pathologique sous la direction du docteur Letulle; il devient assistant du chirurgien Legueu qui est un adepte des méthodes aseptiques prônées par Terrier.

52. Selon le chroniqueur de *L'Union médicale du Canada* (1976, p. 1407), le docteur Saint-Jacques «apparaît sur la scène chirurgicale au cœur du combat qui opposa les jeunes et les vieux».

53. Selon le témoignage de sœur Hébert, les compresses étaient auparavant stérilisées au fer chaud (P. Meunier, *La chirurgie à l'Hôtel-Dieu de Montréal au XIXᵉ siècle*, p. 247.

54. Il semble que Marien n'ait jamais utilisé de gants en caoutchouc.

55. *La Revue médicale*, 1902-1903, p. 358.

56. Un amendement aux règlements adoptés par la faculté en date du 7 novembre 1907 concernant la division des cours et la répartition du salaire des membres de la corporation stipulait que désormais les nouveaux membres de la corporation «seront payés pendant six années civiles, à dater du quartier suivant leur nomination d'après l'échelle suivante: le Nouveau membre de la Corporation recevra: la première année pour un petit cours... $500.00. La première année pour un moyen cours... $600.00. La première année pour un grand cours... $700.00. Une augmentation annuelle de $100 sera allouée à chacun de ces cours, pendant les cinq années subséquentes, après lesquelles le titulaire sera sur un pied d'égalité avec les anciens membres de la Corporation.» (PVEMC/FMULM, 1909-10-04, p. 40.)

57. *Ibid.*, 1913-10-06, p. 146.

58. En 1912, les salaires des professeurs se chiffrent à 18 320 $ sur des revenus totaux de 24 762 $.

59. *Ibid.*, 1914-01-12, p. 158-159.

60. Nous retrouvons parmi ceux-ci les anciens étudiants de l'Institut Pasteur et des grandes cliniques médicales parisiennes: Mercier, Parizeau, Marien, Benoit, Saint-Jacques, Bernier et de Lotbinière Harwood (*Annuaire de l'Université Laval à Montréal*, 1910, p. 25-27).

61. *L'Union médicale du Canada*, 1947, p. 1300.

62. *Ibid.*, 1939, p. 171-172.

63. AEMC/FMULM, 1903, p. 59.

64. PVEMC/FMULM, 1908-03-02, p. 5.

65. *Ibid.*, 1908-04-05, p. 6.

66. *Id.*

67. *Id.*

68. En 1908, le docteur Duval, président du comité des laboratoires, reçoit une allocation de 200 $ pour les dépenses de l'année courante (*ibid.*, 1908-11-02, p. 21). Le vice-recteur de l'Université Laval à Montréal soulignait en 1908 les problèmes financiers de l'université: «Il faudrait bâtir sans retard. Mais nous n'en avons pas les moyens. Il faudrait aussi compléter nos installations actuelles, meubler et outiller des laboratoires, aménager un musée général, fonder des chaires nouvelles, acquérir une foule d'ouvrages pour nos bibliothèques, etc.» (*Annuaire de l'Université Laval à Montréal*, 1909-1910, p. 240.)

69. Un journaliste de *La Patrie* écrivait en 1909 à propos de l'Université Laval à Montréal: «Il est certain que notre indifférence à l'égard d'une œuvre si importante ne nous fait pas honneur. C'est une mauvaise justification que

d'invoquer l'absence dans nos rangs de citoyens richissimes. Ce devrait être un motif de plus aux possesseurs de fortunes modestes pour les encourager à donner selon leurs moyens. Où les millionnaires subventionnent surabondamment les universités, les petites fortunes peuvent se considérer dispensés de contribuer; mais l'Université Laval n'est en position de compter que sur ces dernières, lesquelles l'ont jusqu'à ce jour déplorablement privée d'une raisonnable assistance.» (*Ibid.*, 1909-1910, p. 238.)

70. En 1910, lors d'une assemblée de la corporation de l'École, une résolution est votée pour que «l'École reprenne la direction du service médical de l'Hôtel-Dieu, déléguée depuis quelque temps au Bureau médical de cette institution, et que le Secrétaire soit chargé d'en informer le Bureau médical de l'Hôpital» (PVEMC/FMULM, 1910-06-06, p. 61).

71. *Id.*

72. *Ibid.*, 1911-03-06, p. 77. L'organisation et la direction du laboratoire de l'H-D sont confiées au docteur Marien. Il recevra le concours des docteurs Bernier et Baril et du responsable du département d'anatomie pathologique.

73. *Ibid.*, 1911-05-01, p. 82-83.

74. Hingston demeure le titulaire de la chaire de clinique chirurgicale à l'H-D jusque vers 1907, alors que Marien, qui avait introduit l'asepsie au sein de cette institution, enseigne l'histologie à la faculté. En attendant de prendre la relève de Hingston, Marien donnera des démonstrations aseptiques en cours privés. Généralement, il fallait attendre le décès du titulaire pour que du sang neuf vienne revigorer la direction de la faculté.

75. *Ibid.*, 1911-05-11, p. 83.

76. Sur la portée de cette loi sur l'enseignement médical, voir J. Bernier, *La médecine au Québec, naissance et évolution d'une profession*, p. 65-78.

77. Les étudiants inscrits avant l'adoption de la loi pourront terminer leurs études lors de la quatrième année. Le régime des quatre années d'études médicales s'achèvera à l'EMC/FMULM à la fin de l'année 1912 (PVEMC/FMULM, 1912, p. 120). Le système français n'adopte le programme de cinq ans qu'en 1911 (M. Bariéty et C. Coury, *Histoire de la médecine, op. cit.*, p. 142).

78. D. Goulet et A. Paradis, *op. cit.*, p. 433. La loi intitulée «Loi amendant et refondant la loi relative aux médecins et chirurgiens de la province de Québec» définit aussi le rôle et les conditions d'éligibilité du registraire ainsi que les modalités de nomination des examinateurs (*Statuts refondus de la province de Québec*, 1909, chap. 55).

79. «Acte reconnaissant le diplôme de bachelier ès arts comme suffisant pour l'admission à l'étude des professions légale, médicale et notariale», SPQ, 1890, chap. 45.

80. *Annuaire de l'Université Laval à Montréal*, 1910, p. 358.

81. *Ibid.*, p. 365.

82. L'examen d'arithmétique comportait des questions sur les racines carrées et, reflet de l'importance accordée à la médecine européenne, sur une connaissance pratique du système métrique. En algèbre, les équations à deux

inconnues sont matières d'examen; la physique comprenait «la statique et la dynamique des corps, solides, liquides et gazeux» (*ibid.*, p. 366-367).

83. *Ibid.*

84. J. Bernier, *op. cit.*, p. 75.

85. Voir à ce propos W. G. Rothstein, *op. cit.*; K. M. Ludmerer, *op. cit.*

86. W. G. Rothstein, *op. cit.*, p. 145.

87. *Id.*

88. *The Canada Lancet*, vol. XLIV, 1910-1911, p. 335.

89. Flexner fit parvenir une lettre d'excuses à la faculté: «Lecture est aussi faite des lettres de MM. Pritchard et Flexner et comme ce dernier semble admettre que son rapport contenait de grandes inexactitudes, le Président se charge de publier sa lettre avec un historique de l'affaire dans les revues médicales.» (PVEMC/FMULM, 1911-02-13, p. 75.)

90. A. Flexner, *Medical Education in the U.S. and Canada, a Report to the Carnegie Foundation for the Advancement of Teaching*, p. 325.

91. «*The unique feature to their ideas [medical educators] was the concept that ideal medical education should be provided for every student, not just for the few.*» (K. M. Ludmerer, *op. cit.*, p. 69.)

92. «*[...] Laval at Montreal have no present function.*» (A. Flexner, *op. cit.*, p. 150.)

93. K. M. Ludmerer, *op. cit.*, p. 174.

94. «*Flexner's approach to medical education emphasized research and academic education rather than professional training. He relegated to a secondary consideration the need for medical schools to provide the nation with an adequate number of physicians and scarceley mentioned the problems confronting low income medical students.*» (W. G. Rothstein, *op. cit.*, p. 147.)

95. Comme le soulignent pertinemment Ludmerer et Rothstein, le rapport Flexner n'a pas, contrairement à une opinion encore largement répandue, amorcé les réformes modernes de l'enseignement médical aux États-Unis: «*Most schools introduced laboratory teaching and extended their course to four years in the 1890s and that many improvements occurred in clinical teaching at that time. These reforms in medical education occurred in the decades before the Flexner report, not as a result of it.*» (W. G. Rothstein, *op. cit.*, p. 146.) «*A myth arose – one that Flexner never vigourously denied – that the report represented the demarcation between the "pre-modern" and "modern" periods of medical education and that Flexner in one swoop pulled antiquated medical schools, kicking and screaming in resistance, into the twentieth century [...]. Recent books on medical education have continued to popularize the fiction that little had transpired in medical education until Flexner in one stunning blow modernized an anachronistic system.*» (K. M. Ludmerer, *op. cit.*, p. 176, 181.)

96. *Ibid.*, p. 174-175.

97. *Ibid.*, p. 177. Selon Rothstein, «*Flexner apparently believed that good facilities, high entrance requirements, and a sufficient number of qualified faculty members automatically produced quality education. In this regard, Flexner followed the standards of the American Medical Association Council on Medical Education, which had also disregarded teaching in its two evaluations.*» (*Op. cit.*, p. 145.)

98. K. M. Ludmerer, *op. cit.*, p. 178.

99. Mentionnons que les pratiques d'antisepsie listérienne ont été introduites dès la décennie 1870 au MGH alors que les pratiques aseptiques découlant des travaux de Pasteur ont été introduites initialement par de jeunes médecins francophones. Sur l'introduction de l'antisepsie en territoire canadien et québécois, voir C. G. Roland, «The early years of antiseptic surgery in Canada», p. 380-391; D. Goulet et O. Keel, «L'introduction du listérisme au Québec: entre les miasmes et les germes», p. 397-405; voir aussi D. Goulet, *Des miasmes...*, *op. cit.*

100. C. Coury, *op. cit.*, p. 142.

101. Dans sa réponse au docteur Fergusson, éditeur du *Canada Lancet*, Lachapelle mentionne des revenus de 28 000 $ provenant des droits d'inscription payés par les étudiants. Or, en 1912-1913, les revenus provenant des étudiants ne totalisent que 24 000 $ (PVEMC/FMULM, 1912, p. 119).

102. «*The Faculty is glad to be able to announce that, by the liberality of the Honorable sir Donald A. Smith in endowing the chairs of Pathology and Sanitary Science with 100 000 $, it is able to establish these departments on a footing fully commensurate with their importance and with the advances and requirements of modern medical science.*» (*McGill University Calendar*, 1893-1894, p. 101.)

103. La faculté se retrouve avec un surplus de 3000 $ pour l'année financière 1908-1909 (PVEMC/FMULM, 1909-11-02, p. 46).

104. AEMC/FMULM, 1914, p. 43.

105. *Ibid.*, 1910, p. 136.

106. *Id.*

107. *Ibid.*, p. 137.

108. *Ibid.*, p. 139.

109. *Ibid.*, 1913, p. 154.

110. *Ibid.*, p. 126, 131.

111. *Ibid.*, p. 149, 144, 156.

112. *Ibid.*, p. 156.

113. *Ibid.*, 1914, p. 172.

114. «L'assemblée, considérant l'éloignement de ces institutions et la mauvaise saison où ces transports ont lieu, charge le secrétaire d'informer la maison Bourgie que le montant demandé sera accordé.» (PVEMC/FMULM., 1916-12-04, p. 43-44.)

115. *Ibid.*, 1914-09-08, p. 176. Bernier sera remplacé à la direction du laboratoire de l'H-D par le docteur G. H. Baril.

116. *Ibid.*, 1915-03-01, p. 196.

117. *Ibid.*, 1916-05-01, p. 12.

118. «L'augmentation du nombre des élèves dont chacun aurait aussi son microscope en tant que faire se peut, rendant cette acquisition presqu'indispensable: Voilà pourquoi le comité y souscrit.» (*Ibid.*, 1918-04-08, p. 129.)

119. *Ibid.*, 1919-03-10, p. 186.

120. AEMC/FMULM, 1910, p. 149.

121. *Ibid.*, p. 148.

122. *Ibid.*, p. 150.

123. *Ibid.*, p. 153.

124. *Id.*

125. *Ibid.*, p. 155.

126. *Ibid.*, p. 141.

127. *Ibid.*, p. 148.

128. PVBMHND, 1898-12-07, p. 192.

129. Sur le développement de l'internat à l'HND durant les années 1880-1924, voir D. Goulet *et al., Histoire de l'Hôpital Notre-Dame (1880-1980).*

130. PVBMHND, 1892-10-01, p. 77.

131. *Ibid.*, 1908-06-11, p. 301.

132. W. G. Rothstein, *op. cit.*, p. 170.

133. PVBMHND, 1910-05-03, p. 11.

134. «*The mixed internship was like the rotating internship, except that it involved only a few specialty services.*» (W. G. Rothstein, *op. cit.*, p. 135.)

135. Il y avait à l'HND trois types de services: publics (gratuits pour les indigents), demi-payants (soins médicaux gratuits mais frais de pension) et les services privés (ensemble des coûts d'hospitalisation payant). (Voir D. Goulet *et al., op. cit.*)

136. PVBMHND, 1910-05-03, p. 11.

137. *Ibid.*, 1917-02-05, p. 51-52.

138. PVBMHND, 1917-05-25, p. 60.

139. Il est souligné dans le rapport du surintendant que les internes de l'HND, «ayant terminé leurs études médicales» ont tous «leur diplôme de docteur en médecine» (RAHND, 1919, p. 36).

140. Rothstein fait le même constat pour les États-Unis: «*One major limitation of the clerkship was the practice of assigning clerks according to the hospital's service needs rather than the student's educational needs.*» (*Op. cit.*, p. 170.)

141. *Ibid.*, p. 175.

142. K. M. Ludmerer, *op. cit.*, p. 72.

143. PVEMC/FMULM, 1919-05-05, p. 197-198.

144. K. M. Ludmerer souligne les difficultés rencontrées pour établir un enseignement clinique à la mesure des développements des sciences médicales fondamentales: «[...] *the quality of clinical instruction in america in the early 1900s lagged considerably behind that of the basic science teaching. The main reason for this, [...] was the difficulty that medical schools were having in acquiring control of large, well-equipped hospitals with which to introduce the clerkship.*» (*Op. cit.*, p. 165.)

145. *Ibid.*, p. 91.

146. On y enseignait l'étiologie, le diagnostic, la prophylaxie et le traitement de la tuberculose pulmonaire.

147. PVEMC/FMULM, 1914-12-07, p. 307-308.

148. AEMC/FMULM, 1914, p. 73.

149. Voir à ce propos D. Goulet et G. Rousseau, «L'émergence de l'électrothérapie au Québec, 1890-1910», p. 155-172.

150. D. Goulet et A. Paradis, *op. cit.*, p. 435. Pour une histoire plus détaillée, voir G. Desrosiers *et al.*, *Étude de l'évolution des structures...*, 1987.

151. Sur l'évolution de l'enseignement de l'hygiène, voir G. Desrosiers *et al.*, «L'évolution des structures de l'enseignement universitaire spécialisé de santé publique au Québec: 1899-1970».

152. PVEMC/FMULM, 1916-04-03, p. 4-5.

153. *Ibid.*, 1915-02-01, p. 320-321.

154. *Ibid.*, 1915-06-25, p. 206.

155. De 1915 à 1918, une somme de 10 000 $ sera recueillie (AEMC/FMULM, 1918, p. 278).

156. Y furent traités près de 20 000 blessés. Finalement, en juillet 1918, le personnel de l'hôpital se déplaça à Joinville-le-Pont dans un édifice construit par la Croix rouge canadienne (E. Desjardins, «La contribution militaire de Laval à Montréal», *L'Union médicale du Canada*, 1975, p. 1427).

157. Rappelons que l'armistice fut signé le 11 novembre 1918, mais les nombreux blessés et l'épidémie de grippe espagnole prolongèrent l'engagement de l'hôpital militaire. De juillet à décembre 1918, l'hôpital compta 2314 admissions, 749 opérations et 52 699 pansements (P. Z. Rhéaume, «Notes sur l'hôpital général canadien n° 6», *L'Union médicale du Canada*, 1920, p. 358).

158. «Nouvelles militaires», *L'Union médicale du Canada*, 1916, p. 181.

159. L. de Lotbinière-Harwood et J. Gauvreau, «L'hôpital stationnaire Laval», *L'Union médicale du Canada*, 1916, p. 385.

160. «[...] il y a une occasion unique pour les jeunes médecins canadiens-français du Canada qui désireraient venir à Paris, en civils, comme interne des hôpitaux. Ils pourraient s'engager pour un temps déterminé, et n'auraient rien à faire avec l'armée.» (J. Gauvreau, «L'hôpital Laval n° 6 en France», *L'Union médicale du Canada*, 1916, p. 549.)

161. PVEMC/FMULM, 1917-05-07, p. 61-62. En 1919, l'EMC approuvera l'initiative du médecin militaire Edmond Dubé qui vise à créer «une maison canadienne en France pour les jeunes médecins canadiens qui vont parfaire leurs études médicales auprès des maîtres français» (*ibid.*, 1919-08-27, p. 212-213).

162. *L'Union médicale du Canada*, 1916, p. 544. En 1919, un comité composé du doyen de la faculté et des docteurs Parizeau, Fortier et Mignault est chargé «de la rédaction d'un rapport des services rendus à la guerre, et des décorations obtenues par les élèves et gradués de cette faculté». Ce rapport devait être transmis à une maison d'édition de Toronto pour figurer dans un ouvrage intitulé *Canada's part in the Great War* (PVEMC/FMULM, 1919-02-03, p. 180).

163. En 1918, le conseil de la faculté confie à un comité d'études «la question de l'enseignement de la mécanothérapie en rapport spécialement avec les blessés de la guerre, et secondairement avec les accidents de la vie civile (*ibid.*, 1918-05-08, p. 133).

164. *Ibid.*, 1918-08-07, p. 146-150.

165. La maladie affecte en tout 17 252 Montréalais parmi lesquels on recense 3028 décès (D. Goulet et A. Paradis, *op. cit.*, p. 279).

166. *Ibid.*, p. 279-280.

167. E. Desjardins, «Histoire de la profession médicale au Québec: XV. L'enseignement au ralenti», *L'Union médicale du Canada*, 1975, p. 1564.

168. PVEMC/FMULM, 1919-06-05, p. 206-207.

169. Par exemple, on envisage en 1918 la création d'une chaire de thérapeutique physique, mais celle-ci «ne pouvant être confiée qu'à des personnes très compétentes et devant entraîner une mise de fonds considérable», le projet demeure lettre morte (*ibid.*, 1918-11-13, p. 163).

170. *Ibid.*, 1919-11-23, p. 240-241.

171. *Ibid.*, p. 240.

172. Le doyen remercie le conseil de la faculté de médecine «pour l'activité qu'il a déployée en face du désastre universitaire, qui a permis la reprise des cours après un intervalle de 3 jours seulement» (*ibid.*, 1920-01-09, p. 257).

173. Il semble que les sulpiciens aient offert le choix entre un versement complet de la somme ou le versement «en 4 annuités de 250 000 $ chacune» (E. Chartier, *30 ans d'université (1914-1944)*, s.l.n.d.).

174. «C'est ce premier million, avec celui du gouvernement provincial et le 1 400 000 $ obtenu du public, qui nous permit de reconstruire la maison délabrée.» (*Ibid.*) En fait, la souscription s'étendit jusqu'en 1920 et rapporta au total une somme de 4 millions (A. Beaulnes *et al., Le Centre médical universitaire. Un passé, une nécessité*, p. 15-16).

175. P. A. Linteau *et al., Histoire du Québec contemporain. De la Confédération à la crise*, p. 537.

176. Voir *McGill University Calendar*, 1890-1910.

177. Lorsque le docteur Delorme se plaint au conseil de l'exiguïté du local consacré à l'anatomie pratique, on lui répond que «l'assemblée a pris en considération la question du local des cours d'anatomie pratique, mais il est survenu des difficultés insurmontables dans la réalisation de ses projets, notablement dans la démolition de l'amphithéâtre d'anatomie» (PVEMC/FMULM, 1919-05-05, p. 199-200).

# La faculté de médecine de l'Université de Montréal (1920-1942)

## La fondation de l'Université de Montréal (1919-1920)

Les premières initiatives en vue d'obtenir une université autonome à Montréal débutèrent en 1917. L'épiscopat de la province ecclésiastique de Montréal pria alors M^gr Georges Gauthier, vice-recteur de la succursale de Laval à Montréal, de se rendre à Rome, sous le couvert d'une mission civile, afin d'y amorcer la question de l'indépendance de la succursale à l'égard de l'Université Laval[1]. La démarche ne donna que peu de résultats. L'année suivante, M^gr Bruchési, archevêque de Montréal, confia le mandat au secrétaire de la succursale, le chanoine Chartier, de préparer, en prévision d'un voyage à Rome, un dossier sur la question de l'autonomie universitaire. Le 13 janvier 1919, M^gr Bruchési s'embarqua pour Rome, accompagné du chanoine Chartier, avec l'idée bien arrêtée d'obtenir l'autonomie de l'Université Laval à Montréal. Le séjour à Rome se prolongea jusqu'à la fin de juillet 1919. La démarche s'avéra cette fois-ci fructueuse, puisque M^gr Bruchési obtint de Rome un rescrit provisoire du pape Benoît XV, *Quum Illmi*, daté du

8 mai 1919, qui concédait à la succursale de Montréal l'indépendance recherchée. Toutefois, une bulle papale d'érection ne serait accordée que le jour où les facultés et écoles affiliées auraient fusionné en vertu d'une charte octroyée par le gouvernement de la province de Québec.

Des démarches furent donc entreprises à l'automne 1919 auprès des représentants des quatre facultés — théologie, droit, médecine et arts — et des écoles affiliées — École de médecine comparée et de science vétérinaire de Montréal, École de chirurgie dentaire de Montréal et École de pharmacie Laval de Montréal — afin d'établir une charte pour la nouvelle Université de Montréal. Rappelons que chaque faculté ou école associée à la succursale de l'Université Laval à Montréal avait, en tant que corporation, sa charte et sa direction propres et une administration à peu près indépendante de l'autorité du vice-recteur[2]. Celui-ci se bornait le plus souvent à répartir les subventions, à résoudre les conflits, à assister passivement aux assemblées et à contresigner les diplômes décernés par l'Université Laval. Or toutes ces parties devant constituer la future Université de Montréal par ailleurs soucieuse de respecter leur autonomie posaient leurs conditions d'affiliation, ce qui compliqua singulièrement les négociations. Un comité «d'organisation universitaire» composé de représentants des facultés et des écoles fut mis sur pied afin de négocier une entente susceptible de résoudre le différend.

La faculté de médecine — la deuxième plus importante après la théologie (243 contre 345 étudiants[3]) — accueillait favorablement la constitution d'une université indépendante capable de créer un climat propice à son développement. Dès le printemps 1918, le conseil de la faculté avait adopté une résolution en ce sens:

> Dans l'opinion des membres de ce Conseil, le moment est arrivé de former à Montréal une université catholique autonome. Les facultés et les écoles actuelles de la succursale de l'Université Laval de Montréal devraient, en conséquence être érigées en une seule et même corporaton universitaire, sous le nom d'Université de Montréal. Cette faculté formule le vœu ci-dessus sans toutefois enfreindre

en aucune manière les ordonnances et prescriptions émises par le Saint-Siège dans les décrets qu'il a rendus et proclamés au sujet de cette question; et le désir de voir ériger une université catholique autonome à Montréal est ainsi exprimé à la condition essentielle que Nos Seigneurs les Évêques de la Province Ecclésiastique de Montréal voudront bien faire les démarches voulues auprès de la Cour de Rome pour obtenir l'autorisation de créer cette nouvelle institution, dont cette Faculté croit l'existence désirable dans l'intérêt de la religion catholique et de la race française en Amérique[4].

L'engagement de l'EMC/FMULM constituait certes un prolongement cohérent de sa houleuse politique d'autonomie à l'égard de l'Université Laval. Du reste, certains intérêts présidaient à une telle recommandation. Les membres du conseil de la faculté avaient de plus en plus à faire face aux doléances des professeurs et des directeurs de clinique qui se plaignaient de l'organisation déficiente et de l'exiguïté des locaux. En tant que membres à part entière d'une université indépendante, les autorités espéraient assurer à la faculté de médecine non seulement un relèvement des standards d'enseignement, mais aussi et surtout une expansion immobilière susceptible de la doter d'une organisation physique adéquate. Il était à leurs yeux impératif d'aménager de nouveaux laboratoires et de nouvelles salles de cours.

En octobre 1919, le conseil de la faculté s'était déclaré prêt à renoncer aux droits et avantages conférés par sa charte et à léguer son matériel et ses «réserves pécuniaires» au bénéfice «de la nouvelle organisation universitaire de l'Université de Montréal[5]». Les membres de la faculté de médecine tenaient cependant à conserver, à l'instar des autres facultés, certaines de leurs prérogatives. Ils exigeaient que les titulaires du conseil de la faculté gardent intégralement leurs postes et que leurs salaires antérieurs, considérés comme un minimum, soient augmentés selon les règles définies par la charte précédente. La création des cours, des chaires et des laboratoires, l'établissement des programmes, la fixation des horaires, le déroulement des examens, l'appréciation des thèses et la qualification des élèves pour le titre universitaire devaient être laissés à l'initiative du conseil, même si l'on reconnaissait que ces points pouvaient être sujets à l'approbation de la commission des études. Enfin, les membres du conseil insistaient fortement sur le fait que la compétence des professeurs ne saurait être appréciée «en aucun cas» par ladite commission, mais relèverait directement et exclusivement du conseil de la faculté de médecine[6].

Les demandes de la faculté de médecine ayant été acceptées, le conseil adoptait, le 21 novembre 1919, la version définitive de la nouvelle charte universitaire. Les docteurs Foucher et Parizeau furent délégués à Québec lors de la présentation du projet de loi devant le comité des bills privés[7]. La charte civile de l'Université de Montréal (Universitas Montis Regii), finalement adoptée en troisième lecture à Québec le 14 février 1920[8], reconnaissait juridiquement une deuxième université catholique au Québec. L'École de Médecine et de Chirurgie de Montréal/ Faculté de médecine de l'Université Laval à Montréal devint alors officiellement la Faculté de médecine de l'Université de Montréal.

L'article 34 de la loi répondait aux exigences formulées par le conseil de la faculté:

> Le conseil particulier de chaque faculté et école fusionnée choisit ses officiers, nomme les professeurs, prépare les horaires et programmes, fait subir les examens, désigne les candidats aux grades et diplômes, fait ses propres règlements, et, en résumé, s'occupe de la régie interne[9].

Le libellé de la loi ne reconnaissait aucune mesure d'exception à la faculté de médecine, et chacun des articles de la loi s'appliquait également aux autres facultés et écoles. Toutefois, toutes les facultés étaient tenues de présenter annuellement à la commission d'administration «un budget, un exposé de leurs besoins et un compte rendu de leur fonctionnement[10]». La FMUM obtenait par ailleurs un droit de représentation au sein des principales instances administratives de l'université, à savoir au sénat académique, au conseil universitaire, à la commission d'administration et à la commission des études. En revanche, le recteur avait le droit de participer aux assemblées des conseils de toutes les facultés et de toutes les écoles affiliées. Le conseil de la FMUM obtenait aussi le droit de désigner un ou deux représentants au sein de la fédération des universités canadiennes[11]. La première réunion du conseil sous la nouvelle juridiction eut lieu le 23 février 1920.

## Un projet suspendu: la construction du nouvel édifice universitaire (1923-1931)

À la suite de l'adoption de sa nouvelle charte, l'Université de Montréal avait ajouté à ses facultés de droit, de théologie et de médecine, une faculté des lettres, une faculté des sciences et une École des sciences sociales, économiques et politiques. Sera aussi fondée, l'année suivante, une nouvelle faculté de philosophie. Or l'immeuble de la rue Saint-Denis, qui avait été construit pour abriter seulement trois facultés, pouvait difficilement, sans nuire à l'évolution des anciennes facultés, en accueillir de nouvelles. Au demeurant, avant même son expansion, l'université se trouvait déjà fort à l'étroit et ne disposait que d'une très faible marge de manœuvre en matière de locaux.

Devant les besoins pressants d'espace, les autorités universitaires faisaient face à trois possibilités: agrandir l'édifice principal, acquérir de nouveaux bâtiments dans le périmètre de l'université ou ériger un nouvel immeuble universitaire plus spacieux et distinct de l'édifice de la rue Saint-Denis. Les autorités optèrent pour la dernière solution. Quoique la plus coûteuse, l'idée de construire un nouveau corps de bâtiments était jugée comme la seule façon d'assurer le rayonnement d'une grande université francophone. Du reste, l'incendie de 1919 avait rendu le projet de construction encore plus impérieux.

Il fallait amasser les fonds nécessaires à la construction du nouvel immeuble et à l'acquisition d'un site approprié. L'on compta sur la générosité de la population montréalaise et des autorités publiques. Celle-ci ne leur fit pas défaut. La campagne de souscription publique en faveur du nouvel édifice universitaire lancée en 1919 rapporta plus de quatre millions. Le gouvernement provincial avait souscrit un million. Le soutien des milieux nationalistes, du clergé et de la bourgeoisie francophone montréalaise contribua aussi grandement au succès de cette campagne. Il faut dire que l'Université de Montréal s'ouvrait davantage aux laïcs que l'Université Laval. La nomination de Lomer Gouin à la présidence du conseil universitaire en est une illustration.

Malgré le succès de la levée de fonds, de nombreux facteurs retardèrent la mise en œuvre du projet. Une partie des sommes reçues servit à rénover l'édifice de la rue Saint-Denis. Ce n'est qu'en décembre 1923, au moment où les souscripteurs commençaient à s'impatienter sérieusement, qu'une décision fut prise quant à l'emplacement du futur campus universitaire qui abriterait l'ensemble des facultés.

Le secrétaire de l'université, le chanoine Chartier, esquisse, selon le style emphatique de l'époque, le rôle joué par le recteur de l'Université de Montréal, Mgr Piette[12], dans le choix du terrain:

> Un matin, et à bonne heure contre son habitude, la figure rutilante, le recteur tomba comme un bolide dans mon bureau. «Pouvez-vous me donner votre avant-midi?» [...] Sa Ford monta la rue Saint-Denis, bifurqua à gauche sur Mont-Royal, tourna à droite sur St-Laurent, prit Bellingham et enfila Maplewood [Édouard-Montpetit] jusqu'à Decelles. Là, nous sautâmes à terre. Mgr Piette élargit les bras tant qu'il put pour y encercler le flanc du Mont-Royal, depuis la carrière de Bellingham jusqu'à l'avenue longeant les deux cimetières de la métropole. «Que diriez-vous de cela comme site de la nouvelle Université?» Je demandai les dimensions. «Il y a là 53 arpents inoccupés; la ville nous les échangera sûrement contre le terrain qu'elle nous a donné sur l'autre flanc. En achetant les autres terrains, bâtis ou non, nous atteindrons 85 arpents.» Les premières pentes escaladées, nous nous retournâmes. À gauche , on devinait le lac des 2 Montagnes. En face, s'étendait la vaste plaine de Saint-Laurent, avec sa rivière des Mille-Îles et Sainte-Thérèse pour fond de scène. À droite, miroitait une partie du fleuve St-Laurent. Le dôme de l'Oratoire Saint-Joseph se dressait, à dix minutes de marche. Quand nous

redescendîmes, une Cadillac nous attendait. Elle avait amené M. Ernest Cormier, à la fois ingénieur, architecte, sculpteur et peintre paysagiste, que M$^{gr}$ avait convoqué à mon insu. Après avoir recommencé avec ce dernier notre court périple, M$^{gr}$ posa à son ami la question même qu'il m'avait adressée. Avec son perpétuel sourire, l'architecte reprit: «Combien me donnez-vous de temps pour répondre?» «Seriez-vous prêt demain avant-midi?» «En ce cas, laissez-moi ici tout seul. Je vais passer la journée à arpenter le terrain et serai chez vous demain à 10 heures». Le lendemain, à 10 heures en effet, M. Cormier nous arrivait tout rayonnant. En ma présence, il remit à M$^{gr}$ Piette l'esquisse exacte, tracée pendant la nuit, du monument babylonien qui orne aujourd'hui ce flanc du Mont Royal[13].

Les autorités de l'université optèrent finalement pour ce terrain de 38 arpents, octroyé par la Ville de Montréal et situé sur le versant nord-ouest du mont Royal. Ce grand terrain alloué à l'université, malgré certaines critiques dont il avait fait l'objet, avait été jugé propice à l'érection du nouvel immeuble, à condition toutefois de l'agrandir. Problème mineur qui fut vite résolu. L'université fit l'acquisition à ses frais de 140 arpents de terrains avoisinants[14]. Le comité exécutif de l'Université de Montréal, composé de F. L. Béique, de M$^{gr}$ Piette, du général Labelle, de R. Dandurand, du juge Lafontaine, de A.-J. Laurence et du secrétaire général, É. Montpetit, confia, le 11 avril 1924, à l'architecte Ernest Cormier la tâche «de préparer les plans de la cité universitaire[15]».

## L'incendie de 1922 et la recherche d'un nouveau campus universitaire

Entre-temps, la FMUM, qui attendait avec impatience la mise en œuvre du chantier sur le mont Royal, s'efforçait d'améliorer ses activités d'enseignement. Les efforts des membres du conseil de la faculté avaient aussi porté, après l'incendie de 1919, sur le réaménagement des locaux de la rue Saint-Denis. Mais voilà que le 14 novembre 1922, les membres de la faculté apprennent avec consternation qu'un second incendie s'est déclaré[16]. Cette fois-ci, le sinistre n'endommage qu'une partie de l'édifice récemment rénové, mais détruit certains laboratoires, le musée d'anatomie-pathologique[17] et quelques salles de cours. Les dommages s'élèvent tout de même à 160 000 $. Les directeurs des laboratoires sont particulièrement éprouvés puisque leur matériel, leurs préparations et leurs registres sont en grande partie abîmés par le feu et l'eau.

Peu après l'incendie, le conseil, réuni d'urgence, demande au comité exécutif de l'université «de faire faire incessamment les travaux nécessaires pour permettre à la faculté de continuer les cours dans les salles qui ont échappé à l'incendie». Mais le système d'éclairage ayant été totalement détruit, on décide de modifier l'horaire des cours et de répartir «les étudiants dans divers endroits de la ville». La faculté ne réintégrera l'édifice universitaire qu'en janvier 1923.

Fatiguées de ces mésaventures, les autorités de la faculté envisagent sérieusement de procéder à la construction d'un nouvel édifice pour abriter la FMUM. Quelques semaines seulement après l'incendie, elles font parvenir au bureau central du Rockefeller Institute de New York un plan de réorganisation de la faculté. Ce plan mettait surtout l'accent sur un ambitieux projet immobilier étroitement lié à la reprises des travaux du nouvel Hôpital Notre-Dame. Principale institution affiliée à la faculté, l'Hôpital Notre-Dame avait organisé en 1919 une levée de fonds, qui lui avait rapporté 170 000 $, pour terminer la construction d'un nouvel établissement de 250 lits sur la rue Sherbrooke[18]. L'Hôpital Notre-Dame possédait déjà un pavillon pour contagieux, l'Hôpital Saint-Paul, situé sur un terrain adjacent à l'emplacement du nouvel édifice.

Le projet de la FMUM était le suivant. Une étape préliminaire prévoyait le transfert de l'Hôpital Saint-Paul dans le vieil édifice occupé par l'Hôpital Notre-Dame. Les trois pavillons ainsi libérés devaient servir à loger les laboratoires. Ensuite, on souhaitait construire sur la rue Sherbrooke, à proximité du nouvel Hôpital Notre-Dame, un édifice universitaire qui abriterait la bibliothèque, les salles de cours, le musée et les bureaux d'administration. Incapable de payer les coûts d'acquisition et de construction, la faculté demandait donc au Rockefeller

Institute un subside de 500 000 $ et une aide annuelle additionnelle. Conséquemment à cette demande pour le moins inattendue, les autorités du Rockefeller Institute envoyèrent un délégué s'enquérir de la situation de la faculté. Le docteur Gregg fut reçu à la faculté entre le 4 et le 12 janvier 1923.

Lorsque le docteur Harwood lui fit valoir l'importance d'obtenir l'aval du Rockefeller Institute pour la construction d'un nouveau pavillon médical près de l'Hôpital Notre-Dame, le docteur Gregg se montra plutôt réservé. Tout en reconnaissant que «*the improvment in the last two years in the teaching of medical sciences has been considerable*[19]», il souligna le manque d'organisation des activités de recherche, l'incompétence de certains assistants et les carences de la faculté en ce qui regarde le personnel de laboratoire[20]. Les remarques du docteur Gregg n'auguraient rien de bon.

De fait, le projet de la faculté, élaboré à la hâte et sans études poussées, ne souleva que peu d'enthousiasme. Certaines lacunes ne favorisaient guère son approbation. Par exemple, aucune étude n'avait été effectuée quant aux coûts de rénovation de l'Hôpital Saint-Paul. Du reste, l'ancien édifice de l'Hôpital Notre-Dame situé sur la rue Notre-Dame, dans lequel on comptait déménager la section des contagieux, ne convenait guère à l'accueil de ce type de patients. Cependant, les principales inquiétudes du Rockefeller Institute venaient du fait que les membres de la faculté souhaitaient concentrer leur énergie et leurs revenus dans la construction de nouveaux pavillons, au détriment d'une amélioration de l'enseignement clinique et de la promotion des travaux de laboratoire.

> *It is probable [...] that the 500 000 $ requested of the R. F. would be applied in immediate land purchase or construction, rather than in influencing the quality of teaching or the selection of personnel [...] if at this time all the administration attention is concentrred on a building program for the school, it is possible that the organization of the teaching may proceed very unequally, and even to the detriment of the laboratory courses at present steadily improving*[21].

Les autorités du Rockefeller Institute poursuivaient leur politique de subvention axée sur les besoins les plus immédiats en matière d'enseignement et de compétence du corps professoral. Seules les facultés de médecine ayant atteint les standards définis par cet institut pouvaient espérer obtenir des fonds à des fins immobilières. La faculté de médecine de l'Université McGill, dont les besoins étaient certes moins criants, avait reçu du même organisme une somme d'un million pour la construction de nouveaux pavillons réservés à la physiologie, à la pathologie et à la psychiatrie[22]. Or la FMUM, démunie en cette matière, ne pouvait espérer assurer un développement adéquat de ses activités sans un minimum de ressources immobilières. Mais tout en appliquant ici la politique du deux poids, deux mesures, les autorités du Rockefeller Institute acceptaient d'examiner de nouvelles solutions.

Les membres de la faculté, sous la gouverne de Harwood, n'étaient pas à court d'idées. La nouvelle charte de l'université, le projet de construction d'un nouveau complexe universitaire et le second incendie de l'édifice de la rue Saint-Denis avaient certes contribué à rompre le *statu quo* et à susciter une ferme volonté d'obtenir les équipements jugés nécessaires à l'épanouissement de la seule faculté de médecine francophone dans la métropole canadienne. Outre la construction d'un nouveau pavillon répondant aux exigences modernes de l'enseignement médical, les membres du conseil envisageaient la mise sur pied d'un hôpital universitaire lié à la faculté de médecine. L'Hôpital Notre-Dame constituait certes un choix intéressant puisque les travaux de construction du nouvel hôpital sur la rue Sherbrooke allaient bon train. Aussi est-ce dans cette perspective que l'on avait envisagé l'érection, à proximité, d'un nouvel édifice facultaire. Les autorités médicales de la faculté de médecine de l'Université de Montréal, encouragées par le Rockefeller Institute, désiraient établir une nouvelle structure académico-hospitalière où la recherche et l'enseignement seraient intimement liés. Une telle structure aurait par ailleurs l'avantage à long terme, aux yeux du Rockefeller Institute, d'encourager l'émergence de rapports étroits entre les sciences médicales fondamentales et les recherches cliniques[23]. Mais, devant l'absence de subventions nécessaires et «considérant que le déplacement immédiat de ses locaux comporterait des inconvénients trop sérieux[24]», les membres du conseil abandonnèrent l'idée de déménager la faculté près de l'Hôpital Notre-Dame.

Le projet de construction du nouvel édifice universitaire sur la montagne offrait aux membres du conseil médical une solution fort valable à la relocalisation «de la faculté près d'un hôpital[25]». N'était-il pas possible, en effet, de construire sur la montagne, une faculté et un hôpital universitaire conjoint? Cette solution n'entraînerait-elle pas le soutien des autorités du Rockefeller Institute? s'interrogeaient les autorités universitaires.

Un comité d'étude, composé de Mgr Piette, recteur de l'Université de Montréal, de L. de Lotbinière-Harwood, doyen de la faculté de médecine, du docteur T. Parizeau, vice-doyen, du docteur G. H. Baril, professeur de chimie et de l'architecte E. Cormier est mis sur pied pour analyser l'élaboration des plans en fonction des besoins généraux de chacune des facultés, mais aussi plus spécifiquement en fonction des nouveaux besoins de la faculté de médecine et de son hôpital universitaire.

> Pendant trois ans, le comité poursuit un long travail d'approche, traversé d'hésitations et de reprises, nourri de comparaisons et de recherches fonctionnelles et architecturales. Les membres du comité font des tournées d'observation aux États-Unis et visitent les installations médicales des universités Harvard, Yale, Columbia, Pennsylvania, Johns Hopkins, Cleveland, Michigan, Détroit (Hôpital Ford) et Rochester. D'autres enquêtes sont menées auprès de facultés canadiennes et européennes[26].

Le comité décide finalement d'annexer la faculté et l'hôpital au corps principal de l'édifice universitaire. Les membres du comité ainsi que le sénateur Béique, président de la commission d'administration, conviennent «que la formule de Rochester, qui comporte la combinaison et le contact intime de la faculté de médecine et de l'hôpital apporterait une solution heureuse et pratique à leur problème[27]». Il est certain qu'un tel choix n'a pas manqué de satisfaire les représentants du Rockefeller Institute qui, dès 1924, s'étaient montrés impressionnés par le projet[28]. Ceux-ci avaient par ailleurs facilité les visites d'études du comité de l'Université de Montréal et avaient délégué certains des membres de l'Institut, spécialisés en architecture, pour examiner les plans de Cormier. Ces derniers furent chaleureusement sanctionnés: «C'est le maximum de concentration possible uni au maximum d'expansion possible.» Verdict qui fut confirmé par la Carnegie Foundation par l'entremise de son «expert», le docteur Gregg. Entérinés par de nombreux experts américains, les plans de la faculté, de l'hôpital et de l'ensemble de l'université furent finalement adoptés en 1928 par les délégués des diverses facultés et écoles affiliées de l'Université de Montréal[29].

Après quelques années «de réflexion, d'enquêtes et de planification[30]», le premier coup de pelle est enfin donné au début de juin 1928. Soucieux de superviser les travaux, Mgr Piette avait fait l'acquisition d'une maison voisine du site universitaire, propriété d'un certain docteur Lafleur.

> Après l'avoir accommodée et meublée à ses frais, il s'y installa. Tout le temps de la construction, pas un trou ne fut foré, on peut le dire, pas une brique ne fut posée, pas un clou ne fut planté, hors de sa présence. Il avait même pris les devants; il fallait d'abord dégager cet inextricable maquis. Costumé en terrassier, il s'arma d'un pic et d'une pelle, stimulant l'équipe qu'il payait de ses deniers. Avec elle, il déblaya une route jusqu'au terre-plein, la débarrassa de ses arbustes et futaies, y traça enfin des sentiers. Quand sonna l'heure de construire, le terrain était prêt à accueillir le bâtiment[31].

Les travaux de nivellement, d'excavation et de canalisation, accordés par soumission à la firme Robertson et Janin, furent effectués pendant la saison estivale et ne rencontrèrent aucune difficulté majeure. Mais dès l'automne, les travaux de fondation[32] révélèrent que le sol était traversé d'une importante faille risquant de mettre en péril la stabilité de l'immeuble projeté. Des fonds additionnels sont alors requis pour corriger cette anomalie. Heureusement, le gouvernement provincial accepte de verser un million de dollars additionnels pour la poursuite des travaux. Il octroie également «la somme de 1 500 000 $ à même les fonds de l'assistance publique[33]» au profit de l'hôpital universitaire de Montréal, incorporé en date du 23 avril 1929. Les fondations sont alors consolidées et les ouvriers procèdent, à partir de mars 1930, à l'érection des murs extérieurs de l'édifice. Les membres de l'université suivent avec impatience le déroulement des travaux. Les projets d'aménagement intérieur vont bon train, et l'on envisage déjà avec satisfaction de quitter les locaux de la rue Saint-Denis. Mais il fallait compter avec la terrible crise économique qui, s'accentuant au début des années 1930, frappera de plus en plus durement l'économie québécoise[34].

Ayant «immobilisé son capital et n'ayant plus les fonds disponibles[35]», l'Université de Montréal, dès le début de 1932, se voit contrainte de suspendre les travaux. Le chantier est fermé sans qu'aucune mesure ne soit prise afin d'assurer la protection du bâtiment. Une commission d'enquête, nommée par le gouvernement le 6 avril 1932, est chargée d'étudier la situation financière de l'université et de faire rapport sur «l'évolution de la Faculté de médecine et sur le concept du centre médical universitaire[36]». Cette commission recueille des témoignages d'experts européens et américains, notamment des autorités du Rockefeller Institute. Au terme de l'enquête, la commission se montre nettement en faveur de la «construction d'un hôpital universitaire intégré à la faculté de médecine[37]». En revanche, elle n'ose appuyer auprès du gouvernement la poursuite des travaux qui permettraient de «terminer l'immeuble de la montagne selon les plans établis et d'y transposer toutes les Facultés et Écoles[38]». Ses réticences sont d'ordre économique. Le coût des travaux lui paraît exorbitant — plus de trois millions — en cette grave période de crise. D'autant que l'université, à la même époque, se voit contrainte d'imposer des coupures salariales afin de «diminuer les dépenses totales de l'Université de 50 000 $ au moins[39]». La situation est telle que «l'Université ayant supprimé pour cette année la collation solennelle des grades, l'Exécutif décide de donner ses diplômes dans une séance privée du Conseil, qui sera tenue vers le 9 juin[40]». La commission favorise plutôt le «parachèvement d'un certain nombre de secteurs dans la partie de l'immeuble réservée à l'Université, et dont la surface équivaudrait à celle qu'elle occupe actuellement rue Saint-Denis et rue Saint-Hubert [...] l'Université transposerait dans ce cadre restreint toutes les Facultés et Écoles[41]». Mais le gouvernement opte pour la solution la moins coûteuse: solder le coût des travaux accomplis et des matériaux livrés sur le chantier, terminer les travaux minimaux pour la protection des bâtisses et, enfin, fermer l'immeuble pour une période indéterminée.

Une dizaine d'années s'écouleront sans qu'aucune activité ne trouble le calme forcé du nouveau campus. Cependant, les membres de la faculté de médecine persistèrent à promouvoir l'installation d'un hôpital universitaire. Dès 1933, un comité de professeurs est formé afin d'organiser une «campagne de saine propagande» en faveur du projet. Parallèlement, articles de journaux et conférences[42] tentent de sensibiliser les gens aux besoins de l'université. Il n'empêche que les moyens financiers de l'université et, conséquemment, de la faculté de médecine se détériorent. La crise est telle que les professeurs doivent se soumettre à une réduction d'honoraires. Ils acceptent ce contretemps de bonne grâce. Mais lorsqu'en 1937 l'université suspend pendant plusieurs mois le paiement de leurs salaires, la réaction est vive. Le conseil de la faculté de médecine décide de retarder l'ouverture des cours jusqu'à ce que les traitements du personnel et le montant du budget de l'année aient été versés[43]. Le conseil universitaire, espérant une solution prochaine au problème, convainct finalement la faculté de médecine d'ouvrir la session comme prévu. Apparemment, l'octroi par le gouvernement provincial d'une somme de 400 000 $ avait permis de réconcilier les parties. L'année suivante, une loi adoptée au parlement provincial, intitulée Loi pour venir en aide à l'Université de Montréal, crée la Société d'administration de l'Université de Montréal. Nommée pour dix ans[44], cette société a pour principal mandat de redresser la situation financière de l'université. Elle demande l'assistance du personnel administratif de l'université, qui accepte de sacrifier ses vacances pour accélérer l'ouverture du nouvel édifice. Les événements à cet égard ne tardent pas à se précipiter, grâce à l'initiative de certains intervenants.

Le 23 novembre 1940, une visite de l'immeuble de l'université de la montagne est organisée par la Chambre de commerce des jeunes dont le porte-parole est Arthur Vallée:

> La vérité doit être connue sur la grande pitié de cette institution. L'Université a perdu de jeunes savants de grand talent, parce qu'elle ne pouvait leur procurer des locaux pour qu'ils puissent faire leurs recherches. Des professeurs ont pour bureaux de misérables réduits et les conditions hygiéniques de l'immeuble actuel sont presque intolérables. Je vous demande à vous, qui pouvez agir sur l'opinion publique, de vous faire les ardents défenseurs de la cause Université. Je sais que vous organisez des visites d'institutions, de maisons de commerce ou d'industrie. Eh bien, rendez-vous en groupe visiter l'immeuble de la rue Maplewood et à votre retour vous formerez un autre bataillon de ses propagandistes[45].

L'initiative remporte un éclatant succès. Plus 40 000 visiteurs et 70 associations officiellement représentées répondent à l'invitation. Les plus hautes personnalités du monde religieux et politique de la province s'y trouvent aussi rassemblées.

Au début de l'année 1941, une autre visite est organisée, mais cette fois à l'édifice de la rue Saint-Denis. Celle-ci s'adresse à un groupe beaucoup plus restreint, mais dont l'influence pouvait être déterminante. Une délégation, composée entre autres du ministre des Travaux publics, T. D. Bouchard, se rend aux locaux de l'université situés sur la rue Saint-Denis. Le ministre désirait constater la situation universitaire:

> L'honorable ministre s'est vite aperçu des lacunes qui appellent une amélioration prochaine: nécessité de moderniser l'instrumentation, défaut d'air et de lumière, manque surtout d'espace pour dilater [sic] les services et faciliter les travaux de recherche ou d'expérimentation, impossibilité donc de répondre aux demandes que provoque, de la part des Américains et des Anglais du Canada en particulier, l'arrêt des études en Europe, en France surtout. De cette visite le ministre provincial des Travaux publics

a certainement conclu à l'urgence d'un transport aussi prochain que possible à l'immeuble de la montagne[46].

Le ministre laisse entendre quelques jours plus tard, au cours d'une entrevue, que «le gouvernement provincial pourrait achever l'immeuble de la montagne, à même les revenus de la province[47]». En 1941, la difficile gestation du projet universitaire semble donc vouloir arriver à son terme. Mais qu'en est-il de l'hôpital universitaire qui, depuis le début, lui était intimement lié? L'apparente unité qui s'était créée entre les autorités universitaires, médicales et gouvernementales devient de moins en moins manifeste, à mesure que l'échéance du déménagement se rapproche. Certaines considérations d'ordre politique mettent en veilleuse l'opportunité de réserver le pavillon initialement destiné à l'hôpital universitaire. En attendant, les autorités de la faculté de médecine doivent composer avec l'édifice de la rue Saint-Denis, certes rénové, mais qui, face à l'augmentation de la clientèle et devant les défis posés par de nouveaux objectifs didactiques, demeurait tout à fait inadéquat.

## Les réformes de l'enseignement médical à la faculté

Les contraintes de matériel et d'espace ainsi que les faibles moyens financiers mis à la disposition des autorités de la FMUM rendaient particulièrement difficiles le développement de certaines techniques de laboratoire, l'organisation de démonstrations pratiques et l'engagement d'un personnel spécialisé. Il s'agissait là des conditions jugées minimales par le Rockefeller Institute et définies par sa politique d'aide à l'enseignement médical. Nous avons déjà souligné le rôle consultatif joué par cet organisme américain dans la problématique immobilière de la faculté. Loin de se borner à quelques recommandations sur les projets élaborés par la faculté, cette organisation, dont les agissements étaient parfois «impérialistes[48]», jouera un rôle idéologique et financier important auprès de la FMUM. En effet, alors qu'elle refusera systématiquement de subventionner les projets d'ordre immobilier de la faculté, projets qui, selon sa ligne de conduite, constituaient une étape non prioritaire au développement d'une petite école médicale, en revanche, elle se montrera encline à favoriser, par une substantielle aide financière, les réformes des programmes, le développement des laboratoires et l'embauche de personnel. Les interventions philanthropiques du Rockefeller Institute[49], à partir de 1920, faciliteront certainement les initiatives novatrices du doyen Harwood.

## Le doyen Harwood et le Rockefeller Institute

Le Rockefeller Institute for Medical Research, fondé en 1901 par John D. Rockefeller, avait ouvert ses portes à New York en 1903[50]. Il était alors dirigé par le virologiste Simon Flexner, frère d'Abraham Flexner. Doté d'un budget de plusieurs millions de dollars, cet organisme avait pour but de promouvoir la recherche médicale et d'aider les écoles médicales qui souhaitaient équilibrer leur budget, développer leurs laboratoires et accroître leurs affiliations universitaires[51]. Le Rockefeller Institute subventionnait, après une évaluation serrée de leurs besoins, les écoles médicales nord-américaines qui acceptaient de se soumettre à ses directives. Une enquête, parrainée par l'Institut et dirigée par le docteur Pearce en 1919, répertoriait les besoins des écoles médicales canadiennes et, comme l'enquête précédente de Flexner, évaluait leurs qualités et faiblesses respectives. Cette étude, loin de rester lettre morte, permettra à six des neuf écoles médicales canadiennes de se partager une somme de cinq millions, destinée à hausser les standards de la recherche et de l'enseignement médical au Canada. En territoire québécois, l'enquête du docteur Pearce eut par ailleurs le mérite, contrairement à celle de son prédécesseur, de rendre compte des besoins médicaux de la population canadienne-française et de reconnaître la nécessité de favoriser le développement d'une bonne école médicale francophone.

*As the French Canadians will not attend the English schools, they should have a first class school of their own, but outright endowment is inadvisable on account of the many difficulties, such as church control of education, unprogressive attitude of faculty, etc. To assist both schools would be unwise*[52].

Le Rockefeller Institute avait le choix entre la faculté de médecine de l'Université Laval et la faculté de médecine de l'Université de Montréal. La première avait été jugée très sévèrement par Pearce qui la considérait comme «*an atrociously inefficient school, without adequate funds, without men who appreciate the needs of a modern medical school, and located in a small community, with little wealth*[53]». En revanche, l'auteur du rapport estimait que la faculté de médecine de l'Université de Montréal possédait un bon potentiel avec quelques professeurs ouverts aux idées nouvelles, un édifice pouvant être temporairement adapté aux besoins scientifiques et de bons hôpitaux affiliés. Critique adressée aux deux facultés, il jugeait inadéquate la formation prémédicale des étudiants canadiens-français.

Aux yeux des dirigeants du Rockefeller Institute, certains autres facteurs intervenaient en faveur de la nouvelle faculté de médecine de l'Université de Montréal: création d'une nouvelle université ayant une orientation plus libérale; projet de construction d'un nouvel édifice universitaire et, enfin, présence et soutien d'éléments progressifs au sein d'une classe d'affaires canadienne-française favorable à l'enseignement scientifique[54]. À cet égard, le docteur Pearce percevait comme un atout important la présence d'éléments progressifs «*among French business men and statesmen desirous of pushing a French university to an equal standing with McGill. They realize that a liberal attitude toward scientific training is essential on the part of the church and that it is expensive and must be supported by the French community*[55].» Il est certain que la nouvelle autonomie acquise par l'université, désormais essentiellement montréalaise, a favorisé l'engagement de citoyens influents désireux de procurer aux étudiants canadiens-français une institution répondant à de nouveaux standards scientifiques et techniques. La réponse à la campagne de souscription en faveur de l'université en est une démonstration éloquente[56].

La recommandation de Pearce favorisa finalement la FMUM. Celle-ci se voyait accorder une aide financière de 500 000 $ répartie en tranches annuelles de 50 000 $. Ce subside était conditionnel au développement d'un enseignement prémédical des sciences et à une sensible amélioration des pratiques de laboratoire[57]. Le doyen Harwood et ses confrères du conseil avaient donc pour tâche de modifier la structure de l'enseignement dispensé à la faculté de médecine, de réorienter le programme des études médicales et de favoriser la réorganisation des laboratoires. Toutefois, aux yeux du docteur Pearce, plusieurs membres de la faculté devaient modifier leur perception de l'enseignement:

> *There is no evidence that they have the slightest idea of the principle of modern education and as far as methods are concerned are guided almost entirely by the Paris School to which they refer with great pride*[58].

Heureusement, Pearce était mieux disposé à l'endroit du doyen Harwood — «*a progressive dean, with power, who is willing, to be taught modern views of medical education*[59]» —, ce qui a largement contribué à l'obtention de la subvention du Rockefeller Institute:

> *Although the faculty is not especially progressive, it has a live dean (Louis de L. Harwood) of partly Scotch descent and a graduate of McGill, who knows better things exist, is willing to learn what they are, and sufficiently aggressive to force his faculty and Board of Governors to his point of view*[60].

La philosophie médicale adoptée par Harwood s'orientera sensiblement vers les modèles américains. Mais s'il demeure vrai qu'elle fut en partie orientée par les nombreux contacts du doyen avec certains membres du Rockefeller Institute, le docteur Pearce s'en attribue un mérite probablement exagéré lorsqu'il souligne dans son rapport que «*by interviews and correspondence, his education has progressed rapidly in the last few months and already he has brought about changes which in March I considered impossible*[61]». Il est indéniable que les offres financières du Rockefeller Institute, conditionnelles au respect de certaines normes américaines en matière d'enseignement médical, ont largement contribué à encourager Harwood à se lancer dans des réformes importantes et à sensibiliser les membres du conseil de l'opportunité de modifier l'enseignement médical. Cependant, d'autres facteurs ont aussi contribué à cette légère ouverture vers le système américain.

Le relatif isolement de l'Europe pendant le premier conflit mondial, le progrès considérable de la médecine américaine au cours des premières décennies du XX$^e$ siècle et les efforts de standardisation de la pratique et de l'enseignement de la médecine en territoire nord-américain ont favorisé ce rapprochement de la faculté francophone avec les organismes médicaux américains. Les membres du conseil, même s'ils accepteront les modifications proposées par Harwood et suggérées par le Rockefeller Institute, n'entendaient pas pour autant renier les acquis de l'influence médicale française, notamment en ce qui a trait à l'enseignement clinique.

Les dirigeants de l'Institut étaient portés à n'accorder leur confiance qu'au doyen Harwood et s'inquiétaient d'une démission éventuelle de ce dernier. Lorsqu'en 1923 un rapport de l'Institut souligne l'urgence de définir un plan de réorganisation de la faculté, c'est surtout parce que l'on craint le départ du doyen:

> It would, however, be advisable to arrange some definite plan before the present dean retires. The chance for sound and progressive action is greater now than il would presumably be after Harwood's retirement[62].

Remarque significative qui illustre que l'Institut souhaitait négocier avec un doyen soumis à ses objectifs médicaux. Les dons du Rockefeller Institute s'apparentaient, à certains égards, davantage à un impérialisme idéologique qu'à une action philanthropique désintéressée[63].

Les inquiétudes des dirigeants du Rockefeller Institute étaient certes exagérées. Le doyen Harwood, malgré son influence, ne pouvait agir seul au sein de la faculté. Ses décisions devaient être entérinées par les membres du conseil et il avait obtenu, dès 1920, le soutien de ceux-ci dans la mise en œuvre d'un certain nombre de réformes. Or celles-ci allaient précisément dans le sens des recommandations de l'organisme subventionnaire et elles correspondaient aux orientations prises par de nombreuses facultés médicales américaines: mise sur pied d'une année prémédicale, nomination d'un directeur d'études médicales, réorganisation des laboratoires, modifications de l'enseignement clinique, contacts étroits avec les grandes associations médicales, etc. Même si les fonds du Rockefeller Institute constituaient le carburant, et le docteur Harwood, la bougie d'allumage de la réorganisation de la faculté, il demeure que celle-ci ne pouvait être possible qu'avec la collaboration, active ou passive, des membres du conseil. Sans répondre parfaitement aux suggestions des délégués du Rockefeller Institute et tout en favorisant la conservation ou l'adaptation de certaines structures traditionnelles issues de l'influence médicale française, ils ont tout de même cautionné d'importants changements au programme général des études.

## L'introduction d'une année prémédicale et la nomination d'un directeur des études

L'un des principaux griefs formulés par Flexner en 1909, et par le docteur Pearce du Rockefeller Institute en 1920, concernait la préparation insuffisante des étudiants francophones admis à l'étude de la médecine. Nous avons souligné dans un chapitre précédent les maigres exigences scientifiques nécessaires à l'admission et la faiblesse du cours classique en ce domaine. Alors qu'en 1902 la France avait décidé de renoncer au seul cours classique latin-grec, pour instituer de nouvelles orientations telles que le cours latin-sciences, au Québec, les collèges demeurèrent fidèles à la tradition et conservèrent le seul programme en vigueur[64]. Certaines matières désormais jugées essentielles dans l'enseignement médical — la physique, la chimie et la biologie — étaient généralement les plus négligées de l'enseignement préuniversitaire. La domination des «humanités» dans le cursus scolaire demeurait encore patente dans les collèges. L'enseignement de la physique, de la chimie,

de la botanique et de la zoologie était généralement si rudimentaire que rarement ces matières faisaient l'objet de travaux
de laboratoire[65]. Il faudra attendre 1935, comme le souligne
Galarneau, pour que les programmes classiques, après une résistance opiniâtre des collèges, réservent une meilleure place à
l'enseignement des mathématiques, de la physique et de la
chimie[66].

La faculté de médecine tentait de pallier cette carence dans
la formation de ses étudiants en ajoutant certains cours au programme des études. Par exemple, en mai 1920, le conseil avait
décidé d'ajouter un nouveau cours de physique médicale élémentaire, composé de 60 à 70 leçons, s'adressant aux élèves de
première année, de même qu'un cours «démonstratif» de 25
leçons destiné aux élèves de deuxième année[67]. Néanmoins, ces
mesures ponctuelles ne pouvaient répondre adéquatement aux
sévères exigences formulées par le Rockefeller Institute. Les
autorités de la faculté ne pouvaient guère s'y dérober puisque
l'Institut menaçait, à défaut de s'y conformer, de retirer toute
forme de subvention. Puisqu'il était hors de question de s'atta-
quer à la gigantesque tâche de réformer un système scolaire
encore dominé par un puissant clergé, les autorités de la faculté
ne pouvaient qu'opter pour une mesure interne sans conséquences politiques, déjà appliquée en territoire européen. Le
conseil de la faculté décida, en juin 1920, de prolonger d'un an
le programme des études médicales en y ajoutant des cours préparatoires à l'étude de la médecine[68].

Cette nouvelle année «prémédicale», dénommée «PCN»
(physique, chimie, histoire naturelle), comprenait des cours de
physique donnés par le docteur E. Gendreau, des cours de chimie
donnés par le docteur G. H. Baril, ainsi que des cours de
botanique et de biologie dispensés par L. J. Dalbis.

> Avant que d'aborder l'étude des phénomènes de la vie
> chez l'homme, on veut que l'élève connaisse déjà les mani-
> festations générales de la vie chez les êtres organisés. La
> biologie et la botanique les lui enseignent. De même, la
> physique et la chimie générale le préparent admirablement
> à comprendre les fonctions et la nutrition des organes[69].

Les autorités de la faculté avaient préféré s'en remettre au système français en vigueur depuis 1893, plutôt que d'organiser des études prémédicales de deux ou trois ans comme cela se faisait dans plusieurs facultés nord-américaines, notamment à McGill, à Johns Hopkins ou à Harvard[70]. Reflet de l'influence qu'exerce toujours la France sur les membres du conseil, l'année prémédicale adoptée par la faculté de médecine de l'Université de Montréal est une réplique parfaite du système français: même dénomination, mêmes cours et même structure pédagogique où les tâches d'enseignement sont partagées par la faculté des sciences et la faculté de médecine[71]. À partir de l'année scolaire 1921-1922, l'année prémédicale est obligatoire pour tous les finissants des collèges et pour les détenteurs du baccalauréat ou du brevet décerné par le Collège des médecins. L'organisation des cours se fit avec célérité et, selon les prescriptions du Rockefeller Institute[72], en collaboration étroite avec la nouvelle faculté des sciences qui accepta de décerner le certificat. Elle reçut 25 000 $ du Rockefeller Institute pour l'organisation de l'année prémédicale et des laboratoires à condition que l'Université de Montréal investisse 75 000 $ à cette fin.

Cette initiative coïncidait donc avec l'organisation prévue par la charte de l'université d'une faculté des sciences qui devait être mise sous la direction d'un médecin, le docteur J.-E. Gendreau, professeur de chimie à l'École des hautes études commerciales[73]. Après avoir recruté, non sans difficulté, des professeurs dans les disciplines requises, la nouvelle faculté des sciences établit un programme de certificats, d'une durée d'un an, en chimie, physique, biologie, botanique, minéralogie et géologie. Le cumul de trois certificats donnait droit à la licence[74]. Le certificat préparatoire à l'étude de la médecine permettra à la faculté des sciences d'augmenter sa clientèle puisque, durant les années 1920, plus de 70 % de ses étudiants seront inscrits au PCN[75].

Les cours du PCN étant divisés en parties théoriques et pratiques, les étudiants avaient l'obligation de s'initier aux travaux de laboratoire. Ceux-ci composaient la plus large part des heures d'enseignement: en physique et en biologie, 64 heures étaient consacrées aux exposés théoriques contre 128 heures aux travaux pratiques, alors qu'en chimie, l'on dispensait 128 heures de théorie et 230 heures de travaux de laboratoire. Le programme de physique abordait principalement la mécanique newtonnienne, l'étude des fluides et de la chaleur, l'acoustique, l'optique, le magnétisme et l'électricité. En chimie, les fondements théoriques présentés en début de cours faisaient ensuite place à l'étude des métalloïdes, des métaux ainsi qu'à l'étude de la chimie organique et de la chimie analytique. Les cours de biologie et de botanique présentaient évidemment la structure microscopique et macroscopique des êtres vivants (anatomie, physiologie, reproduction, etc.), ainsi que les types de classification du monde animal et végétal[76]. Chaque matière faisait l'objet d'un examen écrit et oral et d'exercices pratiques. L'élève, pour être admis à l'étude de la médecine, devait maintenir une note minimale de 50 % pour chacune des matières.

Les modifications apportées au programme des études de certains collèges durant les années 1930 et la réforme du programme de PCN en France en 1935, remplacé par le PCB (physique, chimie, biologie), entraînent quelques intentions de réforme de l'année prémédicale à la faculté. Le comité chargé de la révision du programme propose que celui-ci soit fusionné avec la première année de médecine. Or l'enseignement des sciences s'était certes un peu amélioré dans quelques collèges, mais pas suffisamment pour justifier l'abandon du PCN. Les avis à ce propos étaient très partagés, les uns considérant inutile cet enseignement, alors que les autres le jugeaient nécessaire au développement des sciences médicales à la faculté. Le conflit portait notamment sur l'équilibre à établir entre les cours théoriques, pratiques et cliniques. Certains désiraient même une diminution de l'enseignement des sciences de base, en faveur d'une prédominance des cours cliniques. D'autres craignaient que la fusion des deux années ne provoque un surmenage des étudiants[77]. Finalement, le *statu quo* fut la solution jugée la plus convenable. Reflet de l'intensification de la formation en biologie, le PCN prit, en 1941, la dénomination française PCB. L'on avait aussi décidé de resserrer la sélection des étudiants: en 1940, la note moyenne nécessaire à l'obtention du certificat de PCB s'éleva de 50 % à 60 %[78]. Les étudiants conservaient le choix, comme à McGill, de subir un examen d'entrée ou de s'inscrire à l'année prémédicale.

À l'été 1920, le conseil de la faculté décida de donner suite à une autre recommandation du Rockefeller Institute et procéda à la nomination d'un directeur des études. Le choix se porta sur le docteur Ernest Gendreau qui accepta d'occuper cette nouvelle fonction au salaire annuel de 3000 $. Celui-ci, sous le contrôle du conseil, était chargé d'analyser et de planifier le programme d'études, de coordonner l'enseignement, d'établir les horaires des cours, de contrôler le dossier des élèves et, enfin, de veiller à la discipline et à l'assiduité aux cours[79]. Mais deux ans seulement après sa nomination, le docteur Gendreau démissionne pour se consacrer à l'enseignement de la physique à la faculté des sciences. Le conseil de la faculté, mécontent des résultats obtenus sous la direction de Gendreau, décide de modifier la structure de coordination des études en remplaçant le directeur des études par un vice-doyen qui siégera au bureau exécutif du conseil de la faculté. C'est T. Parizeau qui en devient le premier titulaire[80]. Le poste de directeur des études demeurera associé à la charge de vice-doyen, puis à celle de doyen jusqu'à ce que le docteur Baril, professeur à la faculté des sciences, accepte en 1938 de succéder au docteur Lesage, alors promu doyen de la faculté[81]. Le choix du docteur Baril comme directeur des études paraissait judicieux, mais cette fonction exigeait de plus en plus de temps dont ne disposait pas le nouveau titulaire. Un an plus tard, celui-ci est mis en demeure de choisir entre la direction des études à la faculté de médecine et ses fonctions de professeur à la faculté des sciences et de directeur de l'Institut de chimie. Il opte pour le second choix[82]. C'est le doyen Lesage qui prend alors la relève.

## La réorganisation des chaires d'enseignement

Durant les décennies 1920 et 1930, les transformations apportées au programme des études médicales furent plutôt modestes et elles concernèrent surtout l'ajout de nouveaux cours liés aux spécialités et une nouvelle répartition du temps accordé aux études théoriques et pratiques. L'enseignement pratique et clinique, de même que les travaux de laboratoire gagnent en importance, comptant pour plus de 60 % de la durée du programme. Toutefois, les heures consacrées aux 35 matières théoriques demeurent relativement élevées, constituant encore 40 % du programme.

De nouvelles chaires avaient fait leur apparition — pathologie générale (1937), urologie (1938), neurologie (1938), physique médicale (1941) — alors que d'autres plus anciennes sont scindées en deux. Tel est le cas de la chaire d'opthalmo-oto-rhino-laryngologie qui disparaît en 1930, au profit de deux chaires distinctes d'ophtalmologie et d'oto-rhino-laryngologie. Deux cliniques sont aussi établies en nouvelles chaires: la clinique de dermato-syphiligraphie de l'Hôpital Notre-Dame et la clinique de chirurgie infantile de l'Hôpital Sainte-Justine. Quelques nouveaux cours sont aussi mis sur pied: perfectionnement en physique médicale (1925), cours pratique de laboratoire (1941) — avec la collaboration de l'Hôtel-Dieu, de l'Hôpital Notre-Dame et de l'Hôpital Sainte-Justine — cours de psychologie clinique et expérimentale (1941) et médecine militaire (1945).

Certaines matières avaient été l'objet d'une importante restructuration. Tel est le cas du cours de matière médicale qui ne répondait plus aux fulgurants développements de la pharmacopée durant les premières décennies du XXe siècle. En 1928, l'on décida de modifier son contenu et de rafraîchir une dénomination devenue désuète. Le cours s'intitulera désormais «matière médicale, pharmacologie et pharmacodynamie». Dix ans plus tard, trois cours distincts furent mis sur pied: la pharmacodynamie (étude de l'action physiologique des médicaments) pour les étudiants de deuxième année, la matière médicale donnée par un pharmacien aux élèves de troisième année et la thérapeutique pour les élèves de troisième et quatrième année[83]. De même, le cours de neurologie est augmenté de 10 leçons théoriques alors que la physio-pathologie nerveuse se détache de la physiologie pour une approche clinique et expérimentale intensifiée.

L'anatomie constituait toujours la matière privilégiée avec 650 heures d'enseignement réparties sur les deux premières années d'études médicales; suivaient l'anatomie pathologique avec 226 heures d'études réparties en deuxième (60 heures) et troisième année (166 heures), la physiologie avec 168 heures, la chimie biologique avec 166 heures, la pathologie médicale avec 160 heures, l'histologie-embryologie avec 144 heures, la pathologie chirurgicale et la matière médicale avec chacune 120 heures, la bactériologie avec 90 heures, l'obstétrique avec 67 heures, la pédiatrie, la médecine légale et la physique médicale avec chacune 60 heures, l'hygiène avec 50 heures, l'orthopédie avec 25 heures et, enfin, l'histoire de la médecine et la déontologie avec 15 heures[84].

Huit ans plus tard, la répartition des heures d'enseignement consacrées à l'anatomie, l'histologie, la chimie physiologique et la physique médicale subit des changements considérables qui mettent en lumière l'importance croissante de certaines matières. Calqué en grande partie sur la moyenne des heures consacrées à ces matières dans les universités anglaises et américaines, le nouvel horaire des cours de première année alloue 553 heures à l'anatomie et à la neuro-anatomie, 270 heures à l'histologie-embryologie, 102 heures à la chimie physiologique et 43 heures à la physique médicale. Le temps alloué à l'histologie et à l'embryologie, qui avait doublé au détriment de l'anatomie, de la chimie physiologique et de la physique médicale, illustre l'importance grandissante de ces matières. Parallèlement, le développement de la chirurgie est tel que la plupart des universités américaines y consacraient, sous forme de cours et de cliniques, près de 600 leçons. Il semble bien que la FMUM ait tardé à suivre ce mouvement, puisqu'en 1942 seulement 314 leçons étaient consacrées à cette matière.

La spécialisation de plusieurs champs médicaux exerce une pression croissante sur le programme des études. En 1941, la faculté de médecine décide de diviser les groupes de troisième et quatrième année qui se retrouvaient auparavant dans une même série de cours. Les étudiants de troisième année recevront toujours un enseignement axé sur la pathologie médico-chirurgicale, mais les élèves de quatrième verront désormais leur formation essentiellement articulée sur l'introduction aux spécialités: dermato-syphiligraphie, neurologie, médecine légale et toxicologie, médecine opératoire, déontologie, médecine sociale et médecine militaire.

## Le développement de la clinique

Après avoir suivi un enseignement élémentaire et pratique de la sémiologie et de la technique sémiotique, les étudiants de troisième et quatrième année assistaient, en petits groupes de dix à quinze, aux nombreuses cliniques réparties entre les sept institutions hospitalières affiliées à la faculté: l'Hôpital Notre-Dame (cliniques médicale, chirurgicale, gynécologique, dermatologique, neurologique[85]); l'Hôtel-Dieu (cliniques médicale, chirurgicale, ophtalmologique); l'Hôpital Sainte-Justine (cliniques pédiatrique, médicale et chirurgicale); Hôpital du Sacré-Cœur (clinique phtisiothérapeutique); l'Hôpital Saint-Jean-de-Dieu (clinique neurologique); l'Institut Bruchési (clinique sur la tuberculose) et l'Hôpital de la Miséricorde (clinique obstétricale). Les professeurs de la faculté pouvaient disposer de plus de 3800 lits. À la suite d'une requête adressée par les étudiants au recteur Mgr Maurault, des leçons cliniques sur les maladies contagieuses sont organisées à l'Hôpital Pasteur au cours des années 1940. Traduisant l'importance qu'avaient prise les spécialités dans la formation complémentaire des étudiants de quatrième année, celles-ci, jusqu'au début des années 1940, occupaient 52 % du temps alloué à l'enseignement clinique (258 heures). Les cliniques médicales et chirurgicales se partageaient les 240 heures restantes. Quant aux élèves de troisième année, ils étaient astreints à 576 heures de cliniques médicales et chirurgicales. Les méthodes d'enseignement clinique s'étaient quelque peu modifiées avec l'utilisation d'appareils audiovisuels et les démonstrations en laboratoires, mais l'enseignement au lit du malade suivi de l'exposé à l'amphithéâtre demeurait une pratique quotidienne en milieu hospitalier. Généralement, les groupes cliniques comptaient entre dix et vingt étudiants.

Peu de modifications importantes sont apportées à l'enseignement clinique durant la décennie 1930, notamment en raison des coupures budgétaires. Ce n'est pas faute de critiques formulées à l'endroit de son organisation, tant par les étudiants que par le personnel médical des institutions hospitalières concernées. Si les élèves se plaignaient parfois de la négligence des professeurs et de la désorganisation de certaines cliniques[86], eux-mêmes faisaient l'objet de critiques sévères de la part des autorités médicales. On leur reprochait leur indiscipline et leur manque d'assiduité aux leçons. Les autorités de la faculté qui réagissaient ordinairement avec prudence et circonspection haussaient parfois le ton et menaçaient les uns d'expulsion, les autres de suspension.

Les relations entre les sœurs hospitalières de l'Hôtel-Dieu et les chargés de clinique étaient quelquefois houleuses, notamment lorsque ces derniers se voyaient refuser une nomination ou tout simplement le droit de professer à l'hôpital. Les hospitalières ne se gênaient guère alors pour rappeler aux intéressés que l'hôpital leur appartenait toujours. En ces temps de grandes difficultés économiques, les humeurs étaient souvent moroses. Les relations de bonne entente qui prévalaient antérieurement entre la faculté et les hôpitaux affiliés avaient donc parfois tendance à se détériorer. Des conflits larvés entre les chefs de service et les chargés de clinique, entre certains bureaux médicaux et le conseil de la faculté, assombrissaient le paysage médical francophone montréalais. Le doyen n'en faisait pas mystère et reconnaissait en 1939, lors d'une réunion du conseil de la faculté, «qu'il existe en ce moment du malaise à la faculté, surtout dans les hôpitaux[87]». Les conseils et bureaux médicaux des hôpitaux affichaient, à la suite du développement des services hospitaliers, une plus nette volonté d'indépendance qui ira s'accentuant: vingt ans plus tard, le doyen Bonin mentionnera que les hôpitaux «tolèrent tout au plus qu'on y fasse de l'enseignement[88]». Même l'Hôpital Notre-Dame acquérait plus d'autonomie et dépendait de moins en moins de la faculté de médecine. Il n'était pas rare que certaines décisions concernant la structuration des services, la modification d'un service hospitalier, la nomination ou la suspension d'un médecin soient prises unilatéralement sans consultation auprès des autorités de la faculté. Selon les membres du conseil de la faculté, de telles décisions affectaient grandement la qualité de l'enseignement clinique[89].

## L'internat obligatoire

Conséquence directe de l'ajout d'une année préparatoire aux études médicales qui décale l'année d'obtention du diplôme, la faculté se retrouve face à un sérieux problème de disponibilité des finissants en 1926, problème qui s'additionnait aux difficultés antérieures de recrutement des candidats. Ce sont les hôpitaux qui étaient les plus durement touchés par ce problème. Devant l'accroissement continu de la demande de soins, l'assistance des internes était précieuse pour combler les besoins de personnel qualifié au sein des institutions hospitalières. C'est le doyen Harwood, assisté de T. Parizeau, qui imagina une solution susceptible de prévenir une telle pénurie de candidats. Pour une fois, les autorités de la faculté ne pouvaient s'inspirer du système médical français. La demande de stages dans leurs hôpitaux affiliés étant très forte, les autorités françaises avaient opté pour une sélection stricte où les postes d'internat étaient alloués par concours à un nombre restreint de candidats[90], luxe que ne pouvait se payer les facultés de médecine québécoises. Des problèmes opposés appellent des solutions différentes. Le système d'internat mis en place en juin 1927 par le conseil médical de la faculté rendait obligatoire, pour tous les élèves de cinquième année, l'accomplissement d'un stage rotatoire d'un an dans plusieurs services hospitaliers[91].

Le futur médecin, sous la direction d'un chef de service, avait ainsi l'occasion d'établir un contact étroit avec différents types de malades. La période d'internat, qui débutait le 15 juin et qui se terminait le 14 juin de l'année suivante, était divisée en quatre étapes de trois mois, les trois premières étant consacrées aux services de médecine, de chirurgie et d'obstétrique alors que la dernière période de stage était répartie entre plusieurs services[92]. Les futurs internes avaient le privilège de choisir leurs stages selon un système de préséance basé sur leurs résultats scolaires. Chaque interne devait subir à la fin de son stage un examen clinique comptant pour 85 % des points et un examen d'observation de 15 % sur des considérations anatomiques, histo-pathologiques, biochimiques, physiologiques, cliniques et thérapeutiques. Durant les années 1930, les élèves de cinquième année étaient contraints de faire un stage de 10 heures en radiologie, de 40 heures en thérapeutique appliquée, de 45 heures en clinique de phtisiothérapie (soin aux tuberculeux), de 40 heures en technique chirurgicale, de 15 heures en clinique de neurologie et de 30 heures en clinique des maladies mentales. Ils devaient aussi assister à un cours de 20 heures en histoire de la médecine et en déontologie médicale.

Ce système présentait de grands avantages: il procurait aux étudiants une expérience clinique étendue; il leur offrait la possibilité de s'orienter vers une spécialité conforme à leurs goûts et à leurs intérêts et il comblait en partie les besoins des hôpitaux affiliés en personnel médical bénévole. Toutefois, le nombre d'internes juniors disponibles demeurant relativement faible, il ne résolvait que partiellement le problème de l'écart entre l'offre et la demande[93]. En 1930, seulement 30 étudiants sont inscrits en cinquième année; 35 l'année suivante et 51 en 1932. En 1935 et 1936, le nombre de finissants est respectivement de 41 et 56, mais diminua à 25 en 1937. Les possibilités d'internat offertes par certains hôpitaux parisiens aux élèves de cinquième année de la faculté réduisaient aussi la clientèle disponible[94]. La réservation de quelques postes d'internat en France et en Belgique pour les étudiants canadiens-français avait été négociée en 1928 par le doyen Harwood.

Afin d'attirer davantage les médecins internes, les membres de la direction de la faculté suggérèrent aux hôpitaux «de songer sérieusement à leur offrir une rémunération pour leurs services[95]». Suggestion qui, en ce temps de crise, n'a guère suscité l'enthousiasme chez les administrateurs des hôpitaux. La répartition des internes favorisaient l'Hôpital Notre-Dame et l'Hôtel-Dieu qui en accueillaient les deux tiers, le tiers restant étant partagé entre l'Hôpital Sainte-Justine, l'Hôpital de la Miséricorde, l'Hôpital du Sacré-Cœur et l'Hôpital Saint-Jean-de-Dieu[96]. À la fin des années 1930, la pénurie d'internes est telle — seulement 25 internes sont disponibles — que la direction se voit contrainte d'autoriser l'emploi par les hôpitaux d'élèves de troisième et quatrième année[97]. Cette mesure n'était que temporaire et palliative puisque, l'année suivante, la faculté disposant de 49 internes décidait d'y mettre un terme.

L'organisation de l'internat obligatoire soulevait parfois des problèmes imprévus. En 1934, la direction de la faculté de médecine reçu une pétition signée des internes de l'Hôpital Notre-Dame protestant contre la nomination d'un Juif au titre d'interne à l'hôpital. Une lettre avait aussi été envoyée précédemment au bureau médical de l'hôpital et demandait le renvoi de M. Rabinovitch «comme interne senior» de l'hôpital. Les signataires souhaitaient qu'il «n'y ait plus de médecin juif, senior[98]». Leur demande reçut d'abord un écho plutôt positif puisque le bureau médical, après un vote, «se montra favorable au principe émis dans cette requête[99]». Mais devant la fermeté du doyen de la faculté de médecine, qui refusait de cautionner une telle motion, le bureau médical fit marche arrière et décida de soutenir les mesures disciplinaires prises à l'endroit des internes. Le docteur Lesage excusa l'attitude du bureau médical en expliquant «qu'il y eut erreur d'interprétation dans le vote qui n'a pas été pris sur le renvoi de l'interne Rabinovitch, mais sur le principe de la nomination d'internes hébreux[100]».

Pour protester contre le refus des autorités de Notre-Dame et de la faculté de modifier la nomination de M. Rabinovitch, les internes déclenchent une grève. Ils suscitent un mouvement de sympathie auprès de certains de leurs collègues des autres hôpitaux francophones. La grève s'intensifie. Le doyen demeure ferme et leur envoie une lettre les menaçant d'expulsion. Sous la pression des grévistes, le jeune interne juif décide finalement de donner sa démission. Tout rentre temporairement dans l'ordre. Quelques mois plus tard, le doyen «est informé qu'un groupe d'étudiants de la faculté prépare une nouvelle grève antisémite pour le premier octobre». Mais les étudiants de la faculté votent en grande majorité contre le déclenchement de la grève.

L'année suivante, des plaintes furent aussi reçues par la direction, selon lesquelles la présence d'internes noirs causait des ennuis «surtout dans les hôpitaux d'enfants et les maternités[101]». Les préjugés racistes à l'égard des Noirs et des Juifs étaient largement exacerbés par la crise économique qui sévissait partout en Occident[102]. La prise du pouvoir par les nazis en Allemagne et les fascistes en Italie en sont de tristes exemples. De telles situations de crise, tout comme les périodes d'épidémie, sont des terrains propices à l'intolérance ou à la recherche de boucs émissaires. Du reste, la question controversée de la création d'un réseau d'écoles juives au Québec, durant cette décennie, et les prises de position antisémites du journaliste Ménard, qui proposait «ouvertement que les Juifs québécois soient privés de leurs droits civiques[103]», encourageaient la fronde de certains internes racistes. Mais cela n'explique pas tout et certains préjugés avaient la vie dure. En 1947, soit deux ans seulement après que l'on eut constaté l'étendue des crimes nazis et l'effroyable efficacité des chambres à gaz dans les camps d'extermination, le bureau médical de l'Hôpital Notre-Dame considérait encore comme un «problème grave» la candidature du docteur Witkoff comme élève libre à l'hôpital. L'un des membres du bureau s'en inquiétait vivement:

> Si on ouvre la porte aux juifs où irons-nous? Si on adopte le principe de les accepter à l'hôpital, acceptons-les partout et attendons-nous à les voir nous remplacer bientôt[104].

En réponse aux inquiétudes formulées par ce médecin, l'un de ses collègues proposa une motion selon laquelle «le bureau médical ne veut pas accepter d'Israélite comme membre du bureau médical». La motion l'emporta aisément avec 30 votes contre 2. L'un des membres du bureau légitima cette motion par l'existence d'une politique discriminatoire semblable inscrite dans la charte du Royal Victoria Hospital, établissant qu'aucun médecin canadien-français et catholique ne peut faire partie du bureau médical de cette institution[105]. Mais une telle motion allait à l'encontre des politiques de l'Université de Montréal et de sa faculté de médecine qui acceptaient cette catégorie d'étudiants.

Les autorités de la faculté ne s'étaient jamais faites officiellement les complices de ces actes discriminatoires, bien au contraire. La faculté de médecine avait toujours admis un certain nombre d'étudiants juifs, ainsi que des étudiants noirs en provenance d'Afrique et des Antilles[106]. Après ces incidents, de nouveaux étudiants juifs seront admis à l'étude de la médecine. En 1939, devant les demandes d'admission de Juifs américains, la direction décide «que ces élèves devraient, avant toute étude de leur dossier, faire la preuve d'une connaissance pratique du français [et statue] que chaque cas sera ensuite étudié à son mérite[107]». En 1941, lorsque la direction discute «des applications d'Anglais ou de Juifs», elle suggère «de les traiter de la même façon que les élèves canadiens et d'avoir pour eux les mêmes exigences[108]». En revanche, les préjugés à l'égard des Noirs étaient beaucoup plus manifestes. En réponse à la plainte formulée à l'endroit des internes noirs, la direction, fort embarrassée, adopta une position pour le moins ambiguë en proposant au conseil de n'admettre que les Noirs venant des Antilles françaises[109]!

## Le développement de l'enseignement pratique

De 1920 à 1940, l'intérêt porté aux travaux de laboratoire en tant qu'instrument diagnostique et en tant que source de l'évolution du savoir médical s'accroît considérablement dans le monde médical. Les grandes facultés de médecine américaines et européennes ont largement orienté leur programme en fonction du développement des activités de recherches expérimentales et cliniques. D'autres, plus modestes, ont préféré s'en tenir au développement des pratiques de laboratoire en fonction des impératifs de l'enseignement et de la pratique de la médecine. Quelle que soit l'approche privilégiée, toutes étaient désormais tenues d'offrir un enseignement pratique qui nécessitait l'organisation de laboratoires capables de répondre aux besoins de la clientèle étudiante. La médecine de laboratoire était alors en voie de connaître un essor considérable.

Jusqu'aux années 1940, la FMUM, malgré certains efforts pour se doter d'une petite infrastructure de laboratoire, ne pouvait certes pas rivaliser avec les grandes écoles médicales nord-américaines. Les grands laboratoires de recherche étaient le lot d'universités richement dotées telles que l'Université McGill, l'Université Harvard ou l'Université Johns Hopkins. Néanmoins, à défaut d'établir des activités structurées de recherche, la FMUM s'est tout de même efforcée, dès le début des années 1920, de créer un cadre propice à l'enseignement d'une médecine plus ouverte aux pratiques scientifiques.

L'exil provisoire de la FMUM après les deux incendies n'avait certes pas facilité l'organisation de nouvelles activités pédagogiques. Contraintes en 1920, devant le manque de cadavres et l'exiguïté des locaux, d'annuler l'enseignement de l'anatomie topographique et de la chirurgie opératoire[110], les autorités de la faculté de médecine avaient insisté auprès du recteur pour obtenir un nouveau partage des locaux dans l'édifice universitaire. Alors que la reconstruction de l'immeuble de la rue Saint-Denis allait bon train, des négociations seront entreprises par la faculté de médecine auprès du doyen de la faculté de droit afin d'obtenir la concession de certains locaux occupés par celle-ci. La faculté de médecine désirait aménager des locaux beaucoup plus propices à l'installation de ses laboratoires, de sa salle de dissection et de ses salles de cours[111]. Il semble cependant qu'on ne répondra qu'en partie à sa demande puisque le doyen mentionne quelques mois plus tard que «les locaux accordés [...] dans l'ancien édifice universitaire ne pourront probablement pas répondre à tous les besoins de l'enseignement[112]». Néanmoins, elle avait obtenu l'espace et les fonds nécessaires, notamment grâce à l'octroi d'un montant de 25 000 $ de la part du Rockefeller Institute, pour procéder à l'aménagement de ses laboratoires d'histologie, d'anatomie pratique, de bactériologie, de physique médicale, de physiologie et de chimie[113]. Malheureusement, le second incendie annihilera en partie ces efforts.

Les membres du conseil avaient aussi procédé à certains changements dans le programme général des études, notamment en ce qui avait trait à l'enseignement pratique aux élèves. Certes, l'ajout d'une année prémédicale visait surtout à procurer aux étudiants les connaissances de base pour faciliter les études médicales, mais peu à peu cet enseignement favorisera aussi l'atteinte de nouveaux objectifs liés au développement de la recherche médicale. Les retombées de l'année prémédicale se seront dès lors élargies:

Le P.C.N. nous a non seulement permis d'améliorer notre enseignement mais, surtout, de favoriser chaque année, le recrutement de quelques jeunes gens se destinant aux études de laboratoire, conséquemment aux travaux de recherches qui constituent une des bases essentielles de toute université soucieuse de progrès et d'avenir [...]. Quant aux cours théoriques de médecine, ils ont évolué, chaque année afin de permettre à l'élève de recevoir un enseignement adapté à ces études préalables[114].

Lors de la seconde reconstruction de l'édifice de la rue Saint-Denis, la faculté avait prévu un aménagement largement articulé sur l'organisation des laboratoires. Mettant à profit les connaissances acquises par leurs élèves lors de leur année prémédicale[115], les professeurs d'histologie, de chimie, de physiologie ou de physique médicale entendaient bien rehausser le contenu de leurs cours au profit d'un enseignement pratique axé sur les travaux en laboratoire.

En physiologie, les élèves «étudient eux-mêmes expérimentalement, au laboratoire, et sous la direction du professeur, les phénomènes physiologiques[116]»; en histologie, «chaque leçon, d'une heure, est suivie de deux heures de travaux pratiques au laboratoire»; en chimie-physiologique, les élèves, appelés à faire des «manipulations pratiques au laboratoire» de l'université, doivent par ailleurs effectuer des «travaux pratiques dans les laboratoires des hôpitaux pendant les trois dernières années d'études médicales»; le cours de physique médicale, «de nature essentiellement pratique», est donné au laboratoire, de même que le cours de bactériologie médicale où sont enseignées les techniques «des examens microscopiques, des colorations, des cultures et des inoculations». Enfin, le cours de pharmacie pratique «mettra les élèves en contact plus immédiat et plus familier avec les produits pharmaceutiques et leur préparation[117]». À partir de 1941, la faculté décide de vendre aux étudiants «avec certaines facilités de paiement et à un prix fort avantageux» un microscope d'excellente qualité. Soulignons que, jusque-là, l'université réclamait 10 $ à chaque étudiant dans le but de constituer «un fonds de renouvellement et de réparation des microscopes[118]».

L'intérêt porté à la réorganisation des laboratoires est sans précédent: formation de comités d'organisation, octroi de fonds, aménagement de locaux, achat de matériel, nomination d'assistants, engagement de démonstrateurs, etc. Les pressions exercées en ce sens par le président du Rockefeller Institute, le docteur Vincent, ont certes été déterminantes. D'intenses négociations étaient en cours entre Harwood et Vincent concernant les modalités d'obtention de la somme promise de 500 000 $. Malgré certaines lacunes importantes au laboratoire d'anatomie pathologique, les délégués de l'Institut en visite à Montréal en 1922 se disent généralement satisfaits «des progrès faits dans l'outillage et l'équipement des laboratoires[119]». Plusieurs modifications apportées à la structure des laboratoires tiennent aussi en grande partie au processus de spécialisation et de disciplinarisation de divers champs scientifiques. Ainsi en est-il, nous l'avons vu, de la bactériologie qui aura de plus en plus tendance à devenir, au sein de l'Université de Montréal, grâce aux initiatives du docteur Frappier et de l'Institut de microbiologie, une discipline autonome. Les déplacements de compétence deviennent fréquents, comme l'illustre l'initiative prise par le comité des laboratoires qui soustrait au contrôle du département de physiologie le laboratoire de nutrition, au profit du département de biochimie[120]. De même, le développement de certains secteurs spécialisés du savoir médical augmentait considérablement le recours aux investigations de laboratoire. De constants ajustements sont donc nécessaires pour y répondre, tant en milieu universitaire qu'au sein des hôpitaux. Mentionnons, à titre d'exemple, l'enseignement de l'hématologie qui nécessite en 1941 l'organisation de travaux pratiques en laboratoire et l'obligation pour les élèves de quatrième année de faire l'acquisition d'un microscope et d'un hématimètre.

Toujours en 1941, l'on décide d'abolir les cours théoriques sur les agents physiques de façon à augmenter de 30 à 40 heures le temps consacré par les étudiants au nouveau cours de laboratoire clinique. Cette mesure devait permettre «de les familiariser encore davantage avec les principales techniques bactériologiques, chimiques et hématologiques susceptibles de les aider à établir un bon diagnostic clinique[121]». Les autorités avaient jugé que les étudiants étaient mal préparés «pour exécuter personnellement la plupart des analyses de routine que la clinique demande au laboratoire[122]». L'on s'était aussi inquiété de la situation d'infériorité dans laquelle se trouvait le médecin diplômé de la faculté lorsqu'il effectuait un stage de perfectionnement dans un hôpital anglais ou américain, car cet enseignement faisait maintenant partie des programmes de la plupart des facultés de médecine canadiennes et américaines.

Le nouveau cours de laboratoire clinique reçoit la sanction des trois hôpitaux désignés, soit l'Hôtel-Dieu, l'Hôpital Notre-Dame et l'Hôpital Sainte-Justine. En conséquence, les internes obtenaient la possibilité d'effectuer eux-mêmes les examens de laboratoire de routine en milieu hospitalier, ce qui avait en principe l'avantage de libérer le laboratoire central des hôpitaux d'un travail de routine. Mais les demandes d'analyses sont telles que les laboratoires des hôpitaux sont débordés. Ils ne pouvaient toujours répondre aux besoins de la faculté. En 1942, les autorités de l'Hôtel-Dieu avisèrent le doyen qu'elles ne pouvaient recevoir les élèves de la faculté à ses laboratoires de chimie et de bactériologie[123].

## L'agrément de 1925: une première reconnaissance nord-américaine

Pour la première fois depuis sa fondation et grâce aux progrès accomplis au chapitre de son enseignement théorique, pratique et clinique, la FMUM se verra accorder, pendant la période d'entre-deux-guerres, une reconnaissance nord-américaine. Depuis l'octroi de la nouvelle charte, des mesures, nous l'avons vu, avaient été appliquées avec célérité par le doyen Harwood. Malgré le second incendie qui retarda certaines décisions, non seulement le Rockefeller Institute reconnaissait dès 1924 l'amélioration de l'enseignement des sciences médicales[124], mais l'American Medical Association accordait à la faculté, l'année suivante, la cote A, classification «qui met notre institution essentiellement sur le même pied que les meilleures écoles de médecine du continent[125]», notait avec satisfaction le doyen.

Dans la classe A, elle a rangé les institutions de toute première valeur, celles qui par le nombre et la qualité des professeurs, par les programmes et le programme, par les
facilités matérielles de leur installation peuvent aspirer aux
résultats les plus marquants, Or c'est précisément dans
cette classe que la faculté de médecine de l'Université de
Montréal vient d'être rangée[126].

Grâce à cette reconnaissance, les diplômés de la faculté de
médecine de l'Université de Montréal pouvaient désormais
obtenir un droit de pratique dans plusieurs États américains,
sans avoir à faire les études complémentaires qui leur étaient
jusqu'alors imposées. Les diplômés de la faculté pouvaient
désormais être acceptés à des postes d'internes ou d'assistants
dans les grands hôpitaux américains.

Douce revanche pour la faculté, c'est A. Flexner, «dont le
rapport fait en 1910 sur [l'ancienne faculté de la succursale de
Laval à Montréal] contenait tant d'erreurs et d'inexactitudes et
qui avait causé tant de dommages et d'ennuis à cette faculté»,
qui avait été délégué à Montréal en 1923 au nom de l'AMA pour
évaluer la nouvelle faculté. Cette fois-ci, notait le secrétaire du
conseil, «l'assemblée a appris avec plaisir que M. Flexner s'est
déclaré très satisfait des progrès faits par la faculté et qu'il y a
lieu de s'attendre que son prochain rapport sera beaucoup plus
favorable[127]». Quelques mois plus tard, une rumeur circulait à
la faculté selon laquelle son rapport «réhabiliterait merveilleuse-
ment la faculté[128]». De plus, l'Hôpital Notre-Dame, principale
institution affiliée à la FMUM, avait obtenu le plus haut rang
en 1920 des standards hospitaliers établis par l'American College
of Surgeons, en raison de son organisation scientifique et médicale[129]. Certes, cet agrément n'était-il pas très difficile à obtenir
à l'époque, mais il témoigne néanmoins d'une bonne structure
de soins hospitaliers.

En 1931 et 1933, la faculté recevra aussi une évaluation
positive de son programme d'études de la part du bureau médical de l'État du Massachusetts[130] et de la University of the State
of New York. Les autorités de la FMUM, malgré certaines lacunes
quant aux critères d'admission, au personnel de laboratoire[131],
à la recherche médicale et à la présence de professeurs-chercheurs

à plein temps, avaient néanmoins d'excellentes raisons, eu égard au chemin parcouru depuis 1910, de se montrer satisfaites.

## Une clientèle étudiante et professorale plutôt stable

Coincée dans ses locaux de la rue Saint-Denis, la faculté de médecine n'a guère eu la possibilité d'augmenter significativement sa population étudiante. Il faut dire aussi que la profession médicale, dans l'entre-deux-guerres, ne fait pas l'objet d'un très fort engouement chez les étudiants. En période de crise, peu de candidats avaient les moyens de se payer un cours de médecine. Néanmoins, si le nombre de demandes d'admission subit une baisse durant la période critique de la crise, cela n'aura pourtant pas pour effet d'abaisser le nombre de candidats admis, mais en affectera probablement la qualité. Tout au long des années 1930, leur nombre est demeuré plutôt stable, variant légèrement entre 225 et 230 étudiants inscrits. Il en était de même dans les autres facultés. Comme l'indique le graphique 1, mis à part les facultés de philosophie et de droit, qui ont subi de fortes baisses d'étudiants, le nombre des inscriptions dans les facultés de théologie, de lettres, de sciences ou de chirurgie dentaire entre 1926 et 1939 est demeuré relativement stable ou n'a que légèrement grimpé. À cet égard, la faculté des sciences connaît alors la progression la plus importante et la plus régulière, passant de 91 étudiants en 1926-1927 à plus de 150 en 1938-1939.

Contrairement à l'Université McGill qui pouvait limiter à 100 ses admissions en médecine grâce à d'importants dons privés[132], la FMUM devait conserver la part importante de revenus que représentaient les frais de scolarité. Aussi s'est-on efforcé d'admettre le quota maximal d'étudiants, même si les demandes d'admission avaient diminué. Cette politique allait à l'encontre des mesures de contrôle plus sévères des admissions mises en vigueur par les grandes facultés de médecine nord-américaines après la Première Guerre mondiale. Durant les années 1920, des exigences encore plus strictes furent imposées dans la plupart des écoles de médecine américaines. La faculté de médecine de McGill avait dû suivre ce mouve-

ment puisqu'un grand nombre de ses diplômés allaient pratiquer aux États-Unis[133].

GRAPHIQUE 1

## Nombre d'étudiants dans les facultés de
## l'Université de Montréal (1926-1943)

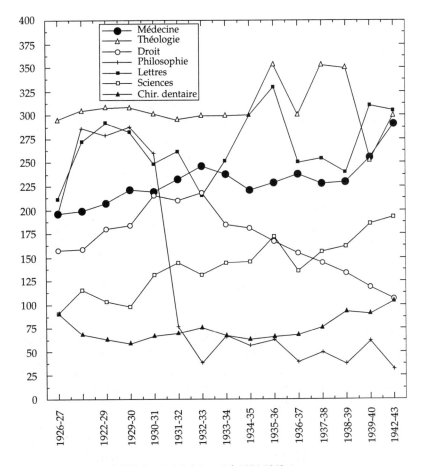

*Sources*: Annuaires de l'Université de Montréal, 1926-1943.

D'abord une, puis deux et finalement trois années d'université, comportant une solide formation en sciences, furent exigées; le B.A. ou le B.SC., étaient considérés comme la formation optimale pour être admis en médecine[134].

De 1925 à 1930, la faculté de médecine de l'Université McGill recevant une moyenne de 600 demandes d'admission par année décida que le dossier scolaire serait désormais le principal critère d'admission[135]. La FMUM de même que Laval ne pouvaient certainement pas suivre McGill sur cette voie parce que «leurs stratégies de recrutement reflétaient les limites de leurs bassins de clientèle[136]». La faculté de médecine de Laval persista à admettre tous les diplômés des collèges classiques. Comme le souligne pertinemment Weisz, la FMUM, favorisée par une croissance démographique supérieure de la ville de Montréal par rapport à Québec, pouvait se permettre sans trop de dommages d'ajouter une année prémédicale à son programme, alors que Laval ne le pouvait guère[137]. Les étudiants de la FMUM provenaient de plus en plus de la région métropolitaine:

> Durant les années 1920, 50 % des étudiants de cette école étaient originaires de Montréal, alors que 27 % provenaient d'autres centres urbains. L'EMC était ainsi devenue un établissement dont la clientèle, à forte prédominance urbaine, reflétait le déplacement de la population francophone rurale vers Montréal, ainsi que l'essor des autres centres urbains du Québec[138].

Nous verrons que cette concentration de clientèle provenant de la région montréalaise s'accentuera à la FMUM au cours des décennies suivantes. Au contraire, plus de la moitié de la clientèle de la FMUL (51 %) provenait des zones rurales[139].

À partir de 1924, les études médicales de la FMUM ne sont plus exclusivement réservées à une clientèle masculine. Les membres de la faculté avaient alors décidé de mettre fin à une vieille tradition ségrégationniste à l'égard des femmes, en leur ouvrant les portes de la faculté de médecine. Elle suivait les initiatives prises à cet égard par l'ancienne faculté de médecine de Bishop qui fut la première au Québec en 1890 à autoriser l'admission des femmes à l'étude de la médecine[140]. La faculté médicale de McGill les accueillit dans ses rangs à partir de 1917-1918. Ce n'est qu'en 1930 que la FMUM décerna pour la première fois un diplôme de médecine à une femme: il s'agissait de Mlle Marthe Pelland, admise en 1925. Elle obtient son grade avec la plus grande distinction, *Summa cum laude*[141].

Le contexte social et culturel n'était guère propice à encourager les femmes à faire carrière dans les professions libérales. Du reste, même si celles-ci avaient désormais un certain accès aux études médicales, les préjugés demeuraient tenaces, comme en témoigne, non sans ironie en 1941, Madeleine Longtin, étudiante en médecine:

> Les faits se sont imposés et aujourd'hui au moment d'embrasser une profession, d'entrer en médecine, par exemple, la femme ne se demande plus guère si tel est son privilège: elle agit simplement sans avoir du tout l'impression d'aborder un rivage défendu; elle use d'un droit que le plus grand nombre lui reconnaissent sans discussion. Il serait toutefois inexact de nier un certain reste de «conservatisme» se manifestant sous les attitudes diverses d'étonnement, de commisération, de désapprobation. C'est parfois peine perdue que d'expliquer que sur le terrain médical, la femme puisse jouer un autre rôle que celui d'infirmière [...]. Plus émouvante est la contenance de ceux qui s'apitoient sur la disproportion entre les aptitudes féminines et les exigences de la profession médicale: posséder des épaules si frêles et les charger d'un poids qui les écrase, quelle inconséquence[142]!

Treize ans plus tard, la faculté ne compte que 16 femmes sur les 433 élèves inscrits en médecine[143]. Il faut attendre la décennie 1970 pour que les femmes atteignent une représentation à peu près égale à celle des hommes.

Durant les années 1930, l'Université de Montréal comptait 7 facultés, 2 écoles autonomes, 11 écoles affiliées et 11 écoles annexées. Elle accueillait plus de 7000 étudiants. À cet égard, la faculté de médecine maintenait, parmi les sept facultés, son troisième rang devant les facultés de lettres et de théologie. La faculté des sciences occupait la quatrième position avec près de

200 étudiants. Toutefois, en ce qui a trait au corps professoral, la faculté de médecine dépassait largement, comme le montre le graphique 2, ses consœurs avec plus d'une centaine de professeurs. Au début des années 1940, la faculté de médecine possède 134 professeurs contre seulement 10 en lettres, 25 en théologie et 42 en sciences. En 1929-1930, on compte 118 professeurs pour 222 étudiants. Dix ans plus tard, la proportion demeure élevée avec 131 professeurs pour 255 étudiants, alors que la faculté des sciences n'en compte que 1 pour 5 étudiants. Il faut dire que plusieurs de ces professeurs ne donnaient qu'un cours par année — souvent dans les matières cliniques — alors que certains n'enseignaient que rarement. Le personnel enseignant de la faculté de médecine était formé de cinq catégories de professeurs qui, par ordre hiérarchique, se répartissaient comme suit: 25 professeurs titulaires; 31 professeurs agrégés; 2 professeurs étrangers (Laquerrière et Laugier); 75 assistants-professeurs et 1 professeur auxiliaire chargé du cours de morale médicale (*voir* graphique 3). Il est à noter que la nouvelle charte de l'université avait aboli les deux catégories de professeurs titulaires[144]. N'étaient admis aux chaires d'enseignement que ceux qui avaient atteint le niveau d'assistants-professeurs. S'ajoutaient aussi 11 démonstrateurs attachés aux laboratoires d'anatomie pathologique (2), d'histologie et embryologie (4), de chimie physiologique (4) et de neuro-psychiatrie (1)[145].

La plupart des professeurs de la faculté avaient poursuivi, durant une période variant de quelques mois à quelques années, des études à l'étranger. En 1932, 80 des 137 professeurs (67 %) avaient effectué de tels stages, alors qu'à la faculté des sciences la proportion s'élevait à 19/25, soit 76 %. Tous les professeurs de la faculté de médecine, sauf un qui s'était rendu en Grande-Bretagne, avaient fait un stage plus ou moins prolongé à Paris. Parmi les professeurs de la faculté des sciences, 15 avaient étudié en France, 7 aux États-Unis, 1 en Grande-Bretagne et 1 en Italie. À l'École polytechnique, 8 professeurs s'étaient rendus en France et 7 aux États-Unis. L'attrait exercé par la France jusqu'à la Seconde Guerre mondiale demeurait puissant[146]. Cela ne tenait pas seulement à des considérations linguistiques et culturelles, mais aussi à des liens idéologiques qui unissaient depuis le XIX<sup>e</sup>

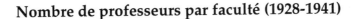

GRAPHIQUE 2

## Nombre de professeurs par faculté (1928-1941)

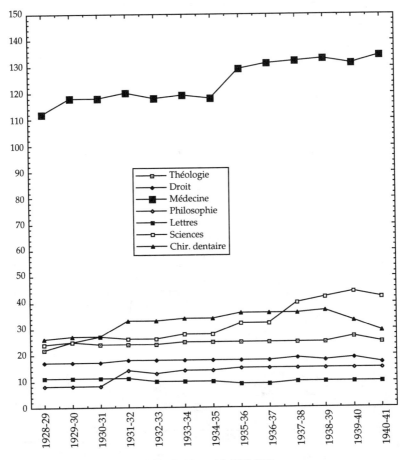

*Sources*: Annuaires de l'Université de Montréal, 1928-1941.

siècle la médecine clinique française à la médecine canadienne-française. Du reste, le souci de dispenser un enseignement dans la langue de Molière se doublait chez certains de la crainte «de voir [l']enseignement s'américaniser», d'autant plus que, à la suite de l'occupation nazie en France, un embargo sur les livres français avait été promulgué par les autorités fédérales[147]. Cet

GRAPHIQUE 3

## Catégories de professeurs à la FMUM (1928-1936)

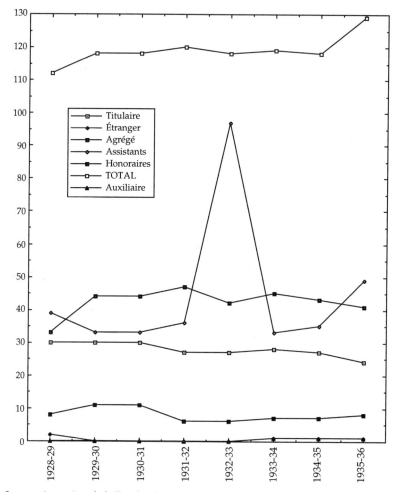

*Sources*: Annuaires de la Faculté de médecine de l'Université de Montréal, 1928-1936.

embargo inquiétait les autorités universitaires. Le doyen Lesage s'en faisait l'écho avec son lyrisme habituel:

> [...] nous ne pouvons plus nous procurer les livres et les journaux de médecine français indispensables à notre

enseignement et à nos élèves [...]. Si maintenant, nous ne
pouvons plus compter sur les publications françaises, quel
sombre avenir est réservé à notre Université et à notre
race[148]!

Néanmoins, les autorités de la faculté, qui avaient dû se
plier aux exigences de la guerre, autorisèrent les élèves à se procurer des livres médicaux anglais[149]. Le souci de préserver
l'usage de la langue française dans l'enseignement médical se
heurtera à la domination de la recherche médicale américaine
tout au long du deuxième tiers du XXe siècle. En 1964, le secrétaire général de l'Université de Montréal, Léon Lortie, adressait une lettre au doyen de la faculté de médecine dans laquelle
il soulignait, non sans irritation, qu'un grand nombre de publications des professeurs de la faculté de médecine étaient en
langue anglaise. Le doyen lui répondit que celles-ci étaient maintenant indispensables «à l'obtention et au maintien des fonds
de recherches[150]».

Sous la pression des autorités militaires, des changements
furent apportés, entre 1939 et 1943, au programme des études
de façon à accélérer l'obtention du diplôme. Un entraînement
militaire d'une heure par jour est aussi prévu pour les étudiants
de première et deuxième année, alors qu'un camp annuel de
trente jours est rendu obligatoire pour les élèves de troisième
et quatrième année. L'organisation du cours de médecine militaire va alors de soi, de même que l'idée d'ajouter aux matières
enseignées des leçons sur la syphilis et la blennorragie.
Contrairement à ce qui s'était passé lors du premier conflit mondial, peu d'étudiants furent attirés par l'enrôlement militaire.
On se rappellera le vote négatif du Québec lors du référendum
sur la conscription obligatoire.

## Les premiers développements de la recherche biomédicale à la faculté

Comme le soulignent pertinemment Luc Chartrand et ses
collaborateurs, les années 1920 marquent certes un tournant

important dans l'enseignement des sciences et la mise sur pied d'activités de recherche au Québec francophone. La fondation de la faculté des sciences de l'Université de Montréal et de celle de l'École supérieure de chimie de l'Université Laval en 1920 «permettent pour la première fois à des Canadiens français de poursuivre une carrière de scientifiques professionnels et même parfois de s'initier à la recherche sans avoir à étudier à McGill ou hors du Québec[151]». De même, les premières bourses d'études supérieures du Conseil national de recherche du Canada décernées à des étudiants francophones[152] à partir, semble-t-il, de 1922[153] et celles octroyées par le Rockefeller Institute, de même que l'adoption en 1920, à la suite des initiatives des recteurs et des doyens des Universités de Montréal et de Laval, d'une loi «pour aider les élèves gradués à suivre des cours additionnels», dénommée «loi des bourses d'Europe», permettent d'encourager la poursuite d'études supérieures et le développement de la recherche en milieu francophone[154].

Autre initiative visant la promotion des activités scientifiques, un groupe de professeurs des facultés des sciences et de médecine de l'Université de Montréal fondent en 1922 la Société de biologie de Montréal, présidée par le docteur A. Bernier professeur de bactériologie à la faculté de médecine. On y retrouve, entre autres, le doyen Harwood, le professeur de radiologie, L. Pariseau, le professeur de chimie, G.-H. Baril et le professeur de botanique le frère Marie-Victorin. Cette société avait pour but «l'étude et la vulgarisation des sciences biologiques, le développement de travaux de recherche et le développement de rapports scientifiques entre les biologistes canadiens et étrangers[155]». Est aussi mise sur pied le 15 mai 1923, toujours avec la collaboration des facultés des sciences et de médecine de l'Université de Montréal, l'Association canadienne-française pour l'avancement des sciences (ACFAS), «qui aura pour tâche de favoriser le développement scientifique de la société par la recherche, l'enseignement et la vulgarisation[156]». Le 22 janvier 1927, L.-J. Dalbis et É. Montpetit inaugurent, grâce à la collaboration financière des gouvernements québécois et français ainsi que de l'Université de Montréal, l'Institut scientifique franco-canadien[157]. La fondation de cet institut, inspirée en grande partie par la francophilie des membres de la faculté de médecine, visait principalement «à resserrer les liens scientifiques entre la France et le Canada [francophone] en invitant au pays les maîtres les plus éminents de la science française pour donner des séries de cours ou de conférences[158]». Une portion importante de ces conférences seront consacrées aux sciences médicales. Mentionnons, par exemple, les conférences données par le professeur Sergent du 5 au 20 octobre 1931, le cours de perfectionnement en bactériologie donné par le docteur Lavier à la faculté de médecine, la série de cours sur le tube digestif dispensés par d'Allaines et les conférences sur la gynécologie données par le médecin français Moulonget. En outre, l'ISFC offrait à la faculté de médecine une médaille à l'intention de l'élève de deuxième année «qui aura remporté le plus grand succès dans les sciences de laboratoire[159]».

Les actions conjuguées de la faculté des sciences et de la faculté de médecine, notamment grâce aux initiatives et au dynamisme du frère Marie-Victorin, de L. de Lotbinière-Harwood ou de L.-J. Dalbis, inscrivent certes l'Université de Montréal au cœur même de cet important mouvement, dont l'objectif est de favoriser l'enseignement, la vulgarisation et la pratique des sciences. De même, tout au long des décennies 1920 et 1930, les membres du conseil de la FMUM adoptèrent plusieurs mesures visant à encourager la spécialisation des diplômés et à promouvoir des activités de recherche liées à l'enseignement. Il ne faut pourtant pas en exagérer l'importance et y voir une volonté de développer et de structurer de grandes activités biomédicales comme cela se faisait aux États-Unis, à l'Université McGill ou à l'Université de Toronto. Bien des initiatives ne favorisaient les activités de recherche qu'en fonction d'objectifs académiques à court terme.

En vertu du nouveau programme de bourses du gouvernement provincial s'adressant aux diplômés désireux de se perfectionner en France, la faculté décide de ne recommander que les diplômés qui s'engagent «à se mettre à la disposition de la FMUM[160]». Elle encourageait surtout les candidats qui choisissaient des secteurs de spécialisation et de recherche susceptibles de combler ses besoins. Tel est le cas du docteur Roméo

Boucher qui n'est recommandé par la faculté qu'à deux conditions conjointes: qu'il s'oriente vers la pathologie médicale, secteur jugé particulièrement déficient et «qu'à son retour il se mette à la disposition de la faculté de médecine[161]». Il ira compléter sa formation à l'Université de Paris entre 1921 et 1923, puis sera nommé assistant à la clinique médicale de l'Hôpital Notre-Dame. Le docteur Boucher s'intéressait particulièrement à la physiologie. Contribuera-t-il au développement de la recherche à la faculté? Il le voudrait bien. En 1924, il fait parvenir une lettre au recteur de l'Université de Montréal, Mgr A. Piette, par laquelle il offre ses services pour organiser un laboratoire de médecine expérimentale qui servira à l'avancement des recherches scientifiques[162]. Il se dit même prêt à «acquérir l'expérience et la compétence nécessaires si l'on veut bien lui assurer à son retour des locaux et un salaire convenables[163]». Le docteur Boucher devra se contenter de son poste à Notre-Dame. En 1933, le docteur Bolté obtiendra le poste d'assistant en anatomie à condition de séjourner au moins deux ans en France, de faire des études exclusives d'anatomie et d'histologie chez les maîtres acceptés par la faculté et de se mettre à la disposition de la faculté pour l'enseignement de l'anatomie durant une période de cinq ans[164]. Le Rockefeller Institute n'offrait des bourses d'études de spécialisation qu'aux médecins recommandés par les écoles de médecine. En 1933, le conseil recommande à cette fondation pour l'octroi d'une bourse le docteur Wilbrod Bonin, qui désire étudier l'embryologie à Strasbourg et à Baltimore, et le docteur Gosselin pour un stage au Rockefeller Institute.

Certaines mesures d'incitation à la recherche sont pourtant instaurées: le conseil décide que «la présentation au comité d'études de travaux de recherche ou d'observation augmenterait de beaucoup [les] chances de promotion[165]» des assistants et des bénévoles dans les laboratoires. Mais, encore une fois, les politiques de la faculté, tout comme celles de l'université, ne sont pas toujours cohérentes. Lorsque le docteur Gendron demande l'achat d'un appareil pour l'étude de la fatigue musculaire, il se fait répondre que «comme l'appareil en question est plutôt pour les fins de recherche, il n'y a pas lieu de recommander son achat[166]».

La recherche médicale, durant la période d'entre-deux-guerres, malgré certains efforts des autorités pour répondre aux exigences de l'AMA et du Rockefeller Institute, demeurera tout de même assez peu valorisée par la majorité des membres du corps médical de la faculté. Les encouragements en matière de bourses de recherche visaient surtout à assurer une relève professorale susceptible de transmettre les nouveaux savoirs médicaux. Les activités de recherche fondamentale étaient certes parfois souhaitées, mais elles demeuraient généralement perçues comme des pratiques secondaires par rapport aux objectifs de la faculté. En 1931, plus de 80 professeurs de la faculté avaient suivi des cours de perfectionnement en Europe et 10 de ceux-ci détenaient des diplômes de docteur en médecine de la faculté de Paris. Mais la formation reçue par ces médecins francophones était le plus souvent essentiellement pratique ou clinique, et la plupart d'entre eux se limitaient à leurs activités d'enseignement et à leur pratique privée. Généralement, les pratiques de laboratoire étaient alors considérées comme un appendice de l'investigation clinique. Bien souvent, ces médecins se souciaient moins d'assurer un développement et une continuité à leurs petites activités de recherche que de procurer un bon enseignement à leurs élèves et un bon service médical à leurs patients. Heureusement, il y eut quelques exceptions parmi les médecins canadiens-français. Ainsi, les précoces travaux de recherche clinique du docteur Beaudoin sur le BCG et du docteur Gendreau sur le radium durant les années 1920 ont constitué des précédents importants. L'émergence de ces nouvelles activités de recherche a toutefois été étroitement liée à la présence de deux professeurs-chercheurs français, en visite à la FMUM, les docteurs Pettit de l'Institut Pasteur et Peyron de l'École des hautes études.

## Les premières recherches sur le BCG

À la suite de la découverte par Calmette et Guérin d'un nouveau procédé de prévention de la tuberculose, des travaux sur le BCG ont été entrepris dès 1926 à l'Université de Montréal par le docteur J.-A. Beaudoin, sous la direction du docteur A.

Pettit, délégué de l'Institut Pasteur de Paris[167]. Une subvention de 10 000 $ leur avait été accordée par le Conseil national de recherches scientifiques, afin d'étudier ce procédé controversé de prévention de la tuberculose humaine et bovine[168]. La préparation et l'administration d'un vaccin vivant atténué, technique inaugurée en Amérique à la FMUM, étaient alors considérées de ce côté-ci de l'Atlantique comme un procédé hautement dangereux. Ces travaux sont en effet amorcés au moment où, selon le témoignage du docteur Frappier, le vaccin BCG rencontrait les plus dures oppositions «dans plusieurs laboratoires de microbiologie parmi les plus renommés d'Amérique[169]». Mais, peu familier avec la méthode expérimentale, le docteur Beaudoin borna ses travaux aux aspects épidémiologiques et statistiques. Celui-ci était responsable des essais du vaccin chez les nouveaunés à l'Assistance maternelle, alors que le docteur Pettit s'occupait de sa préparation[170]. Les premiers résultats de ces recherches avaient été publiés en 1928 dans le rapport de la «Conférence technique pour l'étude de la vaccination contre la tuberculose par le BCG», ainsi que dans deux rapports publiés sous les auspices de l'Institut Pasteur en 1932, dans lesquels le docteur Beaudoin concluait que le BCG était inoffensif[171]. Il y faisait état de la vaccination par voie orale de 2173 sujets entre 1926 et 1931. C'est le docteur Frappier qui inaugurera, quelques années plus tard, les véritables travaux expérimentaux en ce domaine.

## L'Institut du radium de l'Université de Montréal et de la province de Québec

C'est le docteur français Peyron — chef du laboratoire du cancer à l'École des hautes études à Paris en visite à l'Université de Montréal en 1920 — qui, le premier, émit l'idée de fonder un institut québécois de biologie pratique où seraient effectués des traitements au radium pour les cas de cancer. On avait constaté que le radium, élément radioactif découvert par Pierre et Marie Curie[172], possédait des propriétés thérapeutiques intéressantes dans les cas de certaines tumeurs cancéreuses. À l'Institut du radium de Paris fondé en 1914, on utilisait les rayons X et le radium pour détruire les cellules cancéreuses et ralentir la progression des tumeurs[173]. L'on espérait que son pouvoir thérapeutique s'étendrait bientôt, après des recherches cliniques, à toutes les formes aiguës de cancer. Le conseil donna son aval à ce projet et décida d'organiser une rencontre avec le premier ministre provincial[174]. Mais cette démarche resta vaine puisque le docteur Peyron se désista en faveur d'un poste en territoire français[175].

Le directeur des études de la FMUM et professeur de physique à la faculté des sciences, le docteur E. Gendreau, qui avait été initié en Europe à ce procédé, notamment par le docteur Peyron, décida de donner suite aux démarches entreprises auprès du gouvernement provincial. Il voyait là une excellente occasion de contribuer à l'avancement des connaissances en cette matière. Il envoya plusieurs lettres au premier ministre Taschereau dans lesquelles il mettait en évidence l'importance de développer des activités de recherche en territoire francophone:

> La nécessité des laboratoires de recherches est indiscutable et cependant dans le Québec français nous n'en avons aucun. S'il est une section des connaissances humaines où nous ne sommes pas au niveau de ce qui se fait ailleurs, c'est bien la section scientifique[176].

Il ne manqua pas de souligner l'état d'indigence dans lequel se retrouvaient «les Universités canadiennes-françaises qui ont à peine assez de fonds pour organiser l'enseignement [et qui] sont bien loin de pouvoir satisfaire aux exigences de la recherche[177]». Deux conditions devaient être remplies pour fonder un tel institut: faire l'acquisition du précieux métal et aménager un centre de recherche thérapeutique pouvant recevoir plusieurs patients. Or le radium coûtait très cher. Appuyé par les doyens Rousseau et Harwood, le docteur Gendreau réussit finalement, après plusieurs tentatives infructueuses, à convaincre le premier ministre Taschereau. Le gouvernement provincial s'engagea à faire l'acquisition d'un gramme et quart de radium ainsi que de l'appareil nécessaire, au coût total de 100 000 $[178].

Entre-temps, l'université avait mis sur pied une commission composée de trois membres de la faculté de médecine, les docteurs L. de Lotbinière-Harwood, T. Parizeau et E. Saint-Jacques, et de trois membres de la faculté des sciences, le père J. Morin et les docteurs G. Baril et E. Gendreau. Ceux-ci prirent les dispositions nécessaires pour procéder à l'installation, au sous-sol de l'université, d'un laboratoire et veiller à ce qu'une partie du radium confié par le gouvernement soit «employé aux recherches scientifiques» et que le surplus de l'émanation soit «distribué aux hôpitaux et aux institutions ayant les qualifications et les compétences, à un prix à être déterminé par les parties et gratuitement quand il s'agit du traitement des indigents[179]». Inauguré en avril 1923 en présence du premier ministre Taschereau, l'Institut du radium de Montréal est peu après affilié à celui de Paris.

Les premières activités de l'Institut avaient précédé l'inauguration et débutèrent le 20 janvier 1923: «Entre quatre heures et demie et six heures et demie de l'après-midi, le gramme de radium fut mis en solution par M. Leman, en présence des chefs de laboratoire de l'Université. À six heures et demie, M. Failla [physicien du Memorial Hospital de New York] le versa dans l'ampoule de verre du coffre-fort qu'il réunit aux pompes à vide[180].» Le docteur Gendreau sera assisté du docteur O. Dufresne qui avait déjà travaillé auprès de Marie Curie et avait fait un stage d'étude à l'Université Johns Hopkins[181]. L'année suivante, l'Université de Montréal autorise l'IRM à prendre en charge un «hôpital des cancéreux» mais, faute de locaux, les activités cliniques se poursuivirent dans les sombres et étroits locaux de la rue Saint-Denis.

Nous avons cherché à poursuivre, dans la mesure si restreinte de nos moyens, la double fin de notre Institut: la thérapeutique et les recherches. Le personnel n'a pas mesuré son travail, il a accepté les risques sérieux que toutes les précautions ne sauraient complètement éliminer. Les travaux de recherche sont tout naturellement des expériences de mise au point des appareils et des techniques, des études comparatives sur la valeur des différentes méthodes de traitement [...]. En poursuivant ces recherches, nous avons traité beaucoup de malades, la plupart presque gratuitement; ne refusant personne pour des raisons de pauvreté[182].

En 1926, l'IRM obtient de la Ville de Montréal l'usage gratuit de l'ancien hôtel de ville de Maisonneuve. Celui-ci sera transformé en petit hôpital de 23 lits voué au dépistage et au traitement des cancéreux. L'IRM sera alors dirigé par une corporation composée du recteur de l'université, Mgr Piette, et des docteurs J. E. Gendreau, L. de Lotbinière-Harwood, T. Parizeau, A. Lesage et G. Baril. L'installation devait être temporaire puisque l'on projetait d'aménager l'Institut au sein du futur hôpital universitaire[183]. Dès 1928, l'IRM hospitalisera 365 malades, traitera au radium 274 patients et effectuera 1318 analyses dans ses laboratoires. Jusqu'aux années 1940, il constituera, malgré la vétusté des locaux, le centre de traitement et de recherche en cancer le plus important au Québec. Des milliers de patients, pour la plupart indigents, y seront traités[184]. À l'occasion, des patients de l'Ontario et des provinces maritimes viendront s'y faire soigner. Cependant, les relations entre la faculté de médecine et l'IRM auront tendance à se détériorer — conséquemment, entre autres, à un conflit qui opposera le docteur Lesage, membre de l'Institut, aux autorités de la faculté[185] — au point que à la fin des années 1940, l'Institut ne sera plus attaché à l'Université de Montréal. Des tentatives seront néanmoins faites quelques années plus tard afin qu'il réintègre les rangs de l'institution. Finalement, les centres hospitaliers étant de plus en plus en mesure d'offrir des services de dépistage et de traitement du cancer, l'Institut fermera ses portes en 1967.

## Pierre Masson et l'Institut d'anatomie pathologique de Montréal

Les progrès de la médecine de laboratoire et des grandes interventions chirurgicales durant les premières décennies du XXe siècle augmentaient considérablement la nécessité de recourir aux examens pathologiques au bénéfice tant de la pratique médicale que de la recherche clinique. Les standards d'excellence des organismes médicaux américains et européens attachaient une grande valeur aux examens pathologiques.

Conscients de l'importance de s'adjoindre un pathologiste de renom et un chercheur d'expérience, les membres du conseil s'efforçaient en vain depuis 1920 de recruter un candidat dans les facultés médicales françaises. La faculté avait conclu une entente fort généreuse avec le pathologiste français A. Peyron en 1920 afin de l'engager sur une base de deux ans comme professeur à plein temps de biologie et de pathologie expérimentale moyennant un salaire annuel de 4500 $[186]. La faculté comptait sur l'allocation annuelle de 25 000 $ du Rockefeller Institute pour payer les dépenses occasionnées. L'Université de Montréal autorisait par ailleurs la faculté à procéder à l'engagement de deux assistants et d'un garçon de laboratoire de son choix. Nous avons déjà souligné que ces démarches demeurèrent vaines. Le docteur Peyron, de retour en France, décidera cavalièrement de résilier l'entente et de demeurer en territoire français[187]. Décidément, en cette décennie 1920, la faculté n'était guère favorisée par le destin.

L'année suivante, le docteur Marion, récipiendaire d'une bourse du gouvernement provincial pour une spécialisation en anatomie pratique, décide de renoncer à cette discipline au profit de la gynécologie et de l'obstétrique[188]. Or c'est précisément sur ce jeune médecin que comptait la faculté qui «avait un besoin urgent d'un professeur [en ce domaine] de toute première importance [et qui] ne semble pas attirer les candidats[189]». Par ailleurs, une visite de délégués de l'École de médecine de Strasbourg organisée en 1922 par le Rockefeller Institute — qui décidément ne manquait pas une occasion de promouvoir ses objectifs — n'avait pas non plus permis de recruter un tel candidat. Il semble que l'absence de rayonnement international de la faculté, l'organisation modeste des laboratoires et l'étroitesse des locaux n'aient guère incité les chercheurs européens de langue française à s'associer à la faculté de médecine. De plus, les jeunes médecins diplômés de la faculté désireux de se spécialiser préféraient opter pour un champ lié étroitement à la pratique médicale et susceptible de leur procurer d'avantageux revenus. Non seulement à cause des récriminations répétées de l'AMA et du Rockefeller Institute, mais aussi pour le profit des étudiants et la réputation de la faculté, l'urgence d'engager un chercheur étranger d'expérience en anatomie pathologique se faisait de plus en plus sentir à la fin des années 1920. D'autant que ses deux principales institutions hospitalières affiliées, l'Hôtel-Dieu et l'Hôpital Notre-Dame, n'avaient guère une pratique soutenue des autopsies: «La moyenne annuelle des autopsies pratiquées à l'Hôpital Notre-Dame entre les années 1918 et 1923 s'élève à 25. C'est relativement peu si l'on considère l'importance que revêt la pathologie pour l'avancement scientifique de l'hôpital[190].»

Les autorités de la faculté et de l'Hôpital Notre-Dame, d'un commun accord, se mirent à la recherche d'un spécialiste qui «aurait toute l'autorité voulue pour diriger et aider [les] jeunes médecins qui sont actuellement à faire des études de laboratoire en France[191]». Le choix se porta finalement sur le docteur Masson. À la suite d'une recommandation de la faculté de médecine de Paris, et probablement grâce à l'intercession du docteur québécois L. C. Simard qui travaillait sous la direction de Masson à la faculté de médecine de l'université de Strasbourg, la FMUM et l'Hôpital Notre-Dame lui offrirent conjointement en 1925 la chaire d'anatomie pathologique et le poste de chef de laboratoire de l'hôpital, fonctions qu'il accepta d'occuper à partir de 1927 en remplacement du docteur E. Latreille. La faculté de médecine n'était pas inconnue au docteur Masson. Deux anciens étudiants de la faculté étaient attachés temporairement à son service et il avait fait partie de la délégation de Strasbourg qui avait visité la faculté en 1922. La venue de ce chercheur reconnu mondialement pour ses travaux en histopathologie constitua la première véritable initiative fructueuse de la faculté quant à l'engagement de chercheurs étrangers. Masson, avec l'aide de son assistant L.-C. Simard, contribuera grandement à relever le niveau de l'enseignement histologique et de la pratique anatomo-pathologique en territoire francophone québécois. Il sera à l'origine de la création, en 1937, d'un institut d'anatomie pathologique, centre d'enseignement et de recherche, qui réunira les laboratoires de la faculté, de l'Hôtel-Dieu, de l'Hôpital Notre-Dame, de l'Hôpital

Sainte-Justine et de l'Hôpital du Sacré-Cœur de Cartierville[192]. Sa maîtrise de la coloration est telle «que ses trichromes reconnus dans le monde entier ou encore ses imprégnations à l'argent [..] lui ont permis de caractériser les cellulles entéro-chromaffines ou celles de la lignée mélanoblastique[193]». Actif jusqu'à sa mort en 1959, le docteur Masson comptera 54 publications.

## De nouveaux professeurs-chercheurs étrangers

Quelques années plus tard, un autre chercheur étranger sera invité à la faculté de médecine de l'Université de Montréal. En 1931, sur la recommandation du docteur d'Hérelle et du docteur Masson, le docteur E. Van Campenhout est désigné professeur à la chaire d'histologie de la faculté de médecine[194]. Ce jeune chercheur belge enseignait depuis quatre ans à la faculté de médecine de l'Université Yale. Trois ans après son attachement à la FMUM, le docteur Campenhout reçut une intéressante offre de l'Université de Gand, mais les membres de la direction de la faculté, satisfaits de ses recherches et de son enseignement, et désireux de garder ce chercheur, lui offrirent le poste de professeur titulaire d'histologie et d'embryologie[195]. Ce dernier consent mais, dès l'année suivante, il ne peut résister à une nouvelle offre et il accepte la chaire d'anatomie à la prestigieuse Université de Louvain.

Non seulement la faculté éprouve-t-elle de la difficulté à recruter des chercheurs étrangers, mais elle a aussi fort à faire pour les conserver. Même si les relations entre la faculté de médecine et les autorités médicales françaises demeurent jusqu'à la Seconde Guerre mondiale très soutenues, peu de chercheurs français se montrent intéressés à enseigner à long terme à la faculté. Mis à part le docteur Masson, la faculté, malgré maints efforts, n'avait réussi qu'à embaucher, en 1931, le docteur français A. Laquerrière, spécialiste en radiologie. Soucieux d'assurer son rayonnement dans la francophonie et probablement désireux de compenser ce manque d'attrait et de combler les besoins de la faculté, le gouvernement français offrira en 1936 de prêter, sur une base annuelle, à l'université l'un de ses professeurs. Il semble toutefois que cette offre n'eut jamais de suite.

En 1941, un troisième professeur étranger, le docteur Henri Laugier, qui avait fui la France occupée, est engagé à titre de professeur titulaire de la chaire de physiologie. Celui-ci avait proposé, peu avant son engagement, de mettre sur pied un institut de physiologie dont il assumerait la direction. La direction de la faculté de médecine avait jugé intéressant un tel projet et s'était entendue avec la faculté des sciences pour que cet institut soit placé sous la direction conjointe des deux facultés. Mais les membres du conseil, tout en insistant pour que la responsabilité en revienne à la faculté de médecine, se montrent peu enthousiastes. Du reste, «plusieurs professeurs ne voient pas la nécessité de faire intervenir dans l'organisation d'un cours[196]» la création d'un tel institut. En revanche, le conseil est favorable à ce que le docteur Laugier soit nommé, pour une période de deux ans, «professeur de physiologie à titre étranger», avec les fonctions et les prérogatives d'un professeur titulaire de la faculté de médecine[197]. Le séjour de Laugier à la faculté jusqu'en 1944 ne se bornera pas aux activités d'enseignement. Il organisera, avec l'aide de son assistant, le docteur E. Robillard, de nouvelles activités de recherche au laboratoire de physiologie et participera à la fondation, en 1942, de la *Revue canadienne de biologie*.

## L'arrivée d'Armand Frappier

Si la venue de professeurs étrangers favorisait l'essor des activités de recherche, quelques jeunes médecins canadiens-français, après des stages prolongés de recherche dans les laboratoires américains et français, au tournant de la décennie 1940, contribueront aussi à implanter certains secteurs de recherche au sein de la faculté. Mentionnons le docteur L.-C. Simard qui mènera, en tant qu'assistant de Masson, des recherches en histologie et qui, nous le verrons, sera le principal instigateur de la fondation de l'Institut du cancer.

Encore une fois, le Rockefeller Institute facilitait la tâche de la faculté en octroyant des bourses d'études à de jeunes médecins désireux de se perfectionner dans les sciences de laboratoire. L'un des boursiers, le docteur Armand Frappier, deviendra une figure importante en matière de recherche au Canada français. De retour de stages d'études à l'Institut Pasteur de Paris et au Rockefeller Institute, le docteur Frappier est nommé en 1932 professeur-assistant du cours de bactériologie. Il est aussi chargé d'organiser les travaux pratiques des élèves et d'assurer la surveillance des laboratoires. Peu après son retour, la faculté lui confie, en remplacement du docteur Breton atteint de tuberculose et sur la recommandation d'Albert Calmette de l'Institut Pasteur, la préparation du vaccin BCG. Il commence alors ses recherches sur ce vaccin antituberculeux et reçoit, en 1934, une allocation à cette fin de 500 $ du Conseil national de recherche du Canada[198]. L'année suivante, le gouvernement provincial alloue à la faculté une somme de 2000 $ pour la distribution du BCG. Ce n'étaient là que les timides débuts d'un chercheur qui marquera non seulement la pratique scientifique québécoise, mais aussi le champ de la médecine préventive. Le docteur Frappier réorganisera en 1935 le cours de bactériologie qui comptera désormais 45 leçons théoriques et 90 leçons pratiques. Il sera aussi à l'origine d'un certificat spécial de bactériologie générale pour les étudiants en médecine, en sciences et en pharmacie[199]. Après avoir défendu sa thèse d'agrégation intitulée «Évaluation quantitative chez le cobaye vacciné avec le BCG, de l'hypersensibilité dermique à la tuberculine, avant et après l'épreuve virulente, et degré de résistance de cet animal à cette infection expérimentale», le 2 novembre 1938, il sera promu professeur agrégé de bactériologie. Soucieux d'autonomie, se sentant un peu à l'étroit au sein de la faculté et désireux d'organiser d'ambitieuses recherches et d'importantes activités de production microbiologique, il réussira à obtenir les appuis politiques nécessaires à la création, la même année, de l'Institut de microbiologie et d'hygiène de l'Université de Montréal.

## De maigres ressources financières

L'organisation de la recherche à la faculté de médecine dépendait certes des initiatives de ses professeurs et de la disponibilité des locaux, mais aussi des possibilités de financement. Aux subventions motivées par d'urgents besoins en matière de prévention des maladies infectieuses, aux bourses d'études décernées aux étudiants et aux rares subsides accordés par le Conseil national de recherche du Canada s'ajoutaient la création de banques de fonds privés légués par de riches industriels soucieux de promouvoir le développement de la science médicale en milieu francophone. Pourtant en 1934, les autorités de la faculté se plaignaient de l'insuffisance des ressources disponibles:

> Tout le monde sait que le budget de la faculté de médecine ne permet guère à ses travailleurs d'entreprendre des recherches pour lesquelles ils sont cependant bien préparés. Les moyens matériels, dans l'espèce, nous ont toujours fait défaut pour permettre l'essor qu'on devait espérer d'un personnel aussi qualifié que le nôtre[200].

L'appel semble avoir été entendu, car l'année suivante, l'industriel français Victor Rougier, fondateur de la maison Rougier Frères, établit, en son nom et au nom de son épouse, la fondation Rougier-Armandie. Cette fondation met à la disposition de la faculté de médecine les revenus d'une somme appréciable de 100 000 $ déposée au Trust général du Canada. Ces revenus doivent être, selon les clauses de l'entente, exclusivement consacrés à soutenir les activités de recherche des laboratoires dirigés par les professeurs de la faculté de médecine «dont les travaux de recherches sembleront les mieux appropriés aux besoins de l'heure et les plus susceptibles de donner des résultats pratiques[201]». Échange de bons procédés, M. Rougier recevra, sur la recommandation de la direction de la faculté de médecine, un doctorat *honoris causa* de l'Université de Montréal[202] et verra la salle de bactériologie baptisée à son nom[203]. Disposant d'une somme annuelle de 2500 $, la direction pouvait encourager certaines recherches de laboratoire. En 1935, la somme est répartie de la façon suivante: 1150 $ au laboratoire de physiologie pour l'achat des animaux et du matériel nécessaire (cages à rats, balance de précision, «enregistreur» de température, biberons et capsules) «pour des recherches sur le dosage des vitamines D dans l'huile de foie de morue canadienne[204]»; 800 $ au professeur Masson pour la publication de mémoires originaux sur les glomus neuro-vasculaires et la pneumonie rhumatismale et 200 $ au professeur Baril pour «une étude chimique de la fonction hépatique et de la valeur nutritive du raisin canadien[205]». Quant au reste des 350 $ disponible, il pourra «s'appliquer à des dépenses imprévues durant l'année ou être reportée à l'année suivante[206]». On ne se ruait pas encore sur les subventions de recherche en 1935.

Il faut dire que l'organisation des laboratoires, tout en étant adéquate en ce qui avait trait à l'enseignement de premier cycle, demeurait largement déficiente pour la recherche fondamentale. L'arrêt des travaux de construction du nouvel édifice universitaire sur la montagne en 1932 et les coupures de budget de l'université en raison de la crise économique n'ont certes pas facilité la promotion des telles recherches. De l'avis même de la direction, «les facultés et écoles localisées dans l'immeuble de la rue Saint-Denis souffrent d'une situation lamentable à divers points de vue (manque d'espace, vétusté des locaux, risques d'incendie, etc.[207])». Même les activités liées à la préparation du matériel d'enseignement étaient parfois perturbées par la proximité des locaux de recherche et des salles de cours. Ainsi, le département d'anatomie pratique dut cesser la préparation des squelettes à la demande de la faculté de droit qui se plaignait de l'odeur que l'opération de bouillage répandait dans l'édifice universitaire. La préparation des os humains pour l'enseignement de l'ostéologie ne sera possible que lorsque l'université sera établie sur la montagne[208].

Au tournant des années 1940, au moment où la crise s'est passablement résorbée, les pressions s'accentuent en faveur de l'achèvement de l'université sur la montagne. Or l'un des arguments les plus courants concerne l'urgence d'intensifier les travaux de recherche. Le doyen de la faculté résume les doléances maintes fois répétées à ce propos:

> Nos laboratoires sont plus ou moins bien installés et outillés malgré le personnel très compétent qui les dirige. Aussi, ne sommes-nous pas encore en état de recevoir des médecins étrangers pour y poursuivre des travaux de recherches sous la direction de nos chefs dont la réputation a depuis longtemps franchi la frontière. C'est une

lacune regrettable, car une faculté de médecine qui ne peut pas s'extérioriser par d'importants travaux de recherches poursuivis chez elle, soit par ses chefs, soit par leurs élèves, ne possède aucun prestige. De plus, elle ne peut bénéficier de certans octrois accordés, chaque année, par des institutions étrangères très riches [...]. Actuellement, chez nous, il en existe de ces travaux inédits: ils dorment dans les tiroirs de certains de nos laboratoires parce que nous manquons de fonds pour les publier. C'est lamentable et décevant[209].

Le budget annuel de la faculté s'élevait à 106 000 $ en 1941 sur lequel 42 550 $ provenaient des frais de scolarité des étudiants. Le déficit était de 63 450 $, comblé par la subvention annuelle du gouvernement à l'université. Il est vrai qu'un tel budget était largement insuffisant pour pallier les déficiences de la faculté. Soulignons que la faculté de médecine de McGill disposait alors d'un budget annuel de 400 000 $. La différence était énorme. En outre, McGill, université prestigieuse, pouvait se permettre de fixer les frais de scolarité annuels de ses étudiants en médecine à 360 $ alors que la FMUM, face à la concurrence exercée par l'Université Laval (185 $), demandait à ses étudiants 236 $. Dix ans auparavant, les frais de scolarité étaient de 310 $ à McGill, 235 $ à la FMUM et 165 $ à Laval. Un plan de réorganisation de la faculté de médecine défini en 1939 prévoyait, avec l'aide du gouvernement provincial, une augmentation du budget à 210 400 $. «Que peuvent faire des hommes, sans logement et matériel de laboratoire adéquats[210]?», s'interrogeait le vice-doyen Baril en 1941. Jusqu'au déménagement en 1943, professeurs et assistants de la faculté devront prendre leur mal en patience.

## L'émergence des spécialités

Dès 1936, les autorités de la faculté, sur l'initiative de son nouveau doyen, le docteur T. Parizeau, avaient envisagé d'établir un programme de maîtrise «en spécialités[211]». Cette décision faisait suite à une action antérieure du Conseil médical du Canada (CMC) qui désirait coordonner la mise sur pied d'un tel programme. Or le doyen de la faculté de médecine de l'Université de Montréal s'était vivement opposé à un tel empiétement du CMC sur ce nouveau secteur de l'enseignement médical et avait décidé de le devancer.

Les doyens des facultés de médecine, lors d'une réunion tenue à Ottawa, approuvèrent l'initiative de la faculté de Montréal. Le doyen reçut aussi l'appui du Collège royal des médecins et chirurgiens du Canada qui se déclara en faveur de l'établissement d'un tel programme à l'Université de Montréal[212]. Il fut par ailleurs suggéré qu'à l'avenir les hôpitaux affiliés n'acceptent dans leurs services en spécialités que des médecins détenteurs de ce diplôme de maîtrise[213]. Mais comme cela arrivait souvent à la faculté, la création de ce certificat ne se concrétisa que quelques années plus tard. En 1939, lorsque le professeur Parizeau s'informa à ce propos, le docteur Bourgeois, chargé du programme, lui répondit que «le projet [était] mis en exécution et qu'un candidat [était] déjà inscrit[214]». Or l'action de la faculté risquait d'être battue en brèche par le Collège royal des médecins et chirurgiens qui proposait d'amender l'article 10 de sa charte de façon à obtenir le pouvoir de décerner des diplômes en spécialités — urologie, dermato-syphiligraphie, ophtalmo-rhino-laryngologie, radiologie, etc. — et de définir les conditions d'obtention de ces certificats[215]. Le conseil de la faculté, sous la direction de son nouveau doyen A. Lesage, réagit vivement et fit parvenir au Collège royal une résolution où étaient détaillées les quatre objections majeures à ce projet:

1° Cet amendement constitue un empiètement du Fédéral sur le Provincial en matière d'enseignement;

2° Il octroie au Collège Royal un privilège ou un droit qui relève jusqu'ici des seules Universités du Canada;

3° Il relègue au second plan l'enseignement universitaire en accordant à un CORPS NON ENSEIGNANT un pouvoir discrétionnaire et exclusif en matière d'enseignement médical pour lequel il ne possède aucune organisation pédagogique, ni contrôle, ni compétence;

4° Enfin il amoindrit ou annihile l'importance d'un diplôme octroyé par nos universités, surtout canadiennes-françaises, qui l'auraient déjà institué[216].

La faculté reçut l'appui de l'Université Laval et du Collège des médecins et chirurgiens de la province de Québec. Néanmoins, les objections formulées contre la démarche du Collège royal n'étaient pas partagées par tous ses membres. Les docteurs Gérin-Lajoie et Bourgeois, tous deux membres du Collège royal, firent valoir qu'en l'absence de certificats décernés par ce dernier, il y avait risque que les spécialistes désireux d'obtenir une reconnaissance officielle s'organisent en association autonome ou se joignent aux associations américaines. De plus, le Collège établissait seulement une reconnaissance de compétence sans empiéter sur les prérogatives des universités en matière d'enseignement. Enfin, une telle initative du Collège royal était susceptible d'inciter les universités «à établir des cours de perfectionnement en spécialités[217]».

Après de nombreuses discussions et une volumineuse correspondance entre la faculté et les représentants du Collège, les parties convinrent d'accepter un sous-amendement qui, tout en concédant au Collège royal du Canada le privilège de décerner des certificats de spécialités, reconnaissait que les diplômés en spécialités des universités du Canada pouvaient recevoir, sans examens supplémentaires, le certificat spécial du Collège royal des médecins et chirurgiens du Canada[218]. Par ailleurs, il avait été entendu que les universités canadiennes seraient consultées sur toutes les modifications apportées aux règles de qualification et à la nature des examens. La FMUM, sous la direction du doyen A. Lesage, estimait avoir ainsi défendu les intérêts non seulement de ses diplômés, mais de l'ensemble des médecins canadiens-français:

> Nous croyons avoir agi sagement en procédant ainsi. Nous avons, une fois de plus, trouvé un moyen sûr de promouvoir l'enseignement de la Médecine au Canada sans amoindrir l'influence de nos Universités. Cette condition était essentielle. Le statut des deux races en Canada nous fait un devoir d'exercer une constante vigilance sur la législa-

tion en matière aussi importante tout en coopérant efficacement au progrès du haut enseignement. C'est ce que nous avons voulu réaliser en cette occasion avec le concours bienveillant de nos collègues anglais[219].

La mise en place d'un programme d'enseignement et d'une structure de reconnaissance des spécialités, au début des années 1940, donnait un sérieux coup de barre au processus de spécialisation et encourageait fortement la mise en œuvre de programmes de recherches cliniques et expérimentales. Mais coincés dans ses locaux de la rue Saint-Denis, la faculté de médecine pouvait difficilement assurer l'expansion nécessaire à des études de deuxième cycle. Le docteur Masson soulignait en 1935 que les laboratoires de la faculté, «suffisants pour une mise en train, ne sont plus adaptés à nos besoins accrus. Nous y sommes réduits à l'observation, mais l'expérimentation nous est interdite[220]». «Si nous avions eu des laboratoires convenables, dès 1939 nous aurions été prêts à produire sur une grande échelle[221]», écrit un correspondant de l'université dans *L'Action universitaire*. Certains médecins de la faculté diront, 25 ans plus tard, que l'ouverture de l'hôpital universitaire en 1942 aurait pu «contribuer au développement plus rapide de la recherche médicale[222]».

Il est difficile, dans un tel contexte, et malgré le recul de l'historien, de déterminer la juste part des conséquences réelles sur les activités scientifiques de l'arrêt des travaux de construction de l'édifice universitaire sur la montagne et de la crise économique. Ces facteurs conjugués ont certes favorisé la valorisation croissante des activités d'enseignement clinique et pratique au détriment d'activités soutenues de recherche. Mais ils ne sont pas les seuls en cause. De fortes résistances persistaient chez certains membres du conseil quant à l'importance à accorder à l'enseignement des sciences et aux activités de recherche fondamentale. Lors d'une discussion sur l'abrogation de l'année prémédicale en 1934, le doyen Lesage exprimait l'avis partagé par quelques-uns de ses collègues que «les élèves perdent une année complète» et qu'en définitive, «la faculté a pour but de faire des médecins et non des savants[223]». Il considérait aussi que le temps alloué aux études des sciences devrait être consacré aux cliniques. Position que ne partageaient certes pas les docteurs Baril et Masson qui estimaient que l'étude des sciences de base était essentielle à la formation de futurs chercheurs en science médicale.

De tels débats sur la place à accorder aux sciences biologiques et physico-chimiques dans l'enseignement et la pratique de la médecine étaient alors monnaie courante dans la communauté médicale internationale. Jusqu'à la Seconde Guerre mondiale, nombreux seront les médecins qui percevront comme une menace l'interdisciplinarité croissante des activités scientifiques liées à la médecine. Certains s'inquiétaient de cet «engouement intempestif pour les sciences» qui risquait de «déséquilibrer l'enseignement de la médecine» et d'affaiblir «la souplesse et l'humanitarisme» du praticien[224]». La plupart des membres du conseil médical de la faculté partageaient à des degrés divers cette crainte de voir les disciplines scientifiques supplanter «l'étude de l'anatomie, de la physiologie normale et pathologique et l'enseignement de la clinique[225]». Certes, l'instruction scientifique est jugée nécessaire, mais elle «ne doit pas devenir proportionnellement excessive ni prépondérante dans son application[226]». En conséquence, l'orientation philosophique de l'enseignement médical demeurait liée au credo de la médecine clinique:

> Tout dans l'enseignement de la médecine doit concourir à éclairer la clinique et à rendre son étude plus pénétrante. La connaissance de l'homme sain, celle de l'homme malade s'acquiert au contact de l'homme, au lit du malade, en y appliquant d'abord les lois traditionnelles de la séméiologie et de la pathologie et ensuite celles de la physico-chimie[227].

Même approche chez le docteur G. H. Baril:

> Pourquoi est-elle de plus en plus sous la dépendance du laboratoire alors qu'un abus dans ce sens conduit inévitablement à un affaiblissement du sens clinique de l'homme [...]. Est-ce que par hasard les résultats fournis par le laboratoire seraient plus précis[228]?

Position intéressante adoptée par un professeur de chimie. Même le docteur A. Bertrand, professeur agrégé de bactériologie à la faculté et chef adjoint du laboratoire de l'Hôpital Notre-Dame, considère que le laboratoire doit demeurer «un complément indispensable de la clinique, un centre précieux d'enseignement, un merveilleux instrument de diagnostic[229]». Le dosage de la clinique et du laboratoire dans le programme des études demeurait sujet, depuis la fin du XIXe siècle, à des dissensions importantes au sein tant de la FMUM que des facultés nord-américaines et européennes[230]. Quelle part devait-on accorder à la formation des chercheurs dans les facultés de médecine? Les avis à ce sujet étaient alors très divers.

Lorsque le docteur Banting, prix Nobel de médecine en 1923 et représentant du Conseil de recherches médicales du Canada, visite les laboratoires de la faculté en 1939, il constate que les «jeunes médecins [ont] un grand désir de poursuivre des recherches médicales» et il exprime «l'opinion que le Conseil national de recherches doit encourager ce mouvement[231]». En réponse au soutien de Banting, le docteur Baril suggère que les futurs récipiendaires des bourses de recherche accordées par le CRMC aient la possibilité de consacrer une grande partie de leur temps à leur culture personnelle et à la démonstration aux élèves[232]. Certes, on encourageait les travaux scientifiques, mais ceux-ci devaient être subordonnés à l'enseignement. Deux ans plus tard, la Fondation de recherches Banting, qui dispose d'un capital de 800 000 $ dont les revenus servent à subventionner les recherches en médecine, accordera au seul demandeur de la faculté, le docteur Laugier, une somme de 1500 $.

Tout de même, d'autres mesures en vue d'encourager la recherche sont mises en œuvre. Les règlements des épreuves d'agrégation, modifiés en 1939, exigeaient que les candidats ayant fait obligatoirement un stage d'au moins trois ans en tant qu'assistants à l'une des chaires d'enseignement de la faculté de médecine de l'Université de Montréal se soumettent — après avoir remis un résumé de leurs travaux publiés dans des revues scientifiques — à la soutenance d'une thèse «sur une question originale, méthode d'exploration, technique nouvelle, recherche effectuée par l'auteur» mais qui «ne devra pas être une revue générale, une accumulation de faits cliniques ou une compilation bibliographique[233]».

L'exigence d'une thèse écrite, empruntée au modèle français, constituait un cas unique en Amérique du Nord. Le candidat devait aussi se soumettre à des épreuves théoriques et pratiques de façon à démontrer aux membres du juré «ses aptitudes à la recherche, sa culture générale et ses aptitudes pédagogiques[234]». La répartition des notes valorisait nettement les examens théoriques auxquels étaient accordés 100 des 250 points de l'évaluation. La thèse ne comptait que pour 40 points, les titres et travaux pour 50, les leçons cliniques ou pratiques étaient cotées sur 40 points, alors que 20 points étaient alloués à la culture générale du candidat[235]. De telles mesures incitaient néanmoins les assistants à associer des travaux de recherche à leurs activités pédagogiques. Mentionnons, à titre d'exemples, les études cliniques du docteur R. Amyot sur la sclérose en plaques et l'étude des encéphalies gazeuses par le docteur J. Saucier, tous deux candidats à l'agrégation. Mais, encore une fois, le résultat n'est pas à la mesure des attentes, puisqu'en 1943, l'on se plaint que, «sauf quelques rares exceptions, l'expérience du passé en ce qui concerne l'agrégation à l'Université de Montréal a démontré que les thèses furent surtout des revues générales n'apportant rien de vraiment neuf[236]».

À la veille du grand déménagement sur le nouveau campus universitaire de la montagne, le recteur de l'Université de Montréal dressait le bilan des activités de recherche à l'Université de Montréal depuis son incorporation. En premier lieu, il avouait que «l'une des pires conséquences du manque de ressource de l'Université a été de l'empêcher de remplir une de ses missions essentielles: la recherche scientifique». Il reconnaissait en outre que l'enseignement «accapare tout le temps des professeurs et l'Université ne les rémunère que pour leur tâche d'éducateur». Il se déclarait aussi désolé que peu de finissants «soient disposés à se consacrer uniquement à la science» et déplorait que les quelques rares activités de recherche, mis à part les instituts du radium et de microbiologie, se «poursuivent le plus souvent dans l'ombre[237]». Par ailleurs, le recteur Labarre reconnaissait «que l'enseignement supérieur doit être accompagné d'une initiation plus ou moins poussée à la recherche» et insistait pour que soient aménagés dans les nouveaux pavillons sur le mont Royal un centre de recherche qui «établirait avec les facultés et les écoles des relations de nature à promouvoir les recherches, à les sanctionner, soit par la publication ou par l'octroi de titres appropriés comme ceux de la Maîtrise et du Doctorat[238]».

## Notes

1. Voir chanoine E. Chartier, *30 ans d'université (1914-1944)*, s.l.n.d.

2. L'Université Laval à Montréal comportait six corporations: 1. Administrateurs de l'Université Laval à Montréal; 2. Faculté de droit de l'Université Laval à Montréal; 3. École de Médecine et de Chirurgie de Montréal/Faculté de médecine de l'Université Laval à Montréal; 4. École de médecine et de science vétérinaire de Montréal; 5. École de chirurgie dentaire de Montréal; 6. École de pharmacie Laval de Montréal («Loi constituant en corporation l'Université de Montréal», Rome, Imprimerie polyglotte Vatican, 1925, p. 4).

3. La faculté de théologie comptait 345 élèves pour l'année scolaire 1917-1918, contre 243 pour la faculté de médecine, 170 pour la faculté de droit, 137 pour l'École polytechnique, 178 pour l'École de pharmacie, 135 pour l'École de chirurgie dentaire et 43 pour l'École de médecine comparée (*Annuaire de l'Université Laval de Montréal*, 1918-1919, p. 15).

4. PVEMC/FMULM, 1918-05-27, p. 138-139.

5. *Ibid.*, 1919-10-06, p. 221.

6. *Ibid.*, p. 222-223.

7. *Ibid.*, 1919-11-21, p. 238. Le projet de loi avait été préparé par Mgr G. Gauthier, le sénateur Béique, N. Pérodeau, le juge E. Lafontaine, le supérieur de Saint-Sulpice, le docteur L. de Lotbinière-Harwood, A. Surveyer et le chanoine E. Chartier («Loi constituant en corporation l'Université de Montréal», *SPQ*, 1920, chap. 38).

8. *Id.*

9. *Ibid.*, p.15.

10. *Ibid.*, p. 16.

11. PVCFMUM, 1920-03-09, p. 265-266.

12. Mgr Piette fut recteur de l'Université de Montréal de 1923 à 1934.

13. E. Chartier, *op. cit.*

14. E. Desjardins, «Le centre médical universitaire de Montréal», *L'Union médicale du Canada*, 1975, p. 1876.

15. O. Maurault, *L'Univesité de Montréal*, Montréal, Cahier des Dix, 1952, p. 29.

16. PVCFMUM, 1922-11-14, p. 89-90.

17. Le musée sera peu à peu reconstitué à l'aide de pièces anatomiques recueillies à la morgue, à l'H-D et à l'HND.

18. L'aménagment de l'HND dans ses nouveaux locaux eut lieu en 1924.

19. A. Gregg, «Université de Montréal. Faculty of medicine, based on visit January 4-12, 1923», The Rockefeller Foundation Archives, New York, 1923, p. 3.

20. «*Harwood emphasizes the fact that with the present inadequate equipment it is impossible for him to attract competent professors in medical sciences from France and elsewhere. He therefore considers more adequate housing for the school as the key to the general improvment.*» (*Ibid.*, p. 4.)

21. *Ibid.*, p. 7-8.

22. «McGill University - Faculty of medicine. Historical record», The Rockefeller Foundation Archives, New York, 1923, p. 2-3. La faculté de médecine de l'Université de Toronto s'était vu accorder la même somme.

23. Voir W. G. Rothstein, *American Medical Schools and the Pratice of American Medicine* et K. Ludmerer, *Learning to head. The Development of American Medical Education.*

24. PVCFMUM, 06/12/1923, p. 145-146.

25. A. Beaulnes *et al.*, *Le Centre médical universitaire. Un passé, une nécessité*, p. 17.

26. *Ibid.*, p. 18. Les docteurs Harwood, Parizeau et Baril et l'architecte Cormier se rendent à New York en 1927 étudier avec le directeur du Rockefeller Institute les plans d'une faculté médicale (AUM E38/21 B2971).

27. A. Beaulnes *et al.*, *op. cit.*, p. 18.

28. «L'idée de transplanter l'Université sur le versant du Mont-Royal les a enthousiasmés» (PVCFMUM, 04/02/1924, p. 156).

29. A. Beaulnes *et al.*, *op. cit.*, p. 18.

30. *Ibid.*, p. 19.

31. E. Chartier, *op. cit.*

32. Les travaux de fondation sont confiés à la compagnie Ulric Boileau Limitée, alors que la construction du corps du bâtiment est confiée à la firme Damien Boileau limitée (*ibid.*, p. 20).

33. *Id.*.

34. «[...] au chômage saisonnier habituel, en particulier l'hiver, s'ajoute un chômage permanent, résultat du ralentissment de l'activité économique. Le problème va en s'aggravant pendant les premières années de la décennie. Les chômeurs se chiffrent par dizaine de milliers et, au plus fort de la dépression, la proportion des sans-emploi représente entre le quart et le tiers de la main-d'œuvre de la ville.» (P. A., Linteau, *Histoire de Montréal depuis la Confédération*, p. 375.)

35. A. Beaulnes *et al.*, *op. cit.*, p. 21.

36. *Id.*

37. *Ibid.*, p. 22.

38. *Id.*

39. PVCFMUM, 1932-05-31, p. 168.

40. *Ibid.*, 1932-05-17, p. 167.

41. A. Beaulnes *et al.*, *op. cit.*, p. 23.

42. *L'Action universitaire*, 1941-09-01.

43. «Il est proposé et unanimement résolu que l'ouverture des cours à la Faculté de médecine soit remise à une date indéfinie, et que l'inscription des élèves ne soit faite que le jour où les traitements dus au personnel et le montant du budget de l'année auront été versés.» (PVCFMUM, 1937-08-30, p. 156.)

44. Cette société se maintiendra jusqu'à la proclamation de la nouvelle charte de l'Université de Montréal en 1950, prolongeant ainsi son existence d'un an.

45. *L'Action universitaire*, 1942-09-01.

46. *Ibid.*, 1941-03-07.

47. *Id.*

48. Voir à ce propos E. Richard Brown, «La santé publique et l'impérialisme: les premiers programmes Rockefeller aux États-Unis et dans le monde», dans L. Bozzini *et al.*, *Médecine et société dans les années 1980*, p. 119-139.

49. *Id.*

50. Voir W. G. Rothstein, *op. cit.*, p. 162 et K. M. Ludmerer, *op. cit.*, p. 105. Soulignons que des chercheurs tels que Alexis Carrel, Théobald Smith et Hideya Noguchi y ont dirigé des recherches orientées principalement vers la prévention et le traitement des maladies (J. A. Beaudoin, «Correspondance du Rockefeller Institute, 1ᵉʳ février 1922», AUM, boîte 2961, E38/7).

51. K. M. Ludmerer, *op. cit.*, p. 95.

52. R. M. Pearce, «Summary of reports on medical education in Canada», The Rockefeller Foundation Archives, New York, 1920, p. 3.

53. R. M. Pearce, «Report of Doctor R. M. Pearce on Faculté de l'Université de Montréal, visits, 13 mai, 7-8 juillet 1920», The Rockefeller Foundation Archives, New York, p. 21. Pearce ajoutait aussi que la faculté de Laval «*is a poor affair with inadequate laboratory facilities and loose hospital connections*» (R. M. Pearce, «Summary of reports...», *op. cit.*, p. 3).

54. «*A newly created university said to be more liberal than Laval; a remodeling of a medical school building; a frenchspeaking lay body keen about the success of the university, liberal in their attitude, and realizing the cost of modern medical education.*» (R. M. Pearce, «Report of...», *op. cit.*, p. 22.)

55. *Id.*

56. Les remarques du docteur Gregg du Rockefeller Institute en ce sens sont pertinentes. Elles sont néanmoins entachées de préjugés et font abstraction de la précaire situation financière de la majorité de la population: «*The french Canadian is not, however, educated as to the cost of medical education. It would be easier to raise money in the name of the university than to obtain it for specific endowment or building of a medical school.*» (A. Gregg, *op. cit.*, p. 6.)

57. *Id.* En réalité, la FMUM se verra accorder des sommes annuelles de 25 000 $ jusqu'en 1935 («Université de Montréal, Faculté de médecine», The Rockefeller Foundation Archives.) Le Rockefeller Institute octroyait aussi à l'Université McGill une somme de un million, à condition que l'université verse un mon-

tant équivalent pour la construction de nouveaux pavillons de physiologie, de pathologie et de psychiatrie (*ibid.*, p. 2-3).

58. R. M. Pearce, «Report...», *op. cit.*, p. 16.

59. *Ibid.*, p. 22. «*The dean (Harwood) [...] is however, earnestly desirous of developing the school properly.*» (*Ibid.*, p. 16.)

60. *Ibid.*, p. 22.

61. *Id.*

62. A. Gregg, *op. cit.*, p. 8.

63. Voir à ce propos E. Richard Brown, *op. cit.*

64. «Au Québec, les collèges demeurent fidèles au seul latin-grec jusqu'après 1950.» (C. Galarneau, *Les collèges classiques au Canada français*, p. 194.)

65. M^gr Gauthier mentionnait en 1923 que les cours de sciences n'avaient pas encore été fermement établis dans les collèges classiques faute de matériel de laboratoire adéquat (A. Gregg, *op. cit.*, p. 3).

66. C. Galarneau, *op. cit.*, p. 152.

67. PVCFMUM, 1920-05-05, p. 277-278.

68. *Ibid.*, 1920-06-10, p. 283-286.

69. *Université de Montréal. Annuaires de la faculté de médecine*, 1921-1922, p. 58.

70. Voir W. G. Rothstein, *op. cit.* et K. M. Ludmerer, *op. cit.*

71. À partir de 1893 en France, la formation scientifique des étudiants en médecine fut renforcée. En plus du baccalauréat classique (lettres et philo) fut imposée une année préparatoire effectuée à la faculté des sciences et conduisant au certificat d'études physiques, chimiques et naturelles, dénommées PCN. À partir de 1911, les études médicales en France, suivant le PCN, furent prolongées à cinq ans (M. Bariety et C. Coury, *Histoire de la médecine*, 1963, p. 139-143).

72. «La collaboration avec la faculté des sciences pour les laboratoires de chimie, de physique et de biologie destinés aux élèves en médecine de première et de deuxième année étant exigée par l'Institut Rockefeller comme condition de dons annuels importants que cette fondation se propose de faire à notre faculté, le conseil accepte le partage de son allocation avec la faculté des sciences...» (PVCFMUM, 1920-06-10, p. 285-286.)

73. Sur une biographie succincte de J.-E. Gendreau, voir L. Chartrand *et al.*, *Histoire des sciences au Québec*, p. 242.

74. Le professeur de botanique, Marie-Victorin, n'avait en 1920 que trois étudiants. (*Ibid.*, p. 243-244.)

75. Jusqu'en 1940, le PCN occupera près de 40 % des étudiants inscrits à la faculté des sciences (*ibid.*, p. 244).

76. *Université de Montréal. Annuaire de la faculté de médecine*, 1921-1922, p. 59-66.

77. Ironie de l'histoire, trois ans après que l'on eut décidé en France, en 1960, de fusionner l'année préparatoire et la première année de médecine, l'on décide qu'en raison du surmenage des étudiants, l'année préparatoire soit rétablie sous la dénomination «Certificat préparatoire aux études médicales» (CPEM) (C. Coury, *op. cit.*, p. 139).

78. PVEFMUM, 1940-05-31, p. 720.

79. PVCFMUM, 1920-09-27, p. 300-301.

80. *Ibid.*, 1922-08-28, p. 71.

81. *Ibid.*, 1938-06-22, p. 491 et 1938-07-12, p. 500.

82. PVEFMUM, 1939-06-26, p. 615-616, 619.

83. *Ibid.*, 1938-10-30, p. 512.

84. AFMUM, 1933-1934, p. 60-61.

85. L'HND avait mis à la disposition de la faculté en 1932 son service et son dispensaire de neurologie (PVCFUM, 1932-05-17, p. 166).

86. En 1938, deux requêtes sont transmises au recteur de l'université de la part d'un groupe important de 195 étudiants qui demandaient, d'une part, en raison de l'insuffisance de l'enseignement dispensé aux élèves de deuxième année à l'HND, la réorganisation de l'enseignement dans les dispensaires et, d'autre part, insistaient pour que les élèves reçoivent un enseignement à l'Hôpital Saint-Luc et Pasteur (PVCFMUM, 1938-03-31, p. 478).

87. *Ibid.*, 1939-07-06, p. 626.

88. *Le Quartier latin*, nov. 1958, p. 8.

89. En 1937, le conseil médical de l'HND suspend pour six mois, sans consulter la direction de la FMUM, le médecin rattaché au service de dermato-syphiligraphie. Le doyen ne manque pas de blâmer sévèrement cette initiative (PVEFMUM, 1937-06-29, p. 428).

90. C. Coury, *op. cit.*, p. 139.

91. «La Faculté de Médecine a, depuis juin 1927, institué l'internat obligatoire pour les élèves de 5e année, et l'internat facultatif pour les médecins récemment diplômés.» (AFMUM, 1928-1929, p. 70-71.) «La Faculté de médecine avait depuis quelques années à l'étude un projet assez intéressant, celui d'un internat, en vue des besoins de nos hôpitaux. [...] Le nouvel état de choses existe depuis le 1er juin et tout porte à croire que les résultats en seront excellents.» (AFMUM, 1927-1928, p. 110.) Le bureau médical acceptera les conditions de l'internat obligatoire posées par la FMUM le 20 mars 1927.

92. «Règlements pour internat de 5e année», AUM, mars 1927, E38/19 B2972 (A-7).

93. En 1930, seulement 30 étudiants sont inscrits en cinquième année; 35 l'année suivante et 51 en 1932. En 1935 et 1936, le nombre de finissants se chiffre respectivement à 41 et 56. En 1937, seulement 25 élèves sont inscrits à l'internat.

94. Par exemple, l'Hôpital Saint-Joseph de Paris offrait «des facilités spéciales d'internat» aux élèves de la faculté. Il arrivait aussi que la faculté accorde la permission à un élève de faire son internat dans un hôpital européen de son choix, à condition que cet hôpital soit affilié à une université qui possédait un programme semblable à celui de la FMUM. En 1939, un étudiant se voit accorder la permission de faire son internat à l'Hôpital de Bavière affilié à l'Université de Liège (PVEFMUM, 1939-04-25, p. 594).

95. PVEFMUM, 1930-04-07, p. 39.

96. En 1930, la distribution des élèves internes est la suivante: Notre-Dame: 20; Hôtel-Dieu: 12; Sainte-Justine: 9; Miséricorde: 2; Sacré-Coeur: 4; Saint-Jean-de-Dieu: 4.

97. PVEFMUM, 1938-09-12, p. 507.

98. PVBMHND, 1934-05-31.

99. *Id.*

100. *Ibid.*, 1934-06-18.

101. PVEFMUM, 1935-12-13, p. 330.

102. Weisz rapporte que la proportion de Juifs admis à la faculté de médecine de McGill diminua considérablement entre 1925 et 1937, passant de 24 % à seulement 10 %. Plusieurs universités américaines réagirent de la même façon (G. Weisz, «Origines géographiques et lieux de pratique des diplômés en médecine au Québec de 1834 à 1839», p. 146).

103. P. Anctil et G. Caldwell, *Juifs et réalités juives au Québec*, p. 307. Voir aussi p. 305-309.

104. PVBMHND, 1947-12-15.

105. *Id.*

106. Si la FMUM accordait la préférence aux étudiants blancs catholiques francophones, McGill favorisait les protestants anglo-saxons. Weisz rapporte qu'une lettre du vice-doyen de la faculté de médecine mentionnait qu'outre les Juifs, «la seule autre discrimination de la Faculté envers les Américains était dirigée contre les Noirs» (*op. cit.*, p. 169).

107. PVEFMUM, 1939-11-24, p. 664.

108. *Ibid.*, 1941-08-27, p. 811.

109. Six jours plus tard, la proposition de la direction est abordée laconique-ment par le conseil et se lit comme suit: «*Admission des Noirs à la Faculté.* La question est remise sur le tapis par certaines applications. Le Conseil main-tient l'exclusion.» (PVCFMUM, 1935-12-19, p. 335.)

110. *Ibid.*, 1920-02-23, p. 263.

111. *Ibid.*, 1920-03-09, p. 267-268.

112. *Ibid.*, 1920-05-10, p. 281-282.

113. En 1920, une somme de 35 000 $ est allouée «pour l'outillage des dif-férents laboratoires» (PVCFMUM, 1920, 1920-06-10, p. 283-286). Le Rockefeller Institute avait versé en 1921 la somme de 25 000 $ perçue comme intérêt sur le montant total de 500 000 $ alloué à la faculté de médecine de l'Université de Montréal (*Actes du Congrès des médecins de langue française de l'Amérique du Nord*, 7-8-9 sept. 1922, p. 9).

114. A. Lesage, «La Faculté de médecine et l'Université de Montréal. Le présent et l'avenir», *L'Action universitaire*, sept. 1941, p. 3.

115. À propos du cours de chimie, on mentionne que «les élèves, ayant reçu pendant leur année prémédicale passée à la faculté de sciences des notions suffisantes de chimie générale, abordent maintenant l'étude de la chimie à un point de vue plus spécialement médical» (*Université de Montréal. Annuaire de la faculté de médecine*, 1921-1922, p. 68 et *Université de Montréal. Annuaire général 1936-37*, p. 68).

116. *Université de Montréal. Annuaire de la faculté de médecine*, 1921-1922, p. 68 et *Université de Montréal. Annuaire général 1936-37*, p. 67.

117. *Université de Montréal. Annuaire de la faculté de médecine*, 1921-1922, p. 67-71.

118. *Université de Montréal. Annuaire général 1941-42*, p. 9.

119. «Ils constatent cependant que le laboratoire d'anatomie pathologique n'est pas encore pourvu de tout ce qui est requis pour l'enseignement d'une matière aussi importante, mais ils ont compris, grâce aux explications de M. le doyen, que la faculté ne vient que de terminer les négociations nécessaires pour l'engagement d'un professeur, et l'achat du matériel nécessaire.» (PVCF-MUM, 1922-06-23, p. 62-63.)

120. PVEFMUM, 1940-07-12, p. 727.

121. A. Bertrand, «Laboratoire clinique», *L'Union médicale du Canada*, 1942, p. 173 et PVCFMUM, 1941-11-12, p. 826.

122. A. Bertrand, «Laboratoire clinique», *op. cit.*, p. 173.

123. PVCFMUM, 1942-10-28, p. 887.

124. «Le doyen fait rapport d'une visite des deux délégués de l'Institut Rockefeller, le docteur Pearce et le docteur Gregg. Ces messieurs très favorablement impressionnés se sont déclarés prêts à appuyer les demandes de l'Université, re: octrois pécuniaires» (PVCFMUM, 1924-02-04, p. 156.)

125. *Ibid.*, 1925-11-23, p. 246. L'American Medical Association décernait les cotes A, B et C.

126. PVCFMUM, 1925-11-23, p. 246.

127. *Ibid.*, 1923-11-13, p. 144.

128. *Ibid.*, 1924-02-04, p. 156.

129. Voir D. Goulet *et al.*, *Histoire de l'Hôpital Notre-Dame*.

130. PVEFMUM, 1931-12-04, p. 140.

131. Le docteur Caldwell, après une visite d'inspection de la faculté, souligne au doyen que le nombre de démonstrateurs est nettement insuffisant dans les laboratoires (PVCFMUM, 1925-09-04, p. 325).

132. Depuis 1880, «les frais de scolarité représentaient une partie décroissante du budget de cet établissement» (G. Weisz, *op. cit.*, p. 146).

133. *Ibid.*, p. 146. L'auteur mentionne que la «hausse des critères de formation fit baisser de 162 en 1906 à 85 en 1920 le nombre des écoles américaines et de 25 000 à 14 000 le nombre des élèves» (*ibid.*, p. 147-148).

134. *Ibid.*, p. 146.

135. *Id.*

136. *Ibid.*, p. 149.

137. *Id.*

138. *Ibid.*, p. 150.

139. *Ibid.*, p. 151.

140. Maude Abbott fut admise en 1890: «*When Maude Abbott as a Bishop's student applied for her ticket of entry to the hospital clinical courses, the Hospital Management Committee (which was of course the McGill faculty under another hat) was very loath to admit her, and it took a newspaper campaign and the threat of a*

*number of hospital supporters to withdraw their subscriptions before she was at last reluctantly admitted.*» (*University McGill*, p. 286.) Grace Ritchie fut la première à obtenir son diplôme de médecine en 1891. Dix autres femmes obtinrent leur diplôme de Bishop avant la fusion de cette école à la faculté de médecine de McGill (G. Weisz, *op. cit.*, p. 134). Selon A. A. Travill, la première femme diplômée en médecine formée entièrement au Canada fut Mlle Augusta Stowe qui obtint son diplôme de la Victoria University's Toronto School of Medicine en 1883 (*Medicine at Queen's 1854-1920*, p. 123). L'université de Toronto accueillit ses premières étudiantes en médecine en 1906. Ce n'est qu'en 1922 que sortirent les premières diplômées en médecine à McGill. Finalement, la FMUL n'accepta ses premières étudiantes en médecine qu'en 1936. La faculté de médecine de Paris accueillit sa première étudiante en médecine, Mary Putman, de nationalité américaine, en 1868. Ce n'est pourtant qu'en 1886 qu'une première femme est nommée à l'internat des hôpitaux de Paris (J. Poirier et R. Nahon, «L'accession des femmes à la carrière médicale», dans J. Poirier et J. L. Poirier (dir.), *Médecine et philosophie à la fin du XIX$^e$ siècle*, p. 25-26).

141. AFMUM, 1930-1931, p. 33. Rappelons que le doctorat était décerné avec l'une de ces trois mentions: *summa cum laude* (avec très grande distinction), *magna cum laude* (avec grande distinction), *cum laude* (avec distinction).

142. M. Longtin, «La femme en médecine», *Le Quartier latin*, mars 1941, p. 10. Mlle Longtin obtiendra son doctorat «avec la plus grande distinction» en 1943.

143. PVEFMUM, 1942-10-02, p. 883.

144. Rappelons qu'il y avait les professeurs titulaires membres de la corporation et les professeurs titulaires non membres de la corporation. Voir le chapitre II.

145. *Université de Montréal. Annuaire général 1942-1943*, p. 52-60.

146. *Ibid.*, p. 64.

147. «L'impossibilité de s'en procurer pour un temps plus ou moins long apparut comme un grave danger. La France fournissait la plupart des manuels de l'enseignement supérieur, car il n'existe guère de manuels canadiens, nos professeurs se trouvant aussi peu libres d'en rédiger qu'ils le sont de se livrer à la recherche.» (*Ibid.*, p. 73.)

148. *L'Action universitaire*, 1941-01-05.

149. «Vu la guerre, les auteurs anglais sont autorisés.» PVEFMUM, 1940-10-07, p. 742.)

150. PVCFMUM, 1964-05-13, p. 169.

151. L. Chartrand *et al.*, *op. cit.*, p. 246.

152. Entre 1922 et 1937, une douzaine de francophones obtiennent des bourses du CNR (*ibid.*, p. 247).

153. Peu de Canadiens français avant la Seconde Guerre mondiale obtiendront une telle bourse. En 1930, «une seule bourse sur soixante-cinq avait été attribuée à un Canadien français» (*Université de Montréal, Annuaire général, 1942-1943*, p. 67).

154. «Reflétant la francophilie militante de l'époque et, en particulier, celle d'Anathase David, le secrétaire de la province chargé de l'application de cette loi, la mesure stipule que cinq bourses seront offertes annuellement à ceux qui désirent perfectionner leurs connaissances dans des institutions de Paris, en France.» (L. Chartrand *et al.*, *op. cit.*, p. 249.)

155. *Ibid.*, p. 249-250.

156. *Ibid.*, p. 251.

157. L'Université de Montréal accepte d'accorder 1000 $ annuellement à l'ISFC, alors que l'ACFAS ne reçoit aucune subvention. Des tensions naîtront entre les deux fondateurs, Marie-Victorin et Dalbis. Ce dernier se verra contraint de démissionner de l'Université de Montréal en 1931. Sur ce conflit, voir *ibid.*, p. 254-257.

158. *Ibid.*, p. 253.

159. PVEFMUM, 1932-02-23, p. 151.

160. PVCFMUM, 1921-06-30, p. 377-378.

161. *Id.*

162. A. Yanacopoulo, *Hans Selye ou la cathédrale du stress,* p.173.

163. *Id.*

164. Lors de son séjour dans le laboratoire du professeur Rouvière, il publiera en 1935 deux articles dans les *Annales d'anatomie pathologique et d'anatomie normale médico-chirurgicale:* «Notes sur une bandelette fibreuse juxta-trapézienne de l'aponévrose sous-épineuse» et «Sur quelques faisceaux tenseurs des aponévroses».

165. *Ibid.*, 1923-02-06, p. 98.

166. *Ibid.*, 1923-04-30, p. 109.

167. Voir A. Frappier, *Un rêve. Une lutte. Autobiographie*, p. 75-96.

168. «À la demande du National Research Council et avec l'aide d'un généreux octroi accordé à notre université par cette commission, la Faculté de Médecine organise un département de recherches sur la tuberculose.» (AFMUM, 1926-1927, p. 97.)

169. A. Frappier, *op. cit.*, p. 65.

170. *Ibid.*, p. 71.

171. Le volume s'intitulait *Vaccination préventive de la tuberculose de l'homme et des animaux par le BCG. Rapports et documents de divers pays.* Voir *ibid.*, p. 81.

172. Ceux-ci avaient découvert en 1898 deux nouveaux éléments chimiques dénommés polonium et radium. E. Rutherford, chercheur à McGill, avait découvert en 1901, en même temps que les Curie, que l'émanation du radium est un gaz. (Voir L. Chartrand *et al.*, *op. cit.*, p. 395.)

173. *Ibid.*, p. 369.

174. PVCFMUM, 1920-10-04, p. 304-305.

175. Le 21 février 1921, il est mentionné que «le cours d'histologie, par l'absence prolongée de M. Peyron étant en souffrance, Mgr le recteur se charge de consulter M. Dalbys sur ce sujet, et voir si ce cours ne pourrait pas lui être confié pour la présente session». Ce dernier accepte le 7 mars (PVCFMUM, 1920-12-06, p. 346, 348).

176. E. Gendreau, *La fondation de l'Institut du radium de l'Université de Montréal et de la Province de Québec*, Montréal, s. é., 1924, p. 10.

177. *Id.*

178. Il semble que c'est la United States Radium Corporation of New York qui vendit, en 1922, le radium au gouvernement du Québec.

179. ANQ, E8/1, «Notes et documents par Dr E. Gendreau», 1924.

180. *Id.*

181. L. Chartrand *et al.*, *op. cit.*, p. 371. Le docteur Dufresne remplacera en 1946 le docteur Gendreau à la tête de l'Institut.

182. ANQ, E8/1, «Notes...», *op. cit.*

183. Le docteur Gendreau mentionnait en 1929 «[qu']après neuf ans d'attente, la perspective d'occuper une partie de l'Hôpital Universitaire, reste encore à l'état de projet» (ANQ, E8/1, E. Gendreau, «Incidents survenus dans le pays», p. 1). En 1930, un projet d'entente entre l'hôpital universitaire et l'Institut du radium est élaboré. Six ans plus tard, une sous-commission de l'Université de Montréal est nommée pour étudier l'installation de l'Institut à l'immeuble de la montagne. En 1942, l'installation de l'Institut sur le campus fait l'objet de discussions (Procès-verbaux du Bureau d'administration de l'Institut du radium, 1er déc. 1930, p. 80; 17 juil. 1936, p. 127-128; 21 oct. 1941, p. 153).

184. En 1937, le bilan de l'Institut se lit comme suit: 7680 consultations, 409 malades hospitalisés, 29 008 traitements, 1069 malades traités au radium, 6598 analyses en laboratoire et 24 699 traitements au service de radiologie (ANQ, E8/1, E. Gendreau, *op. cit.*, p. 1-2).

185. «La direction apprend du doyen que le docteur Albert LeSage a démissionné à l'Institut du Radium. Par le fait même, la direction a la grande espérance que l'Institut du Radium se rapproche de la Faculté de Médecine.» (PVEFMUM, 1949-01-25, p. 137.)

186. Le 4 octobre 1920, «M. le professeur Peyron présenté par M. le doyen, expose à l'assemblée ses projets pour la réorganisation des cours d'histologie normale, et anatomie pathologique. Deux assistants et deux démonstrateurs choisis par lui en France sont nécessaires [...]. M. Peyron se propose aussi de former un certain nombre de jeunes médecins pour continuer l'enseignement de l'histologie et de l'anatomie pathologique lorsqu'il retournerait en France avec ses aides.» Le contrat entre les parties est signé et entériné par le conseil le 6 décembre 1920. «[...] Il est résolu d'abord de nommer M. Peyron, professeur d'histologie normale et d'anatomie pathologique ainsi que ses 2 assistants; l'un en histologie, l'autre en anatomie pathologique, et un préparateur, et que le comité exécutif soit prié de leur vouloir voter une allocation pour cette fin.» (PVCFMUM, 1920-10-04, p. 303-305.)

187. *Ibid.*, 1920-12-06, p. 346-348.

188. *Ibid.*, 1922-09-22, p. 74.

189. *Ibid.*, 1922-05-03, p. 53.

190. PVBMHND, 1924-06-04, p. 231.

191. PVCMHND, 1925-04-17, p. 259.

192. PVEFMUM, 1937-11-12, p. 450. L'Université McGill avait inauguré un tel institut en 1924. L'Université Laval s'était aussi doté d'un institut d'anatomie-pathologique en 1928. (Voir D. Sclater Lewis, *Royal Victoria Hospital 1887-1947*, p. 163 et C. M. Boissonnault, *Histoire de la faculté de médecine de Laval*, 1953, p. 367.)

193. G. Jasmin *et al.*, «Le département de pathologie», *Infomed*, Faculté de médecine, vol. 15, n° 4, mai-juin 1992, p. 1.

194. AFMUM, 1930-1931, p. 67. Dès son entrée en fonction, le professeur Campenhout ayant signalé l'insuffisance du matériel consacré au cours d'histologie reçoit l'autorisation de la direction d'acheter 50 microscopes.

195. PVCFMUM, 1934-03-22, p. 247.

196. *Ibid.*, 1941-01-08, p. 769.

197. *Id.*

198. PVEFMUM, 1934-04-24, p. 250. Le Conseil national de recherche du Canada subventionnera les études de Frappier sur le BCG jusqu'en 1939.

199. *Ibid.*, 1935-06-14, p. 310. En 1937, trois élèves de la faculté des sciences reçoivent leur certificat en bactériologie: messieurs Rochon, professeur à Oka, Houlé, licencié en pharmacie et Tassé, licencié en sciences chimiques.

200. AFMUM, 1934-1935, p. 82-83.

201. PVCFMUM, 1934-01-08, p. 236.

202. *Ibid.*, 1935-05-08, p. 306.

203. «Pour conserver le souvenir des bienfaiteurs de la Faculté et tel que résolu antérieurement, le doyen propose la liste suivante: Salle de bactériologie: Rougier-Armandie, de physiologie: Dr. Boulet, d'anatomie: Dr. Hingston et d'anatomie pathologique: Dr. Lachapelle.» (PVEFMUM, 1935-12-13, p. 330.)

204. Les revenus du fonds Rougier-Armandie permettront la création du laboratoire de nutrition attaché au laboratoire de physiologie. Il sera rattaché en 1941 au département de biochimie.

205. PVEFMUM, 1935-12-13, p. 329-330.

206. *Id.* L'année suivante, soit en 1936, les sommes sont réparties de la façon suivante: 500 $ en anatomie pathologique, 1215 $ en physiologie et 500 $ en histologie. Il restait un solde de 285 $. L'année suivante, le solde dépasse les 900 $.

207. *Ibid.*, 1931-10-29, p. 131-132.

208. *Ibid.*, 1937-12-29, p. 457.

209. *L'Action universitaire*, 1941-01-05. Soulignons qu'en 1940, la faculté compte les laboratoires suivants: anatomie normale, bactériologie, chimie physiologique, histologie et embryologie, anatomie pathologique et physiologie, physique médicale, radiologie et nutrition.

210. G. Baril, «Les laboratoires de la faculté de médecine», *L'Action universitaire*, 9 sept. 1941, p. 10.

211. «Le doyen propose à la Faculté de donner une maîtrise en spécialités. Il enverra une copie de son projet à chacun des membres du Conseil.» (PVEFMUM, 1936-09-25, p. 392.)

212. «Le Collège [royal des médecins et chirurgiens du Canada] se déclara en faveur de l'établissement d'une maîtrise en spécialités, qu'il juge nécessaire à la bonne réputation du corps médical. Notre représentant à la direction de ce Collège, le professeur Bourgeois, soumit alors le projet de notre Faculté et le Collège, par la bouche de son Président, le Docteur Bazin, se déclara prêt à reconnaître le diplôme de maîtrise que notre Faculté se propose d'établir.» (PVCFMUM, 1937-08-30, p. 434.) Rappelons que, à la suite d'une initative de la Canadian Medical Association, le Collège royal des médecins et chirurgiens du Canada a été incorporé le 14 juin 1929. La première réunion de cet organisme eut lieu à Ottawa le 19 novembre suivant («Loi constituant en corporation le Collège Royal des Médecins et Chirurgiens du Canada», *Statuts du Canada*, 1929, chap. 97).

213. Le secrétaire de la faculté note qu'au «comité de l'éducation médicale, le système de l'internat obligatoire pour les élèves et gradué pour les médecins, tel qu'inauguré par nous, a été admiré» (PVEFMUM, 1937-06-29, p. 428).

214. *Ibid.*, 1938-04-28, p. 595.

215. «Le Conseil du Collège Royal a présenté au Sénat, en février, en deuxième lecture, un amendement à sa charte en vue d'autoriser à décerner des diplômes ou certificats en spécialités: urologie, dermato-syphiligraphie, ophtalmo-rhino-laryngologie, radiologie, etc. pourvu que le candidat soit tenu de faire des études complémentaires durant trois années consécutives suivies d'un examen dont les exigences sont nettement stipulées dans un rapport concernant chaque spécialité.» (PVCFMUM, 1939-05-29, p. 603.)

216. *Id.*

217. *Ibid.*, 1939-03-27, p. 583.

218. *Ibid.*, 1939-05-29, p. 603.

219. *Ibid.*, p. 605.

220. *Université de Montréal, Annuaire général, 1936-1937*, p. 223.

221. *L'Action universitaire*, 1941-01-05.

222. A. Beaulnes *et al.*, *op. cit.*, p. 30.

223. PVCFMUM, 1934-12-19, p. 284.

224. R. Amyot, «Les sciences dans l'enseignement de la médecine», *L'Union médicale du Canada*, 1937, p. 296-297.

225. *Ibid.*, p. 294.

226. *Id.*

227. *Ibid.*, p. 295.

228. G. H. Baril, «The correlation of laboratory findings with the clinical aspects of disease», *The Canadian Medical Association Journal*, avril 1931, cité par A. Bertrand, «Cliniques et laboratoire», *L'Union médicale du Canada*, 1937, p. 515.

229. A. Bertrand, *ibid.*, p. 516.

230. Voir par exemple P. Valléry-Radot, «Clinique ou laboratoire?», *Revue des deux mondes*, 1937-02-15.

231. PVEFMUM, 1939-01-17, p. 551.

232. *Id.*

233. PVCFMUM, 1939-01-30, p. 558.

234. *Ibid.*, p. 560.

235. «Art. 20 - Le total minimum requis pour l'admissibilité est fixé à 160. Art. 22 - Les agrégés, une fois nommés, sont mis en exercice pour une période de cinq ans pendant laquelle ils participeront activement à l'enseignement. À l'expiration de cette période, ils sont rééligibles pour une nouvelle période de cinq ans. Après quoi, ils deviennent des agrégés en disponibilité.» (*Id.*)

236. AUM E38/3.1 B2961 (A-6).

237. *Université de Montréal, Annuaire général, 1942-1943*, p. 70.

238. *L'Action universitaire*, 1942-09-01.

# CHAPITRE V

# La structuration de l'enseignement médical dans le nouvel édifice universitaire (1942-1970)

## La reprise des travaux (1941-1942)

Le parachèvement des travaux de l'édifice universitaire sur le nouveau campus fut annoncé par le gouvernement Godbout lors du dépôt du budget au printemps 1941. Outre une allocation annuelle de 375 000 $ accordée à l'université pour les dépenses relatives à l'enseignement, une somme[1] de 2 500 000 $ fut accordée pour l'exécution finale des travaux[2]. Lors d'une visite des anciens locaux de l'Université de Montréal en compagnie du chanoine Chartier, le ministre T. D. Bouchard s'était laissé convaincre de la nécessité d'accorder les fonds nécessaires au parachèvement de l'édifice. Il informa aussi son hôte que le ministère des Travaux publics s'engageait à acquérir les édifices des rues Saint-Denis et Saint-Hubert pour la somme de 800 000 $. L'entente entre les parties stipulait que les travaux devaient être terminés en juin 1942, soit au moment où le gouvernement comptait prendre possession des anciens édifices.

Les travaux furent bien entrepris comme prévus, mais des retards survenus dans l'aménagement intérieur du nouvel édifice rendit impossible le déménagement de toutes les facultés à l'été 1942. La difficulté de recruter une main-d'œuvre suffisante et les pénuries consécutives à l'économie de guerre alourdirent la tâche[3]. De juin à septembre, les travaux d'aménagement intérieur se poursuivirent de même que le transport du mobilier, du matériel de laboratoire, des accessoires de bureau, etc. À l'automne, les locaux de la faculté de médecine n'étaient pas suffisamment aménagés pour que toutes les activités de la prochaine session puissent s'y dérouler. Pour pallier cet inconvénient, la faculté de médecine fit appel à la collaboration de ses hôpitaux affiliés, qui acceptèrent d'aménager temporairement des salles de cours. L'ouverture des cours des élèves de PCB, de première et deuxième année fut reportée à octobre. Finalement, la session 1942-1943 sera inaugurée le 8 décembre 1942 par une messe à l'oratoire Saint-Joseph.

L'inauguration officielle du nouvel immeuble sur le mont Royal eut lieu le 3 juin 1943. Plus de vingt ans s'étaient écoulés depuis que l'on avait décidé de construire un nouvel édifice universitaire. On imagine la satisfaction des autorités devant cet imposant et élégant complexe universitaire qui faisait honneur au remarquable talent de l'architecte Cormier. La cérémonie, selon les usages de l'époque, débuta par le chant d'une messe célébrée par le nouveau chancelier de l'université, Mgr Joseph Charbonneau. Étaient présents aux festivités les représentants de toutes les commissions administratives et académiques de l'université, les représentants des principales universités canadiennes, de la fondation Rockefeller, de la fondation Carnegie, ainsi que des dignitaires des corps publics de la province et du Dominion[4]. À la suite de la bénédiction solennelle, une séance académique donna lieu à la remise de 33 doctorats honorifiques remis par Mgr Maurault, recteur de l'université, à différentes personnalités qui avaient contribué à l'œuvre universitaire. Finalement, cette faste journée fut clôturée par une prestation de l'Orchestre des concerts symphoniques de Montréal, sous la direction de Désiré DeFauw, qui interpréta des extraits des œuvres de Schumann et de Beethoven.

## Un édifice moderne et spacieux

L'Université de Montréal possédait désormais un vaste campus installé sur un site magnifique. L'imposant immeuble contenait des locaux spacieux et bien aménagés qui répondaient largement aux besoins de l'enseignement. L'enthousiasme des autorités était tel qu'elles ne manquaient pas une occasion de détailler, parfois jusqu'à l'absurde, les constituantes du nouvel édifice:

> Il y a dans la maison, note un intervenant, 6 1/2 milles de corridors, 2496 portes, 3661 ouvertures et 6514 fenêtres métalliques, 14 ascenseurs, 7 escaliers principaux, y compris les 2 remarquables escaliers circulaires aux angles de fond de la cour d'honneur. Il y a dans les murs extérieurs 3 100 000 briques et dans les murs intérieurs, 1 700 000 pour un total de 4 870 000 briques. L'immeuble a 910 pieds de longueur sur 580 pieds de profondeur. La surface des planchers atteint le chiffre de 650 000 pieds carrés et la surface des toits, 165 860 pieds carrés. Le volume total des pièces intérieures est de 15 000 000 de pieds cubes. [...] Une tour, haute de 270 pieds, terminée par une coupole, s'élève sur la façade centrale[5].

Le vaste édifice universitaire comptait 14 amphithéâtres, 20 salles de cours pouvant recevoir 2800 élèves[6]. L'organisation scientifique s'appuyait sur 21 grands laboratoires de 100 places et 70 laboratoires destinés aux professeurs et aux chercheurs. Quant à la haute tour centrale, elle symbolisait, dans l'esprit des autorités universitaires, «le *phare* de l'enseignement supérieur au Canada français[7]».

La faculté de médecine pouvait compter, à l'instar des autres facultés, sur un aménagement qui contrastait considérablement avec les installations de l'ancien édifice de la rue Saint-Denis. Mieux éclairés, plus spacieux, beaucoup plus fonctionnels, les locaux mis à sa disposition répondaient largement aux attentes de ses membres. Elle disposait pour ses cours théoriques d'un amphithéâtre de 300 sièges, d'une salle générale de 125 sièges et de 12 salles de cours particuliers. Ses laboratoires, situés pour la plupart dans les ailes droites de l'édifice, à proximité des locaux de la faculté des sciences, étaient vastes, bien aérés et bien équipés. Les laboratoires des sciences fondamentales de la faculté étaient propres à inspirer «une véritable renaissance». De même, les membres des départements des sciences cliniques espéraient évoluer bientôt au sein d'une nouvelle structure hospitalière qui assurerait le développement des activités cliniques et scientifiques de la faculté.

## Un conflit majeur à la faculté de médecine

Les membres de la FMUM n'avaient pas sitôt emménagé dans leurs nouveaux locaux qu'éclata le plus important conflit juridico-administratif qu'ait connu la faculté. Il mit en scène le doyen A. Lesage et le docteur E. Dubé. Le conflit prit naissance lors d'un vote du conseil de la faculté tenu le 21 juin 1943 et qui portait sur la réélection du doyen Lesage. Loin d'être une formalité, cette réélection se buta sur un partage égal des voix entre ce dernier et son confrère Dubé, chacun obtenant 11 voix. La majorité nécessaire étant de 13 voix, l'élection fut annulée. Le docteur Lesage, homme orgueilleux et impulsif, décida de donner sur-le-champ sa démission à titre de doyen de la faculté et la séance fut ajournée. Quatre jours plus tard, il faisait parvenir une lettre confirmant sa décision d'abandonner son poste de doyen de la faculté. Toutefois, une nouvelle séance du conseil fut convoquée le 30 juin par le vice-doyen Baril à la demande expresse du «doyen» Lesage — qui ne l'était pourtant plus et qui ne pouvait donc convoquer légalement une telle assemblée —, réunion qui aura pour objet «la démission du docteur Albert Lesage». Cette expression camouflait en fait la réélection projetée du doyen. Durant cette séance du conseil, le docteur Barbeau proposa «que la démission du doyen soit refusée et qu'il soit continué [sic] dans sa fonction de doyen de la faculté durant l'année 1943-44[8]». Cette motion souleva de vives protestations de la part de plusieurs membres de l'assemblée. Ils invoquaient le fait que l'avis de convocation ne mentionnait pas un avis d'élection et que la direction de la faculté n'avait pas été consultée avant la convocation d'une telle assemblée. Le docteur Gariépy proposa donc un amendement stipulant que «l'assemblée ne voterait que sur la démission de Monsieur le docteur Albert Lesage comme doyen et que l'élection du doyen soit reportée à une assemblée régulière[9]». Le rejet de cet amendement par 14 voix contre 10 entraîna immédiatement le départ de neuf membres du conseil et la démission des docteurs Dubé et Mercier en tant que membres de la direction. Les quinze membres demeurés en séance votèrent finalement sur la motion Barbeau et le docteur Lesage fut reconduit comme doyen de la faculté. Mais les démissionnaires qui voyaient dans cette affaire un coup monté par Lesage pour se faire réélire décidèrent de contester la régularité de la réunion qui avait permis la réélection du doyen. La séance fut ajournée sans qu'il y ait entente entre les partisans de Lesage et de Dubé. Il s'agira là de la dernière séance officielle consignée dans les procès-verbaux avant le 29 septembre 1944.

À la suite de cette réunion, une demande est faite à la cour supérieure par les membres démissionnaires pour qu'il soit déclaré que l'intimé, le docteur Lesage, «usurpe illégalement la charge de doyen de la faculté de médecine de l'Université de Montréal» et qu'il soit «dépossédé de ladite charge[10]». En attendant le jugement, et devant une situation qui s'envenimait de jour en jour, le recteur décida en octobre 1943 de suspendre le fonctionnement ordinaire de la faculté de médecine et s'arrogea le droit de l'administrer avec l'aide du secrétaire général, du doyen et du vice-doyen.

Le 23 juin 1944, le juge A. Duranleau, considérant contraire à la charte de l'université l'avis de convocation et la présidence de l'assemblée par Lesage, sa participation aux délibérations et au vote, de même que sa nomination par voie de motion plutôt que par voie d'élection, déclara que «l'assemblée spéciale du Conseil du 30 juin 1943 a été convoquée illégalement et que les procédés, en vertu desquels l'intimé a été réélu comme doyen de la faculté, sont entachés de nullité et que, partant, l'exercice de cette charge par ledit intimé constitue une usurpation[11]».

Bref, la cour le dépossédait de sa charge de doyen et rendait nulles toutes décisions prises durant son dernier mandat d'un an. La première séance spéciale du conseil tenue six jours après le jugement de la cour permit d'élire le docteur E. Dubé, premier doyen dans l'histoire de la FMUM à être choisi en dehors des rangs de l'Hôpital Notre-Dame. Le docteur O. Mercier fut alors élu vice-doyen. La faculté pouvait reprendre ses activités normales, mais elle sortait meurtrie et divisée de cette querelle intestine qui avait fait par ailleurs les manchettes des journaux[12].

## De nouvelles possibilités de développement

L'aménagement du vaste complexe universitaire sur le flanc du mont Royal permettait à la faculté de médecine d'accroître considérablement les admissions au PCB et aux études médicales. À partir de 1944, la faculté admettra annuellement une centaine d'étudiants en première année de médecine, comparativement à une cinquantaine pendant la décennie précédente. Comme l'indique le graphique 4, le nombre total d'étudiants en médecine suit la même progression: entre 1943 et 1951, il grimpe de 300 à 600 élèves. Les inscriptions ont connu une forte augmentation à la suite du déménagement, puis se sont stabilisées durant les années 1950, ce qui a eu pour effet de fixer le nombre total d'inscrits en médecine autour de 550 élèves. Entre 1945 et 1965, la faculté de médecine n'avait haussé ses admissions qu'à 139 étudiants en première année[13]. Elle adoptait grosso modo le même quota d'inscriptions que les facultés de médecine de Laval et de McGill. Cela se reflète sur le nombre de diplômes de M.D. — entre 85 et 100 — décernés par la FMUM au cours de ces années. Là aussi, la faculté suivait de très près Laval et McGill. Malgré les pressions exercées par le gouvernement provincial au début des années 1960, qui souhaitait une augmentation des effectifs médicaux dans la province, le conseil de la faculté s'était toujours opposé à hausser brusquement les admissions des étudiants en médecine. Les membres du conseil considéraient que «la solution au besoin accru de

GRAPHIQUE 4

## Nombre d'élèves inscrits au M.D.
## à la FMUM (1901-1962)

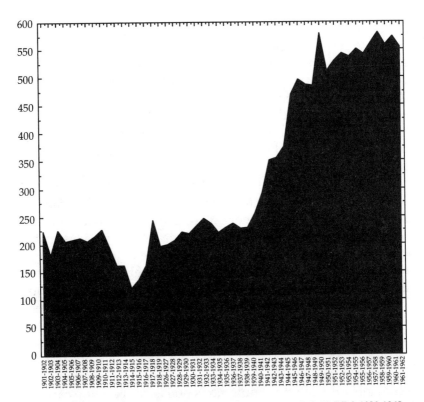

*Sources*: Annuaires de l'EMC/FMULM, 1901-1919; Annuaires de la FMUM, 1920-1962.

médecins ne réside pas dans l'encombrement d'une école de médecine en particulier mais dans la création de nouvelles écoles[14]». Du reste, les effectifs du corps professoral à plein temps ne permettaient qu'une très légère augmentation du volume des élèves. Néanmoins, au début des années 1970, le conseil se verra finalement contraint d'accepter de hausser de 512 à 640 le nombre total des étudiants en médecine et d'accroître de 139 à 160 les étudiants admis en première année.

Alors que le nombre des étudiants en médecine s'élève graduellement[15], la qualité des candidats en matière de formation préuniversitaire semble s'être sensiblement améliorée. C'est du moins ce que constatent les délégués de l'AMA et de l'AAMC qui notaient, en 1955, qu'en général «*the quality of students is improving and since the Second World War some of the very best students are turning to medicine as a profession. This increased interest on the part of outstanding students reflects a considerable change*[16].» Même s'il faut nuancer une telle affirmation, il demeure que les programmes correspondaient davantage aux standards de l'enseignement scientifique universitaire[17]. Du reste, parmi les meilleurs étudiants des collèges, plusieurs étaient intéressés par une profession en pleine expansion qui avait l'avantage d'allier à la fois les attributs d'une profession libérale à ceux d'une pratique scientifique.

Dès la fin du second conflit mondial, les demandes d'admission affluèrent à la faculté de médecine[18]. En 1947, la faculté recevait près de 400 demandes d'admission provenant pour les deux tiers de résidents québécois. Mais cette croissance ne fut que temporaire. Si l'on se fie aux demandes d'admission faites à l'Université de Montréal, il semble que cet intérêt pour une carrière médicale tende à s'affaiblir durant la décennie suivante: «Le nombre des candidats aux études médicales baisse à Montréal comme dans tout le reste du Canada, parce que plus de carrières différentes sont maintenant ouvertes aux jeunes gens[19]», note le doyen de la faculté. Le choix d'une profession libérale ne constituait plus le débouché le plus avantageux des étudiants des collèges. Soulignons que le choix d'une carrière en médecine pour les finissants des collèges classiques était en nette progression de 1923 à 1952, passant de 17 à 30 %. Mais, comme le mentionne Galarneau, cette tendance déclinera par la suite[20]. Le développement des disciplines dans les sciences appliquées ouvrait des perspectives de carrières intéressantes de même que l'éclosion au Québec des sciences humaines ou des sciences administratives qui intéressaient de nombreux étudiants[21]. Au tournant des années 1950, les demandes d'admission en provenance des États-Unis sont nombreuses, mais les membres du comité d'admission, désireux «de desservir la population de la province de Québec, et plus particulièrement celle de la région de Montréal [n'ont] refusé définitivement que 20 candidats de la province de Québec[22]». On est loin de la proportion actuelle. Seuls quelques étudiants étrangers sont alors admis à la faculté.

Les candidats québécois — 115 admis en première année et 11 à une année préparatoire équivalente au PCB en 1952 — provenaient en majorité du collège Sainte-Marie, du collège Brébeuf et du Collège de Montréal. En 1956, les demandes formelles d'admission se chiffrent à 266, dont 233 proviennent de résidents québécois, parmi lesquels 125 Québécois et 5 candidats de l'extérieur du Québec sont admis. Mais trois ans plus tard, seulement 166 demandes d'admission en bonne et due forme sont envoyées au comité d'admission. En 1961, 208 demandes formelles sont étudiées par la faculté parmi lesquelles 201 proviennent de résidents québécois. Cinq ans plus tard, 266 des 273 demandes d'admission sont faites par des résidents québécois, et la proportion des candidats québécois admis s'élève à 51,5 %. En regard de l'augmentation du nombre d'étudiants qui ont accès aux études du baccalauréat, les demandes d'admission aux études médicales sont relativement peu nombreuses.

Certains membres du conseil invoquent la perception des étudiants des collèges «qui redoutent les premières années de médecine» et qui se plaignent que «les entrevues données par certains membres [du comité d'admission] découragent les étudiants[23]». Certes on percevait les études médicales comme étant difficiles, mais d'autres facteurs tels que les coûts élevés et la durée des études médicales en ont certainement découragé plus d'un. En outre, les frais de scolarité ne cessaient d'augmenter, parfois abruptement. En 1963, les frais de scolarité pour les quatre premières années d'études passent de 525 $ à 600 $ et le tarif horaire des cours théoriques et pratiques grimpe respectivement de 1 $ à 1,25 $ et de 1,50 $ à 1,75 $.

Les étudiants se destinant à la médecine étaient naguère choisis conjointement avec la faculté des sciences qui administrait l'année prémédicale. À partir de 1945, c'est un comité d'admission composé de membres de la faculté de médecine qui décidera de l'acceptation ou du refus des candidatures.

Après une étude auprès des Américains, quant à leurs proto-coles d'admission et leurs techniques d'évaluation des candi-dats, les membres du comité d'admission envisagent, en 1958, d'avoir recours aux tests psychométriques (Rorschach, QI) et aux entrevues psychiatriques. Depuis les années 1940, l'éva-luation des collèges, qui garde aujourd'hui toute son actualité, constituait l'un des principaux critères d'admission. Les étu-diants du collège Brébeuf et du collège Sainte-Marie possédaient déjà à cet égard une longueur d'avance. Les bacheliers ès arts de l'Université de Montréal, incluant les bacheliers des collèges Brébeuf, Loyola et Sainte-Marie, constituaient plus de 90 % des étudiants admis à l'étude de la médecine. Ainsi en 1966, 133 des 139 étudiants acceptés en première année de médecine pro-viennent de l'Université de Montréal, les autres sortant des uni-versités Laval, McGill, Miami et Louvain. Il faut toutefois souligner que plus de 85 % des demandes d'admission étaient faites par des étudiants de l'Université de Montréal. Les deman-des externes étant très peu nombreuses, on peut certainement considérer que le programme d'études de la faculté de médecine était essentiellement destiné aux candidats diplômés de la région montréalaise.

Aboli en 1951, le PCB sera remplacé par une année d'études préparatoires en deuxième année du baccalauréat ès sciences (biologie), relevant de la faculté des sciences. La plupart des étudiants admis auront, comme auparavant, à suivre des cours préparatoires à l'étude de la médecine. Les candidats bache-liers ès arts pouvaient s'inscrire sur recommandation du comité d'admission et n'étaient admis définitivement qu'après la réus-site des examens finals des matières imposées[24]. Les étudiants étaient toujours tenus de suivre des cours de physique, de chimie et de biologie[25] dispensés par la faculté des sciences. La faculté de médecine avait jalousement gardé son droit de regard sur les examens de deuxième année à la faculté des sciences, ce qui ne plaisait guère à son directeur. En outre, certains membres du conseil estimaient que «même compétent, le personnel de la faculté des sciences n'est pas nécessairement qualifié pour don-ner un enseignement adapté à de futurs étudiants en médecine[26]».

La loi médicale de 1956 stipulait qu'un baccalauréat ès arts ou ès sciences devrait progressivement constituer la base des conditions pour l'admission à la médecine. Les programmes des collèges décernant ces diplômes seront peu à peu modifiés. Pour remplir ces conditions, la faculté des arts de l'Université de Montréal modifiera quelques années plus tard son programme d'études — diversification des cours, augmentation du nombre de cours optionnels en sciences, etc. — de façon à répondre aux exigences des facultés de médecine de la province. S'ajoutent au programme de la faculté, de nouveaux cours de chimie, de physique, de biologie et de mathématiques. L'évolution de l'enseignement des sciences dans les collèges permettait d'accueillir des candidats possédant une meilleure formation de base. Du fait que la plupart des étudiants admis en première année détiennent un baccalauréat ès arts, option biologie-chimie, les besoins d'une année prémédicale s'amenuisent. En 1965, seulement 8 étudiants sur les 273 candidatures reçues doivent s'inscrire à une année prémédicale à la faculté des sciences, alors que 127 bacheliers ès arts sont directement admis en première année de médecine. Les huit candidats dirigés vers les études prémédicales possédaient un baccalauréat ès arts, option philo-lettres. À partir de l'année suivante, les grades de bachelier ès arts, ès sciences ou un grade universitaire équivalent sont désormais requis et, même si on exige encore «une formation générale étendue», les règlements d'admission sont modifiés en faveur d'une formation plus poussée des candidats en mathématiques[27] (8 crédits), physique générale (8 crédits), chimie générale et organique (16 crédits) et biologie générale (12 crédits[28]). La FMUM avait défini des critères d'admission en médecine qui exigeaient des candidats une solide formation scientifique. La mise sur pied du programme des sciences de la santé dans les cégeps au tournant de la décennie 1970 concrétisera cette tendance.

Le nombre d'admissions de candidates féminines à l'étude de la médecine a légèrement augmenté entre 1942 et 1945, passant de 16 à 24 femmes. Cette faible tendance à la hausse inquiète néanmoins certains membres du conseil de la faculté. Pendant que les uns se demandent en 1949 si on ne devrait pas interdire l'entrée des femmes à la faculté de médecine, d'autres considèrent que si les portes doivent leur rester ouvertes, il faut néanmoins limiter leur nombre. L'argument généralement invoqué pour justifier un tel contigentement est classique: «Plusieurs quittent avant la fin des études universitaires et de celles qui reçoivent leur diplôme, un très petit nombre reste en clientèle[29].» Du reste, les autorités craignaient une réaction négative des candidats masculins devant une augmentation de la clientèle féminine[30]. Cette résistance à l'admission des femmes en médecine n'était pas exclusive à la faculté. Elle était malheureusement partagée par la plupart des écoles de médecine, et même les facultés dites «mixtes» n'admettaient qu'une étudiante pour six étudiants. La FMUM était généralement bien en deçà de cette proportion avec seulement 10 femmes admises sur 125 étudiants en 1950. Elle améliorera progressivement le proportion de ses candidates durant les décennies suivantes.

En 1965, la proportion de femmes admises en médecine a doublé avec 19 sur 125. Il faut cependant souligner, à la décharge du comité d'admission, que les demandes d'admission étaient beaucoup moins élevées chez les femmes que chez les hommes. En 1965, la proportion des admissions féminines (15,2 %) correspond alors à la proportion des candidatures (17,7 %) et le pourcentage des femmes admises par rapport à celles qui ont postulé est de 41,3 % contre 49,5 % chez les hommes. Cette augmentation des admissions féminines annuelles a évidemment des répercussions sur la proportion de la clientèle féminine inscrite au programme de médecine de la faculté. Comme l'indique le tableau 1 construit d'après les données disponibles, soit entre 1942-1943 et 1961-1962, la proportion des femmes inscrites au programme de médecine grimpe sensiblement passant de 3,7 % à 14,2 %.

De la fin de la Seconde Guerre au début des années 1970, le nombre de diplômes de médecine décernés annuellement par la FMUM est en nette progression, passant de 80 à 120. Elle rejoignait les facultés de médecine de McGill et de Laval qui, jusqu'aux années 1960, dominaient à ce titre. Depuis les années 1940, l'augmentation du nombre de diplômes émis par la FMUMG, conséquence d'une limitation des admissions, avait été plutôt modeste, alors que la FMUL avait connu sur ce plan une importante ascension. Suite à l'augmentation de ses admissions, la FMUM connaîtra, à partir de la décennie 1970, une progression supérieure à sa rivale de Québec, ce qui la placera bientôt en position dominante.

TABLEAU 1

**Nombre d'hommes et de femmes inscrits au programme de médecine de la FMUM**

|           | Hommes | Femmes | %    |
|-----------|--------|--------|------|
| 1942-1943 | 433    | 16     | 3,7  |
| 1954-1955 | 498    | 38     | 7,6  |
| 1955-1956 | 511    | 39     | 7,6  |
| 1956-1957 | 507    | 34     | 6,7  |
| 1957-1958 | 524    | 37     | 7,0  |
| 1958-1959 | 533    | 47     | 8,8  |
| 1959-1960 | 511    | 47     | 9,1  |
| 1960-1961 | 517    | 56     | 10,8 |
| 1961-1962 | 484    | 69     | 14,2 |

## Le projet de l'hôpital universitaire (1942-1965)

À l'intérieur du nouveau complexe universitaire, trois ailes situées à gauche de la cour d'honneur avaient été érigées pour abriter un spacieux hôpital universitaire de 480 lits. L'espace ainsi prévu devait renfermer les salles d'examen, les laboratoires de routine, les chambres d'isolement ainsi que, «pour conserver plus de souplesse à cette disposition, des chambres supplémentaires qui pourront être attribuées, selon les besoins, aux départements des ailes voisines[31]». Avaient aussi été prévus des dispensaires qui devaient occuper tout le rez-de-chaussée de l'hôpital, ainsi qu'une entrée du service d'ambulance au niveau du dispensaire de chirurgie. Les soins aux malades devaient être confiés à une communauté religieuse et aux élèves et personnel infirmier recrutés dans la nouvelle école de nursing projetée à cet effet. L'arrière avait été aménagé pour abriter les laboratoires d'anatomie pathologique et de bactériologie destinés aux besoins de la médecine hospitalière. Un tel aménagement une fois complété était censé combler pleinement les besoins exprimés par les membres de la faculté en matière d'enseignement clinique et de recherche médicale. En apparence, l'affaire s'annonçait plutôt bien. Mais quelques événements imprévus n'allaient pas tarder pas à refroidir les plus enthousiastes.

Au moment où la faculté prend possession de ses nouveaux locaux dans l'édifice universitaire, cette belle et grande section qu'attendaient avec impatience les cliniciens de la faculté n'est pas achevée. Seuls quelques étages avaient été aménagés provisoirement pour abriter certains services de l'armée, notamment l'école des élèves aviateurs, ainsi que des laboratoires temporaires du Conseil national de recherches scientifiques qui procédait à des recherches secrètes sur la bombe atomique.

## Une mise en veilleuse du projet (1942-1948)

Bien que partageant l'allégresse ressentie par l'ensemble de la collectivité universitaire devant l'imposant édifice sur la montagne, les membres de la faculté de médecine n'en éprouvaient pas moins une vive déception de ne pouvoir disposer comme prévu d'un hôpital d'enseignement sur la montagne. Il s'agissait là à leurs yeux d'un élément essentiel au développement de la faculté. Au cours des années précédentes, les autorités de la faculté de médecine, invoquant les besoins en lits d'hôpitaux de la ville de Montréal et la nécessité d'améliorer l'enseignement médical, avaient intensifié leurs pressions auprès de l'administration pour que l'hôpital soit achevé lors de l'inauguration du nouveau campus universitaire[32]. L'administration avait fait la sourde oreille à cette revendication, jugeant que l'hôpital de la faculté n'était pas une priorité. Deux arguments étaient fournis à l'appui de ce refus: d'une part, l'achèvement des travaux nécessitait d'importants investissements supplémentaires et les administrateurs de l'université ne voyaient pas la possibilité de réaliser ce projet avant d'avoir remboursé la dette au gouvernement provincial[33]; d'autre part, l'université était liée par un contrat de location qui accordait aux autorités fédérales militaires, et ce pour la durée de la guerre, le local prévu pour l'hôpital. À ces contigences internes s'ajoutait le refus du Rockefeller Institute d'accorder une allocation spéciale au parachèvement des travaux[34]. Dans un contexte de guerre qui drainait une large part de l'économie, une telle subvention aurait certainement favorisé la réalisation d'un projet aussi coûteux.

La structure d'enseignement médical mise sur pied par les grandes université américaines privilégiait la construction d'un tel hôpital attaché aux facultés de médecine. Les rapports étroits qui existaient entre la FMUM et la Rockefeller Foundation depuis plus de vingt ans avaient largement contribué à imposer l'idée qu'une telle structure permettait de concilier l'enseignement théorique et l'enseignement pratique de même qu'elle favorisait les relations entre les sciences fondamentales et les sciences cliniques. Selon l'esprit du système médical américain, cette structure permettait non seulement de fournir à l'étudiant une formation complète en médecine générale, mais aussi de favoriser la formation de spécialistes et le recrutement de chercheurs en recherche clinique et biomédicale.

Ce dernier objectif n'était toutefois pas encore une priorité de la faculté. Les préoccupations en matière d'enseignement clinique dominaient largement quant à la légitimation d'un tel hôpital au détriment de la recherche ou de l'enseignement des spécialités. En 1943, l'administration avait en effet jugé nécessaire, malgré les protestations des membres de la direction de la faculté, d'y installer certains services médicaux spécialisés. Or, clamaient ces derniers, lesdits locaux doivent «servir aux fins pour lesquelles ils ont été construits, [c'est-à-dire] à l'enseignement de base en médecine et chirurgie[35]». Une telle protestation confirme que, dans l'esprit des membres de la direction, l'hôpital projeté devait surtout servir à un enseignement clinique.

Essentiellement, l'on désirait une structure hospitalière entièrement dépendante et soumise aux priorités définies par le conseil de la faculté, avantage jugé non négligeable en ce qui concerne la liberté d'organisation de l'enseignement clinique. Or les administrations hospitalières des hôpitaux affiliés à la faculté se montraient chatouilleuses sur leurs prérogatives en matière d'enseignement clinique et imposaient certains cadres d'activités, ce qui ne manquait pas de déplaire souverainement aux autorités de la faculté. L'American Medical Association, au terme de son enquête sur la faculté de médecine en 1946, trouvait déplorable que «la Faculté soit obligée de se soumettre à ses hôpitaux d'enseignements et ne puisse recevoir d'eux que ce qu'ils veulent bien donner[36]». Encore une fois, cet organisme apportait une légitimation aux pressions exercées pour l'installation de l'hôpital.

Plusieurs intervenants reprochaient néanmoins aux autorités de la faculté de promouvoir un projet qui ne visait qu'à répondre aux besoins internes de la faculté au détriment de la population en général. Pour se défendre face à de telles critiques, le doyen Dubé s'était enquis auprès du secrétaire de l'Association of American Medical Colleges des objectifs poursuivis par les hôpitaux universitaires américains. La réponse se fit rassurante pour ceux qui voyaient d'un mauvais œil la dépense des fonds publics à des seules fins de recherche ou de spécialisation médicale:

> Le but des hôpitaux universitaires de cette association est de former de bons médecins praticiens et non des spécialistes; les hôpitaux universitaires ne font pas l'enseignement des spécialités, celui-ci relevant de l'entraînement «post-scolaire[37]».

Mais il semble que la population ne fut guère sensible aux arguments invoqués par les défenseurs du projet. En 1943, lorsque la Société d'administration de l'Université de Montréal, sous les pressions répétées de la faculté de médecine, accepte d'émettre «des obligations au montant de 1 616 500 $[38]» afin de ramasser les fonds nécessaires à l'aménagement de l'hôpital universitaire, elle se heurte au désintérêt de la population pour un hôpital de ce type. Il faut dire que l'économie de guerre ne favorisait guère une telle démarche.

Le 26 avril 1944, les autorités gouvernementales, qui considéraient l'hôpital universitaire comme «une institution déjà reconnue d'assistance publique[39]», décident par un arrêté en conseil de verser «une somme de 2 200 000 $ à la Société d'administration de l'Université de Montréal à raison de 110 000 $ par année, à compter de l'année fiscale 1944-45, pour se continuer durant une période de vingt ans[40]». Toutefois, les autorités du ministère de la Santé et du Bien-être social assortissaient cette subvention de quelques conditions qui affectaient la vocation même de l'hôpital. La somme accordée annuellement devait «servir exclusivement à l'aménagement de l'Hôpital Universitaire contenant un Institut d'Orthopédie et un Institut du Radium[41]». L'on souhaitait en effet que l'Institut du radium «une fois transporté dans l'hôpital universitaire, libérerait tout près de 500 lits pour les tuberculeux[42]». Ces nouvelles fonctions dévolues au futur hôpital, qui s'ajoutaient aux objectifs fixés par la faculté, faisaient suite aux démarches faites par le docteur Gendreau, directeur de l'Institut du radium. L'intégration de cet institut, nous l'avons déjà mentionné[43], avait été prévue dès sa fondation, et le docteur Gendreau considérait que l'alliance de son institut avec l'université était de plus en plus vitale. Mais ni la Société d'administration de l'Université de Montréal ni les autorités de la faculté ne voyaient d'un bon œil l'installation de cet institut au sein de l'hôpital. Les représentants du conseil insistaient sur «l'importance pour la faculté de médecine d'être maîtresse de son hôpital pour organiser son enseignement[44]», alors que la Société d'administration craignait que l'Institut «ne prenne trop de place à l'hôpital de la montagne» et n'occasionne ainsi des frais supplémentaires.

Les autorités de la faculté, loin de réduire leurs exigences à propos de l'hôpital, intensifiaient leurs pressions pour l'érection d'un complexe hospitalier encore plus perfectionné. Au début de l'année 1945, le conseil, après discussion, adopte à l'unanimité la motion suivante:

> Le Conseil de la Faculté de Médecine de l'Université de Montréal, réuni en assemblée plénière, prie instamment et à l'unanimité, la Société d'Administration de l'Université de Montréal de créer, dans le plus bref délai possible, un hôpital général universitaire qui servirait à l'enseignement scolaire et d'utiliser, à cette fin, les locaux des ailes ouest de l'immeuble de l'Université de Montréal; le Conseil de la Faculté de Médecine recommande aussi hautement l'établissement d'instituts spécialisés au voisinage de cet hôpital général[45].

Au début de l'année suivante, le doyen présente au conseil de la faculté un projet de «Centre médical hospitalier». Désormais, le projet ne consiste plus seulement à établir un hôpital universitaire de 500 lits, mais aussi à ériger un centre médical spécialisé[46]. L'on substituait à un projet modeste un grand complexe hospitalier qui liait la construction d'un hôpital universitaire à un centre de recherche spécialisé. Le projet reçut pourtant l'assentiment de la commission des études. Par ailleurs, pour ce qui est de l'aménagement de l'hôpital général universitaire, les membres de la faculté de médecine obtiennent l'appui du docteur Albini Paquette, ministre de la Santé[47].

Une telle situation montre que les contraintes financières n'ont pas été les seules causes ayant défavorisé la réalisation du projet. Celui-ci dans sa forme première ne faisait plus guère l'unanimité au sein même de la faculté. Plusieurs intervenants s'interrogeaient sur l'opportunité d'achever la construction de l'hôpital projeté. Ne fallait-il pas plutôt en construire un nouveau sur le site universitaire? Certains arguaient que l'espace prévu pour l'hôpital devrait être conservé pour les besoins futurs des autres facultés de l'université. D'autres soulignaient qu'un projet d'hôpital de 500 lits était déjà trop limité pour les besoins croissant de l'enseignement clinique et qu'en conséquence, un nouvel édifice plus spacieux devait être construit à proximité de la faculté.

Une nouvelle enquête[48] sur le mode d'administration et les programmes des facultés[49], patronnée en 1946 par la Société d'administration de l'Université de Montréal et confiée à Irwin Conroe, expert de New York, confirma les positions officielles défendues par les autorités de la faculté de médecine. Publié en 1947, le rapport Conroe se prononçait en faveur de l'achèvement de l'hôpital universitaire:

> To delay the completion of the present building is actually a poor economy risk or a questionable one at best. For example, no one can readily estimate how many actual thousands of $ the failure to complete the hospital has already cost, to say nothing at all of the loss of services of that hospital, the tying-up of a half dozen floors of a major part the the building, the inefficiency of the present plan of clinical training of medical students, etc. [...] 1. From an economic point of view alone, the university should complete as speedily as possible the present hospital. Already hundreds of thousands of $ have been spent on the present construction. To abandon these plans would represent a loss of monies which the university cannot gainsay. 2. Unless it is planned to increase materially in size the Medical Faculty of the University of Montreal experts say a 500 bed hospital is large enough for needs of student training. Such training would have to be of a general character[50].

De plus, il appuyait le projet d'établissement d'un centre médical spécialisé pour pourvoir aux besoins de la recherche et de l'enseignement supérieur en médecine:

> Therefore, students would still need to use present available facilities for specializations. The alternative would be the establishment on Mount Royal heights of a great medical center with a number of specialized hospitals, health services, etc. Even with such a center a general training hospital will still be needed[51].

Les autorités de la faculté de médecine recevaient un appui moral de taille. D'autres événements, d'ordre économique, allaient bientôt favoriser la poursuite du projet.

En effet, l'administration, en étroite collaboration avec le chancelier de l'université, Mgr Charbonneau, avait jugé opportun, par suite du dépôt du rapport Conroe, d'organiser une importante campagne de souscription. Cette campagne, qui mettra surtout l'accent sur l'achèvement de l'hôpital universitaire et la construction d'un centre médical spécialisé, est mise sous la direction du Comité des donateurs de l'Université de Montréal, institué par contrat notarié le 17 novembre 1947. Les souscripteurs, désormais sensibilisés au fait qu'un hôpital universitaire s'impose de plus en plus, donnent généreusement[52]. L'objectif de 11 000 000 $ est dépassé. On disposera donc d'un surplus de 1 860 000 $ pour atteindre les fins initialement visées: 4 000 000 $ au parachèvement du centre médical, 1 750 000 $ pour l'établissement d'un fonds de pension et de retraite, 2 500 000 $ au parachèvement de l'édifice[53] parmi lesquels 2 000 000 $ proviennent de la Ville de Montréal[54].

Disposant des fonds nécessaires, la Société d'administration forme en janvier 1948 un nouveau comité chargé de recueillir les renseignements techniques nécessaires à la finalisation du projet. Tout est à recommencer ou presque: visites d'organisations philanthropiques médicales, consultations auprès d'experts américains, devis financiers, plans de construction, démarches pour un soutien financier et technique de la Rockefeller Foundation, etc. Lassées de tant de péripéties, les autorités de la faculté ne manifestaient qu'un enthousiasme prudent. La première note discordante provint de la Rockefeller Foundation. L'on espérait que cet organisme, doté d'une grande crédibilité aux yeux des autorités de la faculté et de l'administration générale de l'université, cautionnerait sans difficulté le projet. Or, contre toute attente, le représentant de la Fondation, loin d'appuyer le projet, en recommande le report:

> Les membres du comité sont particulièrement frappés par les critiques sévères apportées par le docteur Morison, de la Fondation Rockefeller, sur la structure de la faculté de médecine et sur celle de l'université. Ce dernier insiste sur la nécessité de réorganiser d'abord toute l'administration de la faculté de médecine avant qu'on puisse réellement avancer dans l'achèvement de l'hôpital universitaire et dans l'établissement d'un solide programme d'enseignement à la faculté de médecine[55].

En fait, le docteur Morison déplorait l'absence d'un directeur d'études à temps plein à la faculté de médecine et considérait que ce dernier devait activement participer «au projet de construction, d'organisation et d'opération de l'hôpital universitaire» ainsi qu'à l'élaboration d'un nouveau programme d'enseignement[56]. Il voyait mal comment la Rockefeller Foundation, en l'absence d'un tel directeur d'études et d'une réorientation de l'enseignement, pouvait venir en aide à la faculté.

Mais pis encore, cette critique s'ajoutait à celle qui avait été formulée, à la suite d'une visite de la faculté en 1946, par les docteurs Johnson et Weiskotten selon laquelle la faculté ne possédait même pas un doyen à temps plein.

> It should be realized that the deanship is the most important position in the medical school. Without intelligent leadership a satisfactory development of the school will be impossible. A part-time dean cannot possibly furnish such leadership in this critical period of the development of the medical school and its teaching hospitals[57].

Les critiques de Morison, Johnson et Weiskotten étaient justifiées. Le doyen E. Dubé, en poste depuis 1944, cumulait les fonctions de professeur titulaire de chirurgie pédiatrique et orthopédique à l'Hôpital Sainte-Justine et de directeur médical de la faculté. Il n'était en poste à la faculté que les lundis, mercredis et vendredis après-midi, ainsi que le samedi matin de 10 h à 11 h. La faculté n'avait ni directeur d'études ni doyen à temps plein. Recevant un salaire annuel de 2500 $, le doyen ne possédait même pas un budget de déplacement et devait supporter tous les frais lors des réunions extérieures. Rappelons que c'était le doyen de la faculté qui remplissait *ipso facto* les fonctions de directeur des études. Des efforts avaient pourtant été faits pour recruter une personne compétente à ce poste. Dès 1943, la direction de la faculté avait demandé au docteur Gregg de la Rockefeller Foundation de lui recommander un directeur des études, mais celui-ci n'avait pas donné suite à cette demande. La Fondation commençait alors à se désintéresser de la faculté. L'année suivante, le nouveau doyen de la faculté, le docteur Dubé, est nommé temporairement directeur des études jusqu'à ce que l'on déniche un spécialiste pour ce poste[58]. Mais encore une fois, des contraintes budgétaires empêchèrent l'engagement d'un spécialiste à temps plein, contrainte qui se doublait de la difficulté de recruter une personne compétente en territoire québécois. Les dirigeants de la faculté avaient orienté leur recherche vers les États-Unis, mais sans succès[59]. On décida plutôt de charger le vice-doyen de la faculté d'assister le doyen dans cette tâche. Mais deux personnes à temps partiel ne pouvaient avoir la même efficacité qu'un directeur à temps plein. Le comité recommandera à nouveau la nomination d'un doyen ou d'un directeur d'études qui consacrera tout son temps à la faculté et qui possédera toute l'autorité nécessaire pour la réalisation des projets d'ordre médical à l'Université de Montréal[60]. Cette recommandation ne pourra être appliquée faute d'un accord financier avec l'administration de l'université.

Les autorités de la faculté furent fort déçues de l'attitude des dirigeants de la Rockefeller Foundation qui avaient toujours soutenu l'organisation d'un centre hospitalier universitaire. Au moment où le projet avait toutes les chances de se concrétiser, voilà qu'elle leur retirait cet appui et, qui plus est, formulait une virulente critique de l'organisation structurelle de la faculté. Malgré la justesse de certains reproches adressés à la faculté, ce retournement était d'autant plus imprévisible que les membres de l'American Medical Association et de la Rockefeller Foundation avaient à maintes reprises approuvé l'idée que l'aménagement d'un hôpital universitaire favoriserait le développement de la faculté. On tournait en rond. Le projet fut à nouveau suspendu.

## De nouvelles initiatives avortées (1948-1965)

Jusqu'en 1953, des négociations s'étaient certes poursuivies entre la Société d'administration de l'université, le gouvernement provincial et la faculté de médecine, mais l'on se rendit bientôt compte qu'en raison de la progression des coûts de construction, le projet d'un hôpital de 600 lits devait être modestement réduit à un complexe hospitalier de 500 lits. L'on ne disposait que de cinq millions de dollars pour parachever l'hôpital universitaire prévu, alors que les coûts étaient maintenant évalués à au moins sept millions. L'inflation en matière de construction avait été supérieure aux intérêts et capital des sommes réservées.

Même réduit, et malgré les pressions de la faculté et les nombreuses recommandations de spécialistes de l'enseignement médical américain, le projet n'avança qu'à pas de tortue. Bel exemple de lenteur administrative et bureaucratique, les nouveaux plans ne seront prêts qu'en 1957. Entre-temps, la faculté qui avait largement misé sur cet hôpital pour restructurer son enseignement clinique et développer la recherche clinique s'était efforcée d'obtenir des bourses d'études de spécialisation afin de doter le centre médical d'un personnel qualifié.

La réalisation du projet de l'hôpital semblait à nouveau sur la voie d'une concrétisation. C'est du moins ce qu'assure le conseil des gouverneurs aux autorités de la faculté lorsqu'il déclare que «les perspectives de construction de l'Hôpital universitaire sont excellentes[61]». Mais il fallait compter avec les humeurs changeantes de Duplessis qui, à l'automne 1957, décide brusquement de s'opposer à la réalisation du projet, et ce même si deux millions des fonds recueillis lors de la souscription publique avaient déjà servi à parachever une partie des locaux de l'hôpital[62].

L'arrêt des travaux constituait encore une fois un coup dur pour la faculté. Celle-ci misait toujours sur cette nouvelle institution pour accroître la qualité de sa formation et surtout pour réformer un programme qui, nous le verrons, fera l'objet de sévères critiques de la part des évaluateurs externes. De plus, les organismes d'agrément confirmaient la nécessité de mettre sur pied un tel centre médical comme condition de possibilités d'une progression scolaire et scientifique de la faculté. Le développement de plusieurs secteurs cliniques avait été considérablement ralenti par les reports successifs d'un projet qui traînait depuis plus de trente ans. Les membres de la faculté ont à maintes reprises exprimer leurs doléances à ce propos. Tel est le cas du doyen de la faculté en 1957:

Le plus grand des soucis de la Faculté reste celui de l'hôpital universitaire. Les plans en sont terminés et le prix de construction en est connu depuis le mois de mai 1957. Au cours du printemps dernier, la publication d'une série d'articles de professeurs de la Faculté, la propagande à la radio, à la télévision, dans la grande presse, ont stimulé l'intérêt pour le problème de l'hôpital universitaire. Toutefois, jusqu'ici cette campagne n'a eu aucun résultat concret. Faute d'un hôpital universitaire, il est difficile, ou même impossible, d'organiser des cours post-scolaires ou des cours de perfectionnement. Cette carence a pour autre corollaire le peu de développement donné aux recherches cliniques dans notre milieu[63].

Ce véritable attachement à un hôpital universitaire érigé sur le campus, entretenu par les autorités administratives et gouvernementales, a certainement défavorisé la recherche d'autres possibilités valables en matière d'enseignement clinique et d'études spécialisées. Les autorités politiques et administratives engagées dans ce dossier ont fréquemment abusé de la crédulité des membres de la faculté par d'incessantes promesses non tenues. La suite des événements confirme, s'il en est besoin, cette malheureuse situation.

Le décès du premier ministre Duplessis en 1959 permet une reprise du projet. Son successeur, Paul Sauvé, entérine un énième plan de construction du centre médical à condition toutefois que celui-ci soit édifié hors du pavillon principal. Cette exigence visait à répondre aux besoins accrus d'espace des autres facultés de l'université. Même le département des sciences fondamentales de la faculté de médecine se sentait à l'étroit. On reluquait donc du côté des six vastes ailes de l'hôpital inachevé. Du reste, les installations prévues ne satisfaisaient plus aux besoins d'un centre médical spécialisé[64]. Tournées des centres médicaux — 32 centres canadiens, américains et européens seront visités —, consultations répétées sur les plans les plus adéquats, évaluations des modes d'administration, planification des besoins, enquêtes, études[65], mise sur pied de nombreux comités, etc., canalisent à nouveau pendant cinq ans les énergies. Les autorités de la faculté s'appliquent à coordonner le programme détaillé de chaque département des sciences fondamentales et des sciences cliniques en fonction de la construction du futur centre médical et tentent de prévoir l'expansion nécessaire au développement futur des départements de la faculté et des services de l'hôpital.

Le comité du programme de construction du centre médical dépose en juin 1963 une esquisse du projet au conseil de la faculté de médecine. Le doyen de la faculté, laconiquement, exprimait alors l'espoir qu'il s'agissait bel et bien du dernier projet de centre médical. On le comprend. La méfiance se nourrit du passé. Les plans originaux prévoyaient un budget de construction de 42 millions de dollars. Des modifications successives, tant de la part des gouverneurs de l'université que de la part d'experts américains, abaisseront le coût du projet à 27 millions dont 16 millions pour l'hôpital et 11 millions pour la faculté de médecine. À la suite de la présentation d'une maquette qui montrait la distribution des différentes disciplines sur les quatorze étages du futur hôpital, le nouveau doyen de la faculté, Lucien L. Coutu[66] — qui avait remplacé le docteur Bonin en 1962 —, annonça aux membres du conseil, incrédules, que ce projet serait soumis aux gouverneurs de l'Université de Montréal avant le 30 juin 1963, que la première pelletée de terre serait soulevée en mai 1964 et que le centre médical serait occupé à partir de 1967. Le projet fut bien adopté par le conseil des gouverneurs, mais le premier coup de pelle ne sera jamais donné.

Pourtant, le projet augurait bien. En octobre 1964, le conseil des gouverneurs accordait priorité au projet du centre médical, mais prévoyait une hausse des coûts de 28 à 40 millions imputable à l'augmentation des frais de main-d'œuvre. La réalisation du projet semblait imminente. Elle demeurait toutefois soumise au veto du gouvernement Lesage qui devait payer une grande partie des coûts.

Le premier ministre approuva le projet mais, soucieux d'augmenter les effectifs médicaux de la province à la suite du rapport Parent, imposa à la faculté une augmentation du quota prévu d'étudiants admis annuellement au centre médical. Le conseil de la faculté refusa une telle augmentation qui, selon elle, «nuirait à la qualité de l'éducation médicale». La clientèle que l'on prévoyait admettre au centre médical était déjà fort importante. Qu'on en juge par les prévisions suivantes:

> La Faculté rappelle qu'en plus de former des médecins, le Centre recevra 200 étudiants en recherche, candidats, sur une période de un à cinq ans, à des diplômes de maîtrise ou de doctorat dans les sciences médicales; il contribuera largement à l'entraînement de plus de 1,000 étudiants dans les Écoles paramédicales de la Faculté (diététique, technologie médicale et réhabilitation) ou dans des facultés sœurs (hygiène, chirurgie dentaire, pharmacie, sciences et nursing); il entraînera environ 150 médecins résidents dans les diverses spécialités cliniques, sur des périodes allant de un à cinq ans; il ouvrira ses portes à quelque 3,000 médecins de la région de Montréal qui viendront s'inscrire à de multiples programmes d'enseignement post-scolaires. Le Centre médical abritera aussi 200 professeurs à plein temps qui contribueront, par leurs travaux de recherche, à l'avancement de la science médicale et au renom de la médecine canadienne-française[67].

Les membres du conseil ne pouvaient accepter une hausse importante des admissions, sans grandement affecter les activités scolaires. Le projet de centre médical était pour le moins ambitieux et représentait toujours un élément majeur dans les plans de développement de la faculté, particulièrement en ce qui regardait l'enseignement clinique, l'enseignement postscolaire et la recherche. Mais il était toujours loin de faire l'unanimité auprès des autorités de l'université, du gouvernement et même de la profession médicale[68]. La position de la faculté était pour le moins fragile.

Cependant, le conseil des gouverneurs ne désarmait pas et posait comme condition d'une rencontre avec les autorités gouvernementales la hausse des admissions à 200 étudiants. Une réunion du conseil de la faculté donna alors lieu à un important débat sur ce sujet et les membres «furent unanimes à recommander le projet actuel, à le défendre auprès des gouverneurs par le truchement d'une délégation en faisant valoir les conséquences académiques désastreuses d'une école de médecine au nombre accru d'étudiants[69]». Cependant, le doyen s'inquiétait d'une telle position et s'interrogeait sur l'opportunité de défendre le projet «tel qu'il est [...] au point de s'exposer à le perdre[70]». Crainte justifiée puisque le premier ministre avait une autre solution en tête.

Lors d'une conférence de presse organisée à Sherbrooke, à la fin du mois d'août 1965, le premier ministre avança l'idée que l'Hôpital Sainte-Justine constituerait une solution fort valable au problème que posait le projet d'un centre médical universitaire[71]. Cette déclaration signifiait à toutes fins utiles l'abandon du projet. Le secrétaire note à ce propos lors d'une réunion du conseil de la faculté de médecine que «ni monsieur le recteur, ni monsieur le doyen n'avaient ou n'ont été mis au courant de cette décision ou suggestion[72]»! Si le recteur ignorait les intentions du premier ministre, il demeure qu'elles s'accordaient avec les recommandations que feront, quelques semaines plus tard, les administrateurs de l'université concernant la construction de nouveaux pavillons de sciences sociales et de droit sur une partie du terrain — acquis en 1963 au coût de trois millions — réservé au centre médical. De plus, les autorités universitaires avaient unilatéralement décidé de laisser tomber le projet de centre médical et d'accepter l'Hôpital Sainte-Justine comme hôpital universitaire. Les membres de la faculté en furent consternés[73]. Le projet de construction du centre médical universitaire s'effondrait au moment où il n'avait jamais été si près de sa réalisation. Il ne sera jamais repris par la suite. L'échec de ce projet qui avait été défendu pendant près de cinquante ans par les autorités de la faculté de médecine laissa un sentiment d'amertume, d'autant plus que l'espoir que soit érigé un hôpital universitaire, caressé pendant des années, avait considérablement nui au développement de la faculté. D'une part, le projet avait mobilisé d'énormes énergies et, d'autre part, les sommes considérables qui devaient lui être consacrées avaient engendré chez les autorités une réticence à accroître les dépenses à d'autres fins.

Le changement de cap du gouvernement Lesage s'explique en partie par le fait que l'idée d'un centre médical universitaire construit sur le campus devenait de plus en plus controversée. De nombreux acteurs médicaux s'opposaient à une telle utilisation des fonds publics, alors que d'autres solutions pouvaient s'avérer moins coûteuses. L'on objectait généralement que cette centralisation de l'enseignement éloignait le futur praticien des conditions réelles de sa pratique, isolait le professeur et le chercheur et mettait les hôpitaux affiliés dans une situation subalterne par rapport au centre médical. Du reste, les membres de la faculté reconnaissaient qu'il n'était pas souhaitable de concentrer toute l'éducation médicale à l'intérieur d'un grand hôpital universitaire: «Cet isolement [dans l'hôpital universitaire] serait préjudiciable aux étudiants [...]. La solution qui s'impose doit englober les hôpitaux affiliés dans un plan général qui permettra à la faculté de mettre toutes les énergies en œuvre dans un tout cohérent[74].»

Toutefois, les autorités gouvernementales préférèrent opter pour une expansion des hôpitaux affiliés. Cette solution de compromis, acceptée avec dépit par les membres de la faculté, permettra néanmoins durant la décennie 1970 d'affilier de nouveaux hôpitaux et de les doter de meilleurs équipements, surtout en ce qui regarde les laboratoires de recherche clinique. Elle favorisait aussi une amélioration quantitative et qualitative en matière de personnel universitaire. S'ajouteront bientôt l'Hôpital Saint-Luc, l'Hôpital Saint-Jean-de-Dieu et l'institut Albert-Prévost[75]. Demeureront hôpitaux d'enseignement l'Hôpital de la Miséricorde, l'Hôpital du Sacré-Cœur et l'Hôpital général de Verdun. Au tournant des années 1980, la faculté comptera dix hôpitaux affiliés.

## De timides réformes du programme médical

Les problèmes reliés au déménagement, à l'aménagement d'un hôpital universitaire, à l'accroissement de la clientèle étudiante de même que les limites budgétaires imposées par une structure inadéquate de financement des universités, ont mobilisé les énergies vers des solutions à court terme et légitimé l'inertie de certains intervenants en matière d'éducation médicale. Par ailleurs, la structure administrative de la faculté, concentrée entre les mains de quelques intervenants qui partageaient leurs activités entre leur pratique privée et leur tâche universitaire, n'a guère permis un développement en profondeur de la structure générale de l'enseignement. Malgré quelques velléités de réforme, l'approche académique demeurera essentiellement de facture traditionnelle. En conséquence, les modifications apportées au programme jusqu'au tournant des années 1960 seront surtout ponctuelles et viseront principalement à combler les besoins les plus pressants par ailleurs très nombreux. Le lecteur ne devra donc pas s'étonner de cette longue litanie de problèmes qui ponctuent la chronique historique de la faculté de médecine jusqu'à la réforme de 1964.

À la fin du second conflit mondial, le doyen E. Dubé avait mis en œuvre un programme de réorganisation de certains secteurs de l'enseignement, notamment de la propédeutique, des laboratoires cliniques, de la médecine opératoire, de l'anesthésie, de la médecine industrielle et sociale, de la pédiatrie et de l'orthopédie[76]. L'enseignement de la matière médicale, de la pharmacologie et de la pharmacodynamie est réorganisé en fonction d'un projet d'études postscolaires. En 1946, malgré l'opposition de certains membres du conseil, un nouveau département d'anesthésie est créé, mais il demeure étroitement attaché à la chaire de médecine générale[77]. Cette décision faisait suite au projet du Collège des médecins et chirurgiens de la province de Québec qui visait à instituer une école provinciale d'anesthésie[78]. La faculté de médecine tenait à conserver ses prérogatives sur tout ce qui regardait de près l'enseignement médical. Cette activité reliée de près à la pratique chirurgicale et longtemps considérée comme une tâche subalterne était alors en pleine expansion et se dirigeait inexorablement vers une reconnaissance accrue de sa spécificité. L'anesthésie en tant que spécialité à l'Université de Montréal sera reconnue en 1950 au moment de la mise sur pied d'un cours spécialisé en «anesthésiologie» comprenant 80 heures d'anatomie et 20 heures de physiologie[79].

Certaines initiatives n'ont guère eu de conséquences importantes sur l'orientation de la faculté. D'une part, elles se heurtent à des impératifs financiers qui limitent leur matérialisation;

d'autre part, les réformes proposées ne sont guère respectées ni appliquées. Par exemple, le conseil de la faculté avait décidé de réorganiser le cours de médecine opératoire selon le modèle adopté à l'Université Harvard. On projetait de recourir à des chiens pour illustrer adéquatement les techniques chirurgicales et les méthodes d'anesthésie[80]. Mais en l'absence du soutien de la société d'administration, qui refuse d'accorder des fonds à cet effet, le projet n'aura jamais de suite[81]. Le doyen sollicitera à plusieurs reprises les sommes nécessaires à la réorganisation d'un tel cours et à la transformation du musée d'anatomie normale, mais la société d'administration réitérera son refus. De même, en 1947, alors que l'on s'efforçait d'améliorer le cours de pharmacologie et celui de pharmacodynamie et que l'on demandait des crédits pour l'installation d'un laboratoire, la société d'administration se voit encore une fois dans l'obligation de refuser. Les problèmes financiers sont tels que tous les vœux de la faculté de médecine ne peuvent être exaucés. La grande campagne de souscription de 1948 et l'augmentation des frais de scolarité l'année suivante corrigeront quelque peu la situation. Néanmoins, le conseil de la faculté se plaignait de la proportion relativement petite des sommes accordées par l'administration de l'Université de Montréal par rapport au budget total de la faculté. Alors que les frais de scolarité payés par les étudiants en médecine rapportaient 141 800 $, l'administration ne versait à la faculté que 91 000 $. «C'est une disproportion inconcevable lorsque l'on songe que dans la majorité des facultés de médecine l'étudiant ne verse environ que le quart ou le tiers en frais de scolarité du budget total de la Faculté[82]», note le doyen. L'université n'était guère à blâmer puisque son budget total ne s'élevait qu'à 230 000 $.

## Le rapport Conroe: un dur constat pour la faculté de médecine

La section médicale du rapport Conroe avait été rédigée à la suite d'une évaluation de la faculté et effectuée à la demande du doyen de la faculté de médecine et de l'administration de l'université. Cette évaluation avait été confiée aux docteurs

Johnson et Weiskotten, représentants du Council on Medical Education and Hospitals of the American Medical Association. Leur visite eut lieu au début de mars 1946. Plutôt sévère, leur rapport rendait compte des problèmes généraux d'organisation de la faculté de médecine de l'Université de Montréal. La pertinence des programmes d'enseignement et la qualité du corps professoral étaient mises en doute. Les auteurs y notaient une proportion nettement insuffisante des professeurs à plein temps, une fragmentation incohérente et un manque de surveillance des programmes cliniques, une part excessive des cours théoriques et un système de nomination archaïque où les professeurs étaient désignés d'après leurs années de service et non d'après leur compétence. D'autres reproches concernaient aussi l'inexistence d'un département de pharmacologie, l'insuffisance du temps alloué aux laboratoires pratiques pour les étudiants des troisième et quatrième année et la faiblesse du B.A. de l'Université de Montréal par rapport au B.A. américain. Enfin, les examinateurs de l'AMA soulignaient la nécessité de procéder à une réforme en profondeur du programme des études.

Endossées par le docteur Conroe, la plupart de ces critiques furent cependant reçues avec froideur et scepticisme par certains membres du conseil de la faculté. Ceux-ci reprochaient aux évaluateurs d'avoir fait preuve de parti pris en jugeant les choses selon une perspective qui survalorisait les pratiques de laboratoire au détriment d'une approche clinique traditionnelle. Sur ce dernier point, les membres du conseil se montraient très chatouilleux. Grands défenseurs de la prédominance de la clinique sur le laboratoire, ils reprochaient au docteur Conroe de n'avoir réservé que huit pages aux cliniques, alors qu'il en consacrait dix-neuf aux laboratoires. Du reste, soulignait le doyen, les cliniques, contrairement aux laboratoires, étaient mal préparées à une telle enquête. Les réponses des membres du conseil aux critiques qui leur étaient adressées se révélèrent à la mesure de leur scepticisme.

Pourtant, les lacunes étaient réelles et nombreuses, tant sur le plan administratif que sur le plan académique. Il n'y avait que cinq professeurs à plein temps au conseil médical et les professeurs titulaires qui n'enseignaient que quelques heures par année possédaient les mêmes pouvoirs que les professeurs à temps plein. Les cliniciens souhaitaient conserver leur majorité au sein du conseil, au détriment des chercheurs en laboratoire. En conséquence, les spécialités qui devenaient plus nombreuses étaient sous-représentées au conseil de la faculté tandis que les départements de bactériologie et de physiologie n'y comptaient aucun représentant. Quant à la direction de la faculté de qui relevait la présentation du budget et l'établissement du programme, seul le professeur d'anatomie y représentait les sciences de base.

De plus, les critères de promotion s'adaptaient mal au développement scientifique de la faculté. Après un an d'internat senior, le candidat qui désirait devenir professeur devait suivre différentes étapes. Il devait être désigné par l'hôpital comme professeur bénévole. Après quatre ans de bénévolat durant lesquels il devait publier au moins deux articles par année, il pouvait postuler un poste d'assistant en milieu hospitalier ou de démonstrateur. C'est seulement après ces deux ans d'assistanat qu'il pouvait poser sa candidature comme assistant-professeur, fonction qu'il devait conserver pendant dix ans avant d'obtenir le privilège de faire une demande pour devenir professeur agrégé. Finalement, il devenait admissible trois ans plus tard au poste de professeur titulaire.

Cette longue procédure de nomination, mise en place durant les années 1920 et 1930[83], s'inspirait du modèle français d'avant-guerre. En privilégiant les professeurs d'expérience, la faculté visait à harmoniser un programme essentiellement axé sur les études de médecine qui accordait une large place aux leçons magistrales et aux démonstrations cliniques. Mais au début des années 1950, cette tradition était devenue désuète et ne répondait plus aux nouvelles exigences d'un enseignement médical orienté largement vers l'apprentissage clinique et les travaux de laboratoire. Ultimement, de tels critères de nomination, en écartant les jeunes chercheurs talentueux, risquaient de nuire sérieusement au développement scientifique et pédagogique de la faculté. Elle se devait impérativement de privilégier la compétence et la production scientifique des candidats au professorat, comme ce fut le cas lors de l'embauche des docteurs Masson et Selye. Or, mis à part ces deux professeurs, tous les membres de la faculté en 1945 avaient suivi les étapes traditionnelles de nomination.

En 1948, une timide réforme du processus de nomination des professeurs titulaires fut mise en œuvre. Le conseil admit l'idée qu'il fallait «nommer le personnel au mérite et non pas seulement sur le nombre des années de service[84]». Le règlement concernant la nomination des professeurs titulaires fut modifié et la période de probation en tant qu'agrégé fut portée à un maximum de dix ans alors que, précédemment, un professeur pouvait enseigner pendant plus de quinze ans avant de se voir conférer le titre de professeur titulaire[85]. Il ne semble pas que d'autres mesures en ce sens aient été prises par le conseil.

La faculté devait pallier certaines carences pédagogiques qui, au fil des ans, devenaient de sérieux handicaps à la formation des étudiants et à l'amélioration des activités de recherche. Aucun professeur de physiologie n'avait été désigné depuis 1943; le nombre de cours théoriques magistraux demeurait sensiblement élevé; les leçons s'avéraient trop souvent décousues et mal adaptées à l'expérience clinique de l'étudiant; l'enseignement de la pharmacologie faisait largement défaut; le programme clinique des étudiants de quatrième et cinquième année était déficient et les travaux de laboratoire demeuraient trop souvent négligés. De plus, l'enseignement des matières médicales de base aux étudiants de première et de deuxième année laissait à désirer, non pas en raison de l'incompétence des titulaires ou des agrégés, mais bien parce que leurs charges d'enseignement étaient trop lourdes et qu'ils devaient faire appel à des assistants parfois insuffisamment préparés à l'enseignement à temps partiel. De même, les professeurs les plus compétents et les mieux préparés à l'enseignement clinique travaillaient à mi-temps et supportaient un fardeau pédagogique et clinique trop lourd qui les empêchait de consacrer le temps nécessaire à la préparation des cours. Situation difficile qui prévalait largement dans le monde médical nord-américain. De plus, l'engagement des cliniciens d'hôpitaux relevait du bureau médical et du bureau d'administration, et il était difficile pour la faculté d'imposer l'un de ses membres peu ou pas connu des administrations hospitalières comme chef de service. En 1944, la direction du conseil de la faculté décida que tout médecin, chirurgien ou spécialiste qui ne faisait pas partie d'un hôpital où on donnait un enseignement clinique aux élèves de troisième ou de quatrième année serait affecté exclusivement aux cours théoriques à la faculté[86].

L'une des solutions à ces problèmes résidait dans l'établissement d'un programme d'engagement de professeurs à plein temps, mais cette solution présentait l'inconvénient d'être fort coûteuse. Or la situation financière de la faculté, relativement mauvaise, limitait la marge de manœuvre. En 1946, la faculté ne comptait que 7 professeurs à temps plein[87] — 2 en anatomie, 2 en histologie et 3 en physiologie — contre 168 professeurs à temps partiel[88] qui se partageaient une somme de 123 305 $. Or le budget global de la faculté pour l'année scolaire 1945-1946 s'élevait à 245 826 $. Le salaire maximum d'un professeur titulaire était fixé à 12 000 $, somme provenant de la faculté de médecine et des hôpitaux affiliés, alors qu'une grande partie des professeurs à temps partiel dans les hôpitaux ne recevaient qu'un salaire annuel variant entre 75 $ et 750 $. On comprend qu'avec un budget aussi restreint, les autorités de la faculté aient surtout favorisé l'engagement de professeurs à temps partiel. Mais les contraintes financières n'expliquent pas tout. En 1945-1946, un budget de 23 840 $ est accordé au département de pathologie, mais aucun des professeurs de ce département n'est engagé à temps plein. Le recrutement de professeurs de carrière restait difficile. Au demeurant, la solution la plus économique consistait à engager de nombreux professeurs cliniciens à temps partiel plutôt que d'augmenter les effectifs des professeurs de carrière. Mais cela ne favorisait guère le développement de la faculté de médecine et retardait son accession au rang des meilleures écoles médicales du continent.

La Société d'administration de l'université — par son peu d'empressement à rechercher les fonds nécessaires — et la faculté de médecine — par un certain laxisme de ses dirigeants qui semblaient préférer le *statu quo* — partageaient les responsabilités d'une telle situation. En effet, il ne faut pas surestimer la volonté de changement de l'ensemble du corps professoral durant la décennie 1940. Les modifications au programme et les ajouts aux pratiques de laboratoire médical étaient la plupart du temps jugés suffisants et tous ne s'accordaient guère quant à la nécessité de recruter des professeurs de carrière, d'accentuer la part des sciences de base et de promouvoir le processus de spécialisation de la pratique médicale. La formation d'un bon omnipraticien et d'un bon chirurgien demeurait l'objectif majeur de la faculté. Situation compréhensible si l'on considère que la consultation des généralistes demeurait le seul accès possible aux soins privés, encore que fort coûteux, d'une large frange de la population. Les interventions spécialisées n'étaient alors accessibles qu'à une mince portion de la population, qui était tout de même en progression en raison de la hausse des revenus découlant de meilleures conditions d'emploi. Depuis bien des décennies, les résistances à l'hospitalisation s'étaient largement amenuisées et seules les contraintes financières de la population freinaient le recours massif aux soins hospitaliers.

Les décennies 1950 et 1960 seront marquées par une médicalisation accrue de la société québécoise, ce qui aura pour effet d'exercer d'importantes pressions sur les facultés de médecine. Le recours grandissant aux soins médicaux, l'essor du secteur hospitalier et la spécialisation du savoir médical qui s'intensifiait exigeront que les facultés de médecine québécoises forment plus d'omnipraticiens, mais aussi plus de spécialistes. Bien sûr, la formation d'un nombre suffisant de médecins de famille pour répondre aux besoins grandissants de la société québécoise en matière de soins de santé avait toujours été jugée prioritaire, mais il n'est pas certain que le programme de formation de la FMUM ait été suffisamment adéquat pour satisfaire aux nouvelles exigences d'une médecine en plein développement. Les progrès technologiques dans le secteur de la santé impliquaient l'apprentissage de nouveaux procédés diagnostiques et thérapeutiques complexes et coûteux, procédés que les facultés médicales et les centres hospitaliers affiliés devaient promouvoir afin de se maintenir à la hauteur des normes nord-américaines. Par ailleurs, le conseil de la faculté ne pouvait plus se permettre de négliger la formation de spécialistes pour lesquels la demande au sein des institutions hospitalières allait en s'accroissant. Malgré quelques tentatives de structuration de l'enseignement médical amorcées durant les années 1940, en vue d'accroître la participation active des étudiants au processus d'apprentissage et de mettre sur pied certains programmes de spécialisation, les sections académique et clinique de la faculté comportaient encore d'importantes lacunes.

## L'adoption d'une nouvelle charte et la réorganisation de la faculté

Donnant suite en partie aux recommandations du rapport Conroe, les autorités de l'université adoptent une nouvelle charte universitaire le 29 mars 1950[89]. Concrétisation d'une refonte importante de la structure administrative de l'université, cette charte se voulait une adaptation, «conformément aux principes catholiques», aux nouvelles difficultés posées par l'enseignement supérieur et professionnel. L'Université de Montréal comptait alors 9 facultés — théologie, droit, médecine, philosophie, lettres, sciences, chirurgie dentaire, pharmacie, sciences sociales, économiques et politiques — l'École d'hygiène, l'École d'optométrie, 37 écoles affiliées, 27 écoles annexées et 3 écoles agrégées[90]. Plus de 3000 étudiants fréquentaient ses facultés et plus de 9000 étudiants étaient inscrits dans ses écoles affiliées et annexées. Désormais simplifiée, la hiérarchie universitaire s'établit ainsi: un conseil des gouverneurs, une commission des études et un comité exécutif. Le conseil des gouverneurs, qui remplace simultanément la commission d'administration et le sénat académique, est formé de douze membres «professant la religion catholique». Deux membres *ex officio* en font partie: l'archevêque de Montréal et le recteur de l'université. Reflet de l'importance grandissante des subsides gouvernementaux, quatre des douze membres du nouveau conseil sont désignés par le Conseil des ministres. Un comité exécutif, composé du recteur et de quatre autres membres émanant du conseil des gouverneurs, prépare et soumet à l'approbation du conseil le budget général et la répartition des subsides. La commission des études «sous la surveillance du conseil, a pour rôle d'assurer la coordination, sur le plan pédagogique, de toutes les forces intellectuelles de l'université[91]». Ses membres sont réduits de 73 à 20. En font partie le recteur, le vice-recteur, le secrétaire général, le directeur des études de chaque faculté ou école ainsi que quatre personnes choisies par le conseil parmi le corps enseignant ou dirigeant des écoles affiliées. Malgré la réduction du nombre de ses membres, cette commission acquiert cependant plus de pouvoir. C'est à elle que revient la tâche de structurer les programmes d'études, de déterminer les qualités requises des professeurs et d'assurer une meilleure coordination pédagogique des facultés.

La nouvelle charte confère par ailleurs des pouvoirs accrus au directeur des études de chaque faculté. Celui-ci, qui «doit être un professeur de carrière», représente la faculté ou l'école à la commission des études et possède le privilège «d'assister aux réunions du conseil des gouverneurs lorsqu'on y procède à la nomination du secrétaire, des professeurs, des chargés de chaires, des directeurs de départements ou de services de sa faculté ou de son école[92]». Désormais placé sous l'autorité absolue du conseil et du comité exécutif[93], il est tenu de préparer les programmes et les horaires de cours après consultation avec les professeurs intéressés; de contrôler les réquisitions de tous les départements en tenant compte des budgets de chacun; de présider les sessions d'examens; d'assurer la surveillance générale des cours didactiques, pratiques et cliniques; de voir à l'exécution des devoirs des professeurs; de contrôler le matériel d'enseignement; de faire respecter la discipline et, enfin, de faire rapport au comité exécutif du déroulement des activités d'enseignement. De telles exigences reflètent la complexification de la structure d'enseignement et illustrent les besoins de coordination d'un programme qui se développe à un rythme effréné[94].

L'importance des tâches assumées par le directeur des études exigeait la nomination d'un expert à ce poste. La nécessité de coordonner et de faire respecter les programmes d'enseignement à la faculté de médecine s'imposait depuis déjà un certain temps. Il n'était pas rare en effet que des cours et des cliniques prévus au programme soient délaissés ou reportés indéfiniment. Bien des étudiants se plaignaient du laxisme de certains professeurs, de leurs absences non motivées ou de la suspension non justifiée de certaines activités scolaires. En une période où les ennuis financiers et immobiliers accaparaient l'attention du doyen, celui-ci était souvent contraint de négliger la surveillance du programme, laissant ainsi une très grande marge de manœuvre aux professeurs. Du reste, la coordination des cliniques se compliquaient en raison de l'autonomie mani-festée par de nombreux chefs de service hospitalier qui avaient tendance à afficher une plus grande appartenance au milieu hospitalier qu'au milieu universitaire. Or si tous n'abusaient pas de la situation, certains ne manquaient pas de faire passer leur lucrative pratique privée bien avant leur enseignement. La nomination d'un directeur habilité à la fois à exercer la coordi-nation d'un programme de plus en plus chargé et à contrôler rigoureusement le respect du cursus des études se révélait certes à-propos. Rappelons qu'en raison du refus du conseil des gou-verneurs d'octroyer les fonds nécessaires, le conseil de la fa-culté ne pourra engager le candidat espéré[95]. Il fallut donc maintenir la tradition selon laquelle le doyen était désigné *de facto* directeur des études de la faculté. Un tel usage s'imposera jusqu'au début des années 1960. Grâce aux prérogatives qui lui furent accordées par la nouvelle charte, le doyen et directeur des études, W. Bonin, nommé en 1950 après la démission de E. Dubé, renforcera le contrôle du programme des études. Le conseil avait en effet jugé opportun de désigner à ces postes «un homme consacrant tout son temps et ses intérêts à l'uni-versité[96]».

La réorganisation du secteur administratif de l'Université de Montréal avait entraîner une perte relative d'autonomie pour les facultés, notamment la faculté de médecine, au profit d'une centralisation des pouvoirs universitaires. Cette nouvelle struc-ture permettait toutefois une meilleure communication entre les instances dirigeantes et les facultés, ce qui était susceptible d'accélérer la résolution de certains problèmes. Dès la première réunion du conseil à la suite de l'adoption de la charte, les

Anatomie pathologique, laboratoire des élèves, rue Saint-Denis, 1932.
*Annuaire de la faculté de médecine.*

Bactériologie, laboratoire des élèves, rue Saint-Denis, 1932.
*Annuaire de la faculté de médecine.*

Une leçon magistrale de dissection, rue Saint-Denis, 1903.
*Archives du gouvernement du Québec.*

Dissection participative, en 1943. Faculté de médecine de
l'Université de Montréal, pavillon du Mont-Royal.
*Édition le Quartier latin.*

Amphithéâtre d'anatomie, rue Saint-Denis, *circa* 1930.

Salle de cours, 1993.
*Services audiovisuels, Université de Montréal.*

Cours d'histologie du docteur Wilbrod Bonin, en 1943. Du dessin…
*Édition le Quartier latin.*

… à la projection, 1993. *Services audiovisuels, Université de Montréal.*

Institut de microbiologie et d'hygiène de l'Université de Montréal.
Étudiants à l'œuvre. Immeuble principal, 1943.
*Édition le Quartier latin.*

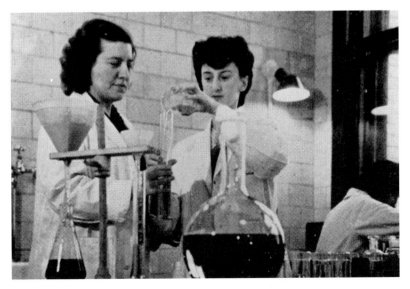

Laboratoire de préparation de coupes histologiques, 1943.
*Édition le Quartier latin.*

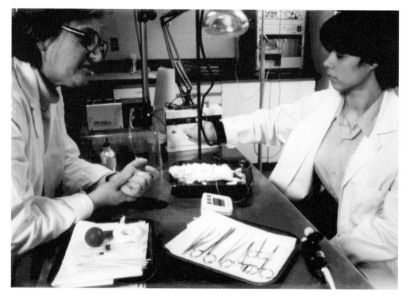

Salle d'autopsie animale, Département de nutrition, 1985-1886.
Pavillon Élaine de Stewart.
*Département de nutrition.*

Laboratoire d'analyse alimentaire, 1985-1986. Pavillon Élaine de Stewart.
*Département de nutrition.*

Laboratoire de microbiologie-immunologie, 1993.
*Services audiovisuels, Université de Montréal.*

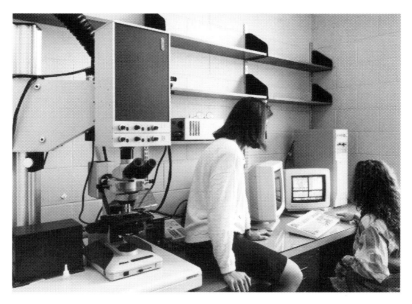

Département d'anatomie. Microscope au laser en trois dimensions, 1993.
*Services audiovisuels, Université de Montréal.*

Un des sept microscopes électroniques les plus puissants au monde.
Département de microbiologie-immunologie, 1993.
*Services audiovisuels, Université de Montréal.*

Laboratoire d'inhalation. Départements de pharmacologie,
de médecine du travail et d'hygiène du milieu, 1993.
*Services audiovisuels, Université de Montréal.*

membres jugent qu'en raison «de l'importance numérique de la faculté de médecine», le nombre de membres siégeant au conseil de la faculté devait être fixé au maximum permis de quatorze choisis parmi les directeurs des départements jugés les plus importants: l'anatomie, l'histologie et l'embryologie, la biochimie, la bactériologie, la physiologie, la médecine, la chirurgie, la pédiatrie, l'obstétrique et l'anatomie pathologique. Le département de médecine «à cause de sa complexité et de son importance[97]» comptera quatre membres. Sont exclus le département de psychiatrie et la section de pharmacologie. Les devoirs du conseil de la faculté concernent la régie interne, les programmes d'enseignement, les mesures disciplinaires, les procédures et les règlements d'examens, la recommandation aux grades honorifiques ou ordinaires, la présentation au conseil des gouverneurs de listes des candidats aux fonctions de doyen, de directeur de département, de titulaire, etc., l'octroi des diplômes, l'application des règlements et la capacité d'aviser la commission des études sur les projets d'annexion d'écoles.

Conséquemment à l'adoption de la nouvelle charte, une importante réorganisation de la structure départementale de la faculté est amorcée. Jusqu'au 1er juin 1950, la faculté comptait 34 départements et services distincts. Or une telle dispersion allait à l'encontre d'un mouvement généralisé dans le monde occidental, particulièrement aux États-Unis, où la tendance favorisait plutôt une concentration des départements. La moyenne générale des départements dans les facultés américaines tournait autour de douze. Le conseil, sur l'initiative du nouveau doyen, décida donc de regrouper certains services et départements. Le département de médecine fut augmenté de plusieurs sections auparavant plus ou moins autonomes. Outre la pathologie générale, la clinique médicale, la propédeutique médicale et la pathologie médicale, «qui relèvent sans conteste du directeur du département de médecine[98]», s'ajoutent la matière médicale/thérapeutique, la phtisiologie et l'anesthésiologie «spécialité parfois autonome ou pouvant relever de la pharmacologie, mais qu'il est logique de rattacher pour le moment à la médecine». On avait aussi suggéré d'y intégrer la dermato-syphiligraphie, la médecine légale, la toxicologie et l'électro-radiologie, mais on décida finalement de laisser à ces disciplines leur autonomie. Ces départements jugés «mineurs» dépendront directement du directeur des études. Certaines sections possédaient, aux yeux des membres du conseil, un statut plutôt flou: le département de médecine légale et de toxicologie devait-il relever du département de médecine, du département de chimie ou devait-il conserver son autonomie? En revanche, l'on décide de revenir sur une décision prise en 1944, alors qu'avaient été réunies les chaires de chirurgie et de médecine[99] et de créer un département de chirurgie distinct du département de médecine[100].

Le nouveau département de chirurgie comprendra la pathologie chirurgicale, la neurochirurgie, la gynécologie et les cliniques chirurgicales de l'Hôtel-Dieu, de l'Hôpital Notre-Dame et de Sainte-Justine. Demeureront indépendantes les sections d'anatomie macroscopique[101], d'histologie/embryologie, de biochimie — nouvelle désignation de la chimie physiologique suggérée par le docteur Baril —, de bactériologie, de physiologie «qui pourrait comprendre, comme section distincte la pharmacologie[102] et l'anatomie pathologique». Quant aux départements d'ophtalmologie, d'oto-rhino-laryngologie, d'obstétrique et de gynécologie, ils devaient constituer «sans conteste des départements majeurs séparés[103]». Enfin, le département de psychiatrie avait été réorganisé en 1949 afin de recevoir une partie des crédits accordés par une réglementation sanctionnée le 28 juillet 1948 reconnaissant un statut privilégié à la psychiatrie et à l'hygiène mentale. Régi par un comité de cinq membres, ce département administrera l'école de «gardes-malades psychiatriques» à l'Hôpital Saint-Jean-de-Dieu et les cliniques psychiatriques dans les hôpitaux généraux[104].


## Les années 1950: une inquiétante stagnation


Dans le sillon de ces réformes, il fallait aussi modifier le cadre de l'enseignement même si, dans l'ensemble, la situation universitaire s'était améliorée depuis le déménagement sur le mont Royal. Les délégués de l'AMA et de l'AAMC, après une visite de la faculté en 1955, tout en admettant qu'il serait «*unreasonable to expect that a school starting from the difficult position of the University of Montreal's School of Medicine should have solved all of its problems in less than a decade*[105]», rendaient hommage aux instigateurs de ces réformes:

> *It is, nevertheless, important to emphasize that the vitality, imagination and determination necessary for the ultimate solution of the problems that remain are evident to the visitor at the University*[106].

Sans doute, mais cette détermination des autorités de la faculté, du reste mal partagée, avait été parfois rudement mise à l'épreuve. Toute préoccupée à rattraper certains retards, la faculté conservait une orientation pédagogique plutôt traditionnelle qui ne s'adaptait guère à la formidable évolution du savoir médical durant les années d'après-guerre. Du reste, l'ajout constant de nouvelles disciplines, le développement de nouvelles sections, la pénétration croissante des sciences de base et l'augmentation du personnel enseignant et de la population étudiante rendaient complexes la coordination des activités d'enseignement.

Au début des années 1950, les modifications apportées au programme des études demeuraient pourtant peu significatives. Tout en suivant certaines recommandations du rapport Johnson et Weiskotten, elles visaient principalement à rééquilibrer l'enseignement des deuxième, troisième et quatrième année d'études. Aucun changement majeur au chapitre des cours théoriques et pratiques n'avait été fait, si ce n'est l'ajout de nouveaux cours tels que la psychologie et l'hygiène individuelle. Mentionnons aussi l'introduction, en deuxième année, de notions de pharmacie pratique et de pharmacodynamie, à l'intérieur du cours de pharmacologie, de façon à coordonner cet enseignement avec celui de la physiologie dispensé la même année. Les efforts du comité du programme dirigé par le doyen Bonin visaient surtout à assurer une meilleure coordination des matières enseignées en fonction du programme des études. La distribution des cours entre les huit termes d'études répartis sur quatre ans constituait certes une tâche difficile eu égard à la susceptibilité de certains professeurs soucieux d'obtenir les heures d'études nécessaires à leur enseignement, alors qu'en revanche nombreux étaient ceux qui se montraient peu enclins à coordonner leurs leçons en fonction de celles de leurs collègues. Il sera par exemple difficile de réduire le temps d'enseignement accordé à l'anatomie durant la première année d'études. Alors que le programme de deuxième année est insuffisamment rempli, celui de troisième est surchargé et comprend de nombreux cours théoriques. Le directeur des études juge à cet effet que «les cours théoriques sont trop nombreux en certaines matières et devront être réduits[107]». Mais la part de temps allouée aux leçons théoriques demeurera sensiblement élevée, par rapport à l'enseignement médical américain. Il en sera de même des cours cliniques.

## Un enseignement clinique sclérosé

Plusieurs professeurs de clinique se plaignaient de la préparation théorique insuffisante de leurs étudiants, et ce en raison d'une hiérarchie des cours qui ne corrrespondait pas toujours aux déroulement des cliniques. On soulignait, par exemple, la difficulté de dispenser un enseignement adéquat en chirurgie clinique avant que les étudiants n'aient suivi le cours d'anatomie pathologique générale. Or celui-ci n'était donné qu'aux élèves de troisième année. Si ces critiques étaient fondées, il demeure néanmoins que bien des lacunes du programme étaient liées au laxisme de certains professeurs qui s'écartaient trop souvent des matières prescrites. En revanche, d'autres donnaient des cours beaucoup trop avancés pour des étudiants de deuxième ou de troisième année. De nombreuses plaintes étaient formulées par les étudiants en stage à l'Hôpital Sainte-Justine à l'endroit de professeurs dont l'enseignement était trop théorique et qui ne montraient aucun intérêt pour leur matière. L'enseignement de la pathologie générale et de la chirurgie d'urgence furent l'objet de multiples récriminations de la part des étudiants. Également, les cliniques dispensées dans certains hôpitaux étaient jugées inutiles et sans grand intérêt pour les étudiants. Généralement, le conseil se montrait attentif aux revendications des étudiants et proposait certains correctifs. Par ailleurs, il n'était pas rare que la coordination des cliniques destinées aux élèves de deuxième, troisième et quatrième année se heurtait aux intérêts particuliers de professeurs qui orientaient leur enseignement en fonction du développement de leur spécialité. Les étudiants avaient alors peine à suivre les cours, ce qui ne manquait pas de provoquer de nombreux abandons. Certains hôpitaux affiliés à la faculté possédaient seulement quelques professeurs, et ceux-ci devaient assumer à eux seuls le poids de tout l'enseignement clinique de l'hôpital. Tel fut le cas du docteur Dubé qui, en 1951 à Sainte-Justine, avait dispensé 140 heures d'enseignement en chirurgie clinique. L'Hôpital Saint-Jean-de-Dieu se retrouva en 1955 avec un seul professeur agrégé pour y assurer l'enseignement et superviser les stages d'internes. La faculté se voyait par ailleurs contrainte d'accepter les services cliniques que lui offraient les hôpitaux, de se plier au bon vouloir des administrations hospitalières et de répondre aux caprices de certains chefs de service. Quelques conflits avec la direction de certains hôpitaux entraînaient la démission de professeurs.

Autre faille de l'enseignement clinique, fort peu de travaux étaient exécutés dans les laboratoires hospitaliers par les étudiants de troisième année. Les 693 heures prévues en laboratoire hospitalier étaient la plupart du temps remplacées par des sessions dans les laboratoires de la faculté. Les laboratoires cliniques des grands hôpitaux généraux tels que l'Hôpital Notre-Dame et l'Hôtel-Dieu étaient débordés par l'accroissement considérable des demandes d'examens de laboratoire[108]. L'augmentation de la clientèle, la multiplication des types d'analyses et le remplacement graduel des vieux praticiens par de jeunes médecins initiés aux méthodes de laboratoire ont largement contribué à cet accroissement des tests de laboratoire. Du reste, les chargés de cliniques ne s'étaient pas encore tous adaptés aux nouvelles méthodes d'éducation et se montraient réticents à accorder une plus grande responsabilité aux étudiants dans l'observation des patients, à plus forte raison en ce qui regardait les étudiants de troisième année.

Certes, des progrès avaient été accomplis en ce sens depuis le début du XX^e siècle. Mais seulement une minorité de cliniciens avaient adopté la nouvelle philosophie pédagogique basée sur une plus grande autonomie de l'étudiant, philosophie qui prévalait depuis quelques années dans les centres d'enseignement cliniques américains. En conséquence, rares étaient les occasions où les étudiants pouvaient effectuer eux-mêmes l'examen clinique complet à l'aide des analyses de laboratoire; ils devaient la plupart du temps se borner à établir l'histoire médicale des patients des salles publiques et semi-publiques et des cliniques externes. Les quelques étudiants qui se voyaient confier l'importante tâche de suivre dans le détail l'évolution médicale de certains patients étaient encore des privilégiés qui profitaient de la confiance que leur accordait leur chef de clinique.

La formation des étudiants était aussi perturbée par un absentéisme important des chargés de clinique. En 1951, le conseil mentionnait que plusieurs professeurs de clinique n'avaient «donné aucun enseignement», alors que «d'autres n'ont enseigné qu'une, deux ou trois heures[109]». Par ailleurs, on soulignait de notables abstentions à Sainte-Justine et à l'Hôtel-Dieu, alors qu'à l'Hôpital Notre-Dame les élèves ne recevaient qu'une heure et demie de clinique de gynécologie, au lieu des quatre heures et demie prévues à l'horaire[110]. En revanche, de nombreuses doléances sont présentées au conseil concernant l'irrégularité des présences des étudiants aux cliniques. Le problème est tel que le conseil se voit contraint d'appliquer un règlement imposant un maximum de 10 % d'absences non motivées au-delà duquel l'étudiant se voyait exclu des examens de fin d'année[111]. Les étudiants en stage d'internat se permettaient par ailleurs certaines libertés. Par exemple, deux internes juniors, qui avaient obtenu l'autorisation d'effectuer leur internat en chirurgie dans un hôpital ontarien, décidèrent, sans en avertir les autorités de la faculté, de ne faire leur stage qu'en médecine, dérogeant ainsi aux principes de l'internat rotatif. Las de ce type de problèmes plutôt agaçants, le conseil décida «qu'à l'avenir la permission de faire des stages d'internat à l'extérieur ne sera plus accordée d'une manière générale[112]». Bien sûr, ces problèmes existaient antérieurement; mais devant la hausse considérable des étudiants — 606 en 1953-1954, 652 en 1954-1955 et 688 en 1955-1956 —, le nombre important des internes juniors — 100 en 1953-1954, 98 en 1954-1955 et 97 en 1955-1956 — et la complexification de l'enseignement médical et des structures hospitalières, jamais ces problèmes n'avaient pris une telle ampleur.

Les sérieuses difficultés de coordination de l'enseignement clinique préoccupaient au plus haut point les autorités de la faculté. Certains se demandaient si, «dans les conditions présentes de l'organisation de l'enseignement clinique, la faculté peut recevoir les délégués de l'American Medical Association[113]». Progressivement, les autorités de la faculté se voient dans l'obligation de resserrer les mesures de contrôle, d'imposer de nouvelles contraintes et de structurer le cadre d'enseignement de la faculté. Or l'efficacité de telles actions reposaient sur la collaboration de toutes les parties concernées. Des réunions regroupant les professeurs des hôpitaux furent organisées par le conseil, et si elles donnèrent parfois lieu à des débats orageux, la plupart du temps les solutions suggérées remportaient l'adhésion des participants. Ainsi, lors d'une réunion convoquée à Sainte-Justine, les professeurs consentent à donner «satisfaction aux élèves en leur montrant plus de malades»; depuis, ajoute le secrétaire de la faculté, «l'enseignement clinique est bien amélioré et les élèves sont satisfaits[114]». Mais si certaines mesures correctives s'avéraient efficaces, les problèmes complexes de coordination de l'enseignement clinique exigeaient des solutions plus larges et une participation plus étroite de tous. La tâche ne sera pas facile. Encore en 1953, les autorités de la faculté s'inquiètent des résultats d'une évaluation de l'AMA en raison notamment des lacunes de l'enseignement clinique[115]. Même la direction du Collège des médecins et chirurgiens du Québec réunie à Québec pour discuter de l'enseignement dans les facultés canadiennes-françaises s'inquiétait à juste titre du piètre niveau de l'enseignement clinique.

Soucieuse d'assainir le climat tendu des relations entre professeurs, étudiants et membres du conseil et de conserver

la reconnaissance de son diplôme auprès des organismes américains, la faculté met sur pied un comité d'étude sur l'organisation des départements cliniques en 1954. Son rapport mettait
en évidence les griefs généraux formulés par le conseil et les
directeurs des départements cliniques. La critique du doyen et
directeur des études, W. Bonin, était sévère:

> La «cléricature» (*clerkship*) ne réussit que par périodes. Il
> y a trop d'élèves en médecine et en chirurgie, spécialement
> à Notre-Dame et à l'Hôtel-Dieu. D'autre part, les étudiants
> sont enclins à la passivité et ne savent pas rédiger une obser-
> vation[116].

Pour remédier à ces problèmes, on envisage d'envoyer
moins d'élèves dans chaque hôpital, de multiplier les groupes,
d'enseigner une seule discipline à la fois et enfin d'engager de
jeunes médecins — «moniteurs cliniques[117]» — «triés sur le
volet», à qui l'on confie le large mandat d'organiser et de
surveiller l'apprentissage des étudiants, d'élaborer les cours
cliniques et d'assister ou de remplacer les professeurs chargés
de cet enseignement[118].

Cette dernière formule comportait plusieurs avantages.
Les étudiants se retrouvaient mieux encadrés, les professeurs
recevaient une assistance précieuse qui leur permettait de se
concentrer sur leur enseignement et, enfin, les cours étaient
mieux préparés et correspondaient plus précisément au programme prévu par la faculté. Quelques mois après l'instauration de ce nouveau système, les intéressés semblent très satisfaits.
«Les élèves sont très contents et fournissent une somme de travail beaucoup plus grande qu'auparavant[119]», note le docteur
J. Prévost. Une enquête menée par le docteur Charbonneau sur
l'organisation des cliniques de pédiatrie montrait que «l'assiduité
des étudiants a été portée à 98 %. L'assiduité des moniteurs est
de 100 % et celle des professeurs est améliorée. L'intérêt des
élèves est très marqué et celui des professeurs est augmenté
parce que la durée du temps à consacrer se trouve diminuée[120].»

La mise en œuvre d'un programme d'apprentissage clinique (*clerkship)* dans les hôpitaux affiliés à l'université avait
été rendue possible grâce à une meilleure collaboration des pro-

fesseurs des cliniques hospitalières. Mais, comme le soulignaient les délégués d'une visite d'agrément, ceux-ci travaillaient sans organisation départementale structurée et il était urgent que leurs efforts soient soutenus «*by the support of full time clinical staff by the university*[121]». On n'en était pas encore là.

Les réformes de l'enseignement clinique survenues durant les décennies 1940 et 1950, malgré quelques résultats encourageants, n'ont certes pas résolu tous les problèmes. Par exemple, il peut paraître étonnant qu'au début des années 1960, les autorités de la faculté n'aient pas encore jugé nécessaire d'uniformiser de façon stricte les matières cliniques enseignées. Mais il faut comprendre que, traditionnellement, le professeur de clinique détenait une grande latitude quant au contenu de son cours, et ce en fonction des cas qui s'offraient dans le salles publiques. Rappelons ici que seuls les patients des salles publiques, c'est-à-dire ceux dont les frais d'hospitalisation étaient payés par l'assistance publique, pouvaient faire l'objet de leçons cliniques sans qu'il soit nécessaire d'obtenir leur consentement. Assujettis aux arrivées de patients et à la disponibilité des locaux, les professeurs de clinique désiraient conserver une certaine marge de manœuvre qui leur permettait de présenter les cas jugés les plus intéressants. En conséquence, le contenu des cours différait grandement d'un hôpital à l'autre et même d'un clinicien à l'autre. Or au moment où la loi sur l'assurance-hospitalisation est sur le point d'être adoptée[122], certains membres du conseil se disent enfin d'avis qu'il faudrait tenter d'uniformiser l'enseignement en établissant un programme cadre qui serait respecté par les cliniciens[123].

Depuis le premier tiers du XIXe siècle, les patients indigents hospitalisés avaient constitué le réservoir de cas cliniques des facultés médicales. En échange de leur hospitalisation gratuite, ils acceptaient *de facto* de servir à la transmission et au développement du savoir médical. Les conditions de cet échange perdureront, certes avec des variations, jusque dans les années 1960. D'importantes réformes se préparaient qui modifieront les conditions d'accès aux institutions hospitalières et les rapports entre le patient, l'élève et le professeur. Certains membres du conseil, inquiets des conséquences de cette nouvelle loi, s'interrogeaient sur l'opportunité de modifier leurs «conceptions touchant l'utilisation des malades pour l'enseignement» et sur la nécessité «d'étendre l'usage des moyens audiovisuels[124]». D'autres s'élevaient contre l'utilisation parfois abusive des patients lors des visites magistrales dans les salles hospitalières:

> Tout homme a droit à la santé la meilleure, on le reconnaît, mais tout homme a aussi droit au respect, à la considération, à la compréhension on l'oublie trop souvent. Ce serait déjà beaucoup si tous les patrons agissaient avec leurs patient de salle comme s'ils étaient des patients privés[125].

Au début des années 1960, près du tiers de l'enseignement dispensé durant les quatre premières années d'études est encore consacré aux leçons théoriques, et ce malgré les incessants reproches adressés à ce propos par les organismes américains d'agrément. Rappelons que, jusqu'en 1942, l'agrément des facultés de médecine nord-américaines relevait exclusivement de l'AMA. L'influence croissante de l'AAMC rendit nécessaire une collaboration des deux organismes pour l'évaluation de ces facultés. Ceux-ci formèrent donc un comité conjoint d'agrément, The Liaison Committee on Medical Education (LCME). Même si ce dernier évaluait périodiquement toutes les facultés de médecine canadiennes, celles-ci étaient exclues du processus d'agrément. Ce n'est qu'en 1968 que des Canadiens furent invités à participer aux visites et qu'un représentant canadien fut désigné pour siéger, mais à titre d'observateur seulement, au LCME. Sept ans plus tard, un membre votant sera désigné par l'Association des facultés de médecine du Canada (AFMC[126]).

Sous la pression constante des visites d'agrément monopolisées par les Américains, le programme d'études de la faculté de médecine de l'Université de Montréal a été modifié dans l'ensemble en fonction des grandes orientations de l'enseignement médical ayant cours dans les universités américaines. Toutefois, dans l'élaboration du programme d'études, les autorités de la faculté ne s'étaient jamais parfaitement conformées aux directives strictes des nombreux organismes, quant à la proportion respective de l'enseignement magistral et des exercices pratiques. Elles se montraient généralement réticentes à accorder plus de responsabilités aux étudiants, probablement en raison d'une philosophie de l'éducation encore dominante au Québec qui privilégiait largement l'apprentissage passif au détriment d'une participation active des étudiants. La structure didactique des collèges classiques favorisait largement les exposés magistraux, les examens réguliers et l'encadrement sévère des étudiants. Bien des professeurs de la faculté — qui avaient eux-mêmes reçu une formation plutôt passive — avaient peine à se dégager de ce schéma traditionnel. Même là où le programme d'études définissait des exercices pratiques, plusieurs professeurs se bornaient à effectuer eux-mêmes la démonstration devant des étudiants frustrés d'être à nouveau confinés dans un rôle passif. De plus, les évaluations étaient nombreuses, laissaient peu de loisir aux étudiants de dévier des sujets étroitement prescrits et les limitaient à des motivations strictement liées à la réussite des examens. L'horaire chargé de la faculté laissait par ailleurs peu de temps libre aux étudiants. Contrairement à la situation qui prévalait dans de nombreuses facultés de médecine américaines, le développement profes-sionnel et scientifique de l'étudiant en médecine basé sur l'encouragement des initiatives personnelles, sur le sens des responsabilités et sur un apprentissage régulier et progressif de la pratique clinique n'était guère populaire à l'Université de Montréal. En 1955, les étudiants de quatrième année recevaient 377 heures de leçons magistrales et 629 d'enseignement clinique. Or le plus souvent, cet enseignement en milieu hospitalier ne donnait lieu à aucun travail régulier d'apprentissage dans les spécialités enseignées.

Durant la décennie 1960, des correctifs majeurs seront enfin apportés à l'orientation pédagogique. La philosophie régissant l'enseignement de la médecine aura alors nettement tendance à se démarquer de l'approche «paternaliste» et protectrice[127], qui avait caractérisé le modèle antérieur, pour privilégier une approche de l'enseignement basée sur la responsabilité indi-viduelle, la motivation, le travail personnel et l'apprentissage direct. Ces objectifs constitueront des paramètres importants, voire essentiels, d'une nouvelle approche pédagogique.

## L'épineux problème de l'internat

Le système d'internat n'avait subi que de légères modifications depuis le déménagement. Rappelons qu'à partir de 1943, les internes juniors n'assistaient plus à aucun cours théorique, mais faisaient exclusivement des stages dans des hôpitaux affiliés où ils recevaient «un entraînement qui les prépare à l'exercice de leur fonction médicale[128]». Deux ans plus tard, les règlements de l'internat sont révisés. Une note était accordée d'après le rapport des chefs de service. La clause qui donnait à l'étudiant le choix des hôpitaux avait été supprimée. La période de stage commençait le 15 juin et se terminait le 14 juin de l'année suivante. Des stages d'internat complémentaires dans les laboratoires de l'université furent aussi instaurés et seront généralisés à partir de 1946[129]. Ces stages d'internat en laboratoire visaient à combler la pénurie de professeurs de laboratoire. Ils n'ont toutefois pas donné les résultats escomptés. En 1956, l'on fondait toujours de grands espoirs sur le recrutement de jeunes chercheurs au sein des internes juniors en laboratoire. Mais seulement quatre étudiants avaient opté pour un tel stage et seulement deux se montraient intéressés à une carrière d'enseignement et de recherche[130].

En 1956, le système d'internat junior fait l'objet d'une réglementation par la Canadian Medical Association (CMA) qui désirait standardiser les conditions d'approbation de ces stages en milieu hospitalier. Le fascicule intitulé *Basis of Approval of Hospitals for the Training of Interns in Canada* définissait les exigences d'approbation des hôpitaux:

1° Agrément complet.

2° Capacité de 150 lits (à l'exclusion des berceaux), avec un taux d'admission de 4 000 patients par année et un taux d'occupation de 75 %.

3° Une proportion d'autopsies de 25 % des mortalités.

4° Internat général cyclique, comportant des stages en médecine interne, en chirurgie générale, en obstétrique et en pédiatrie.

De tels critères ne s'accordaient pas à l'ensemble des institutions hospitalières affiliées à la faculté. Certains hôpitaux avaient été refusés parce qu'ils ne possédaient pas un ou deux des quatre services fondamentaux exigés. Même l'Hôtel-Dieu de Montréal ne possédait ni service d'obstétrique ni service de pédiatrie. Mais, après discussion avec le comité de la CMA, il est décidé que «les hôpitaux généraux susceptibles d'être approuvés doivent être au moins pourvus des services de médecine interne et de chirurgie générale[131]». L'entente stipulait aussi qu'il suffira «que l'interne ait servi pendant un minimum de trois mois dans un des hôpitaux généraux approuvés par le comité pour que son internat entier soit reconnu[132]». De plus en plus, les autorités médicales considéraient comme nécessaire l'instauration d'un organisme de contrôle de l'internat.

Au début des années 1960, il fallait résoudre impérativement l'épineuse question de la disponibilité des ressources cliniques des hôpitaux affiliés à la faculté. Avec une centaine d'étudiants inscrits en cinquième année, toute modification au programme d'internat entraînait d'importantes difficultés logistiques, notamment en ce qui regarde la coordination des stages dans les services obligatoires de médecine, de chirurgie, de pédiatrie et d'obstétrique. Chaque augmentation de clientèle exigeait des mesures ponctuelles: réduction de la durée d'un stage dans un champ au profit d'un autre ou modification du cursus de l'internat selon que l'interne se destinait à entrer immédiatement en pratique ou désirait se spécialiser[133]. En 1955-1956, la répartition des stages d'internat se lit comme suit: trois mois en médecine, trois mois en chirurgie, deux mois en pédiatrie, un mois en obstétrique[134] et trois mois répartis parmi les spécialités suivantes: urologie, neuro-psychiatrie, psychiatrie, gynécologie, médecine et psychiatrie, dermatologie, phtisiologie, ophtalmologie, oto-rhino-laryngologie[135]. L'hôpital Notre-Dame accueillait le plus grand nombre d'internes (25), suivi de l'Hôtel-Dieu (20), de Sainte-Justine et Maisonneuve (9), de Saint-Luc (7), de la Miséricorde (6), de Pasteur (4), de Saint-Jean-de-Dieu (3) et de l'Hôpital des vétérans, Sainte-Jeanne-d'Arc, Rosemont, Sacré-Cœur et Saint-Vincent-de-Paul qui accueillaient chacun deux internes.

Les internes juniors, devant l'importance de leurs effectifs et conscients de la valeur de leur rôle au sein des institutions hospitalières, exigeaient maintenant une modeste rémunération pour leurs services. Antérieurement, de telles demandes avaient été sèchement rejetées par la faculté mais, en cette fin de la décennie 1950, les membres du conseil se montrent prudents. La situation socio-économique dans le domaine de la santé s'était sensiblement améliorée, et la pratique médicale bénévole ne représentait plus le chemin obligé vers une pratique plus lucrative. La demande d'appui des internes juniors auprès des membres du conseil était d'autant plus justifiée que certains hôpitaux, malgré les recommandations contraires de la faculté, leur versaient une légère rémunération; ainsi, l'Hôpital général de Verdun et l'Hôpital Saint-Vincent-de-Paul de Sherbrooke accordaient une allocation mensuelle respectivement de 20 $ et 50 $. De plus, le doyen de la faculté reconnaissait que le système d'internat prédoctoral nuisait aux internes juniors de la faculté:

> Si nos étudiants étaient pourvus de leur doctorat en médecine, ils pourraient faire leur internat junior n'importe où. De sorte que, en vertu de la concurrence pour obtenir leurs services, ils seraient sûrement rémunérés[136].

Enfin, si l'internat précédant l'obtention du diplôme avait l'avantage de garder les internes au Québec, car ils ne pouvaient obtenir des postes à l'extérieur, le doyen reconnaissait que «partout aux États-Unis et au Canada, sauf dans le milieu canadien-français de Montréal et de Québec, les internes juniors sont rémunérés[137]». Aussi les membres du conseil, sans appuyer ouvertement le principe d'une rémunération, adoptèrent-ils une résolution selon laquelle «le conseil ne s'objecte pas aux négociations que pourrait faire l'Association des étudiants auprès des administrations hospitalières[138]». En 1960, la rémunération mensuelle des internes sera fixée à 75 $.

# Les pressions des organismes d'agrément et la grande réforme de 1964

Le rapport du comité d'agrément de l'AAMC et de l'AMA sur la FMUM, déposé en 1960, contenait de sévères critiques à l'endroit de l'organisation générale du programme de médecine. Il fallait, selon les évaluateurs, modifier en profondeur la structure de l'enseignement médical à la faculté.

Ce rapport, reçu plutôt froidement par certains membres du conseil, entraîna néanmoins certaines tentatives de réformes qui furent confiées au comité des études. Celui-ci décida en 1962 de réduire le nombre de leçons théoriques, en faveur d'une part plus large accordée aux travaux pratiques, et d'allouer aux étudiants de première année quelques périodes de temps libre. De plus, on avait jugé opportun de modifier l'ordre des cours du programme de première et de deuxième année, afin d'assurer une meilleure cohérence synchronique et chronologique des matières enseignées. Ainsi, le cours de pharmacologie devait désormais être dispensé après celui de physiologie. De même, les programmes d'anatomie macroscopique et d'histologie, ainsi que ceux de biochimie, de physiologie et de pharmacologie, furent regroupés et structurés en fonction d'une corrélation plus étroite de leur contenu. Il en fut de même des cours d'anatomie pathologique, de pathologie médicale et chirurgicale et de bactériologie[139]. D'autres modifications étaient aussi en préparation, mais elles furent reportées en raison d'un événement inattendu.

À l'été 1962, le doyen et directeur des études, W. Bonin, décide «pour des raisons de santé» de remettre sa démission[140]. Il avait occupé ce poste plus longtemps que quiconque dans l'histoire de la faculté de médecine. Sa démission fut associée aux sévères critiques formulées par l'AMA et l'AAMC, ce qui ne manqua pas d'éveiller certaines tensions au sein de la faculté, lesquelles risquaient de rendre temporairement impossible la collaboration nécessaire de tous les membres de la faculté et de l'administration à l'aube des modifications importantes qui s'annonçaient. Les membres du conseil médical décidèrent de faire parvenir au conseil des gouverneurs un mémoire sur la situation de la faculté peu après la démission du docteur Bonin. D'entrée de jeu, l'on rend compte des dissensions qui régnaient à la faculté:

> La démission subite du docteur Bonin du poste qu'il occupait depuis douze ans a jeté un grand émoi dans la faculté, dans l'Université et dans la profession médicale tout entière. Un homme de son mérite ne disparaît pas de la scène sans que naissent et se propagent toutes sortes de rumeurs quant aux circonstances qui ont entouré sa démission et quant aux causes ou aux groupes ou aux hommes qui l'ont provoquée. Le vide que crée un tel départ est également susceptible de ressusciter certains antagonismes que l'on croyait éteints, de raviver des querelles qui couvaient sous la cendre, de stimuler les passions, de susciter des rivalités et de provoquer ce genre de jeu de couloirs qui prépare et précède la constitution des ministères. Tout ceci pour dire que la faculté se trouve actuellement dans une situation explosive, que les autres facultés et écoles, le Collège des médecins, la presse et le grand public surveillent le cours des événements avec autant d'intérêt que d'appréhension et qu'il faudra à chacun beaucoup de sagesse et de prudence pour ne pas mettre le feu aux poudres et que triomphe la cause de la vérité et de la paix. C'est parce qu'il est conscient de la gravité de la situation, qu'il en connaît les éléments et qu'il entend s'employer à la résoudre dans toute la mesure de ses moyens que le Conseil de la Faculté de Médecine sollicite aujourd'hui l'honneur d'une entrevue avec le conseil des Gouverneurs[141].

Le conseil proposait aux gouverneurs «de procéder à une révision des rapports administratifs entre l'Université et la Faculté». Il déplorait notamment l'absence de représentation efficace de la faculté et la difficulté de défendre ses intérêts devant l'administration générale de l'université. «Sans réclamer comme certains l'indépendance administrative de la Faculté[142]», le conseil désirait une décentralisation des responsabilités concernant entre autres l'embauche du personnel et les dépenses de la faculté, ainsi qu'une nouvelle répartition des tâches jusqu'alors dévolues au doyen. Il suggérait «respectueusement au Conseil des Gouverneurs de donner au doyen plusieurs collaborateurs, de nommer à ces postes des hommes qui pourront travailler d'un commun accord, qui posséderont leurs attributions respectives telles que définies par l'Université et qui assumeront leur fonction à temps complet[143]». Faisant preuve d'un esprit de conciliation, les membres du conseil souhaitaient que de telles mesures contribuent à «un rapprochement toujours plus étroit entre la Faculté et l'Université, en un moment où la compréhension et le respect mutuels s'imposent plus que jamais». Cette demande recevra une réponse favorable de la part des autorités universitaires qui souhaitaient, tout comme les membres du conseil, assainir les relations entre les parties. Le conseil désirait par ailleurs répondre aux sévères critiques formulées à cet égard par les organismes d'agrément.

D'importantes modifications sont donc apportées à la direction de la faculté. Le nouveau doyen de la faculté, L.-L. Coutu, sera, à partir de 1963, assisté d'un vice-doyen à plein temps, le docteur E. Robillard, qui sera responsable des activités de recherche. De plus, un assistant doyen à plein temps, le docteur J. Frappier, sera responsable des affaires étudiantes et des écoles affiliées. Les études de médecine sont mises sous la responsabilité du docteur Vaillancourt engagé à temps partiel. La fonction de directeur des études cumulée traditionnellement par le doyen est abolie. De plus, sept comités permanents — admission, promotion, bibliothèque, études postscolaires, programme de construction du centre médical, recherche médicale et diplômes supérieurs, programme d'études — soutiennent toujours le conseil médical.

Au printemps 1963, le comité des études propose au conseil de la faculté de poursuivre les réformes. Un nouveau programme d'enseignement est alors proposé pour l'année scolaire 1964-1965. Les modifications suggérées allaient dans le sens des recommandations de l'AMA et de l'AAMC: réduction de l'enseignement théorique; développement de l'enseignement pratique (symposium, tutorisme, laboratoire, temps libre dirigé, etc.); meilleure corrélation des matières au sein des programmes d'enseignement en sciences fondamentales et en sciences cliniques; organisation d'un externat complet à l'hôpital dès la troisième année et amélioration du cadre de l'enseignement et des méthodes d'évaluation de l'étudiant. De nouvelles matières jugées désormais indispensables à la formation générale des étudiants en médecine sont aussi ajoutées au programme — statistiques, biologie cellulaire, génétique — alors que d'autres font l'objet d'une importante réorganisation — fusion des programmes d'hygiène, de médecine du travail et de médecine sociale; enseignement condensé en sciences neurologiques et en pharmacologie; réduction du programme théorique de l'enseignement clinique; fusion des sections de neuro-anatomie et de neuro-physiologie en un département des sciences neurologiques, etc.[144] En 1963, de l'aveu même d'un membre du conseil, la faculté de médecine était toujours «la seule université du continent nord-américain à ne pas avoir définitivement uni les deux disciplines d'obstétrique et de gynécologie[145]». Aussi projette-t-on, pour se conformer aux recommandations faites en 1960 par l'AAMC et l'AMA, de séparer la gynécologie du département de chirurgie et de créer un nouveau département où seront fusionnées l'obstétrique et la gynécologie. Mis sur pied en 1964, ce nouveau département sera en mesure de mieux répondre aux besoins d'un enseignement général et spécialisé. Cette réforme prévoyait aussi un externat complet à partir du premier semestre de la quatrième année d'études ainsi que l'abolition des examens oraux en troisième et en quatrième année.

Ces efforts étaient certes louables, mais les modifications n'allaient pas au cœur des transformations jugées nécessaires par les organismes d'agrément. Sceptiques quant aux conclusions du rapport et accaparés par le projet d'hôpital universitaire sur lequel ils misaient pour entreprendre les réformes[146], les membres de la faculté avaient plus ou moins négligé les principales recommandations formulées par les deux organismes. Au début des années 1964, les lacunes demeuraient nombreuses: les départements d'histologie, de pharmacologie, de sciences neurologiques, de biochimie, de médecine, de pédiatrie, de psychiatrie, d'obstétrique-gynécologie et de radiologie ne possédaient aucun directeur; de même, il n'y avait encore aucun directeur «plein temps géographique» (PTG) à la tête des départements des sciences cliniques; les cours théoriques occupaient toujours une part trop importante du temps d'enseignement, alors que peu de travaux cliniques étaient réalisés par les élèves. De plus, le corps enseignant, en nombre insuffisant, était toujours surchargé par les cours dispensés dans les écoles paramédicales.

Le comité de liaison de l'AAMC et l'AMA, lors de sa visite effectuée en février 1964, presse la faculté de médecine d'accélérer les réformes. Le rapport préliminaire, très sévère, souligne le peu de progrès accomplis par la faculté depuis les recommandations publiées dans les rapports de 1955 et de 1960. Or, cette fois-ci, les membres du comité n'entendaient plus faire preuve d'indulgence et menaçaient de retirer l'agrément de la faculté. La faculté de médecine se retrouvait en période de probation confidentielle pour un an[147], situation pour le moins périlleuse qui risquait d'affecter grandement sa réputation. Le doyen en fait état lors d'une réunion du conseil sur un ton non équivoque:

> À moins de changements dans l'organisation de la Faculté, d'ici un an, notre Faculté sera publiquement discréditée [...]. La réaction générale des enquêteurs a été de n'avoir constaté aucune amélioration dans la situation de la faculté depuis les enquêtes de 1955 et de 1960[148].

Devant cette menace, les membres du conseil décident d'agir avec célérité et d'appliquer non seulement quelques mesures correctrices, mais de réformer en profondeur le programme des études.

Par suite de l'une des principales recommandations du rapport préliminaire des délégués américains, concernant l'octroi du grade de docteur en médecine à la fin de la quatrième année d'études et non plus, comme auparavant, à la fin de l'internat de cinquième année, un comité provisoire pour la collation des grades de docteur en médecine est créé au début de l'année 1964. Il y eu tout de même des résistances des membres du conseil. Ceux-ci craignaient qu'une telle modification du programme qui donnait aux internes le libre choix de leur stage d'internat n'affaiblisse leurs liens avec les institutions hospitalières affiliées. En revanche, l'on reconnaissait que «cette nouvelle politique peut créer entre les différentes institutions hospitalières une compétition de bon aloi pour attirer chez eux les internes[149]». Du reste, il y avait toujours la loi du Collège des médecins qui stipulait que les étudiants devaient avoir poursuivi pendant cinq années des études comprenant un internat rotatoire dans les hôpitaux de la province de Québec.

Les pressions en faveur de cette réforme du programme étaient fortes. Outre celles des organismes d'agrément, une recommandation en ce sens avait été envoyée au doyen L.-L. Coutu par le doyen de la faculté de médecine de l'Université Laval, le docteur R. Gingras[150]. Le conseil de cette faculté avait décidé, à l'automne 1963, de décerner le diplôme de médecine à la fin de la quatrième année d'études médicales. L' Université de Montréal et celle de Dalhousie demeuraient probablement les seules en Amérique à ne décerner ce diplôme qu'après l'internat. De plus, le comité d'éducation de l'Association des étudiants en médecine et l'Association des internes s'étaient prononcés en faveur d'une telle modification du programme. Le 13 mai 1964, le comité suggérait «que le Conseil de la Faculté de médecine accorde le doctorat en médecine à la fin de la quatrième année du curriculum[151]», recommandation qui deviendra effective durant l'année scolaire 1964-1965. À compter du 1er juin 1965, c'est le Collège des médecins et chirurgiens du Québec qui deviendra le seul responsable de l'internat obligatoire pour les diplômés en médecine.

L'abolition de la cinquième année d'études à la FMUM ne constituait que la première d'une série de réformes qui modifieront sensiblement le programme des études médicales. Un comité des études, formé à l'automne 1964, est chargé de réviser le programme des études de médecine «de manière à le rendre le meilleur possible en s'inspirant des plus grandes écoles de médecine[152]»; il doit remettre son rapport au plus tard le 10 mars 1965. Projet ambitieux qui a le mérite d'annoncer les couleurs de la faculté. Depuis déjà quelques décennies, nous l'avons vu, la FMUM, soucieuse de conserver certains éléments traditionnels de l'enseignement humaniste gréco-latin[153], ne se pliait qu'en partie aux recommandations des organismes d'agrément en matière de programme. Or avec la menace qui pèse désormais sur elle, la faculté décide de réformer son programme d'études selon les nouvelles orientations didactiques de l'enseignement médical américain, même si elle n'entendait pas se départir totalement de «ses caractéristiques locales».

Le comité des études avait proposé durant les années 1964 et 1965 une réforme qui changeait considérablement la structure pédagogique des matières de première et deuxième année. Des blocs de cours homogènes avaient été regroupés par période dénommée «terme» ou «bloc» variant de quelques semaines à quelques mois. Ainsi, les études de première année se divisaient en trois termes: le premier, qui s'étendait jusqu'aux vacances de Noël, comprenait l'enseignement de l'anatomie, macroscopique et microscopique, complété par 50 heures de biochimie; le second, du 3 janvier au 28 avril, était partagé entre la biochimie et la physiologie; quant au troisième terme, qui s'étendait du 1er au 12 mai, il était réservé aux travaux pratiques de biochimie. La deuxième année se répartissait en cinq termes où étaient regroupées les matières en étroite corrélation telles que la neurologie et la pharmacologie, la pathologie, le laboratoire clinique et la microbiologie, etc. Le dernier terme, d'une durée d'un mois, était entièrement consacré à la propédeutique médicale. Le programme de la troisième année était réparti en quatre blocs de deux mois comprenant respectivement l'enseignement de la chirurgie, de la médecine, de la pédiatrie et de l'obstétrique-gynécologie/psychiatrie. Enfin, la quatrième année d'études médicales comprenait désormais douze mois de scolarité répartis en trois blocs de quatre mois: médecine; chirurgie et obstétrique-gynécologie (deux mois chacun); pédiatrie et psychiatrie (deux mois chacun). Pour la première fois depuis la fondation de la faculté, une structure homogène et coordonnée du programme avait été définie, structure qui permettait une meilleure collaboration entre les départements. Autres nouveautés, les étudiants des trois premières années bénéficiaient maintenant de deux demi-journées de temps libre et devaient passer des examens écrits.

Certains départements furent l'objet d'une restructuration. On avait décidé, par exemple, de fusionner les anciens départements d'anatomie et d'histologie ainsi que ceux de physiologie et des sciences neurologiques. L'Institut de microbiologie et d'hygiène fut séparé du département de bactériologie au profit du nouveau département de microbiologie et d'immunologie. La nomination de directeurs pour tous les départements et l'engagement d'administrateurs à plein temps comblaient des lacunes maintes fois soulignées par les évaluateurs de la faculté. La direction des départements avait été largement rajeunie, et la moyenne d'âge des directeurs s'élevait à 43 ans. Le corps enseignant avait aussi été considérablement augmenté, grimpant de 391 à 515 membres entre 1962 et 1965. Mais encore, le nombre de professeurs à plein temps avait plus que doublé, passant de 56 à 128, et dépassait pour la première fois depuis la création de la faculté le nombre de professeurs à temps partiel (87). S'ajoutaient aussi 300 professeurs et moniteurs bénévoles qui aspiraient à une future carrière universitaire.

Un comité de liaison regroupant des membres des hôpitaux affiliés et de la faculté permettait d'élaborer des actions et des stratégies conjointes. Un autre comité, composé de représentants de la direction de la faculté de médecine et de représentants de l'association des étudiants[154], assurait une participation plus active des étudiants aux affaires de la faculté. Ceux-ci avaient par ailleurs créé en 1965 un comité d'éducation de l'Association des étudiants en médecine dont le but était «de promouvoir toute politique progressive en matière d'éducation» et «de créer chez l'étudiant un esprit de participation et de collaboration à l'enseignement de la médecine, en faisant des enquêtes pour connaître l'opinion des étudiants sur les matières enseignées, en préparant des mémoires sur des sujets d'intérêt médical et en organisant des panels, des conférences et des forums[155]». Les réformes en cours durant les années 1964 et 1965 ont eu un important rayonnement sur tous les acteurs au sein de la faculté.

Autre point important, l'on décida en 1965, à la suite d'un rapport du comité sur le statut académique remis à la commission des études, de définir deux catégories de base parmi le corps enseignant de l'Université de Montréal. L'une comprenait les professeurs qui exerçaient une profession et qui étaient appelés à enseigner à l'université en raison de leur compétence dans une matière précise. Dans cette catégorie se retrouvaient les démonstrateurs et les chargés de cours. La seconde catégorie regroupait les personnes qui poursuivaient une carrière universitaire à temps plein ou à mi-temps et qui possédaient les qualités requises pour obtenir le titre de professeur. Divisés en trois groupes — les professeurs assistants, les professeurs agrégés et les professeurs titulaires —, ils étaient admissibles à un poste permanent et constituaient depuis longtemps le cœur de la faculté de médecine. Toutefois, phénomène assez récent, cette catégorie réunissait de plus en plus des professeurs à temps plein possédant un diplôme de troisième cycle. Tous n'avaient cependant pas les mêmes possibilités d'accès à l'agrégation et au titulariat. Ainsi, en 1966, le docteur Genest se plaint à maintes reprises du comité des promotions de l'université qui refuse obstinément d'accepter les recommandations de la faculté concernant les nominations de quatre biochimistes «qui possèdent les qualités requises pour accéder aux titre d'agrégés et de titulaires de recherche [et] qui participent activement à la vie du département de médecine[156]».

La nette amélioration de la situation financière de la faculté favorisait l'embauche de professeurs à plein temps. Alors que pour l'année financière 1962-1963, le revenu total de la faculté s'élevait à 1 242 556 $, elle disposera en 1964-1965 d'un budget de 2 756 556 $, soit une appréciable augmentation de plus de 200 % en l'espace de seulement deux ans. Cette avantageuse situation découlait de la hausse considérable des subventions du gouvernement provincial à l'égard des universités à partir de 1964. L'Université de Montréal avait alors triplé son versement à la faculté de médecine, qui grimpa de 732 410 $ en 1962-1963 à 2 338 006 $ en 1964-1965. Cet accroissement budgétaire permit l'instauration d'une échelle de salaire minimum aux professeurs à plein temps des sciences de base et des départements cliniques, salaire qui oscillait entre 18 000 $ et 12 000 $. Il semble que cette échelle de salaire des professeurs de la FMUM ait alors été la plus élevée au Canada. Quoi qu'il en soit, elle constituait une amélioration notable, susceptible d'attirer de nombreux professeurs qualifiés. Soulignons enfin que, pour la première fois depuis sa création, le Liaison Committee on Medical Education considérait comme satisfaisant le budget de la faculté. Il reprochait toutefois la persistance d'une disproportion arbitraire des salaires en faveur des détenteurs d'un diplôme de M.D., au détriment des détenteurs d'un Ph.D.[157] Certaines vieilles structures hiérarchiques marquaient encore la supériorité du diplômé en médecine sur le chercheur possédant une formation scolaire exclusivement scientifique.

Même s'il restait certaines lacunes à combler, notamment quant à l'importance accordée à la recherche et aux contrats d'affiliation avec les hôpitaux, l'ensemble des réformes de l'année 1964 furent suffisantes pour que les évaluateurs, après une visite d'évaluation à la FMUM à la fin de novembre 1965, lui accordent un agrément complet pour les cinq années suivantes[158]. Encouragée par cet agrément, la direction de la faculté poursuivit le travail amorcé. Une nouvelle modification de ses programmes durant l'année 1966, touchant surtout l'enseignement clinique en troisième et en quatrième année, accentua le déplacement progressif de l'enseignement médical universitaire de l'édifice central vers les centres hospitaliers. Mais beaucoup restait à faire.

Moins théorique et mieux structuré, l'enseignement hospitalier devait s'orienter désormais vers un programme bien établi, identique dans tous les hôpitaux et supervisé par la direction des études. De plus, l'on entendait réduire les leçons théoriques et les cliniques magistrales. Aussi insistait-on sur le travail personnel de l'étudiant et sur la nécessité d'encourager sa participation active à l'enseignement clinique: «L'étudiant de troisième année est là pour apprendre son métier. Pour cela, il faut qu'il ait la chance de travailler et de penser par lui-même[159].» En conséquence, les heures d'enseignement théorique furent réduites à 156 heures, alors que le temps consacré à l'enseignement clinique fut haussé à 758 heures. De même, les étudiants de quatrième année devaient désormais recevoir un enseignement «comprenant des séminaires, des séances anatomo-cliniques, des "journal clubs" etc., tout en ayant suffisamment de liberté pour apprendre d'une façon très active leur métier[160]». Seulement 16 heures de leçons théoriques étaient prévues au programme contre 1776 heures de clinique. Chose nouvelle, chaque étudiant de quatrième année était tenu à des périodes de garde et devait faire l'objet d'une évaluation progressive de la part du chef de clinique et de ses assistants. Cette nouvelle approche didactique était ambitieuse et rompait avec certaines pratiques pédagogiques antérieures. Toutefois, elle fut loin d'être toujours rigoureusement respectée.

La faculté de médecine entendait aussi assurer un contrôle plus étroit sur les activités hospitalières liées à l'enseignement et faire respecter ses prérogatives à cet égard auprès des bureaux médicaux.

> La direction des études désire qu'une politique très claire soit établie dès le départ et respectée par chaque hôpital. Il faut bien retenir que, même si l'étudiant est confié à l'hôpital, les directives académiques doivent uniquement venir de la direction des études[161].

Depuis déjà plusieurs années se faisait impérativement sentir le besoin d'engager, comme cela se faisait dans les départements de sciences fondamentales, des professeurs de carrière à temps plein dans les départements cliniques des hôpitaux affiliés. L'engagement progressif de professeurs «plein temps géographique» constituera une amélioration sensible de l'enseignement clinique et permettra à la FMUM d'assurer une meilleure coordination du programme clinique, de participer au développement de la recherche en milieu hospitalier et d'assurer une mise à jour des connaissances transmises aux étudiants. Principalement responsable de la direction, de la coordination et de l'application du programme d'enseignement, le professeur PTG surveillera et contrôlera le travail des étudiants, tout en participant à des activités de recherche.

## De nouveaux contrats d'affiliation

Au début des années soixante, la faculté de médecine avait décidé d'affermir ses relations avec ses plus importants hôpitaux d'enseignement. Entre 1958 et 1961, des contrats d'affiliation avaient été ratifiés avec l'Hôpital Sainte-Justine, l'Hôpital Notre-Dame, l'Hôtel-Dieu et l'Hôpital Maisonneuve. À la suite d'une autre importante recommandation de l'AMA et de l'AAMC, les autorités de la faculté décidèrent de réviser les contrats d'affiliation qui la liaient avec ces quatre hôpitaux[162]. S'ajouteront subséquemment en tant qu'institutions affiliées, l'Hôpital Saint-Jean-de-Dieu, l'Hôpital Saint-Luc et l'institut Albert-Prévost. En vertu de ces contrats d'affiliation, l'institution hospitalière s'engageait à ne nommer, comme chef de département ou de service, qu'une personne qui aura été agréée par un comité paritaire composé de deux membres de la faculté de médecine et de deux représentants de la direction du bureau médical. De même, les projets de recherche proposés par les professeurs membres du personnel médical et scientifique de l'hôpital devaient être approuvés par les autorités de la faculté de médecine. L'université obtenait un pouvoir de coordination de l'enseignement et de la recherche au sein de l'institution hospitalière. En retour, une telle affiliation visait à contribuer au perfectionnement et au rayonnement du personnel médical de l'institution, de même qu'à la qualité des services médicaux fournis par cet hôpital. Mais de nombreux conflits entre les directions médicales des hôpitaux et la direction de la faculté mineront peu à peu le pouvoir de la faculté auprès de ses hôpitaux affiliés et affecteront la coordination de l'enseignement. Par ailleurs, les évaluateurs avaient souligné les lacunes des contrats d'affiliation de l'université qui ne donnaient pas suffisamment de latitude à la faculté pour la nomination des chefs de service. En 1965, les bureaux médicaux des hôpitaux Maisonneuve et Notre-Dame tenteront de réduire le rôle de la faculté au chapitre des nominations hospitalières alors que, de leur côté, les autorités de la faculté, à la suite des recommandations du comité américain d'évaluation, s'emploieront à raffermir leur pouvoir de contrôle.

La nomination du personnel médical de l'hôpital affilié devait-elle être «le fruit d'une entente, d'une consultation ou d'une décision conjointe»? La deuxième solution ne plaisait guère aux autorités de la faculté. Les clauses 3 et 4 du projet initial établissaient que l'hôpital s'engageait à «soumettre à l'approbation de la faculté la nomination des membres du bureau médical et des membres du personnel scientifique [et à] ne nommer comme chef de département ou de service [...] qu'une personne agréée par la faculté[163]». Le contre-projet des hôpitaux, qui modifiait sensiblement ces deux clauses, mentionnait que l'hôpital s'engageait «à consulter l'Université avant de nommer les chefs de départements et de services, les membres du bureau médical et ceux du personnel scientifique appelés à faire de l'enseignement[164]». De plus, les membres des bureaux médicaux étaient assez chatouilleux sur leurs prérogatives en matière de soins médicaux. Alors que dans le contrat initial adopté par la faculté, il était statué que les deux associés devaient tendre vers un même but — «celui d'une meilleure coordination de l'enseignement et de la recherche et du *meilleur service médical possible*[165]» —, ce dernier aspect avait été biffé dans le projet annoté soumis par les hôpitaux Maisonneuve et Notre-Dame. En réponse aux exigences des bureaux médicaux, les membres du conseil de la faculté exigèrent que le doyen soit intégré d'office à la direction médicale de l'hôpital plutôt que d'être simplement «reçu sur demande». Les négociations entre les parties étaient serrées.

Quelques protagonistes faisaient même preuve d'une certaine arrogance à l'endroit de leurs collègues des bureaux médicaux. «Dans le contexte actuel de l'évolution sociale, économique et scientifique, l'hôpital a plus besoin de l'université que l'université de l'hôpital[166]», note témérairement l'un des membres du conseil de la faculté. Il fallait certes clarifier la situation et mettre en place une structure légale permettant aux deux parties de concilier leurs objectifs et de partager leur champ de compétence. La distribution des cours cliniques dans les hôpitaux affiliés entraînait des problèmes de communication, de cohésion et d'intégration jugés préjudiciables pour l'ensemble de l'enseignement universitaire. Le nouveau contrat de négociation ne pouvait certes pas résoudre tous les problèmes mais, en attendant la construction toujours projetée d'un centre médical universitaire, il constituait certainement un pas dans la bonne direction.

Finalement, une entente est paraphée au début de l'année 1966. Selon le libellé du contrat, un comité paritaire permanent formé de deux représentants de la faculté de médecine, de deux représentants du bureau médical de l'hôpital et présidé par un membre désigné par le doyen de la FMUM avec l'approbation du bureau médical de l'hôpital devait servir d'agent de liaison entre les deux parties. Ce comité devait soumettre ses recommandations à la faculté de médecine et au bureau médical de l'hôpital. Il était aussi chargé d'étudier les besoins des laboratoires, des bibliothèques et de tous les services jugés utiles à l'enseignement et à la recherche. Pour ce qui est de la question litigieuse des nominations hospitalières, il fut convenu, non sans résistances de la part de certains bureaux médicaux, que l'hôpital «soumettra toute candidature à un comité de sélection, présidé par le doyen et formé par un nombre égal de représentants de la faculté et de l'hôpital[167]». De plus, l'hôpital s'engageait à consulter «par écrit le directeur du département universitaire concerné lors de la nomination ou promotion de tout autre membre du personnel médical ou scientifique». L'hôpital affilié était par ailleurs tenu d'inviter le recteur de l'université aux réunions du conseil d'administration et le doyen de la faculté de médecine aux réunions du comité exécutif du bureau médical. Une telle entente établissait les conditions d'une collaboration plus étroite entre les parties et assurait une meilleure coordination de l'enseignement et de la recherche en milieu hospitalier. Les deux institutions y trouveront leur profit jusqu'à ce que, quatre ans plus tard, les facultés de médecine redeviennent responsables du programme d'internat. La FMUM et ses principaux hôpitaux d'enseignement se verront alors dans l'obligation de reformuler leurs liens par la signature de nouveaux contrats d'affiliation.

L'accord conclu entre la faculté et les centres hospitaliers ajoutait un autre jalon important dans la structuration des activités d'enseignement. Cependant, l'orientation de la faculté vers une participation plus active des étudiants au processus d'apprentissage exigeait d'autres ajustements. Parmi ceux-ci, la mise sur pied d'une bibliothèque médicale accessible à la clientèle étudiante constituait de plus en plus un impératif majeur.

# La bibliothèque médicale

Jusqu'au début des années 1960, la faculté de médecine ne disposait d'aucune bibliothèque particulière. La documentation médicale — revues, livres, thèses, brochures — se trouvait à la bibliothèque centrale de l'université. Mais l'organisation de la bibliothèque centrale n'offrait pas les facilités jugées nécessaires aux étudiants en médecine et aux chercheurs. Manque d'espace dans la salle de lecture — seulement 130 sièges de lecture et 88 bureaux de travail — éloignement de la bibliothèque centrale par rapport à la faculté, manque de personnel spécialisé, déficience de la classification des livres et des périodiques, inaccessibilité des livres aux étudiants[168] et lacunes dans les collections de périodiques médicaux constituaient les principales récriminations des membres de la faculté à l'endroit du service documentaire centralisé. Une telle situation n'encourageait guère les étudiants à utiliser les ressources disponibles. En 1956, seulement 15 % des étudiants en médecine fréquentaient la bibliothèque[169]. Il était donc impératif, selon les autorités de la faculté, de constituer un «service de bibliothèque adapté aux besoins de la faculté de médecine», c'est-à-dire, à l'instar «de la grande majorité des facultés de médecine américaines et européennes», de mettre sur pied une bibliothèque médicale entièrement administrée par la faculté. Une telle revendication était légitime, mais certains arguments contre la création d'une bibliothèque laissent songeur: «Il n'est pas recommandable de laisser à la portée du public des livres et revues spécialisés d'anatomie, de psychiatrie, d'obstétrique et de sexologie[170].»

Les membres du conseil désiraient procéder à l'aménagement de locaux séparés de la bibliothèque centrale situés dans la partie ouest de l'université «le plus près possible de l'hôpital universitaire». Cette bibliothèque médicale contiendrait principalement une grande salle de lecture d'environ 2400 pieds carrés pouvant recevoir une centaine de lecteurs, une salle de périodiques de 1200 pieds carrés, deux salles réservées à l'aménagement de petits locaux pour les chercheurs et posséderait un système propre de catalogage et de fichiers apte à faciliter le travail de recherche documentaire. On prévoyait aussi l'engagement d'une bibliothécaire spécialisée, d'une aide-bibliothécaire et d'une «sténo-dactylo».

Toutefois, les autorités de l'université avaient refusé de donner suite à un tel projet, préférant envisager la possibilité d'offrir à la faculté un espace réservé de la bibliothèque centrale, privilège dont jouissait depuis un certain temps la faculté de droit. On proposait par ailleurs d'engager une bibliothécaire diplômée comme responsable de la section médicale. Même si ces mesures marquent une amélioration, elles sont jugées insuffisantes. «La situation est déplorable, note le doyen, la Faculté de médecine est la seule sans bibliothèque. L'organisation matérielle prévue n'a pas été réalisée et l'espace réservé à la bibliothèque a été employé à d'autres fins moins importantes en mai 1957[171].»

L'acquisition de documents posait aussi certains problèmes. Alors que le comité de la bibliothèque formé par le conseil de la faculté avait recommandé en 1956 l'acquisition de 582 périodiques médicaux, la faculté n'en recevait, trois ans plus tard, que 300. Jusqu'au début des années 1960, le *statu quo* demeure et, même si la faculté exerce certaines pressions pour obtenir une bibliothèque médicale indépendante, ses principales revendications concernent surtout la construction d'un centre médical universitaire. En 1961, la faculté obtient du recteur la promesse qu'il leur réserve les locaux de la bibliothèque de droit après le déménagement de cette faculté. L'université accorda les locaux et les crédits nécessaires à l'ouverture d'une nouvelle bibliothèque médicale qui possédait désormais ses propres locaux. Grâce aux efforts du docteur P. Bois, à qui l'on avait confié la tâche de réorganiser la bibliothèque médicale, la situation s'améliore sensiblement entre 1961 et 1965, au point que les évaluateurs de l'AMA et de l'AAMC marquent leur appréciation quant au travail accompli, et ce même si le budget d'acquisition était encore peu élevé et si la fréquentation de la bibliothèque par les étudiants demeurait faible[172]. Les membres du conseil font aussi part de certaines récriminations à l'endroit des procédures administratives de l'université:

Nous nous élevons contre la centralisation outrancière qui, sur la base de principes d'économie, néglige ou ignore les principes d'efficacité. Nous réclamons l'indépendance administrative complète de la Bibliothèque médicale et l'obtention des espaces nécessaires à son expansion inévitable. De plus, les départements et les chercheurs doivent avoir la liberté de se procurer des volumes et des revues, sans se soumettre à la procédure complexe et inefficace imposée par la Bibliothèque centrale[173].

Il nous est difficile de juger la pertinence de tels reproches, mais il demeure que face à l'augmentation du nombre des étudiants aux études avancées, des professeurs dans les départements précliniques et des chercheurs dans les programmes de recherche, il fallait certainement constituer un service documentaire selon les règles de la bibliothéconomie, faciliter la consultation des ouvrages et encourager la fréquentation des espaces disponibles. Peu à peu, de telles exigences seront remplies. Pour répondre aux besoins croissants de la clientèle, la bibliothèque médicale sera agrandie et entièrement rénovée en 1975. Au début des années 1990, elle contiendra plus de 210 000 documents regroupant les collections des facultés de médecine, de médecine dentaire et de pharmacie et offrira plus de 2500 abonnements à des périodiques.

## L'émergence des sciences de la santé

En 1965, la faculté comptait 14 départements dont 7 en sciences fondamentales (anatomie, biochimie, Institut de médecine et de chirurgie expérimentales, microbiologie et immunologie, pathologie, pharmacologie, physiologie) et 7 en sciences cliniques (chirurgie, médecine, obstétrique-gynécologie, pédiatrie, psychiatrie, radiologie, médecine sociale et préventive). La faculté, par le biais de ses trois institutions connexes — Institut de diététique et de nutrition, École de réhabilitation et École de technologie médicale —, dispensait un enseignement en diététique, en technologie médicale, en physiothérapie, en ergothérapie et en orthophonie-audiologie. S'ajoutaient les cours de service dispensés à la faculté des sciences et aux facultés de pharmacie, de chirurgie dentaire et d'optométrie, les cours de spécialisation ainsi que les cours de perfectionnement qui s'adressaient aussi bien aux médecins en pratique générale qu'aux spécialistes. Dotée de 525 professeurs parmi lesquels 118 enseignent à plein temps, la faculté dispense alors un enseignement à 1320 étudiants répartis comme suit: 467 en médecine, 79 à la maîtrise ès sciences ou au doctorat ès sciences, 68 à l'École de technologie médicale, 172 à l'École de réhabilitation, 110 à l'Institut de diététique, 141 à la faculté de chirurgie dentaire, 154 à la faculté de pharmacie, 89 à la faculté des sciences et 40 à l'École d'optométrie. Elle assurait aussi la formation de près de 1000 étudiants internes et résidents dans ses hôpitaux affiliés.

De plus, la faculté offrait depuis déjà plusieurs années un service d'enseignement médical continu aux membres de la profession. D'une durée variant de deux à cinq jours, ces cours étaient donnés en collaboration avec les hôpitaux agréés par la faculté de médecine et avec le concours d'organismes professionnels. Par ailleurs, des professeurs «itinérants» de la faculté se rendaient dans douze régions de la province afin d'y enseigner les derniers acquis scientifiques et diffuser les nouvelles techniques médicales. Tâche importante qui accroissait certainement son prestige auprès de la profession et contribuait à lui conserver auprès des praticiens — avec les nombreuses revues médicales et les innombrables congrès — un rôle prépondérant dans la transmission des connaissances médicales. En outre, la faculté entendait aussi préserver son rôle traditionnel de cerbère du savoir médical auprès des praticiens paramédicaux.

Depuis la fin de la Seconde Guerre mondiale, les organismes d'agrément reprochaient aux autorités de la faculté cette dispersion des activités vers des cours de service. Cette pratique était certes lucrative, mais la surcharge de plusieurs professeurs défavorisait certainement les activités de recherche et l'encadrement des étudiants en médecine. Du strict point de vue de l'enseignement destiné aux futurs médecins, cette pratique était généralement considérée comme défavorable au développement de la faculté. En revanche, elle permettait à la faculté de médecine de favoriser un rayonnement social plus large et de maintenir un certain contrôle sur l'enseignement paramédical. De fait, les membres de la faculté se percevaient comme étant redevables à la communauté québécoise d'une triple fonction: enseignement, recherche et services professionnels. Intrinsèquement liées, ces fonctions visaient à «élever constamment les standards des soins médicaux dans la communauté tout en en rendant la distribution la plus efficace et la plus économique possible[174]». Idéal noble, mais non totalement désintéressé.

Depuis les années 1940, la faculté s'était orientée vers un processus d'annexion ou de fondation de petites écoles paramédicales. Celles-ci, composées essentiellement d'une clientèle féminine, étaient surtout destinées à former un personnel capable de répondre aux exigences définies par le corps médical hospitalier. Cette intégration des disciplines paramédicales au sein de la faculté coïncidait avec un mouvement nord-américain. Le progrès des pratiques et des techniques médicales rendait certes nécessaire une coordination des programmes sous la tutelle de la grande faculté de médecine. En revanche, cette dernière adoptait une attitude «paternaliste» parfois excessive qui, à mesure que ces disciplines verront s'accroître la reconnaissance professionnelle à leur endroit, heurtera le désir d'indépendance affiché par les responsables de ces écoles.

## L'École d'hygiène sociale appliquée et l'École d'hygiène de l'Université de Montréal

Des écoles d'infirmières avaient été fondées dans les divers hôpitaux de la région montréalaise au début du XX$^e$ siècle et la première école d'infirmières entièrement dépendante de la faculté de médecine avait vu le jour en 1925. Le conseil de la faculté et la commission des études avaient alors entériné le projet de fondation d'une école d'infirmières-hygiénistes proposé par le docteur J.-A. Beaudoin. Cette école, affiliée à la faculté de médecine et dénommée École d'hygiène sociale appliquée, avait pour but de «pourvoir à la formation technique des infirmières visiteuses canadiennes-françaises[175]». Elle était en grande partie financée par des sources externes telles que le gouvernement du Québec, la Ville de Montréal, la Ligue antituberculeuse et de santé publique de Montréal et la compagnie d'assurance-vie Métropolitaine. Mais bientôt les sources financières se tarirent au point de menacer la survie de l'École. En 1938, la direction de la faculté se montre disposée à accorder à l'École une allocation de 4000 $ pour éviter sa fermeture, «mais à la condition que l'École devienne un département de la Faculté de Médecine[176]».

L'année suivante, elle devint un service de la FMUM «au même titre que les services d'anatomie, de physiologie, de chimie, etc. et soumise tant au point de vue budgétaire qu'au point de vue fonctionnement général aux règlements de la Faculté et à ceux de l'Université[177]». Du reste, le doyen Dubé veillera à ce qu'elle adapte son programme en fonction des orientations prises par les écoles canadiennes et américaines similaires[178]. Malgré cette intégration, les graves difficultés financières de l'université motivent le chancelier de l'université, Mgr Gauthier, à demander la suppression de l'École. La Société d'administration revient peu après sur sa décision et décide de maintenir l'École. Celle-ci se trouve dans un état précaire, d'autant qu'un conflit latent perdurait entre le doyen Dubé et le directeur de l'École, le docteur A. Frappier. Ces derniers étaient en désaccord quant à l'organisation de l'enseignement et l'orientation de l'École. Le 22 novembre 1945, malgré les objections présentées par le doyen de la faculté de médecine, sans attendre que le conseil de la faculté de médecine se soit prononcé sur cette question et sans tenir compte des objections et du projet du conseil de la faculté, le président de la commission des études crée une nouvelle école, l'École d'hygiène de l'Université de Montréal, indépendante de la faculté de médecine et chargée de dispenser des «cours postscolaires[179]». Les ponts étaient désormais coupés entre les parties au profit du projet d'A. Frappier qui désirait obtenir une école indépendante. La FMUM conservait l'École d'infirmières-hygiénistes. Mais en 1949, la commission d'administration soustrait du budget de la faculté de médecine celui de l'École d'infirmières-hygiénistes et le transfère à l'École d'hygiène, sans par ailleurs en aviser la faculté de médecine ni le doyen[180].

Sous la direction d'A. Frappier, l'École d'hygiène de l'Université de Montréal poursuivra ses propres activités jusqu'en 1965, année où l'on décida de créer un département de médecine sociale et préventive pleinement intégré à la faculté de médecine[181].

## Le département de médecine sociale et préventive

Avec l'importance que prenait la médecine préventive en territoire nord-américain, certaines pressions s'exerçaient sur la faculté, afin qu'elle organise un département qui mettrait davantage l'accent sur une approche centrée sur le patient et sur les facteurs sociaux et familiaux liés à la maladie, laissant ainsi à l'École d'hygiène la responsabilité de la santé publique. Telle était du moins l'opinion partagée par le LCME et le doyen de la faculté de médecine, L.-L. Coutu. La médecine sociale et préventive était envisagée comme un complément «à la forme traditionnelle et plus didactique de l'enseignement de l'hygiène et de la santé publique».

Le 30 mai 1963, un comité spécial, mis sur pied par le conseil de la faculté de médecine, reçut pour mandat d'étudier l'opportunité de créer un département de médecine sociale et préventive. Le rapport de ce comité approuvait un tel projet, mais soulignait les difficultés liées à la présence d'une école d'hygiène indépendante. Certains avaient proposé de l'intégrer à la faculté de médecine, mais le directeur de l'École s'y opposa. De fait, la création d'un tel département risquait d'entraîner de sérieux conflits avec la direction de cette école, notamment en ce qui regarde le recrutement des professeurs, l'élaboration de programmes d'enseignement supérieur et l'attribution des subventions de recherche. Pour éviter de telles sources de tension, le docteur Frappier suggérait de créer plutôt une chaire d'enseignement qui serait dirigée conjointement par l'École d'hygiène et la faculté de médecine[182]. Il entendait bien protéger ses prérogatives en matière de médecine préventive. Le comité rejeta les propositions du docteur Frappier et, tout en reconnaissant que «le futur directeur du département devra être un homme souple, capable d'affronter les conflits possibles avec l'École d'hygiène», émit le souhait que «la Faculté de médecine et l'École d'hygiène se rapprochent le plus possible et s'efforcent de délimiter leur champ d'action et de dévelop-per des formules d'entraide[183]». Mais déjà, lors de cette réu-nion, l'on se plaignait que l'École d'hygiène se voyait accorder par l'université certaines disciplines «en particulier la para-sitologie, qui relève de la Faculté de médecine[184]». Les relations entre les parties auguraient mal.

De fait, le département n'eut surtout qu'une existence théorique jusqu'au moment où le docteur P. B. Landry donna, en 1971, «le premier cours (Introduction à la médecine préven-tive, sociale et communautaire) qui répondait au nouveau con-cept de santé communautaire[185]». Le premier directeur du département, le docteur G. Desrosiers, ne sera nommé qu'en 1973. Celui-ci accomplira un remarquable travail de structura-tion du département et de coordination du programme[186].

## L'École de technologie médicale

Fondée par sœur Camille de Jésus à l'Hôpital Saint-Jean-de-Dieu en 1943, la première école de technologie médicale au Québec sera annexée à l'Université de Montréal en 1946. Mais soucieuse d'étendre son autonomie, l'École, au grand mécon-tentement des autorités de la faculté et contrairement aux con-ditions de l'accord entre les parties, entendait contrôler et étendre son enseignement à certaines disciplines médicales. De plus, les membres du conseil exigeaient que la direction de l'École de technologie médicale de Saint-Jean-de-Dieu soit confiée à un médecin spécialiste embauché à temps plein. Lorsqu'en 1951, l'École cherche à faire passer un projet de loi privé l'autorisant à donner le baccalauréat ès sciences en tech-nologie médicale, la faculté de médecine décide, pour couper court à une telle initiative, de demander appui au Collège des médecins et chirurgiens et de fonder sa propre école de tech-nologie. Grâce à l'intervention du président du Collège, le pro-jet de loi est retiré et la faculté de médecine obtient la voie libre pour mettre sur pied, à l'automne 1953, un cours de deux ans comportant 30 semaines d'enseignement de base à l'université et 50 semaines de pratique dans les laboratoires hospitaliers[187]. Le pathologiste Roger Beaulieu en assumera l'organisation et la direction.

Ce programme, dirigé par la faculté de médecine, approuvé par l'Association canadienne des technologistes médicaux et largement financé par le ministère de la Santé de la province, visait essentiellement à répondre aux besoins urgents en techniciens médicaux dans les centres hospitaliers, les laboratoires et les universités. Les laboratoires cliniques étaient devenus, depuis la fin de la Seconde Guerre mondiale, des outils indispensables aux activités hospitalières, et les demandes d'analyses montaient en flèche. Or le personnel technique dans les hôpitaux, les cliniques et les laboratoires d'État s'avérait largement insuffisant et pas toujours adéquatement formé pour répondre aux nouvelles exigences qui s'annonçaient à l'aube de la décennie 1960. Il fallait non seulement intervenir sur le plan des équipements, mais aussi modifier l'organisation des laboratoires cliniques, accroître le personnel technique et adapter la formation des techniciens aux nouvelles normes théoriques et pratiques. Encore fallait-il recruter suffisamment de candidats. Or ceux-ci ne se bousculaient pas aux portes de l'École. Aussi avait-on décidé, après une entente fédérale-provinciale, que «l'étudiant admis à l'École de technologie médicale bénéficierait d'une bourse d'étude pendant la durée totale de sa scolarité, à condition qu'il s'engage à travailler, après l'obtention de son diplôme, pendant au moins deux ans dans un hôpital ou un organisme médical de la Province de Québec[188]». Une telle mesure était certes susceptible d'attirer une nouvelle clientèle. De fait, le nombre d'inscrits ne cessera de croître jusqu'à la fermeture de l'École au début des années 1970.

Autre mesure d'incitation, les arguments invoqués dans l'annuaire de la faculté, non dénués d'une certaine dose de démagogie, visaient à rehausser le prestige de cette discipline: le travail de laboratoire exige désormais «une certaine part d'interprétation rationnelle et critique» des examens, confère «une certaine dignité et demande [de la part du technologiste médical] des qualités supérieures d'intelligence et de jugement[189]». Cependant, si «le travail de laboratoire, indispensable à la pratique médicale moderne, doit être confié à un personnel compétent et intéressé», ce personnel ne peut être, selon les autorités de la faculté, adéquatement formé que sous l'autorité d'une faculté de médecine. Admirons l'impeccable logique! Jusqu'à la fermeture de l'École, le personnel de direction sera entièrement constitué, sauf une exception, de membres de la faculté de médecine. De même, le corps enseignant sera largement représenté par des professeurs de la faculté issus principalement des départements de bactériologie, d'hématologie, de biochimie, de physiologie ou d'anatomie.

Alors que, mis à part le docteur Blandine Gosselin-Lebel, professeur d'hématologie, le corps professoral n'est composé que de représentants de sexe masculin, la clientèle de l'École de technologie médicale est essentiellement féminine; elle accueillera annuellement à ses débuts une soixantaine d'étudiants. Après avoir suivi des sessions de cours théoriques dans les locaux de la FMUM, les étudiants devaient faire un internat de douze mois dans les laboratoires cliniques de l'un des vingt hôpitaux approuvés où ils s'initiaient aux travaux de différentes spécialités: hématologie, sérologie, microbiologie, histologie et biochimie. À partir des années 1970, la mise sur pied de cours professionnels de trois ans dans de nombreux cégeps rendront inutiles le maintien de ce programme au sein de la faculté de médecine.

## L'Institut de diététique et de nutrition

Dès sa création en 1942[190], l'Institut de diététique et de nutrition (IDN), dont les cours étaient dispensés par les professeurs de la faculté, offrait une formation de quatre ans — baccalauréat spécialisé — conduisant aux carrières de diététiste hospitalière ou de diététiste commerciale[191]. De 1942 à 1945, l'école fut dirigée par Mary Doreen. Un programme de maîtrise est mis sur pied en mai 1946. La même année, Mlle Rachel Beaudoin, qui avait fait des études spécialisées à Cornell et Harvard, est nommée au poste de directrice de l'Institut de diététique et de nutrition[192]. Elle dispensera aux étudiants de médecine de quatrième année les cours de diététique avec l'aide de Mlle Collier. Celle-ci ne maîtrisant pas la langue française donnait ses cours en anglais. Au début des années 1950, les nombreuses leçons théoriques et pratiques réparties sur quatre ans — 1602 heures de cours théoriques et 1442 heures d'exercices pratiques — initiaient les étudiants à la chimie, à la physiologie, à la bactériologie, aux technologies alimentaires, à la nutrition, à la théologie professionnelle, à l'art culinaire, à l'économie familiale, à l'hygiène, à la diéto-thérapie, à la cuisine institutionnelle, etc. Pour être admis, le candidat devait détenir soit un certificat lettres-sciences de l'Université de Montréal, un certificat d'immatriculation de l'Université Laval ou un diplôme postérieur à la onzième année. Durant la décennie 1950, l'IDN comptait annuellement une soixantaine d'étudiants, puis, au début de la décennie suivante, le nombre total des élèves inscrits bondit à près d'une centaine[193].

Peu à peu, le programme sera modifié en faveur d'une approche plus spécialisée dans les secteurs de la nutrition, de l'administration des services alimentaires et de l'enseignement de l'alimentation. Sanctionnés par la commission des études à partir de 1965, ces trois programmes distincts visaient à offrir une formation plus adéquate aux diététistes intéressés à pratiquer en milieu hospitalier, notamment en diététique thérapeutique ou en recherche clinique. La seconde option en administration visait à combler une pénurie de diététistes dans les services alimentaires institutionnels. Enfin, à la suite d'une recommandation de la commission Parent, l'Institut avait établi une licence en enseignement de l'alimentation pour former des maîtres compétents en ce domaine. Outre les cours d'administration, le cadre pédagogique privilégie peu à peu une orientation rationaliste de la nutrition: nombreuses seront les heures accordées à la biologie, à la chimie, à la bactériologie, à la cytologie, à la physiologie, à la gastrologie et aux technologies alimentaires[194].

Même si l'IDN possédait initialement une relative autonomie administrative, la faculté de médecine exercera néanmoins jusqu'aux années 1960 un contrôle serré sur ses activités. Dès la fondation de l'IDN — il en sera de même pour l'École de réhabilitation —, la faculté de médecine avait eu la charge d'assurer son financement[195], d'établir ses critères d'admission et de planifier, conjointement avec les dirigeantes de l'Institut, le programme théorique et pratique. Autre forme de contrôle, le secrétaire de la faculté était tenu de présenter au conseil de la faculté un rapport annuel des activités de l'Institut. En 1954, le comité pédagogique était composé d'un nombre égal — trois chacun — de membres de l'Institut et de membres de la faculté. Quant à l'enseignement, il était donné dans une proportion qui variera de 63 à 50 % par la faculté de médecine, le reste étant dévolu aux professeurs de l'Institut, généralement des femmes diplômées en nutrition ou en physique et chimie[196]. Malgré l'engagement et la compétence de ses dirigeantes, c'est au conseil de la faculté que revenaient les ultimes décisions concernant l'orientation de l'Institut. Conséquence logique des liens étroits qui unissaient l'IDN à la faculté de médecine, celui-ci sera promu au rang de département en 1975[197].

## L'École de réhabilitation

D'abord dénommée École de physiothérapie et de thérapie occupationnelle[198], l'ouverture officielle de l'École de réhabilitation eut lieu le 1er décembre 1954. Fondée grâce à l'aide financière des ministères fédéral et provincial de la Santé, l'école avait pour objet «de former des physiothérapistes et des thérapistes occupationnelles [ergothérapeutes] en vue de l'enseignement et de la pratique de ces professions à l'école même, à l'hôpital universitaire, dans les hôpitaux de la province ainsi que dans les divers centres de réhabilitation gouvernementaux et civils[199]». Elle sera associée de près à l'Institut de réadaptation de Montréal fondé en 1949, lequel pouvait héberger de nombreux patients[200]. Le programme de l'École, modelé sur celui de l'Université de Toronto, comportait un cours combiné de physiothérapie et d'ergothérapie d'une durée de trois ans[201]. Première école de réhabilitation de langue française en Amérique, elle inaugurera en septembre 1956 le premier cours d'orthophonie et d'audiologie au Canada. Le directeur, le docteur Gustave Gingras, sera non seulement l'âme de l'École, mais aussi un pionnier de cette discipline en Amérique. En reconnaissance des services rendus par ce dernier dans le processus de fondation d'une telle école à Caracas au Venezuela, les autorités de ce pays décidèrent en 1959 de la dénommer «École de réhabilitation Docteur Gustave Gingras[202]». Au début des années 1960, l'École jouera un rôle très actif dans les services de réadaptation des victimes de la thalidomide. En 1964, l'École offrira le premier programme francophone d'enseignement en physiothérapie — ce cours existait depuis plusieurs années à l'Université McGill et à l'Université de Toronto —, programme rendu nécessaire pour obtenir l'agrément de l'Association médicale canadienne et de l'Association canadienne de physiothérapie. Deux ans plus tard, les programmes d'études en physiothérapie et en ergothérapie sont portés à trois ans au profit d'une formation plus complète[203]. Le 27 février 1968, la création de trois sections distinctes — orthophonie-audiologie, physiothérapie et ergothérapie — est officiellement approuvée. Trois ans plus tard, l'École de réhabilitation prend une appellation plus heureuse et devient l'École de réadaptation affiliée à l'Université de Montréal.

La première période d'existence de la section d'orthophonie et d'audiologie a été plutôt difficile. Pénurie de locaux, effectifs enseignants réduits et population étudiante plutôt mince avec une moyenne de six étudiants. Encore en 1971, l'École ne comptait que trois professeurs réguliers. À partir de là et grâce en partie à la collaboration du doyen P. Bois, une augmentation sensible du budget, un programme de recrutement et de perfectionnement du corps professoral de même que l'aménagement de nouveaux locaux ont permis à cette école de définir de nouveaux objectifs didactiques et de mettre sur pied un programme mieux adapté aux besoins de la pratique[204].

L'École offrait un programme de maîtrise ès arts en orthophonie et en audiologie exigeant deux années d'études théoriques et pratiques et un internat de quatre mois dans un hôpital ou une clinique. Alors en plein essor, ces nouvelles disciplines paramédicales étendront progressivement leur champ d'activité aux hôpitaux généraux, psychiatriques, privés ainsi qu'aux institutions du ministère des Anciens Combattants, aux commissions des accidents du travail, aux dispensaires, etc. Sous la pression d'une spécialisation croissante de ce secteur paramédical, la section d'orthophonie-audiologie se détachera en 1978 de l'École de réadaptation et se verra conférer le statut d'École promue au rang de département. Des études de baccalauréat et de maîtrise y seront offerts.

Tout comme l'École de technologie médicale, l'École de réhabilitation était contrôlée par des médecins associés à la faculté de médecine, parmi lesquels on retrouve le doyen de la faculté, membre d'office du conseil pédagogique. En 1965, le directeur, le directeur adjoint et le secrétaire étaient tous diplômés en médecine et dix des treize membres du conseil pédagogique étaient médecins. Même si 39 professeurs de la FMUM collaboraient à l'enseignement, le principal corps enseignant était exclusivement composé de 11 spécialistes en ergothérapie, en orthophonie, en physiothérapie, en orthophonie/audiologie.

## À la recherche d'une structure unifiée d'enseignement médical et paramédical

La présence de ces trois importantes écoles au sein de la faculté ajoutait certes au prestige de la faculté, étendait son champ d'intervention pédagogique et constituait une nouvelle source de revenus. En revanche, une telle dispersion des activités risquait de ralentir le développement de la recherche médicale et de l'enseignement supérieur en polarisant l'enseignement vers les études de premier cycle et même vers certaines disciplines préuniversitaires, telles que l'enseignement de la technologie médicale. Sans doute, certains membres du conseil sentaient-ils le besoin de baliser le développement de cet enseignement paramédical puisqu'en 1964, le directeur des études, en réponse à une proposition du docteur J.-L. Léger, qui souhaitait «associer à ces écoles paramédicales une école de technologie radiologique qui serait sous l'égide de la Faculté de médecine[205]», fait remarquer que cette situation allait à l'encontre de «la tendance actuelle à l'Université [qui] est à l'exclusion de ces écoles plutôt qu'à leur inclusion[206]». Tous ne partageaient cependant pas cette opinion.

Il fallait en effet compter avec le messianisme traditionnel des élites québécoises francophones. Les autorités de la faculté de médecine se percevaient toujours comme les «responsables d'une collaboration et d'un *leadership* dans l'éducation et l'entraînement des membres des autres professions de la santé[207]». Si vingt ans plus tôt, elle ne disposait que de maigres possibilités et de faibles effectifs, ce n'était plus le cas au début des années 1970. Elle possédait désormais d'importantes ressources lui permettant de remplir son double mandat, défini pompeusement par les membres du conseil devant le ministre de la Santé, «de pourvoir à l'éducation (*sic*) et d'effectuer les recherches que nécessitent tous les soins de santé de la nation[208]». C'est dans cette perspective selon laquelle la FMUM voulait assumer le leadership francophone en matière de coordination et de développement des soins de santé qu'il faut situer l'importance accordée à l'enseignement paramédical et le désir d'établir une structure scolaire et hospitalière unifiée sur le campus du mont Royal.

Au moment où la FMUM jouait un rôle essentiel dans le développement et l'élargissement des soins de santé au Québec, elle tentait de consolider sa position en proposant la mise sur pied d'un «organisme où tous les effectifs s[er]ont intégrés dans une action unifiée». Or le centre médical universitaire devait tenir lieu d'organisme central. De fait, le projet de la faculté présenté en 1965 au ministre de la Santé, Éric Kierans, définissait les grandes lignes d'une «unité fonctionnelle efficace, dynamique et économique[209]» constituée à partir d'une réunification des départements des sciences fondamentales et des sciences cliniques qui auraient leurs services communs, leurs laboratoires, une bibliothèque centrale et un hôpital universitaire. L'idée d'un centre médical universitaire construit sur le campus qui composerait l'élément principal de ce «complexe de production éducationnelle et scientifique[210]» était certes controversée, mais elle se retrouvait en filigrane de tous les projets de développement ou de réorganisation des activités de la faculté, y compris l'enseignement dispensé dans les écoles paramédicales.

À la fin des années 1960, la faculté de médecine de l'Université de Montréal pouvait envisager l'avenir avec optimisme et aspirer répondre en partie aux vœux exprimés quelques années auparavant par les membres du conseil à la commission Parent:

> Faculté canadienne, de langue française, notre école de médecine se doit de soutenir avantageusement la comparaison avec toutes les autres écoles de médecine du pays. Il importe qu'il en soit ainsi pour le plus grand bien de notre population. Pensons aussi à l'influence qu'il nous incombe d'avoir dans le domaine scientifique et universitaire de notre pays, voire même de ce continent. [...] Notre Faculté a le droit et le devoir d'aspirer, au surplus, surtout dans les conjonctures internationales de l'heure présente, au rôle d'une école internationale d'expression et d'influence française[211].

## Notes

1. Selon le chanoine Chartier, secrétaire de l'université, une somme de 5 millions avait été consentie par le ministre des Travaux publics. «Au moment où *L'Action universitaire* d'avril va sous presse, une information sûre indique que la question du parachèvement de l'Immeuble de la Montagne sera réglée avec l'adoption du budget de la Province. Il appert qu'un montant d'un million et demi sera prévu pour les travaux qui reprendront dans quelques semaines.» (*L'Action universitaire*, 1941-04-08.)
2. En 1941, c'est le chanoine Chartier qui fait visiter au ministre des Travaux publics, T. D. Bouchard, les locaux de l'Université de Montréal sur la rue Saint-Denis. Voici sa version des événements: «Là-dessus, le ministre me demanda quelques minutes d'isolement, pour réfléchir. [...] Quand le ministre revint, au bout d'un quart d'heure à peu près, il tenait à la main un feuillet. "Voilà! Vous demandiez au secrétaire provincial 5 millions $, alors qu'il ne dispose au total que d'un budget de 7 millions $; évidemment, il ne pouvait les accorder. Aujourd'hui, c'est de moi que vous les sollicitez. Je viens d'étudier l'affaire; voici ce qui est en mon pouvoir. À ma demande, la Chambre m'a voté 28 millions $ pour les travaux publics seulement. Avec la discipline que j'ai établie dans mes bureaux, j'ai réussi à exécuter les contrats de l'armée pour 17 millions $; il m'en reste 11, vous m'en demandez 5. Mais les voici! Je n'ai pas à les faire voter; je les ai en mains. Il me suffit, vu que votre entreprise

n'est pas prévue dans mon budget, de les lui faire attribuer: une simple procédure. Pour quand les voulez-vous?"» (E. Chartier, *30 ans d'université (1914-1944), s.é., s.d., n.p.* Voir aussi *L'Action universitaire*, 1942-09-21.)

3. *L'Action universitaire*, 1942-09-30.

4. *Ibid.*, 1943-05-09.

5. *Annuaire général. Université de Montréal 1944-1945*, p. 295-297.

6. Trois ans après l'inauguration, l'université accueillait 2526 étudiants.

7. O. Maurault, *L'Université de Montréal*, Montréal, Cahier des Dix, p. 30.

8. PVCFMUM, 1943-06-30, p. 955.

9. *Ibid.*, p. 956.

10. Jugement de la Cour supérieure, n° 226147, 23 juin 1944. À la suite d'une mise en demeure qui avait été faite au docteur Lesage le 6 mars 1944, l'avocat de l'intimé lui adresse, le 16 mars 1944, le pronostic suivant: «J'ai étudié le dossier dans votre affaire et je crois votre cause extrêmement dangereuse.» (Geoffrion & Prud'homme, AUM, D35/617.)

11. *Id.*

12. Voir *La Presse*, 1944-06-24.

13. Depuis 1954, la faculté de médecine admettait en moyenne 120 étudiants.

14. PVCFMUM, 1965-02-11, p. 275.

15. Entre 1958 et 1970, l'accroissement des inscriptions en première année de médecine au Canada sera continue. Elle plafonnera à partir des années 1970 (Girard, Roy et Associés inc., *Plan d'orientation. Faculté de médecine. Université de Montréal*, Rapport 4, «Statistiques comparatives des facultés de médecine au Québec», juin 1986, p. 18).

16. W.-N. Hubbard, W.-S. Wiggins et J. B. Jobin, *Report of visit made to University of Montreal Faculty of Medicine*, 4-7 avril 1955, p. 9.

17. Voir C. Galarneau, *Les collèges classiques au Canada français*, p. 191.

18. Dans les collèges classiques, «c'est en 1938 que le revirement se produit et que le nombre des professions l'emporte définitivement sur celui des vocations religieuses, culminant à 72,3 % en 1956» (*ibid.*, p. 153). À l'intérieur des catégories professionnelles, ce sont le droit, la médecine et les sciences qui dominent avec une moyenne de 72,8 % (*ibid.*).

19. PVCFMUM, 1959-12-01, p. 128.

20. C. Galarneau, *op. cit.*, p. 152.

21. Galarneau souligne à propos de la période 1924-1956 que «le choix des sciences humaines augmente de façon continue, allant de 2,1 à 17 %» (*ibid.*, p. 153).

22. PVCFMUM, 1951-10-10, p. 108.

23. *Ibid.*, 1956-02-02, p. 281.

24. AFMUM, 1951-1952, p. 36.

25. Le règlement d'admission stipulait à l'endroit des candidats qui revendiquaient des équivalences qu'outre «ses exigences dans le domaine des sciences prémédicales, [la faculté] ne considère que les titres attestant une culture générale étendue et incluant en particulier des études de mathématiques, de latin et de philosophie du même niveau en qualité et en quantité que celles

décrites dans le programme du baccalauréat ès arts de l'Université de Montréal»
(PVCFMUM, 1950-11-28, p. 59).

26. *Ibid.*, 1958-01-25, p. 65-67.

27. Les études de mathématiques devaient contenir les éléments de calcul différentiel et intégral, les fonctions exponentielles et logarithmiques, les dérivés et ses applications.

28. PVCFMUM, 1966-05-12, p. 131. Un crédit équivalait à 15 heures de cours théoriques ou 30 heures de travaux pratiques.

29. *Ibid.*, 1949-10-26, p. 173.

30. En 1952, le docteur Fred Siguier, de Paris, offre un prix de 75 $ destiné à l'étudiante qui aura obtenu le plus de succès au cours de ses études. Le conseil accepte le prix offert par le docteur Siguier. Mais les membres du conseil jugent que «dans l'attribution de ce prix, il vaudra mieux ne pas indiquer qu'il revient à la destinataire en temps qu'étudiante» (*ibid.*, 1952-09-16, p. 140).

31. *Annuaire général. Université de Montréal 1944-1945*, p. 301.

32. PVCFMUM, 1942-05-27, p. 861.

33. «La Société d'administration [...] ne voit pas la possibilité de réaliser ce projet avant d'avoir remboursé au gouvernement provincial les avances que ce gouvernement a faites à l'Université.» (PVCFMUM, 1942-06-29, p. 869 et PVEFMUM, 1942-09-04, p. 879.)

34. PVEFMUM, 1943-03-24, p. 930.

35. *Ibid.*, 1944-07-07, p. 973.

36. A. Beaulnes *et al.*, *Le Centre médical universitaire. Un passé, une nécessité*, p. 31.

37. PVEFMUM, 1945-01-09, p. 1037.

38. La Société d'administration émet des obligations au montant de 1 616 500 $. Cette émission, échéant en séries jusqu'au 1er avril 1964, est entièrement garantie par une subvention annuelle de 110 000 $ approximativement, payable à même les fonds de l'Assistance publique et accordée par un arrêté ministériel en date du 26 avril 1944 (A. Beaulnes *et al., op. cit.,* p. 31).

39. Voir *Statuts refondus de Québec*, 1941, chap. 187, sect. 3, art. 9.

40. *Arrêté en conseil. Chambre du Conseil exécutif,* numéro 1412, 1944-04-26.

41. *Id.*

42. *Id.*

43. Voir le chapitre IV.

44. Notes manuscrites d'une réunion du conseil de l'Institut du radium, ANQ, E8/1.1.

45. PVCFMUM, 1945-01-24, p. 1061.

46. «La réalisation d'un hôpital général universitaire serait un premier pas qui permettrait de développer l'enseignement scolaire. La création d'un grand centre médical universitaire dans le voisinage immédiat des locaux actuels serait un deuxième pas et il faut espérer que ce projet pourra se compléter dans un avenir rapproché.» (*L'Action universitaire,* 1945-06-01.)

47. PVEFMUM, 1945-04-10, p. 1053.

48. La loi 65 (9 Georges VI, chap. 19) crée la commission qui va mener au rapport Conroe en 1947.

49. «Monsieur Irwin Conroe de New York doit faire enquête sur la condition de l'enseignement à l'Université, et sur la situation matérielle. Il recevra du Doyen tous les documents nécessaires pour mener à bien cette enquête.» (PVEFMUM, 1946-01-08, p. 1115) Selon le témoignage du chanoine Chartier, il semble que la teneur du rapport Conroe ne différait guère du mémoire remis par ce dernier lors de sa retraite en 1944. En dehors de l'aspect financier, il affirme à M$^{gr}$ Charbonneau, en 1946, que «presque toutes les propositions du rapport s'y [dans son mémoire] rencontre déjà». S'il faut en croire le chanoine, «l'Université a payé bien cher [on avait parlé de 20 000 $] pour réapprendre ce qu'elle savait ou pouvait savoir déjà». Mais aux yeux du public et des intéressés, un juge externe possède davantage de crédibilité. Chartier rend compte de son irritation à la vue du rapport Conroe: «[...] un dimanche matin que j'étais assis à mon balcon, je vis un personnage de haute taille descendre à ma porte d'une luxueuse limousine. C'était M$^{gr}$ Charbonneau tenant à la main deux documents. "Je m'en vais à Newport fêter mon confrère Carrière; je repasserai à 4 heures. D'ici là, voulez-vous examiner ces deux pièces et noter vos observations sur des feuillets séparés? Je les cueillerai en repassant". L'une était le projet d'une souscription de 10 000 000 $ que l'on se proposait de lancer. L'autre contenait le rapport de Irwin Conroe, Assistant Commissioner of Education (New York), sur les défauts de l'administration comme de l'enseignement universitaire et sur les correctifs qu'il conviendrait d'y apporter. Quand il revint à 4 heures M$^{gr}$ voulut bien accepter de dîner avec nous et même de faire un bout de veillée. Le projet de souscription suscitait peu de remarques utiles, du moins de ma part; mais mes notes sur le rapport Conroe comportaient 10 numéros. Je tendis les feuillets à mon visiteur, mais me permis cette réflexion: "Si vous vous reportez au mémoire que, sur votre demande, je vous ai remis à mon départ [retraite en 1944], vous constaterez que, en dehors des suggestions d'ordre financier, presque toutes les propositions du rapport s'y rencontre déjà; je ne fais que vous les rappeler sur ces feuillets. (E. Chartier, *op. cit.*)

50. AUM, *Rapport Conroe*, p. 48.

51. *Id.*

52. A. Beaulnes *et al., op. cit.*, p. 31. «Les buts de la campagne de souscriptions sont: l'achèvement de l'hôpital universitaire, la construction d'un centre pour les étudiants, d'une chapelle, d'une maison pour les gardes-malades, l'exécution de travaux de terrassement et d'embellissement, la construction de voies d'accès convenables, la création d'un fonds de pension pour les professeurs, etc.» (*L'Action universitaire*, 1947-05-09.)

53. A. Beaulnes *et al., op. cit.*, p. 31.

54. *Ibid.*, p. 33.

55. *Ibid.*, p. 32.

56. *Id.*

57. V. Johnson et H.-G. Weiskotten, *Report on the school of medicine, 1946*, p. 10, AUM, P22 K/2.7 5565.

58. PVEFMUM, 1944-07-07, p. 973. «L'un des principaux buts de l'Exécutif a été et est encore celui d'assurer à la Faculté de Médecine les services d'un directeur des études spécialisées.» (PVCFMUM, 1945-06-06, p. 1075-1076.)

59. «Le Docteur Albéric Marin revient sur la nécessité de trouver un Directeur des études à temps complet pour la Faculté de Médecine. Le Doyen répond qu'il profitera de son prochain voyage aux États-Unis pour continuer ses recherches dans ce sens.» (PVEFMUM, 1945-01-23, p. 1043.)

60. A. Beaulnes *et al.*, *op. cit.*, p. 33.

61. PVCFMUM, 1957-05-06, p. 35.

62. A. Beaulnes *et al.*, *op. cit.*, p. 36.

63. PVCFMUM, 1957-12-17, p. 59.

64. A. Beaulnes *et al.*, *op. cit.*, p. 37.

65. «[...] l'on s'inspirera également des études et documents exhaustifs préparés par divers groupes de spécialistes nord-américains dans le cadre de la médecine académique et professionnelle.» (*Ibid.*, p. 40.)

66. Le docteur L. L. Coutu, titulaire d'un Ph.D. de l'IMCE, faisait partie de la même promotion que le docteur Fortier en 1951-1952. Sa thèse s'intitulait «Contribution à l'étude de l'arthrite expérimentale» (*Annuaire général. Université de Montréal, 1952-53*, p. 202).

67. A. Beaulnes *et al.*, *op. cit.*, p. 45.

68. Un mémoire du conseil médical de la faculté de médecine rédigé en 1962 faisait part du dépit de ses membres face aux difficultés de réalisation du projet d'hôpital universitaire: «À qui la faute si ce beau et indispensable projet échoua? À la faculté, qui fut soumise alors au régime de la douche écossaise et qui dut assister, la mort dans l'âme, à l'écroulement de ses rêves? À l'Université, où malheureusement l'accord n'était ni complet, ni enthousiaste, ce qui amena oscillations, indécisions et irrésolutions? À la profession médicale qui, selon d'aucuns, fit entendre en haut lieu de fortes protestations? Aux autorités gouvernementales qui ne purent être persuadées du bien-fondé du projet?» (*Mémoire du conseil de la faculté de médecine au conseil des gouverneurs de l'Université de Montréal*, août 1962, p. 3.)

69. PVCFMUM, 1965-02-18, p. 281.

70. «[...] le public en général et le public médical en particulier ne supporte pas ce projet de centre médical» (*ibid.*). Il est vrai que ce projet ne recevait pas l'appui de l'ensemble de la communauté médicale québécoise ni celui des autorités gouvernementales et universitaires. Le doyen de la faculté en était conscient: «Des membres du personnel du ministère de la Santé de la Province de Québec rencontrés récemment semblent encore douter de la nécessité d'un centre médical. De même des membres de la profession médicale hésitent à donner leur entière adhésion au projet d'un centre médical tel que conçu. Ces personnes verraient mieux l'amélioration des locaux actuels avec constructions de pavillons de recherche auprès de chacun des hôpitaux affiliés. Enfin, les gouverneurs de l'Université n'accepteront vraisemblablement pas de se

rendre auprès des autorités gouvernementales si la Faculté refuse d'admettre 200 étudiants en première année. En somme, suivant monsieur le doyen, il faut de nouveau et aujourd'hui s'affirmer nettement. Doit-on oui ou non conserver le projet actuel du centre médical tel que conçu ou étudier d'autres formes de développement?» (*Ibid.*, p. 277.)

71. *Ibid.*, 1965-09-09, p. 47.

72. *Id.*

73. «Monsieur le Doyen fait part aux membres du Conseil de quelques recommandations du comité de planification de l'Université de Montréal communiquées hier par monsieur le recteur. On y recommande entre autres choses la construction d'une Faculté de droit et d'une Faculté de sciences sociales sur le site du campus déjà réservé au Centre médical, la réduction du projet du centre médical à la seule école de médecine et la possibilité d'accepter l'Hôpital Ste-Justine comme hôpital universitaire. Ces recommandations consternent les membres du Conseil qui suggèrent une assemblée spéciale du Conseil à laquelle sera invité monsieur le Recteur.» (*Ibid.*, 1965-09-23, p. 55.)

74. *Ibid.*, p. 17.

75. L'institut Albert-Prévost est fusionné à l'Hôpital du Sacré-Cœur en 1972 pour constituer le département de psychiatrie.

76. Le nombre de leçons de pédiatrie est porté de 10 à 30, alors que l'orthopéd[i] voit augmenter ses leçons de 10 à 20.

77. PVCFMUM, 1946-09-25, p. 56.

78. «Le Docteur Gaston Lapierre rapporte que le Collège des Médecin[s] Chirurgiens de la Province de Québec a été saisi d'un projet visant à inst[i] une École d'Anesthésie par charte provinciale. Le Doyen rappelle que l[e] gramme de l'enseignement de la chirurgie opératoire auquel la S d'Administration a refusé d'accorder les fonds nécessaires, compor[t] cours d'Anesthésie. L'Exécutif est d'avis qu'il faut mettre sur pied un e[r] ment plus complet de l'anesthésie.» (*Ibid.*, 1945-10-09, p. 1098.)

79. Seulement sept étudiants y sont alors inscrits (*ibid.*, 1950-12-12,

80. *Ibid.*, 1944-11-22, p. 1009.

81. «[qu'] à défaut de fonds, il n'y aurait pas de médecine opérat[ la Société d'Administration serait responsable de la suppression [d] (PVEFMUM, 1946-10-23, p. 23-26).

82. PVCFMUM, 1949-10-26, p. 176.

83. Voir le chapitre IV.

84. PVCFMUM, 1948-11-17, p. 143.

85. *Id.*

86. PVEFMUM, 1944-12-12, p. 28.

87. Les docteurs J. Delage, professeur d'anatomie; A. Cou[t] tant en anatomie; W. Bonin, professeur titulaire en histolog[i] mier assistant en histologie; E. Robillard, professeur agr[é] département de physiologie; J.-A. Blais et M. Blais, assist[a] Le salaire des assistants tournait autour de 2500 $ alors [que titulaires et agrégés variait de 4200 $ à 5800 $.

88. En 1946, la faculté comptait 22 professeurs titulaires, 47 professeurs agrégés, 69 assistants-professeurs, 23 démonstrateurs et 7 non classés.

89. «Loi concernant la charte de l'Université de Montréal», 14 George VI, chap. 142.

90. On entendait par école affiliée, «une école située dans la province de Québec, qui accepte les règlements et le programme que l'université a établis comme siens, dont cette dernière dirige les examens universitaires, selon des statuts d'affiliation arrêtés d'un commun accord, et à laquelle l'université décerne ses propres diplômes»; par école annexée, «une école affiliée à l'université par l'intermédiaire d'une faculté ou d'une école»; par école agrégée, «une école située hors de la province de Québec, mais qui à tous autres égards rencontre les conditions d'une école affiliée» (*ibid.*, art. 1).

91. *Ibid.*, art. 31.

92. *Ibid.*, art. 51.

93. Le directeur des études n'est membre de la direction de la faculté qu'à titre consultatif (AUM E38/19.1.2 B2972 [A-7]).

94. *Id.*

95. Voir *supra*.

96. PVCFMUM, 1950-09-12, p. 19.

97. *Ibid.*, 1950-08-16, p. 1.

98. *Ibid.*, p. 4.

99. PVEFMUM, 1944-12-12, p. 1020.

100. PVCFMUM, 1950-03-15, p. 206.

101. Le terme «macroscopique» remplace alors celui de «normale» et correspond à la *Gross Anatomy* des institutions anglo-saxonnes.

102. La pharmacologie constituait alors généralement un département majeur dans les universités américaines et européennes.

103. PVCFMUM, 1950-08-16, p. 5.

104. *Ibid.*, 1950-11-28, p. 63-65.

105. W.-N. Hubbard, W.-S. Wiggins, J. B. Jobin, *op.cit.*, p. 63.

106. *Id.*

107. PVCFMUM, 1950-08-28, p. 8.

108. Voir à ce propos D. Goulet *et al.*, *Histoire de l'Hôpital Notre-Dame.*

109. PVCFMUM, 1951-06-26, p. 98.

110. *Ibid.*, 1951-10-10, p. 104.

111. *Ibid.*, 1955-04-19, p. 248.

112. *Ibid.*, 1955-11-08, p. 265.

113. *Ibid.*, 1953-01-27, p. 149.

114. *Ibid.*, 1951-12-18, p. 121.

115. *Ibid.*, 1953-05-09, p. 160.

116. *Ibid.*, 1954-12-21, p. 229.

117. Il s'agissait de résidents avancés à qui on donnait une bourse pour prolonger leur formation et pour participer à l'enseignement.

118. PVCFMUM, 1955-01-25, p. 235.

119. *Ibid.*, 1955-11-08, p. 263.

120. *Id.*

121. Liaison Committee on Medical Education representing the American Medical Association and the Association of American Medical Colleges, *Report of survey of the University of Montreal School of Medicine*, 5-7 déc. 1960, p. 10.

122. La loi de l'assurance-hospitalisation sera adoptée en 1960 et mise en vigueur le 1er janvier 1961.

123. PVCFMUM, 1959-10-06, p. 123.

124. PVCFMUM, 1960-11-15, p. 169.

125. L. Beaumont, «Hommes ou cobayes», *Montréal médical*, janv. 1964, p. 3.

126. G. Lamarche, «Agrément des facultés de médecine nord-américaines», *Infomed*, Faculté de médecine, vol. 1, n° 4, déc. 1977, p. 2.

127. Cette approche paternaliste se reflétait dans l'ensemble des rapports entretenus avec les étudiants. Ainsi, en 1949, la direction du conseil médical s'accorde pour que la revue médicale fondée par des étudiants soit «contrôlée par les membres de la faculté au sujet de la valeur des articles à imprimer» (PVEFMUM, 1949-10-11, p. 183).

128. AUM E38/12.3, Boîte 3362 (A-6) 15/5/43.

129. PVEFMUM, 1945-06-26, p. 1083. Des stages d'internat dans les laboratoires étaient admis depuis un certain temps aux États-Unis.

130. PVCFMUM, 1957-12-17, p. 55.

131. *Ibid.*, 1957-06-11, p. 39.

132. *Ibid.*, p. 38. Le doyen de la faculté rappelle cependant que si la faculté collabore au projet de la CMA, il demeure que «le Collège des Médecins et Chirurgiens de la Province de Québec est en réalité le seul corps légal susceptible d'établir les conditions de l'internat junior» (*ibid.*, p. 39).

133. On décide en 1957 de prolonger d'un mois le stage en obstétrique. Or la faculté ne disposait que de l'HND, de l'Hôpital Sainte-Jeanne-d'Arc, de l'Hôpital Saint-Luc et l'Hôpital de la Miséricorde.

134. Le fascicule de l'Association médicale canadienne intitulé *Basic of approval for junior internship* exige des stages de médecine, de chirurgie, de pédiatrie et d'obstétrique, ce dernier stage étant d'une durée de deux mois.

135. PVCFMUM, 1955-03-01, p. 243.

136. *Ibid.*, 1956-12-04, p. 17.

137. *Ibid.*, 1957-01-22, p. 27.

138. *Ibid.*, 1956-12-04, p. 18.

139. Le cours de bactériologie comprendra désormais la virologie, la mycologie, la parasitologie et l'immunologie (*ibid.*, 1962-06-19, p. 44).

140. *Ibid.*, 1962-08-16, p. 46. Le docteur W. Bonin décédera l'année suivante.

141. AUM, *Mémoire du conseil de la faculté de médecine au conseil des gouverneurs de l'Université de Montréal*, août 1962, p. 1.

142. *Ibid.*, p. 6.

143. *Ibid.*, p. 8.

144. PVCFMUM, 1963-06-20, p. 53-54.

145. «Toutes les universités canadiennes ont déjà fait le pas; Laval était la dernière à le faire il y a quelques années.» (*Ibid.*, 1963-12-05, p. 93-95.)

146. À ce propos, les accréditeurs avaient noté en 1960 que la faculté devait délaisser temporairement ce projet et mettre en œuvre au plus tôt les modifications proposées: «*We feel that whether or not the proposed hospitals does become a reality, it is necessary to plan teaching and research activities and staffing within the framework of the present relatively easy to transfer the teaching and research to new quarters if such planning has been done.*» (Liaison Committee on Medical Education representing the American Medical Association and the Association of American Medical Colleges, *op. cit.*, p. 10.)

147. «*Confidential probation status was to be continued for another year, at which time a resurvey was to be carried out and, if signifiant improvement had not occured in the opinion of that survey team, the school should be placed on open or public probation.*» Liaison Committee on Medical Education representing the American Medical Association and the Association of American Medical Colleges, *Report of survey visit. University of Montreal Faculty of Medicine*, 16-18 nov. 1965, p. 1.

148. PVCFMUM, 1964-03-12, p. 119.

149. *Ibid.*, 1964-05-13, p. 155-156.

150. Le docteur Gingras énumérait dans sa lettre onze arguments en faveur de l'internat post-M.D. (Voir PVCFMUM, 1964-01-16, p. 102-103.)

151. *Ibid.*, 1964-05-13, p. 156.

152. *Ibid.*, 1964-11-12, p. 231.

153. En 1962, le conseil médical perçoit son rôle comme suit: «Il se tient à la pointe du mouvement de la science dont il entend faire profiter l'étudiant mais il s'inspire également dans son action de la tradition hippocratique, de l'humanisme gréco-latin, du patrimoine chrétien et de son attachement à l'idéal universitaire.» (AUM, *Mémoire du conseil de la faculté de médecine..., op. cit.*, p. 7.)

154. «Ce comité dont l'existence est basée sur la confiance mutuelle, établit un lien officiel entre la faculté et les étudiants. Il facilite la découverte de solutions adéquates à des difficultés diverses et il contribue à simplifier et assouplir l'exécution de certaines décisions prises par la faculté.» (AFMUM, 1968-1969, p. 38.) Toutefois, ce comité ne possède aucun pouvoir exécutif.

155. AFMUM, 1965-1966, p. 44.

156. PVCFMUM, 1966-09-22, p. 156; 1966-10-27, p. 176.

157. «*Excellent budgets increases have been accomplished and the salary scales are said to be the highest in any university in Canada, and in any care appear very satisfactory in competitive terms. The salary differential between Ph.D. and M.D. still seems to be quite arbitrary and undesirable.*» (LCME, *op. cit.*, 1965, p. 5.)

158. La faculté de médecine reçoit la confirmation de son accréditation pour une période de cinq ans le 21 juillet 1966 (PVCFMUM, 1966-11-10, p. 187).

159. *Ibid.*, 1966-04-28, p. 126.

160. *Ibid.*, p. 127.

161. *Id.*

162. L'Université McGill comptait alors aussi quatre «*full university teaching hospital*»: le Royal Victoria Hospital, le Montreal Neurological Hospital, le Montreal Children's Hospital et le Montreal General Hospital.

163. *Projet de contrat entre les hôpitaux affiliés et la faculté de médecine de l'Université de Montréal*, PVFMUM, 1965-10-28, p. 3.

164. *Id.*

165. *Ibid.*, p. 1. L'italique est de nous.

166. PVCFMUM, 1965-11-11, p. 76.

167. *Id.*

168. Le système de prêt était organisé selon les systèmes européens; les étudiants n'avaient pas accès directement aux ouvrages et devaient en faire la demande au comptoir de prêt.

169. La faculté de droit possédait sa bibliothèque, logée dans une section spéciale de la bibliothèque centrale, que près de 80 % des étudiants fréquentaient («Rapport au sujet de la bibliothèque», PVCFMUM, 1956-02-02, p. 282.1).

170. *Ibid.*, p. 282.6.

171. *Ibid.*, 1959-01-27, p. 103-104.

172. «*The student's use of the library continues to be low, apparently in part because lecture notes and textbook reading suffice. One would hope that use of the library will increase on the basis of increased reliance in the educational program on the current literature.*» (LCME, *op. cit.*, 1965, p. 10.)

173. PVCFMUM, 1965-02-25, p. 286.

174. *Mémoire présenté à l'Honorable Ministre de la Santé de la province de Québec, monsieur Éric Kierans, par la faculté de médecine de l'Université de Montréal*, déc. 1965, p. 1.

175. Sur l'École d'hygiène sociale, voir G. Desrosiers *et al.*, *Étude de l'évolution des structures et du contenu de l'enseignement universitaire spécialisé de santé publique au Québec et de ses déterminants de la fin du XIX$^e$ siècle à 1970*, Rapport de recherche, Groupe de recherche interdisciplinaire en santé, Université de Montréal, 1987.

176. PVEFMUM, 1938-08-23, p. 503. «L'Exécutif de l'Université croit qu'avec cette allocation de 4000 $ ajoutée aux 6000 $ du B.C.G. et aux 2000 $ d'inscription des élèves (25 élèves), l'École pourra continuer ses cours en réalisant des économies sur les salaires pour ne pas dépasser dans les dépenses le total des allocations.» (*Ibid.*)

177. *Ibid.*, 1938-12-16, p. 542.

178. «Une invitation, adressée en 1941, par Monsieur le Doyen de la Faculté de Médecine à Mlle Mary C Connor, secrétaire du programme d'éducation de la National Organization for Public Health Nursing permit l'étude du curriculum de l'École par une spécialiste en la matière. L'Université tient à ce que l'École se développe et que son programme corresponde à celui des autres écoles canadiennes et américaines. Des mesures furent prises afin que les recommandations de ces 2 distinguées visiteuses soient mises en pratique.» (AFMUM, 1942-1943, p. 95.)

179. PVCFMUM, 1945-10-28, p. 16.

180. *Ibid.*, 1949-10-26, p. 171.

181. *Ibid.*, 1965-02-11, p. 270.

182. Z. M. de Araujo Hartz, *L'évolution des structures et des contenus de l'enseigne-ment en matière de santé publique à la faculté de médecine de l'Université de Montréal*, mémoire de maîtrise en santé communautaire, Université de Montréal, 1989, p. 73.

183. PVCFMUM, 1965-01-28, p. 273-274.

184. *Id.*

185. Z. M. de Araujo Hartz, *op. cit.*, p. 77.

186. Sur le développement du programme du département de médecine sociale et préventive, voir *ibid.*, p. 78-96. Sur l'évolution de l'enseignement de la santé publique, voir G. Desrosiers *et al.*, «L'évolution des structures de l'enseignement universitaire spécialisé de santé publique au Québec: 1899-1970», p. 3-26; G. Desrosiers *et al.*, *op. cit.*, 1987.

187. PVCFMUM, 1950-11-28, p. 63-65; 1955-01-25, p. 237. La faculté avait aussi reçu l'appui du docteur J. Grégoire, sous-ministre de la Santé de la province de Québec (*ibid.*, 1952-09-16, p. 137).

188. *Université de Montréal. Annuaire général, 1965-1966*, p. 219.

189. *Id.*

190. Une première école de diététique avait été créée à l'HND en 1922, dont les cours étaient en partie supervisés par la FMUM.

191. Le diplôme baccalauréat ès sciences en nutrition ne sera officiellement entériné par la commission des études de l'Université de Montréal qu'en 1945.

192. Cette appellation avait été approuvée par le conseil de la faculté en 1944 (PVEFMUM, 1944-11-28, p. 1017).

193. En 1960-1961, l'IDN compte 92 étudiantes. L'année suivante, il accueille 93 femmes et 5 hommes.

194. Voir le nouveau programme du baccalauréat ès sciences en nutrition, *Université de Montréal. Annuaire général, 1965-1966*, p. 204.

195. La faculté recevait pour ces écoles l'aide financière des ministères provincial et fédéral de la santé.

196. En 1954, le corps professoral de l'Institut est composé comme suit: Mary Doreen Smith (professeur honoraire); Rachel Beaudouin (professeur titulaire); Hazel W. Bennett (professeur agrégé); Mariette Blais, Claire Dalmé et Jeaninne Deveau (assistantes-professeurs); Lidye Bouchard (chargée de cours) (PVCFMUM, 1954-03-04, p. 198).

197. Grâce à un don d'un million de dollars de la Fondation MacDonald Stewart et aux appuis financiers du gouvernement du Québec et du gouvernement fédéral, le pavillon Liliane-Stewart sera érigé en 1978 à proximité du pavillon Marguerite-d'Youville et inauguré le 22 avril 1983. Outre son programme de premier cycle et ses deux programmes de deuxième cycle, le département offrira à partir de 1979 un programme de doctorat en nutrition. Cet ajout visait à étendre les activités de recherche en cette matière.

198. Les membres du conseil de la faculté de médecine avaient approuvé en 1965 les nouvelles appellations de «Ergothérapie», «Ergothérapeute» et «Ergothérapeutique» comme suggéré par le conseil pédagogique de l'école

de réhabilitation en remplacement des expressions «Occupation thérapie» et «Thérapeute d'occupation» (*ibid.*, 1965-03-11, p. 293).

199. AFMUM, 1955-1956, p. 53-56.

200. En 1979, l'Institut de réadaptation pouvait héberger 110 malades (AFMUM, 1979-80, p. 6-26).

201. PVCFMUM, 1965-03-11, p. 293.

202. *Ibid.*, 1959-12-01, p. 130.

203. *Ibid.*, 1966-02-10, p. 109.

204. L. Coderre, «De l'École d'orthophonie et d'audiologie. Vingt-cinquième anniversaire du programme d'études», *Infomed,* Faculté de médecine, vol. 5, n° 2, nov.-déc. 1981, p. 2-3.

205. PVCFMUM, 1964-11-12, p. 237.

206. *Id.*

207. *Mémoire présenté à l'Honorable Ministre de la Santé de la province de Québec...,* *op. cit.*, p. 13.

208. *Id.*

209. *Ibid.*, p. 14.

210. *Id.*

211. AUM, *Mémoire de la Faculté de médecine de l'Université de Montréal à la Commission provinciale d'éducation,* 1962, p. 12.

CHAPITRE VI

# L'essor de la recherche biomédicale et de l'enseignement supérieur à la faculté de médecine de l'Université de Montréal (1943-1980)

Durant la période d'entre-deux-guerres, la recherche scientifique au Canada avait connu un progrès très lent qui «contrastait démesurément avec le rythme rapide du développement scientifique international[1]». En effet, les efforts accomplis pour doter le Canada d'une politique scientifique n'ont pas donné les résultats escomptés. Les laboratoires et les travaux de recherche demeuraient dispersés, mal coordonnés et insuffisamment financés. Rares étant ceux qui possédaient la formation et l'expérience nécessaires, les professeurs d'université n'effectuaient encore que peu de travaux de recherche. En 1938, les auteurs d'un mémoire du Conseil national de recherche du Canada (CNRC) soumis à la Commission royale d'enquête sur les relations fédérales-provinciales notaient que «même aujourd'hui, on peut dire que la recherche organisée est encore dans son enfance[2]». Certes, la position du Canada était relativement faible à cet égard, mais il demeure que certaines initiatives du CNRC ont alors contribué à mettre en place les prémisses d'une institutionnalisation de la recherche scientifique, dont profitera largement le secteur biomédical alors en pleine effervescence dans le monde occidental.

Parmi les initiatives du CNRC, mentionnons le rôle prépondérant qu'il reconnut aux universités en matière de développement de la recherche scientifique. Le CNRC, qui désirait que les professeurs d'université deviennent «des chercheurs accomplis, de la qualité des Rutherford et des Osler, s'ils veulent intéresser et former les jeunes[3]», avait donc établi de bonnes et étroites relations avec les universités canadiennes. Une telle position ne pouvait que favoriser les facultés médicales.

Déjà, la recherche biomédicale avait connu une certaine croissance peu après la Première Guerre mondiale grâce aux importantes subventions données par la Rockefeller Foundation, le CNRC et certaines fondations privées. Trois importants centres de recherche avaient été mis sur pied: l'Institut de neurologie de l'Université McGill, l'École d'hygiène des laboratoires Connaught et l'institut Banting de l'Université de Toronto qui comprenait le Banting and Best Department of Medical Research. Mais les autorités médicales se plaignaient de l'instabilité des fonds de recherche octroyés par le CNRC. Celui-ci avait une nette propension à privilégier la recherche fondamentale, politique qui parfois s'accordait mal avec les exigences pratiques des recherches cliniques. Aussi des pressions furent–elles exercées afin que soit créé par le CNRC un comité voué exclusivement à la promotion de la recherche médicale.

En 1938, le président McNaughton, après avoir consulté l'AMC, le Collège royal des médecins et chirurgiens du Canada et le ministère de la Santé, mit sur pied le Comité associé sur la recherche médicale (Associate Committee on Medical Research). Présidé par le docteur Banting, le comité décida de s'enquérir des structures de recherche existantes et des besoins exprimés par les facultés médicales canadiennes.

> *He found much enthusiasm, many medical scientists eager to do research, and a great need for funds to make research possible. In the small centres, particularly, he was welcomed almost as a Messiah; tired teachers had their hopes for assistance re-awakened; young men and women became ardent disciples[4].*

Ce comité constituera un acquis important même s'il ne disposa à sa première année d'exercice que d'un modeste fonds de recherche de 53 000 $. La guerre monopolisa bientôt ses activités et la plupart des subsides seront consacrés aux travaux de recherche appliquée au détriment de la recherche fondamentale.

La collaboration étroite qui s'était engagée entre les chercheurs canadiens, anglais et américains et la position avantageuse du Canada par rapport aux Européens qui se relevaient péniblement de la guerre favorisèrent une amélioration des conditions de la recherche. Cette position, dont le pays comptait tirer profit pour étendre son secteur industriel, encouragea la définition d'une politique plus favorable aux activités de recherche appliquée et fondamentale[5].

Le président du CNRC entre 1952 et 1960, le Docteur Steacie, prolongera la politique traditionnelle de cet organisme et se montrera un ardent partisan du développement de la recherche scientifique dans les université canadiennes. Il favorisera l'accroissement constant des subventions dans ce secteur au détriment des laboratoires industriels. Selon lui, l'université constituait «l'endroit idéal pour mener des travaux [scientifiques]» en raison du fait que le «chercheur universitaire peut s'orienter à son gré dans n'importe quelle direction de son choix, sans se laisser influencer par aucune considération d'ordre utilitaire[6]». Même si la recherche médicale dans les facultés de médecine était le plus souvent orientée vers des problèmes pratiques, elle figurait néanmoins parmi les secteurs susceptibles de tirer avantage de cette politique. En conséquence, les subventions décuplèrent en faveur des universités canadiennes qui profitèrent largement de cette «approche» qui encourageait le développement scientifique.

En 1946, le CNRC admit l'utilité de consolider une section consacrée à la recherche médicale et décida de créer le Comité de la recherche médicale (Advisory Committee of Medical Research) doté d'un budget de 200 000 $[7]. Quatre ans plus tard, son budget avait été haussé à 538 000 $[8]. En 1961, ce comité deviendra le Conseil de recherches médicales, organisme autonome du CNRC. Cette division avait la particularité de ne financer que des activités de recherche *extra-muros,* ce qui empêcha une concurrence déloyale dans l'attribution des fonds de recherche et permit aux universités et aux hôpitaux de recevoir la plus grande part des fonds disponibles: *They come almost exclusively from university laboratories and clinics, from physiologists, pharmacologists, biochimists, bacteriologists, pathologists, surgeons, and internists*[9]. Aux subventions de recherche du Comité de la recherche médicale s'additionneront celles des différentes sociétés nationales qui verront le jour à la fin des années 1940. Plus de 76 % des fonds canadiens alloués à la recherche médicale en 1949-1950 (1 311 455 $) provenait du Trésor fédéral[10]. En 1950, le rapport de la Commission royale d'enquête sur les arts, les lettres et les sciences (commission Massey) recommandait que le gouvernement fédéral prenne partiellement en charge l'enseignement supérieur et augmente les crédits accordés à la recherche.

Mais alors que les fonds s'accroissaient, le principal obstacle à l'expansion de la recherche médicale et des autres secteurs de recherche demeurait le faible nombre de chercheurs disponibles pour répondre adéquatement aux demandes de plus en plus complexes de la production scientifique. En 1951, le doyen de la Faculté de médecine de l'université Queen, s'en fait l'écho:

> *The future dépends not only on the continued liberality of government agencies, but on the number and quality of the men who are induced and encouraged to work at research. To discover and train these is our greatest need*[11].

La même année, Ottawa donnera un coup de pouce au recrutement et à la formation de professeurs-chercheurs en accordant les premières subventions fédérales à l'enseignement universitaire «au prorata des populations provinciales[12]». Rappelons toutefois que cette importante initiative ne profita guère aux universités québécoises puisqu'elle se heurta aux convictions nationalistes «étroites» du gouvernement Duplessis qui refusa les subsides fédéraux[13] sans accorder de compensations aux universités. Celles-ci perdaient ainsi une précieuse occasion d'améliorer leur situation financière.

De fait, en territoire québécois au début des années 1950, les subventions, tant celles relevant du gouvernement provincial que celles provenant du secteur privé, demeurèrent fort modestes. L'Office provincial des recherches scientifiques et industrielles, mis sur pied en 1937, conservera jusqu'à sa dissolution en 1961 un budget annuel fixe de 15 000 $, ce qui revient à dire, comme le souligne Duchesne, qu'il «n'a pas d'argent et n'en demande pas[14]». Rappelons par ailleurs que la période d'après-guerre (1945-1959) sera marquée par une situation financière précaire des universités québécoises, situation aggravée par la lutte menée par Duplessis pour l'autonomie provinciale. Or cette situation aurait eu pour effet d'entraîner «à la fois une augmentation des charges d'enseignement [...] et une limitation des activités de recherche[15]». En effet, souligne Duchesne,

> la recherche scientifique au Québec subit d'autant plus les effets de la crise que les universitaires, devant l'ampleur des difficultés financières, préfèrent réclamer des subventions au profit de l'enseignement et affecter les fonds ainsi obtenus aux immobilisations nécessitées par l'augmentation de la population étudiante[16].

Par ailleurs, Duchesne rend compte du peu d'intérêt manifesté par les autorités universitaires à l'endroit des subventions de recherche lors de leur comparution devant la Commission royale d'enquête sur les problèmes constitutionnels (commission Tremblay) créée en 1953. On peut supposer, mentionne-t-il,

> que les universitaires, devant l'urgence de la situation, aient préféré la cause de l'enseignement à celle de la recherche, établissant un ordre de priorités d'où la recherche était, à toutes fins utiles, exclue. En effet, les mémoires de l'Université Laval, de l'Université de Montréal et de l'Université McGill ne contiennent que des déclarations de principes concernant la recherche scientifique et l'importance de son intégration à l'enseignement supérieur, mais aucune recommandation concernant son organisation, sa participation à l'essor économique ou son financement[17].

L'Université de Montréal, comme l'ensemble des universités québécoises, fut durement touchée par cette période de restrictions financières qui se prolongea jusqu'à la fin du régime duplessiste. Alors que, d'une part, la recherche scientifique est de plus en plus encouragée par les organismes fédéraux qui augmentent leurs subsides durant les décennies 1950 et 1960, et ce même si le Canada se trouve toujours «dépourvu de politique scientifique[18]», en revanche de telles activités de recherche, jusqu'au début des années 1960, ne reçoivent guère le soutien des autorités politiques québécoises.

À partir des années 1960, une série de mesures législatives contribueront à assurer une meilleure stabilité financière aux universités québécoises. La loi sur l'aide financière aux universités (1960), la création d'un fonds universitaire à même l'impôt des corporations et les subventions fédérales, de même que la loi sur le financement des investissements universitaires (1961), établiront définitivement une importante participation gouvernementale provinciale au soutien financier des universités[19]. En 1964, le financement de la recherche du Québec fait l'objet de la publication d'une première enquête gouvernementale[20]. Toujours en 1964, les facultés médicales bénéficieront de la création du Conseil de la recherche médicale du Québec, organisme qui ajoutera d'importants subsides de recherche aux fonds déjà disponibles. Enfin, au début de la décennie 1970, le gouvernement du Québec, en instaurant un important programme de subvention à la recherche universitaire, «Formation de chercheurs et d'action concertée» (FCAC), devient «le premier responsable du développement scientifique au Québec[21]».

Durant la décennie 1970, la situation de la recherche médicale au Québec s'est largement améliorée par rapport aux décennies précédentes. En 1972-1973, plus de 40 millions étaient affectés aux recherches en santé. Pourtant, la croissance ne sera pas continue même si, au début des années 1980, la situation sera plutôt favorable. En 1976, le docteur J. Genest, directeur de l'Institut de recherches cliniques, lançait un cri d'alarme en faisant état d' une diminution de 40 % des subventions en dollars réels depuis 1970[22]. Même si l'Université McGill se taillera la part du lion des subventions de recherche, les facultés francophones feront des progrès appréciables jusqu'aux années 1980. La transformation, en 1974, du Conseil de la recherche médicale du Québec en Conseil de la recherche en santé du

Québec illustre par ailleurs la modification des orientations jusque-là tournées presque exclusivement vers la recherche biomédicale en une approche plus globale axée sur les problèmes de santé, notamment en ce qui regarde la recherche sociomédicale et épidémiologique.

## Les prémisses de la recherche biomédicale à la faculté de médecine: l'ère des instituts

La FMUM a certes subi, jusqu'aux années 1960, les contrecoups d'un contexte fédéral-provincial peu favorable au développement de grandes activités de recherche dans les universités francophones du Québec[23]. Néanmoins, certains chercheurs récemment embauchés par la faculté contribueront à l'essor d'activités structurées de recherche: le docteur E. Robillard et son équipe effectuent des travaux en anesthésie; le docteur A. Frappier s'intéresse à la sérothérapie; les docteurs L.-C. Simard et A. Cantero, à la cancérologie, le docteur P. Masson, à l'anatomie-pathologique, le docteur A. Barbeau, à la neurologie. Une nouvelle revue articulée autour des sciences bio-expérimentales, la *Revue canadienne de biologie,* voit le jour en 1943 grâce à la collaboration de plusieurs professeurs de la FMUM[24].

Appuyés par certaines souscriptions publiques et par des fonds plus stables provenant d'organismes gouvernementaux et privés, les chercheurs de la faculté auront tendance à se regrouper au sein de structures plus ou moins autonomes. Fait nouveau dans l'histoire de la FMUM, ces structures qui prennent la forme d'Instituts spécialisés favoriseront davantage la recherche clinique ou fondamentale que l'enseignement théorique ou pratique. Chartrand et ses collaborateurs soulignent pertinemment qu'au Québec, à ce moment-là, une «part croissante de la recherche a été réalisée dans des instituts spécialisés, souvent fondés et dirigés par des "patrons" qui mettaient leur don d'entrepreneur au service de la recherche[25]». Le

Montreal Neurological Institute, dirigé par W. Penfield, l'Institut d'anatomie-pathologique, dirigé par P. Masson, l'Institut de microbiologie et d'hygiène de Montréal, dirigé par A. Frappier ou l'Institut de chirurgie et de médecine expérimentales, dirigé par H. Selye constituent des exemples éloquents. En règle générale, les facultés médicales donneront, non parfois sans quelques réticences, leur aval à l'intégration de ces structures de recherche en leur sein. La survie financière de tels instituts dépendait souvent des subventions accordées par les grands organismes subventionnaires gouvernementaux, encore qu'elle relevait parfois d'une «oreille ministérielle attentive» du gouvernement provincial. Tel avait été le cas de l'Institut de microbiologie.

Il est vrai que l'institut, «comme modèle d'organisation du travail scientifique, répondait mieux que les hôpitaux ou les facultés universitaires à la nécessité de rassembler des moyens considérables — laboratoires, bibliothèques, animaleries, cliniques, services techniques et administratifs, personnel spécialisé, etc. — autour de programmes de recherche[26]». À cet égard, la création des instituts du radium, d'anatomie-pathologique, de microbiologie, de médecine et de chirurgie expérimentales, et du cancer, tous associés à la faculté de médecine de l'Université de Montréal, répondait au besoin de structuration, de spécialisation et de consolidation des activités de recherche. Du reste, ces activités, par leur complexité croissante, étaient orientées de plus en plus vers un regroupement de chercheurs issus de disciplines différentes et formés le plus souvent en milieu américain. En effet, les contacts étroits de la faculté avec les institutions américaines, la rupture des relations avec la France de même que la domination des Américains en matière de recherche scientifique et biomédicale ont largement déterminé le choix des institutions américaines chez les chercheurs boursiers et chez les médecins diplômés. Non seulement y a-t-il une considérable importation du savoir médical entre 1939 et 1950, en provenance du sud du 45$^e$ parallèle, mais aussi une modification des structures de recherche selon les modèles américains.

## L'Institut de microbiologie et d'hygiène de l'Université de Montréal

La création de l'Institut de microbiologie et d'hygiène de l'Université de Montréal (IMHM) en 1938, grâce à une subvention de 75 000 $ du gouvernement québécois, assurait au docteur Frappier une structure institutionnelle stable de recherche qui prenait le relais du petit laboratoire de BCG soutenu depuis plusieurs années par le Conseil national de recherche du Canada. L'établissement d'un cadre permanent de recherche scientifique dans le domaine de la bactériologie constituait l'objectif majeur de ses fondateurs. Les profits tirés de la production des produits biologiques issus des laboratoires de l'Institut devaient servir exclusivement à la recherche. Selon les vœux du docteur Frappier, l'IMHM devait «contribuer à l'indépendance économique du Québec, à l'ouverture de carrières scientifiques, à la formation d'experts, de chercheurs et de techniciens et à l'éducation et à la propagande scientifique et hygiénique[27]». Il atteindra largement ses objectifs. La création de cet institut comblait un vide important en matière de recherche et de production dans le domaine de la bactériologie. Rappelons que ce sont essentiellement les fonctions de prévention, de diagnostic et de soins reliés aux découvertes bactériologiques qui s'étaient développées durant le premier tiers du XXe siècle[28]. Dépendante des approvisionnements extérieurs, la province de Québec importait annuellement pour près de 300 000 $ de produits biologiques (vaccins, sérums, hormones, etc.). Or le docteur Frappier avait compris que cette somme pouvait tout aussi bien servir à financer des travaux de production et de recherche en territoire québécois.

Peu après sa création, l'IMHM fait l'acquisition d'une ferme à Laval-des-Rapides où est construite une écurie qui abritera vingt chevaux servant à la fabrication de sérums. En 1940, une convention unit étroitement l'Institut et l'Université de Montréal. Deux ans plus tard, une loi sanctionnera cette union. En 1941, aussitôt installé dans ses nouveaux locaux sur la montagne, l'IMHM entreprend des travaux de production de vaccins commandés par les forces alliées et les services sanitaires: distribution annuelle de 40 000 ampoules de BCG, fabrication de l'anatoxine diphtérique, production de vaccins, etc. Dès la fin du conflit, l'équipe multidisciplinaire de chercheurs dirigée par Frappier est composée de chimistes-bactériologistes, de médecins vétérinaires, de médecins et d'un biochimiste. Si la production est importante en raison des demandes, elle doit être appuyée par des recherches sur la fiabilité des produits (efficacité, réactions allergènes, etc.), le perfectionnement des techniques (méthode de vaccination, conservation des vaccins, production de sérums et d'antitoxines, etc.) et la recherche de nouveaux produits.

Après la guerre, l'équipe de Frappier, qui possède déjà une solide réputation de recherche, intensifie les travaux scientifiques liés à la recherche de nouveaux vaccins contre la grippe, la coqueluche ou la rougeole. Les chercheurs de l'Institut favori-seront aussi certaines avenues liées à l'émergence d'affections virales graves, telles la poliomyélite, terrible maladie qui sera efficacement combattue grâce à un vaccin mis au point aux États-Unis par les docteurs Salk et Sabin en 1954 et 1956. L'Institut, grâce à l'octroi de subventions du gouvernement provincial, inaugure en 1956 son laboratoire de virologie des-tiné à la production des vaccins Salk et Sabin[29]. Cependant, les locaux de l'Institut apparaissent bientôt nettement insuffisants pour répondre à l'expansion considérable de ses activités de recherche et de production et l'on décide en 1963, probablement aussi par souci d'indépendance, de relocaliser l'Institut près de ses premières installations à Laval-des-Rapides. Il aménagera en 1965 dans ses nouveaux locaux. Depuis les années 1950, les relations de l'Institut avec l'Université de Montréal étaient de plus en plus tendues jusqu'à ce qu'elles deviennent finalement caduques. En 1972, une nouvelle tentative d'intégration avec l'Université de Montréal est faite quand est recréé l'Institut de microbiologie et d'hygiène de Montréal. Mais cette initiative n'aura pas de suite et, trois ans plus tard, l'IMHM, sous la pres-sion du gouvernement, s'intégrera au réseau de l'Université du Québec et sera dénommé l'Institut Armand-Frappier en l'hon-neur de son fondateur[30].

## L'Institut de médecine et de chirurgie expérimentales

Troisième jalon d'une structure de recherche qui se mettait lentement en place, après la création de l'Institut d'anatomie pathologique en 1937 et de l'Institut de microbiologie en 1938, l'IMCE deviendra un important centre de recherche grâce en particulier à l'apport considérable de son directeur, Hans Selye[31].

Les premières démarches furent entreprises par le docteur L. C. Simard qui insistait auprès du conseil de la faculté sur l'opportunité d'organiser un laboratoire de pathologie expérimentale «afin d'assurer l'essor constant de la faculté, particulièrement dans le domaine des recherches[32]». Dans son projet, le docteur Simard envisageait l'aménagement des locaux prévus pour l'expérimentation à l'Institut d'anatomie pathologique, vacants depuis plusieurs années, de même que l'engagement d'une technicienne de laboratoire. L'achat de matériel, d'outillage et d'animaux devaient être payé grâce à des subventions du Conseil de recherches médicales du Canada, alors que des bourses devaient permettre de recruter de jeunes chercheurs[33]. Le docteur Simard avait toutefois un sérieux concurrent.

Entre-temps, le conseil avait examiné la possibilité d'engager un jeune chercheur de l'Université McGill dont la réputation internationale prenait de l'ampleur dans le domaine de l'endocrinologie, le docteur Hans Selye[34]. Le contrat de ce dernier avec McGill se terminait le 1er septembre 1945. Le conseil médical avait donc le choix entre un chercheur dont la réputation était croissante et le directeur du centre anticancéreux de l'Hôpital Notre-Dame, clinicien de haute qualité mais assez peu connu dans le domaine de la recherche fondamentale. Il est probable que la modestie du docteur Simard, qui soulignait que «sous un nom un peu différent, l'Institut dont on propose la création n'est au fond qu'un laboratoire de pathologie expérimentale[35]», ait joué en sa défaveur. Il faut dire que les recherches du docteur Selye étaient particulièrement originales. Il semble bien en effet que les objectifs poursuivis par le docteur Simard n'étaient pas à la hauteur des attentes des membres du conseil puisque, sans hésiter, celui-ci opta pour l'engagement du docteur Selye.

Il faut souligner que les positions affichées par Selye en matière de recherche expérimentale rejoignaient celles que défendaient certains membres du conseil médical de la faculté. En 1945, lors d'une conférence qu'il donnait à la Société médicale de Montréal, Selye avait déclaré que «la médecine expérimentale est essentiellement une science appliquée, et non pas une une science dite fondamentale, car le but final de n'importe quel travail expérimental n'est-il pas son application à la clinique? [...] L'expérimentateur devra chercher à résoudre les problèmes de clinique, tandis que le clinicien devra aider à formuler les problèmes de l'expérimentateur[36]». Une telle conception de la médecine expérimentale ne pouvait que rencontrer les attentes des membres du conseil qui, percevant la recherche médicale comme ayant des finalités essentiellement pratiques, espéraient que des recherches importantes soient poursuivies au sein du nouvel institut «en vue d'applications cliniques[37]». De fait, on désirait organiser «un centre de recherches médicales qui servirait de trait d'union entre les sciences médicales de base et la clinique».

Des négociations furent donc entamées avec la Société d'administration. Celle-ci, hésitant devant les dépenses engendrées par l'embauche de ce chercheur, lui demanda de rédiger un rapport sur les travaux qu'il entendait poursuivre et les fonds qu'il était en mesure de déplacer vers l'université. Lors d'une réunion du conseil de la FMUM, tenue le 7 septembre 1945, il fut décidé de transformer la chaire de pathologie expérimentale et comparée en une chaire de médecine et de chirurgie expérimentales, d'en confier la direction à Selye et de le nommer directeur de l'IMCE et professeur d'endocrinologie théorique et pratique. Ce dernier cours était destiné aux étudiants en médecine et aux médecins inscrits aux cours postscolaires. Le 18 septembre, Selye présentera sa candidature officielle qui sera acceptée par la signature d'un contrat de cinq ans.

L'Université de Montréal s'était engagée à fournir, durant cette période, «les locaux, les prises d'eau, de vapeur, de gaz et d'électricité ainsi que les meubles, bureaux et laboratoires[38]». Installé provisoirement dans des locaux prévus pour l'hôpital universitaire, au grand dam des partisans de cet hôpital, l'Institut prendra possession de ses nouveaux laboratoires en 1947, aux septième et huitième étages de l'aile ouest de l'université. Un salaire annuel de 10 000 $ fut accordé au docteur Selye ainsi qu'une somme de 15 000 $ destinée à la rémunération de son personnel et aux dépenses de laboratoire. Lui était enfin attribuée la direction des recherches de l'Institut «sous le contrôle de la faculté de médecine[39]». En retour, le docteur Selye s'engageait à fournir les appareils et les matériaux nécessaires aux recherches de l'Institut et à rendre accessible aux professeurs et aux étudiants de deuxième et troisième cycle sa bibliothèque personnelle d'environ 200 000 pièces. Les cours donnés au sein de cet institut s'adressaient en priorité aux étudiants désirant «se vouer à la recherche ou s'y familiariser».

Lors de l'annonce publique de la création de l'IMCE le 12 octobre 1945, le doyen Dubé mentionnait que l'université ne devait «rien négliger pour placer au premier rang cette science d'inspiration française qui se rattache au grand Claude Bernard, le fondateur de la médecine expérimentale[40]». Aucune occasion n'était négligée pour souligner les liens étroits qui unissaient la FMUM à la science médicale française. Sélectionné en partie dans le but d'augmenter le rayonnement et le prestige de la faculté de médecine, le docteur Selye répondit, dès ses premières années d'activités, aux attentes des autorités. «Cet institut a déjà commencé à faire briller d'un éclat particulier le nom de notre faculté et de notre université[41]», note le doyen Dubé en 1948. Les travaux que Selye avait entrepris à McGill sur les fonctions régulatrices du stress se poursuivront durant une vingtaine d'années au laboratoire du nouvel institut. Par ses écrits, le chercheur suscite rapidement l'admiration des membres du conseil. Ceux-ci ne manquent pas de souligner avec empressement ses publications majeures dans les revues internationales les plus prestigieuses:

> Le professeur Hans Selye a écrit un article d'une importance capitale, et tout le dernier numéro du *Clinical Journal of Endocrinology (sic)* lui est accordé afin que cet article paraisse in toto [ce] qui démontre la considération que l'on a à l'étranger pour le directeur de l'Institut de Médecine

et de Chirurgie expérimentales, et la publicité qu'il peut nous faire de ce côté[42].

À la suite des travaux entrepris sur les maladies de la vieillesse et l'hypertension artérielle, les *Annales d'endocrinologie* avaient aussi été consacrées en 1946 aux recherches menées à l'IMCE[43]. Outre l'encyclopédie d'endocrinologie qu'il avait publiée en 1943 et 1946, le docteur Selye publiera en 1947 le premier traité d'endocrinologie *(Textbook of Endocrinology)* «qui ait été rédigé et imprimé entièrement au Canada[44]». L'ouvrage, dédié aux étudiants de l'université, sera préfacé par le docteur B.-A. Houssay, Prix Nobel de médecine. En 1950 paraîtra chez le même éditeur son premier ouvrage sur le stress intitulé laconiquement *Stress*. Deux ans après son arrivée, le docteur Selye fut invité par le Collège de France à donner une série de six conférences sur l'endocrinologie. D'autres invitations suivront peu après en provenance d'Europe et des États-Unis. Ce n'était là que l'amorce d'une reconnaissance internationale qui s'accroîtra au fil des ans.

En tant que directeur de recherche, Selye s'efforçait d'obtenir la liberté d'engager les collaborateurs et les assistants de recherche de son choix et tentait d'assurer leur soutien financier par l'obtention d'importants fonds de recherche. À ce propos, les membres du conseil de la faculté, qui espéraient que le docteur Selye serve de pôle d'attraction pour attirer de jeunes chercheurs, lui donneront généralement carte blanche[45]. Parmi ses principaux collaborateurs, mentionnons le médecin suisse R. W. Jeanloz, spécialiste des polysaccharides, et le chercheur hollandais A. Prins, tous deux provenant de l'important laboratoire du docteur Reichstein à Bâle[46], engagés en 1946, et Roger Guillemin, jeune chercheur français qui avait fait ses études de médecine à Lyon, qui entreprend en 1948, sous la direction de Selye, des recherches expérimentales sur l'hypertension. Le docteur Guillemin obtiendra son Ph.D. de l'IMCE en 1953. Son intérêt pour la neuroendocrinologie l'oriente vers l'Université Baylor de Houston et le Salk Institute de Californie. Ses travaux sur les substances actives produites ou sécrétées par le système nerveux et l'isolement des premières hormones du cerveau contribuent à établir une base scientifique irréfutable du contrôle neuro-hormonal de l'organisme et lui permettent d'obtenir en 1977 le prix Nobel de médecine. Le docteur Guillemin recevra en 1979 un doctorat *honoris causa* de l'Université de Montréal. Le docteur Selye s'associe également en 1950 le docteur C. Fortier[47] qui effectuera lui aussi des recherches en neuroendocrinologie à Londres, puis à l'Université Baylor de Houston où il est nommé directeur du laboratoire de neuroendocrinologie. Il revient au Québec en 1960 et prend la direction du laboratoire d'endocrinologie de l'Université Laval. Il recevra lui aussi en 1981 un doctorat *honoris causa* de l'Université de Montréal. Ce ne sont là que deux exemples parmi d'autres. Plusieurs chercheurs de haut niveau seront formés dans les laboratoires de Selye.

Les étudiants de l'IMCE, la plupart diplômés en médecine, se destinaient à la recherche ou à l'enseignement. Les cours et les travaux de recherche étaient organisés selon le modèle des grandes écoles de médecine américaines et leur donnaient droit, après soutenance d'une thèse, au diplôme de Ph.D. Les travaux de recherche en laboratoire occupaient la plus large partie des études, alors que des séminaires hebdomadaitres permettaient aux étudiants de discuter les résultats obtenus. Il n'était pas rare non plus que certains chercheurs de renommée internationale soient invités à transmettre aux étudiants «leur savoir et leur méthode». À cette fin sera organisé un cycle de conférences intitulé «Conférences Claude Bernard» auxquelles seront invités des chercheurs dont l'œuvre se rattache particulièrement aux travaux des membres de l'Institut.

Le rayonnement de Selye et de son équipe ne tarde pas à rapporter d'importants dividendes. Dès 1947, il cumule une allocation de recherche de 97 200 $ de la Federal Agency Security, liée au département américain de la santé, une somme de 60 000 $ du Commonwealth Fund ainsi qu'une somme de 60 000 $ du Comité de recherches sur le cancer. Cette dernière subvention pour des recherches sur l'hypertension était répartie sur trois ans[48]. De plus en plus reconnu dans les milieux scientifiques et se consacrant presque exclusivement à la recherche, l'IMCE reçoit une part importante des fonds de recherche accordés à la faculté. Durant l'année scolaire 1952-1953, les montants recueillis atteignent 95 389 $, soit 53,2 % des fonds consacrés à la recherche qui se chiffrent pour l'ensemble de la faculté à 179 175 $[49]. L'année suivante, 139 611 $ sont octroyés à l'IMCE sur une somme globale de 224 984 $ pour une proportion qui s'accroît à 62 %[50]. Toutefois, à compter de 1965, les fonds versés à l'IMCE connaîtront une nette décroissance, le personnel de recherche sera réduit et, peu à peu, les activités déclineront jusqu'à la retraite de Selye. Yanacopoulo suggère deux causes générales à ce déclin: la suspension des subventions américaines consenties au Canada à partir de 1964 et les difficultés internes de l'Institut[51]. À partir de 1970, difficultés financières, ralentissement de la production, problèmes de santé, ressentiment envers les autorités universitaires hypothèquent sérieusement la poursuite des travaux de Selye à l'IMCE. Mis à la retraite le 31 mai 1977, à la veille de l'ouverture de l'Institut international du stress au 659 Milton à Montréal, Selye est alors nommé professeur émérite de l'Université de Montréal.

L'IMCE a joué un rôle majeur dans la promotion des activités de recherche au sein de la faculté de médecine durant la décennie 1950, tant par l'importance de ses subventions de recherche, du nombre des diplômes de maîtrise et de doctorat décernés que par le rayonnement international de ses activités de recherche liées à l'endocrinologie, et plus particulièrement aux relations entre le stress, la glande hypophyse et le cortex surrénal[52]. Malheureusement, même si l'IMCE avait formé de nombreux chercheurs, personne ne prendra vraiment la relève de Selye et les activités de l'Institut cesseront. Cette situation est en grande partie attribuable à l'attitude de Selye qui ne laissait guère à ses étudiants chercheurs les responsabilités qui auraient pu les inciter à assurer la relève de l'Institut. Plusieurs de ses anciens collaborateurs ont témoigné de son attitude autoritaire en ce qui regardait l'orientation des recherches. Qu'il suffise de citer le témoignage de M. Barath, recueilli par Yanacopoulo:

> Les expériences étaient pratiquement toutes décidées par Selye, soit qu'il en ait eu l'idée lui-même, soit que les étudiants soumettaient leurs idées; on en débattait lors de

l'autopsie du matin, et Selye disait oui ou non. Donc tout
était dirigé par lui, personnellement[53].

Trop souvent, Selye orientait ses recherches selon des intui-
tions certes fécondes mais qui ne laissaient à ses collaborateurs
que peu d'autonomie. L'influence de Selye demeurera néanmoins présente durant des décennies au sein de la faculté. De
nombreux chercheurs encore actifs à la faculté ont reçu leur
diplôme supérieur à l'IMCE.

## L'Institut du cancer de Montréal

Créé en 1941 par le docteur L.-C. Simard, professeur à la
faculté de médecine de l'Université de Montréal, le centre anticancéreux de l'Hôpital Notre-Dame se vouait surtout à ses
débuts aux activités de dépistage, de diagnostic, de surveillance
et de traitement en cancérologie. Six ans plus tard, le centre anticancéreux devient l'Institut du cancer de Montréal, corporation
autonome et filiale de l'Hôpital Notre-Dame vouée aux
«enquêtes et recherches scientifiques[54]» portant sur les causes
du cancer et ses traitements. L'arrivée du docteur A. Cantero
en 1950, chercheur attaché à l'Université de Montréal, inaugure
d'intenses activités de recherche. Le docteur Simard lui avait
offert la direction des recherches de l'Institut et l'installation
d'un grand laboratoire. Gastro-entérologue, le docteur Cantero
s'orienta dans les années 1930 vers la cancérologie. En 1937, il
entreprit des recherches expérimentales à l'ancienne École de
médecine vétérinaire sur le rôle des glandes endocrines dans
le développement des tumeurs mammaires chez la souris[55]. Au
début des années 1940, il poursuivit des travaux sur la pathologie expérimentale des tumeurs et la carcinogénèse chimique
dans le nouvel édifice de l'Université de Montréal[56]. Directeur
des recherches de 1950 à 1967, il contribuera largement à la
renommée de l'Institut et permettra à de nombreux jeunes
chercheurs — Allard, Daoust, Lamirande, Weber, etc. —
d'acquérir la formation et l'expérience nécessaires au
développement de leur carrière de cancérologue[57].

Ce n'est qu'en 1957 que le bureau d'administration de l'Institut formule une demande d'affiliation à la faculté de médecine[58]. Celle-ci est bien reçue par les autorités de la faculté. Dès l'année suivante, une entente est conclue selon laquelle «l'Université de Montréal, par sa faculté de médecine, s'affilie l'Institut pour aider à l'enseignement et à la recherche en cancérologie[59]». Selon les clauses de l'accord, l'ICM acceptait d'offrir aux étudiants en médecine et aux étudiants en formation postscolaire des facilités d'observation et d'investigation des cas de cancer, mettait ses laboratoires à la disposition des candidats de la faculté à la maîtrise et au Ph.D., fournissait à la faculté «la possibilité d'organiser, avec la collaboration du Directeur Général de l'Institut, des cours et cliniques à l'intention des praticiens généraux ou des spécialistes[60]» et, enfin, se voyait contraint de soumettre à l'approbation du conseil de la faculté de médecine le choix des membres permanents de son personnel scientifique. En contrepartie, l'université s'engageait à conférer aux membres de l'Institut chargés de l'enseignement et de la recherche, le titre d'attaché de recherche d'assistant-professeur, de professeur agrégé ou de professeur titulaire.

En 1959, l'ICM consolide sa position de centre de recherche par une entente avec l'Institut national du cancer[61] qui lui assure «un maximum de permanence et de continuité dans ses travaux de recherche en cancérologie» et offre à ses chercheurs «une sécurité et des appointements convenables en même temps qu'une large mesure d'indépendance professionnelle[62]». Peu après, le docteur Cantero, directeur du centre de recherche, reçoit de l'Institut national du cancer une importante subvention de 78 000 $[63]. Durant les années 1960, une équipe de spécialistes venus de tous les horizons de la médecine — chirurgie, dermatologie, obstétrique, gynécologie, neurologie, pédiatrie, pathologie, orthopédie, etc. — et du monde scientifique — biophysique, biochimie, microbiologie, histochimie — alliaient leurs efforts pour étudier l'une des grandes maladies de notre siècle. En l'espace d'une décennie, le budget de l'Institut grimpe de 95 000 $ à 550 000 $, progression attribuable surtout aux contributions accrues de l'Institut national du cancer.

La faculté de médecine de l'Université de Montréal bénéficiera certainement de cette affiliation. Elle accroissait ainsi ses interventions en recherche fondamentale et clinique, élargissait son enseignement supérieur et augmentait sa crédibilité scientifique grâce aux retombées socioscientifiques engendrées par la diffusion des travaux de l'Institut. Fournier montre que plus de 90 % des travaux des chercheurs de l'Institut sont publiés «dans les réseaux scientifiques internationaux et principalement américains[64]». Cependant, jusqu'à la fin des années 1970, les relations entre les membres de l'ICM et les autorités de l'Université de Montréal demeureront ambiguës tant au chapitre de l'enseignement qu'à celui du statut des chercheurs au sein du corps universitaire. Les instances universitaires, notamment la faculté de médecine, avaient tendance «à monopoliser [l]es activités d'enseignement et de recherche en sciences» et surtout à vouloir contrôler les activités de recherche des hôpitaux affiliés[65]. Cette attitude n'était pas nouvelle. En 1950, le conseil de la faculté, sans consulter les dirigeants du centre anticancéreux de l'Hôpital Notre-Dame, avait voté une résolution en vue de former un comité d'étude «chargé d'étudier la possibilité de la formation d'un Institut du Cancer à l'Université de Montréal[66]». Du reste, les relations de l'Institut avec la FMUM deviendront parfois tendues au point que l'annuaire de 1963-1965 mentionne que l'Institut du cancer n'est plus affilié à l'Université de Montréal. En principe, il est pourtant toujours affilié à l'université.

À mi-chemin entre l'Hôpital Notre-Dame et la FMUM, oscillant entre ses activités de recherches clinique et fondamentale, dépendant largement des fonds octroyés par l'Institut national du cancer et soumis à de sévères contrôles de cet organisme fédéral qui exerçait «un véritable pouvoir de régulation[67]» sur ses activités de recherche, l'ICM n'avait jamais réellement bénéficié, jusqu'au début des années 1980, d'une autonomie suffisante pour assurer son plein développement selon ses propres finalités et ses propres orientations scientifiques. Tout de même, les importants travaux de recherches clinique et fondamentale effectués au sein de cet institut contribueront à l'évolution et à l'accélération du processus d'institutionnalisation de la recherche médicale au Québec. Ses principales activités de recherche jusqu'aux années 1970 seront liées aux problèmes de l'activité enzymatique des composants de la cellule cancéreuse, des mononucléotides, à l'effet des irradiations sur la cellule et à la chimiothérapie du cancer expérimental. À la fin des années 1970, l'ICM articulera ses travaux autour de trois grands axes de développement qui feront appel à la structuration de trois groupes interreliés: le groupe de biologie moléculaire, le groupe de virologie, le groupe de recherches cliniques et épidémiologiques. Le premier groupe, dont les objectifs seront à long terme, mettra en place une série de projets orientés «vers les relations entre le phénotype cellulaire, la régulation de l'activité génétique et la carcinogénèse[68]». Le second groupe définira des objectifs à moyen terme avec l'étude du rôle des virus herpès dans la genèse du cancer du col utérin. Enfin, le troisième groupe se consacrera à des objectifs à court terme liés au dépistage précoce du cancer du poumon ainsi qu'aux «aspects fondamentaux et appliqués de l'évaluation des risques occupationnels dans diverses industries[69]».

## L'Institut de cardiologie de Montréal

La cardiologie avait connu un essor important durant la Seconde Guerre mondiale — ligature du canal artériel par Brock en 1939, travaux de Blalock et Taussig sur les cardiopathies cyanogènes en 1944, etc.[70] — qui inaugurait la remarquable progression de cette discipline durant les années d'après-guerre. Déjà, au début des années 1950, la cardiologie représentait l'un des domaines les plus prometteurs en matière de recherche médicale. Les travaux en ce domaine permettront notamment le développement des méthodes diagnostiques et la mise au point des interventions chirurgicales à cœur ouvert. Pensons à la première valvulotomie pulmonaire pratiquée par Brock en 1948, la mise au point du cathétérisme par Cournand et Richards, les premières interventions à cœur ouvert pratiquées par Lillehei en 1954 et l'implantation du premier stimulateur cardiaque (pacemaker) chez l'homme par Senning en 1958[71].

Certains médecins du Québec, spécialisés en cardiologie, désiraient évidemment contribuer à ces recherches et étendre cette spécialité en territoire québécois. C'est le cas notamment du docteur P. David qui s'était efforcé de mettre sur pied un centre de recherches clinique et expérimentale en cardiologie. Fondé en 1954 à des fins de diagnostic, de traitement et de recherche en cardiologie, l'Institut de cardiologie de Montréal (ICAM), alors dirigé par le docteur P. David et localisé à l'Hôpital Maisonneuve, s'est affilié à l'Université de Montréal en 1960[72]. Devenu corporation autonome en 1966, l'ICAM emménagera alors dans ses nouveaux locaux situés sur la rue Bélanger.

Dès l'ouverture de cet institut, considéré à la fois comme centre de traitement et centre de recherches clinique et expérimentale, le docteur David proposait de mettre ce nouveau centre à la disposition de la faculté de médecine pour l'enseignement de la propédeutique dans le domaine des maladies cardiovasculaires. Il envisageait aussi la possibilité de recevoir deux internes juniors. La proposition est avantageuse, mais les membres du conseil, avec leur prudence habituelle, décident de remettre à plus tard une telle décision[73]. Finalement, en 1955, l'on accepte de confier aux membres de l'Institut les cours de propédeutique en maladies cardiovasculaires. Durant la période qui précède l'affiliation, les travaux portent sur la mise au point d'oxygénateurs, la défibrillation électrique, la cardioversion et l'électrostimulation cardiaque. De nouvelles techniques opératoires à cœur ouvert sont aussi expérimentées chez l'animal[74].

Les liens étroits qui se tissent entre la faculté et l'Institut permettent bientôt d'envisager une affiliation, d'autant que certaines pressions sont exercées à cet égard par le premier ministre Sauvé et le recteur de l'Université de Montréal, qui suggéraient que l'Institut soit relocalisé sur le campus universitaire sur un terrain offert par l'université. Le 15 novembre 1960, le projet d'affiliation de l'Institut avec la FMUM est approuvé par le conseil de la faculté et le contrat est signé le 8 mai 1961. L'Institut conservait une grande autonomie administrative, mais son personnel enseignant dépendra désormais des départements de médecine et de chirurgie. Il s'engageait à consulter la faculté sur les nominations du personnel médical et scientifique, y compris les chefs de département et de service, à faire approuver ses projets de recherche par la faculté et à mettre à la disposition de la faculté aux fins de l'enseignement les moyens d'observation et d'études des malades.

Quant à l'université, elle s'engageait à conférer des titres universitaires aux membres du personnel de l'Institut et à créer à la faculté de médecine une chaire de cardiologie. Un comité médical mixte sera constitué du directeur des études de la faculté, du directeur du département de médecine, du directeur et de deux membres de l'Institut. Les conditions de l'entente se rapprochaient sensiblement de celles qui liaient l'université à l'ICM, à l'Hôpital Notre-Dame et à l'Hôpital Sainte-Justine, dans la mesure où l'Institut de cardiologie était considéré comme un hôpital affilié. Mais, précisément en raison de ce statut, les relations entre les parties, peu après l'affiliation, deviendront tendues. L'on s'interrogeait sur le rôle de l'Institut de cardiologie en regard du futur centre universitaire. Devrait-il constituer le service de cardiologie du futur hôpital ou bien serait-il simplement confiné à un rôle plus marginal de collaboration au fonctionnement du futur centre universitaire? Cette dernière possibilité constituait le rôle habituellement dévolu aux instituts affiliés qui se contentaient d'offrir des activités de recherche, d'enseignement postscolaire ou de consultation.

Chacune des possibilités posait des difficultés. Selon la première hypothèse, dans l'éventualité où les affections vasculaires relèveraient de la cardiologie, le directeur du département de médecine et certains de ses collègues craignaient de se voir dépossédés d'une grande partie de la médecine et de la chirurgie. Quant à la seconde, elle risquait de créer «sur le campus deux institutions hospitalières encore relativement indépendantes l'une de l'autre et elle oblige[ait] l'Hôpital universitaire à organiser de son côté un service de cardiologie qui risqu[ait] fort de souffrir de la proximité de l'institution spécialisée[75]». Telle était la position défendue par le docteur Dufresne qui ajoutait que «les besoins de la pratique et les exigences de l'enseignement imposent que la cardiologie continue à dépendre du moins dans un hôpital universitaire des deux départements [de médecine et de chirurgie]».

La question demeurait pourtant du domaine de la spéculation puisque aucune décision définitive n'avait été prise quant à la construction de l'hôpital universitaire. Mais les craintes formulées par le docteur R. R. Dufresne à l'endroit du statut de l'Institut de cardiologie au sein du futur département de cardiologie restent fort intéressantes et illustrent les enjeux qui marquaient le développement d'une spécialité menaçant les prérogatives des départements traditionnels.

De fait, la problématique de l'intégration de l'Institut de cardiologie dépassait largement les simples questions administratives et financières. Elle mettait en question la prépondérance des grandes divisions traditionnelles de la pratique médicale, le statut du médecin et du chirurgien face aux spécialités qui empiétaient sur leur terrain et les conditions d'acceptation de nouvelles spécialités au sein des disciplines médicales reconnues. Vieux débat en apparence mais qui refait surface avec toute son acuité et surtout avec toute sa modernité. Le directeur du département de médecine de l'Université de Montréal résume si bien certaines craintes de nombreux médecins et chirurgiens face à la spécialisation que nous nous permettons d'en citer un large extrait:

> Nous reconnaissons les progrès réalisés par la science médicale, le développement de spécialistes et la constitution de ces équipes qui remplacent avantageusement auprès du malade le médecin ou le chirurgien solitaires d'autrefois. Cette évolution amène une compartimentation nouvelle de la pratique médicale, qui s'avère fructueuse mais qui doit, pour rester aussi efficace que possible, respecter les disciplines médicales jusqu'ici reconnues: médecine, chirurgie, radiologie, laboratoires, etc., à condition que ces dernières soient solidement structurées. Ainsi au point de vue de la pratique de leur spécialité et de l'enseignement à tous les niveaux, il semble préférable que les chirurgiens, radiologistes, pathologistes, etc., qui formeront équipe avec les cardiologues de l'Institut, fassent partie de départements dont ils relèvent normalement et ménagent avec leurs collègues respectifs des contacts quotidiens qui profiteront à tous [...]. Il nous semble de plus, qu'il faille se préoccuper devant les progrès de la spécialisation, de ménager, et surtout dans un centre d'enseignement, cette vue d'ensemble plus accessible au chevauchement et à

l'interdépendance constante des phénomènes pathologiques
qui nous confrontent quotidiennement[76].

On ne peut guère s'étonner que le docteur Dufresne ait
opté pour une intégration pure et simple de l'Institut de cardiologie au futur centre médical et à l'hôpital universitaire. En
désaccord, le docteur David lui répondit qu'à «l'intégration,
nous préférons la collaboration et à l'annexion une formule plus
délicate d'ententes respectueuses et sincères[77]». Selon ce dernier,
la formule d'intégration proposée par le docteur Dufresne ne
tenait aucun compte du «bilan des accomplissements et progrès de l'Institut, ni de de ses buts immédiats et futurs[78]». La
mésentente entre les parties provenait à la fois des imbrications
obligatoires entre la recherche expérimentale, la recherche clinique, les besoins de l'enseignement du premier cycle et des
cycles supérieurs, la structuration hiérarchique des disciplines
et les intérêts liés au futur centre médical. La structuration de
ces niveaux d'intervention au sein de la faculté de médecine et
de ses institutions affiliées ne manquait pas de soulever certaines controverses, surtout en un temps où la recherche médicale en territoire québécois avait tendance à se détacher de sa
phase académique et où les chercheurs tendaient à se constituer
en groupes de plus en plus autonomes administrativement et
financièrement.
     Certes, les chercheurs de l'Institut de cardiologie, tout
comme ceux de l'ICM et de l'IMHM, manifestent une certaine
ambivalence envers trois activités structurellement différentes
— recherches fondamentale et clinique, pratique médicale et
enseignement —, mais généralement, au début des années 1960,
ils répondent de plus en plus à des motivations scientifiques
où dominent les idéaux de la recherche, qu'ils soient d'ordres
clinique ou expérimental. De fait, comme l'indiquent Bourassa
et Goulet[79], le nombre des publications des membres de l'ICAM
dans les revues canadiennes, américaines et européennes —
assez faible entre 1954 et 1958 avec une moyenne annuelle de
6 articles surtout dans les revues locales — s'élèvera subitement
à près de 20 publications annuelles en 1958 et 1969 pour ensuite
grimper à un autre plateau de 51 publications entre 1970 et 1978.

Autre tendance intéressante, le nombre de publications dans les revues étrangères augmente sensiblement à partir de 1969. Pour la période comprise entre 1954 et 1979, 43 % des 700 articles publiés paraissaient dans des revues américaines, 18 % dans des revues européennes et 39 % dans des revues canadiennes.

Fournier souligne, à propos de l'Institut du cancer de Montréal, que les chercheurs consacreront leurs énergies «à la recherche et pour une large part, à la recherche fondamentale» alors même qu'ils se retrouvent liés au monde de la médecine et au monde universitaire; «position sociale particulière, ambiguë: le chercheur-scientifique n'a le statut ni du médecin-clinicien ni du professeur d'université, mais il doit satisfaire à des exigences et à des demandes qui proviennent de ces différents milieux[80]». Cela s'applique aussi, mais à un autre niveau, aux chercheurs de l'Institut de cardiologie qui se retrouvent coincés entre les exigences universitaires et cliniques des départements de médecine et de chirurgie. De là l'impératif de conserver un maximum d'autonomie au sein de la structure universitaire tant chez les membres de l'ICAM que chez ceux de l'ICM et de l'IMHM. Mais en contrepartie, les chercheurs de ces instituts obtenaient la possibilité de créer un lien étroit et nécessaire entre la formation médicale et la recherche scientifique, de fournir un meilleur encadrement à leurs étudiants de même qu'ils s'assuraient de meilleures possibilités de recrutement de chercheurs provenant de différentes disciplines. L'ICAM recevra, entre 1966 et 1978, près de quatre millions de dollars du gouvernement canadien.

Les activités de recherche de l'Institut de cardiologie tant sur le plan expérimental que sur le plan clinique ont abordé de multiples problèmes liés aux maladies cardiovasculaires et aux techniques d'interventions chirurgicales. Elles étaient séparées en trois sections: chimie et épidémiologie, enzymologie et pathologie expérimentale. Durant les années 1960, de nombreux travaux cliniques ont porté sur le perfectionnement des techniques du cathétérisme cardiaque, sur la cure des endocardites bactériennes, sur la chirurgie à cœur ouvert des cardiopathies congénitales, etc. Rappelons que la première transplantation cardiaque au Canada, effectuée à l'été 1968 par le docteur

P. Grondin, survient seulement un an après la première mondiale effectuée sous la direction du docteur Barnard en Afrique du Sud. Huit autres patients ont survécu quelques mois à une telle intervention. Malgré l'échec thérapeutique de cette technique, il s'agissait tout de même d'un fait saillant parmi les multiples activités de recherche des membres de l'Institut qui se consacreront aussi à perfectionner les techniques de pontages coronariens et au métabolisme du myocarde[81]. Quant à la recherche expérimentale, elle portera entre autres «sur la production de thromboses coronariennes, d'arthéroscléroses et d'hypertension chez le rat, au moyen de diètes riches en acides gras saturés et d'endotoxines[82]». Enfin, l'ICAM avait effectué durant cette période une étude épidémiologique «d'une population urbaine canadienne-française» qui permit d'évaluer «les facteurs reliés au profil coronarien ainsi que la capacité fonctionnelle à l'effort de ces individus[83]». En 1976 est créé officiellement le Centre de recherche de l'Institut de cardiologie de Montréal. Soucieux d'améliorer les traitements des malades souffrant de problèmes cardiovasculaires, ce nouveau centre se concentrera initialement sur la recherche clinique pour ensuite ajouter, vers 1985, des projets de recherche fondamentale axée sur l'électrophysiologie, les thromboses, la dénervation cardiaque ou les effets de la cyclosporine[84].

## Le Centre de recherches cliniques de Montréal

C'est en 1952 qu'est mis sur pied, à la suite d'une étude du docteur J. Genest sur le fonctionnement des institutions de recherche médicale en Europe, le département de recherches cliniques de l'Hôtel-Dieu de Montréal. Il s'agissait du premier département du genre au Canada français. Après avoir obtenu un diplôme de la FMUM, le docteur Genest avait effectué des séjours d'études à Harvard, Johns Hopkins et au Rockefeller Institute. Grâce à la compétence dont fait preuve le docteur Genest et à l'énergie qu'il déploie, ce département s'illustrera par l'originalité et la qualité des travaux de recherche portant entre autres sur l'hypertension et les maladies du rein[85]. Il sera incorporé en 1952 sous la dénomination Centre médical Claude

Bernard. Ce centre, qui deviendra en 1964 l'Institut de diagnostic et de recherches cliniques de Montréal — aujourd'hui dénommé Institut de recherches cliniques de Montréal —, s'affiliera à la faculté de médecine en 1967. Il comprendra un centre d'études en pharmacologie ainsi qu'un centre d'études de l'hypertension artérielle, de l'artériosclérose et de ses complications cardiaques et cérébrales, des désordres endocriniens et immunologiques et de la maladie de Parkinson. La variété des recherches deviendra telle qu'elles seront structurées en onze thèmes: hypertension, lipoprotéines et artériosclérose, peptides hormonaux et neuronaux, biotechnologie, métabolisme intermédiaire, neuro-biologie-neuropsychologie, cancer, génie biomédical électronique, bioéthique, technologies de l'information et pharmacologie clinique. L'Institut ne tardera pas à devenir une importante école de formation scientifique et l'une des plus importantes structures de recherches cliniques, tant par la variété de ses activités que par l'importance des fonds qui lui seront octroyés. En 1979, le budget de l'IRCM s'élevait à tout près de six millions de dollars dont la moitié provenait du gouvernement du Québec.

De retour d'un stage de deux ans à l'université de Chicago en 1961, le docteur A. Barbeau — fils du premier titulaire de la chaire de neurologie décédé en 1947 — avait mis sur pied le laboratoire de neurobiologie de l'Université de Montréal. Ses recherches portaient initialement sur le rôle joué par la dopamine dans l'apparition de la maladie de Parkinson. À partir de cette découverte, il mettra au point en utilisant une substance produite dans ses laboratoires, la L-Dopa, un procédé thérapeutique employé mondialement. Le docteur Barbeau élargira ses recherches vers certaines maladies neuro-génétiques telles que la chorée de Huntingdon et l'ataxie de Friedrich[86]. Six ans après sa fondation, le laboratoire du docteur Barbeau sera intégré à l'IRCM où il contribuera à la renommée de cette importante structure de recherche.

## L'accroissement des fonds de recherche

Au début des années 1950, les possibilités d'obtention de subventions de recherche dans le domaine médical s'étaient largement accrues. Outre les organismes gouvernementaux qui avaient élargi leur programme de soutien à la recherche scientifique, de nouvelles sociétés nationales contribuaient, à l'instar des grandes entreprises philanthropiques américaines, au financement des activités biomédicales principalement liées à des pathologies qui affectaient une partie importante de la population canadienne. La recherche de procédés diagnostiques et de nouveaux traitements du cancer est largement encouragée par la Société du cancer (1938) et l'Institut national du cancer (1947), alors que les recherches sur les cardiopathies sont en partie financées par la Société de cardiologie (1947) et, par la suite, par la Fondation nationale des maladies du cœur (1958)[87]. Il faut dire que, d'une façon générale, les autorités politiques et l'ensemble de la population, qui reconnaissaient les retombées positives de la recherche sur l'amélioration des soins de santé, entretenaient un préjugé favorable à l'endroit des recherches médicales.

Mais si la faculté ne retire guère des fonds de recherche la part qui lui revient, c'est qu'elle compte encore peu, en regard des facultés de médecine de McGill et de Toronto, de professeurs de carrière et de chercheurs réputés[88]. «Nous n'avons pas ce qui nous est dû parce que nous ne demandons pas notre part[89]», se plaignent certains membres du conseil de la faculté. Il est vrai que quelques sources disponibles de financement demeuraient inexploitées. Tel est le cas en 1948 lorsque le docteur J. Grégoire, sous-ministre de la Santé, avise la faculté qu'un nouveau plan fédéral-provincial dans le domaine de la recherche permet de distribuer des fonds aux chercheurs qui en font la demande. Offre intéressante dont pourraient profiter les professeurs et chercheurs de la faculté. Le conseil fait parvenir les formulaires nécessaires aux directeurs de laboratoire, mais constate deux mois plus tard que seul le docteur Selye avait formulé une demande de fonds. «Les autres n'ont pas encore répondu[90]», note avec dépit le doyen. En revanche, lorsque le doyen insiste auprès de la Société d'administration pour obtenir un local au docteur Fauteux qui désirait entreprendre des recherches en chirurgie cardiovasculaire, il reçoit un refus sans appel. Ce laxisme face au développement de la recherche n'est pas exclusif aux autorités de l'Université de Montréal. En fait, les règlements du Collège des médecins et chirurgiens relatifs à l'obtention d'un diplôme en spécialités médicales ne comportent aucune obligation de recherche.

La situation économique de la recherche s'améliorera sensiblement durant la décennie 1950 grâce à l'intensification des activités scientifiques au sein des instituts affiliés, à la multiplication des activités de recherches cliniques au sein des départements et à l'augmentation des étudiants de deuxième et troisième cycle qui apportent leur soutien aux activités scientifiques et en assureront leur reproduction. La hausse des fonds de recherche accordés à des professeurs de la faculté durant les années 1950 est importante si l'on considère qu'en 1951, il n'y avait que 15 projets de recherche drainant un budget de 116 000 $ alors que six ans plus tard, 59 projets seront subventionnés à même une enveloppe globale de 360 657 $[91]. Les sommes reçues, qui du reste sont partagées par un plus grand nombre de départements — biochimie, bactériologie, physiologie, histo-embryologie, médecine, diététique et nutrition —, ont triplé en six ans. En conséquence, l'ensemble des publications des professeurs de la faculté atteint le respectable nombre de 200 en 1957, parmi lesquelles on retrouve le *Traité sur les tumeurs humaines* de Pierre Masson et un ouvrage sur le stress publié par le docteur Selye.

Mais s'il y a une progression du volume des fonds de recherche, ceux-ci restent insuffisants pour répondre aux besoins imposants d'une science médicale qui étend considérablement ses horizons. La recherche médicale en territoire québécois francophone, à partir des années 1950, ne peut plus se contenter d'activités à court terme poursuivies par un chercheur isolé comme c'était souvent le cas auparavant. «Le progrès semble dépendre, désormais, du travail d'équipe[92]», soulignent avec à-propos Chartrand à ses collaborateurs.

Les activités scientifiques doivent être davantage soutenues et mieux planifiées alors que les équipes de recherche, souvent multidisciplinaires, constituent peu à peu des noyaux plus larges qui requièrent des équipements sophistiqués et fort coûteux. Aussi, les autorités de la faculté sentent-elles le besoin d'insister «sur l'importance qu'il y a de prendre les moyens nécessaires pour obtenir une part équitable des fonds de recherche[93]». Au début des années 1960, le comité spécial de la recherche médicale — formé à la suite de demandes faites par l'Association canadienne des facultés de médecine qui s'inquiétait de l'insuffisance des fonds de recherche pour l'ensemble des facultés canadiennes — offrait de payer certaines dépenses des départements des sciences de base des facultés de médecine et s'engageait à octroyer certains fonds aux hôpitaux affiliés dans le but d'accroître leurs recherches. Nouveaux locaux, aménagement des laboratoires, outillage, salaires des chercheurs pouvaient être financés par ce comité[94]. Le conseil de la FMUM fera en sorte d'obtenir une part équitable de ces fonds de recherche. Au cours de l'exercice financier de 1964-1965, l'ensemble des fonds de recherche s'élevait à 2 281 326 $, dont 1 300 696 $ est attribué à des projets en sciences fondamentales et 980 630 $ à des projets en sciences cliniques.

La FMUM dépassait ses concurrentes francophones québécoises en matière de subventions de recherche. Seule la faculté de médecine de McGill bénéficiait d'un montant supérieur. La progression à cet égard sera constante. Au début des années 1970, la FMUM se classait deuxième au Québec pour les sommes reçues du gouvernement fédéral, derrière McGill (5,1 millions), avec 3,5 millions. Suivaient la faculté de médecine de Sherbrooke avec 1,1 million et la faculté de médecine de Laval avec 1 million. Elle se classait par ailleurs troisième au Canada derrière Toronto (5,3 millions) et McGill[95]. En 1976-1977, les fonds de recherche de toutes provenances accordées aux professeurs et chercheurs demeurent très élevés avec plus de 9 millions. Comme l'indique le graphique 5, le principal organisme subventionnaire demeurait le CRMC avec plus de 4,5 millions, suivi du ministère des Affaires sociales avec près de 1,5 million et de l'Institut canadien du cander (ICC) avec plus de 500 000 $[96].

Deux ans ans plus tard, l'Université de Montréal décidait d'accroître sa participation au financement de la recherche en créant le Fonds spécial de développement de la recherche et le recteur déclarait «pouvoir mettre en chantier des projets importants pour la médecine et la nutrition».

GRAPHIQUE 5

## Contributions des principaux organismes

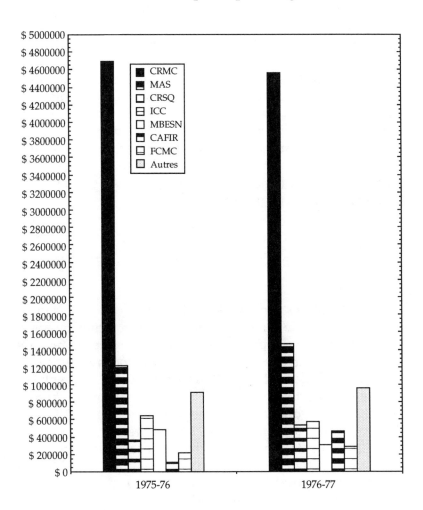

*Sources*: *Infomed*, faculté de médecine de l'Université de Montréal, vol. I, n° 2, octobre 1977, p. 4.

Plusieurs facteurs peuvent expliquer une telle augmentation des fonds octroyés à la FMUM par les organismes subventionnaires: demandes accrues des fonds de recherche disponibles, engagement de professeurs-chercheurs, développement des études supérieures, mise sur pied d'une meilleure organisation des structures de recherche, augmentation des subsides disponibles au CRSQ et au MAS, implication croissante de l'Université de Montréal, etc. Mais encore, cette hausse des subventions reflète une valorisation grandissante des activités scientifiques au sein de la faculté. Les membres du conseil avaient par ailleurs, avec l'appui des autorités universitaires, consenti des sommes importantes pour aménager les laboratoires et engager des professeurs-chercheurs à plein temps. Il faut reconnaître aussi que tous admettaient depuis un certain temps «que la recherche est un élément essentiel de la vie académique universitaire» et que «la valeur d'une faculté universitaire et de son corps professoral, le niveau de son enseignement et de son influence se trouvent donc calqués sur l'activité qui s'y exerce en recherche[97]». À partir d'une telle profession de foi, les efforts accomplis en matière d'enseignement devaient s'accompagner d'efforts similaires en matière de recherche.

## L'hôpital universitaire et la recherche clinique

Au début des années 1970, malgré les activités des instituts, la situation de la recherche médicale à la faculté montrait encore des lacunes importantes, notamment en ce qui regarde les laboratoires cliniques et la stabilisation des fonds de recherche. Les affiliations de l'ICM, de l'ICAM et de l'IRCM doivent être mises en perspective avec le projet avorté des membres du conseil de la faculté qui désiraient mettre sur pied en 1955 au sein du futur hôpital universitaire des laboratoires de recherche liés aux départements cliniques. Souhaitant exercer le même contrôle sur les activités cliniques que sur les sciences médicales de base, certains membres du conseil envisageaient avec impatience la prise en charge des laboratoires cliniques de bactériologie, d'anatomie pathologique et de biochimie du nouvel hôpital en collaboration étroite avec les laboratoires de la faculté. L'on considérait que le développement des activités de recherche dans les départements cliniques servait de stimuli au corps professoral, sensibilisait les étudiants et les stagiaires en formation postscolaire à l'importance de l'application des sciences expérimentales aux sciences cliniques, permettait d'utiliser de jeunes chercheurs boursiers et enfin augmentait le renom et le prestige de la faculté. Les membres du comité chargé de l'organisation de ces laboratoires jugeaient que la recherche clinique était «nettement une fonction universitaire plutôt qu'une fonction hospitalière[98]» et que «les départements cliniques universitaires étaient mieux placés que les milieux strictement hospitaliers pour obtenir des fonds de recherche[99]». De tels laboratoires de recherche devaient donc être placés essentiellement sous la «dépendance» des départements universitaires. Deux choix s'offraient aux membres du conseil: obtenir cet hôpital universitaire ou conclure une entente avec les hôpitaux affiliés.

Les efforts visant à consolider une structure de recherche clinique universitaire se heurtèrent, on le sait, à l'abandon du projet d'érection de l'hôpital universitaire. Restait la possibilité d'utiliser les départements cliniques des hôpitaux d'enseignement. Or il n'était guère aisé de convaincre les directeurs des départements cliniques hospitaliers d'accepter une telle mainmise de la faculté sur leurs laboratoires, et ce même si l'on entendait, pour éviter de faire double emploi, «aborder l'étude expérimentale des grands problèmes biologiques sous des aspects différents». Par ailleurs, une résolution avait été adoptée en 1953 selon laquelle «toutes les questions relatives à l'enseignement et à la recherche sous tous leurs aspects devaient dépendre exclusivement de la faculté de médecine[100]». La position quelque peu autoritaire de la faculté face aux hôpitaux affiliés ne facilitera guère, nous le verrons, les négociations entre les parties. Les possibilités offertes par l'ICM et l'ICAM en matière de recherches cliniques constituaient, en attendant l'aménagement du nouvel hôpital, des solutions de rechange fort avantageuses pour la faculté, d'autant plus que l'on craignait «qu'un retard prolongé ne fasse perdre définitivement ces jeunes médecins qui ont fait l'objet d'un choix rigoureux et qui se sont préparés à la recherche depuis plusieurs années[101]». Crainte en partie justifiée puisque, jusqu'à la fin des années 1960, bien des obstacles retardèrent l'organisation d'activités soutenues de recherches cliniques en milieu hospitalier.

Des conditions plus propices à l'organisation de la recherche dans les départements cliniques des hôpitaux s'imposeront progressivement. Par exemple, à l'Hôpital Saint-Luc, une nouvelle aile consacrée à la recherche est aménagée; à Sainte-Justine, un espace est alloué à la recherche, de même qu'au service de médecine de l'Hôtel-Dieu. L'engagement de professeurs «plein temps géographique» (PTG) a aussi largement contribué à l'émulation de certaines activités de recherche. Toutefois, ces mesures correctives fragmentaires semblent avoir été insuffisantes puisque le comité de liaison chargé d'étudier le fonctionnement des départements de sciences cliniques de la faculté de médecine mentionne sans ambages en 1965 que «les conditions physiques de la recherche dans les hôpitaux sont pratiquement nulles[102]». Jugement sévère mais corroboré par les enquêteurs du Liaison Committee qui soulignent que «*the facilities for education and research remain grossly inadequate[103]*» et que «*the medical school still does not possess a true teaching hospital with adequate research space for all the clinical departments[104]*». Mais alors qu'un hôpital universitaire était censé, selon les autorités du Liaison Committee, former la base d'un développement optimal de la recherche et de l'enseignement cliniques, ils reconnaissaient qu'un tel programme mis sur pied dans un hôpital affilié pouvait s'avérer une solution de rechange acceptable à condition que l'embauche du personnel du département clinique soit sous la responsabilité de la faculté.

Les laboratoires de recherche dans les départements cliniques de la FMUM ne seront décemment organisés qu'à la fin des années 1960. L'on ne peut dès lors s'étonner que les subventions destinées à la recherche fondamentale aient pendant longtemps dépassé celles de la recherche clinique. La faculté, misant sur la construction de l'hôpital universitaire, n'a guère accompli les efforts nécessaires pour établir des relations plus étroites avec ses hôpitaux affiliés, ce qui a retardé les conditions de mise en place d'une véritable coordination de la recherche clinique. Mais d'autres facteurs ont aussi joué. Indépendemment de la qualité des recherches proposées, les membres du CNRC avaient alors tendance, dans une moindre mesure en médecine mais très largement dans les autres domaines scientifiques, à valoriser la recherche fondamentale et libre qui constituait selon eux «la première condition indispensable au développement de la nouvelle technologie et de l'innovation[105]». Or cette politique de développement scientifique essentiellement fondée sur un encouragement à la recherche fondamentale, laissant à l'industrie privée le développement de la recherche appliquée, a certainement eu des effets sur la recherche clinique à la faculté[106]. On peut aussi supposer que celle-ci n'a pas alors toujours fait l'effort nécessaire pour établir une collaboration étroite avec l'industrie privée en matière de recherche, se privant ainsi de possibilités de revenus importants.

À la décharge des autorités de la faculté, il faut aussi souligner qu'au moment où s'effectue la transition d'une recherche médicale de facture plutôt scolaire vers une recherche médicale s'approchant des structures d'une *big science*, les finalités de cette recherche biomédicale de pointe ne coïncidaient pas toujours avec les finalités pédagogiques de la faculté. Équilibrer à la fois la recherche fondamentale et clinique et les objectifs d'apprentissage des étudiants au programme de médecine et aux grades supérieurs demeurait un enjeu que bien peu de facultés à travers le monde réussissaient à gagner.

## La structuration de l'enseignement supérieur

Les inconvénients de la guerre, notamment l'accélération des cours, et les retards survenus dans l'aménagement du nouvel édifice ont mis temporairement en veilleuse le développement de l'enseignement supérieur à la faculté de médecine. Outre l'Institut de diététique et de nutrition qui offrait depuis 1946 un programme de maîtrise[107], c'est seulement à partir de 1948 que les premiers grades supérieurs ont été octroyés par la faculté de médecine. Auparavant, les candidats à la maîtrise ès sciences et au Ph.D. qui étudiaient et travaillaient dans un département de la faculté de médecine devaient s'inscrire à la faculté des sciences pour obtenir leur grade supérieur. Dès la fin du conflit, les autorités de la faculté avaient insisté auprès de l'administration pour qu'une telle structure d'enseignement soit organisée de façon à répondre aux besoins de spécialistes. Le 21 mars 1946, la commission des études de l'université autorise la faculté de médecine à instituer ce nouveau programme destiné aux diplômés en médecine. Cet enseignement supérieur visait deux objectifs principaux: pourvoir au recrutement du personnel enseignant de l'université et préparer des spécialistes dont les services seront de plus en plus requis dans les milieux hospitaliers québécois[108]. Les études, d'une durée de cinq ans, se poursuivaient simultanément à l'Université de Montréal et au sein des hôpitaux affiliés et devaient obligatoirement comprendre un séjour à l'étranger. Un diplôme de maîtrise en spécialité couronnera les études dans les matières suivantes: médecine; chirurgie; gynécologie et obstétrique; pédiatrie; chirurgie infantile et orthopédie; anesthésie[109].

La création de l'Institut de médecine et de chirurgie expérimentales en 1945 constituait aussi un apport majeur à l'évolution de l'enseignement supérieur à l'Université de Montréal. Il existait bien à la faculté depuis les années 1920 une chaire de pathologie expérimentale, qui sera occupée jusqu'en 1935 par le docteur B. Bourgeois. Mais elle n'aura, jusqu'à l'arrivée de Selye, qu'une existence théorique dans les programmes de la faculté. Aucun local n'avait été attribué à cette chaire et le titulaire, surtout attaché à la clinique chirurgicale de l'Hôpital Notre-Dame, n'y effectuait aucune activité de recherche. Du reste, après la nomination du docteur Bourgeois comme professeur de clinique chirurgicale, la chaire de pathologie expérimentale et comparée demeurera inoccupée[110].

Il fallait donc désigner le nouveau professeur titulaire de la chaire de médecine et de chirurgie expérimentales qui remplaçait l'ancien cours de pathologie expérimentale et comparée. Encore une fois, le docteur Simard, qui s'était vu refuser la direction du nouvel institut, voyait sa candidature rejetée par une majorité de 14 voix contre 3 en faveur du docteur Selye[111]. Ce dernier signait un contrat de cinq ans devenant effectif à partir du 1er septembre 1945. Les premiers cours de Selye débutèrent en janvier de l'année suivante.

L'IMCE cumulait des fonctions de recherche et d'enseignement supérieur. Il bénéficia d'une somme de 25 000 $ pour l'aménagement de locaux d'une superficie de 14 000 pieds carrés situés dans l'espace jusque-là réservé à l'aménagement de l'hôpital universitaire[112]. Les deux premiers étudiants diplômés de l'IMCE, J. Léger et P. Dontigny, obtinrent leur Ph.D. en 1948[113]. Rattachés à la faculté de médecine, les étudiants inscrits dans cette spécialité, jusqu'à la réforme de 1949, devaient y suivre un cours de deux ans, puis faire un stage d'un an dans un autre département de l'université ou à l'étranger. Grâce à une entente avec le docteur J. S. L. Brown, directeur du département de médecine expérimentale, à l'Université McGill, les étudiants avaient la possibilité d'y suivre des cours avancés d'endocrinologie et de biochimie. À la fin de la troisième année, les élèves devaient présenter une thèse de doctorat devant un jury composé du directeur de l'Institut, d'un examinateur désigné par l'université et d'un examinateur externe, à la suite de quoi le grade de «Docteur ès Sciences (Médecine et Chirurgie expérimentales[114])» était décerné. À partir de 1949, deux diplômes d'études supérieures seront décernés par l'IMCE: la maîtrise ès sciences après une année d'études et le grade de *philosophiae doctor* (Ph.D.) en médecine et chirurgie expérimentales après trois ans d'études[115]. L'admission à ce programme exigeait le doctorat en médecine (avec distinction) ou le baccalauréat ès sciences spécialisé (avec distinction) de la faculté des sciences de l'Université de Montréal. En 1951, neuf étudiants y sont inscrits. La fondation de l'IMCE et la mise sur pied d'une «maîtrise en spécialités» ouvraient la voie à une consolidation de l'enseignement supérieur au sein d'une faculté qui n'avait pas encore réussi à concrétiser les initiatives antérieures.

Jusqu'en 1951, seul le département de médecine et de chirurgie expérimentales était habilité à donner le titre de Ph.D. à la faculté de médecine. Après cette date, les options de formation avancée commencent à se diversifier. Le département de physiologie décernera ses premiers diplômes de maîtrise et de Ph.D. respectivement en 1951 et 1952. De nouveaux départements — biochimie, microbiologie et immunologie[116] — obtiennent aussi ce privilège en 1952; quinze aspirants à la maîtrise et au Ph.D. sont alors inscrits à la faculté[117]. L'année suivante, déjà 23 candidats à la maîtrise et au doctorat sont inscrits à temps plein. En 1954, Mlle Marthe Demers devient la première femme à obtenir le grade de Ph.D. en physiologie[118]. La première maîtrise et le premier doctorat en biochimie seront décernés respectivement en 1953 et 1956. Entre 1948 et 1957, c'est le département de médecine et de chirurgie expérimentales qui domine largement l'octroi des dipômes supérieurs à la faculté de médecine avec 22 des 39 diplômes parmi lesquels on retrouve 20 des 26 doctorats décernés à la faculté[119].

Reflet de l'importance grandissante accordée à l'enseignement supérieur à la faculté de médecine — les inscriptions aux études supérieures augmentent avec 48 étudiants en 1954-1955 —, le conseil décide à l'unanimité en 1957 d'abroger le règlement qui limitait l'octroi des grades de maîtrise et de doctorat à certains laboratoires et départements, et étend la remise de ces diplômes à l'ensemble de la faculté:

> À la suite d'études supérieures et de recherches faites dans un des départements de la Faculté, l'Université de Montréal décerne deux grades : la Maîtrise ès Sciences (M.Sc.) et le grade de Philosophiae Doctor (Ph.D.) avec mention, dans chaque cas, de la matière ou spécialité ayant fait l'objet de la recherche[120].

Durant les années scolaires 1955-1956 et 1956-1957, neuf étudiants reçoivent un Ph.D. et dix une maîtrise. Le département de médecine et de chirurgie expérimentales perd peu à peu le monopole des diplômes supérieurs entre 1958 et 1965 — il ne décerne plus que 16 des 77 diplômes d'études supérieures — au profit de nouveaux programmes institués en anatomie, en biophysique, en pathologie, en pharmacologie, en cancérologie ou en diététique[121]. Les autres instituts affiliés à l'Université de Montréal — ICM, ICAM, IMHM — avaient mis sur pied au début des années 1960 des programmes de maîtrise et de doctorat. De 1948 à 1965, 116 maîtrises et Ph.D. sont décernés par dix départements et disciplines de la faculté de médecine. Mais c'est surtout durant la période 1958-1965 que se sont diversifiés les diplômes de deuxième et troisième cycle. Il faut noter à cet effet les répercussions de la Loi pour faciliter l'accès aux études supérieures votée en 1959, loi qui accorde au ministère de la Jeunesse et du Bien-être une somme de 10 millions pour l'octroi de bourses d'études[122]. La faculté s'était efforcée de promouvoir les inscriptions à ces programmes. Par exemple, elle accordera aux étudiants de cinquième année la possibilité de choisir un stage de deux mois de recherche médicale susceptible de «donner à ces étudiants le goût de la recherche et de l'enseignement[123]».

Au début des années 1960, l'IDN offrait aux candidats à la maîtrise ès sciences la possibilité d'effectuer leurs travaux de recherche en chimie alimentaire analytique, en chimie alimentaire expérimentale, de même qu'ils pouvaient effectuer des travaux sur les composants nutritifs (protides, vitamines, sels minéraux, etc.) à partir «des méthodes chimiques, microbiologiques, biologiques ou physiques[124]».

Modification importante par rapport à la décennie précédente, le recrutement de jeunes chercheurs durant les années 1950 et 1960 sera facilité par une sensible amélioration des conditions d'accès aux pratiques scientifiques biomédicales et par un élargissement du secteur d'emploi. De telles conditions sont de plus en plus en voie d'actualisation dans le domaine médical. La présence d'un plus grand nombre d'étudiants et de professeurs associés aux activités de deuxième et troisième cycle favorisait l'accroissement et la diversification des activités de recherche scientifique à la faculté[125].

## Notes

1. M. Lamontagne (sous la présidence de), *Une politique scientifique canadienne. Rapport du Comité sénatorial de la politique scientifique*, t. 1, «Une analyse critique: le présent et le passé», p. 52. Sur le développement des sciences au Canada et au Québec, voir R. Duchesne, *La science et le pouvoir au Québec (1920-*

*1965)*; L. Chartrand *et al., Histoire des sciences au Québec;* Y. Gingras, *Les origines de la recherche scientifique au Canada. Le cas des physiciens.*

2. CNRC, *The organisation of Research in Canada,* cité par M. Lamontagne, *op. cit.,* p. 53.

3. *Id.*

4. G. H. Ettinger, «Medical Research», La Commission royale d'enquête sur l'avancement des arts, lettres et sciences au Canada, *Les arts, lettres et sciences au Canada 1949-1951,* Ottawa, 1951, p. 319.

5. La politique scientifique canadienne demeura néanmoins sur bien des aspects plutôt confuse et mal coordonnée: «En l'absence d'une politique scientifique générale et d'un organisme central efficace, capable de la formuler et de la mettre en œuvre, l'orientation et la poursuite des activités du gouvernement en ce domaine reposaient en grande partie sur les scientifiques eux-mêmes, régime connu depuis sous le nom de "République des sciences".» (M. Lamontagne (sous la présidence de), p. 72.)

6. «Entre 1919 et 1962, la sagesse conventionnelle des conseillers scientifiques du gouvernement est restée remarquablement fidèle à elle-même. Les universités devaient rester à l'écart des besoins industriels afin de mieux s'appliquer aux sciences fondamentales.» *(Ibid.,* p. 74-75.) À propos de cette valorisation de la recherche fondamentale au détriment de la recherche appliquée dans le secteur industriel par le CNRC, voir *ibid.,* p. 65-93.

7. G. H. Ettinger, *op. cit.,* p. 320.

8. *Ibid.,* p. 326.

9. *Ibid.,* p. 320.

10. Pour l'année 1949-1950, le CNRC accordera 500 000 $, le Public Health Research Grants, 203 000 $, et le National Cancer Institute, 235 552 $ *(ibid.,* p. 333).

11. *Ibid.,* p. 336.

12. R. Duchesne, *op. cit.,* p. 54.

13. Sur cette question et ses effets sur le développement de la recherche au Québec, voir *ibid.,* p. 54 et suiv. L'auteur note que «les scientifiques sont, dans l'ensemble, plus favorables que leurs collègues à l'acceptation des subventions fédérales et donc moins enclins à appuyer la politique autonomiste de Maurice Duplessis sur ce point» *(ibid.,* p. 67).

14. *Ibid.,* p. 41.

15. *Ibid.,* p. 53.

16. *Ibid.,* p. 54.

17. *Ibid.,* p. 58-59.

18. Voir M. Lamontagne (sous la présidence de), *op. cit.,* p. 65-93.

19. En 1961, le gouvernement consacrera une somme globale de 40 millions aux universités (R. Duchesne, *op. cit.,* p. 71, 119).

20. L. Chartrand *et al., op. cit.,* p. 294-295.

21. *Ibid.,* p. 303. «[...] les premières années de la Révolution tranquille marquent une recrudescence de l'intérêt gouvernemental pour la recherche scientifique»

(*ibid.*, p. 295). Voir à ce propos la section «La communauté scientifique et la Révolution tranquille», *ibid.*, p. 293-295.

22. Y. Villedieu, *Demain la santé*, p. 214.

23. L'Université McGill sera, durant la décennie 1950, mieux pourvue du point de vue financier que les universités de Montréal et de Québec. En ce qui regarde la recherche, elle bénéficiait de larges possibilités de financement par des organismes canadiens et américains. Voir L. Chartrand *et al.*, *op. cit.*, p. 377.

24. L. Chartrand *et al.*, *op. cit.*, p. 344.

25. *Ibid.*, p. 377.

26. *Ibid.*, p. 377-378.

27. AUM, «L'Institut de microbiologie et d'hygiène de l'Université de Montréal. Notes historiques», 1943.

28. Voir D. Goulet, *Des miasmes aux germes. L'impact de la bactériologie sur la pratique médicale au Québec (1870-1930)*, 1992.

29. L. Chartrand *et al.*, *op. cit.*, p. 367-368.

30. A. Frappier, *Un rêve. Une lutte. Autobiographie*, p. 125.

31. Sur l'œuvre de Selye et ses travaux effectués à l'Université de Montréal, voir A. Yanacopoulo, *Hans Selye ou la cathédrale du stress*.

32. PVCFMUM, 1945-09-07, p. 1088.

33. *Ibid.*, p. 1086.

34. Hans Selye, né à Vienne en 1907, avait fait ses études de médecine et de chimie à Prague. Au moment où la faculté de médecine de l'Université de Montréal lui fait une offre, il enseignait l'endocrinologie à McGill depuis 1934. C'est là qu'il avait élaboré ses premières études sur le stress. Sur la carrière de Selye, voir A. Yanacopoulo, *op. cit.*

35. PVCFMUM, 1945-09-07, p. 1087.

36. Cité par A. Yanacopoulo, *op. cit.*, p. 240-241.

37. PVCFMUM, 1945-09-07, p. 1088.

38. AUM, «Conventions intervenues entre l'Université de Montréal et le docteur Hans Selye», E38/19.4, 2972.

39. *Id.*

40. Cité par A. Yanacopoulo, *op. cit.*, p. 190.

41. E. Dubé, «La Faculté de médecine», *Université de Montréal. Annuaire général, 1948-49*, p. 340.

42. PVCFMUM, 1946-05-14, p. 1137.

43. H. Selye, «La recherche médicale», *Université de Montréal. Annuaire général, 1948-49*, p. 342.

44. *Ibid.*, p. 343. L'ouvrage avait été publié aux éditions Acta Inc. de Montréal.

45. En 1951, losque K. Ponse, professeur à l'université de Genève, offre ses services comme professeur d'endocrinologie, le conseil décide de soumettre la question au docteur Selye «qui l'engagera s'il le veut» (PVCFMUM, 1951-05-15, p. 88).

46. *Ibid.*, p. 195.

47. Le docteur Fortier terminera en 1951 ses études de Ph.D. au département de médecine et de chirurgie expérimentales avec une thèse intitulée «Régulation de la fonction corticotrophique» et sera alors désigné assistant-professeur pour l'enseignement de l'endocrinologie et sera chargé de l'enseignement postscolaire (PVCFMUM, 1950-09-12, p. 25). Selon un témoignage de J. Leduc recueilli par Yanacopoulo, «de tous les élèves de Selye, [le docteur Fortier] est celui qui a le mieux conçu, et de la façon la plus pure possible, la notion de stress — celui qui y a touché de plus près ainsi qu'à ses effets sur l'animal» (A. Yanacopoulo, *op. cit.*, p. 205).

48. PVEFMUM, 1945-09-07, p. 1088; 1947-05-13, p. 49; 1947-05-21, p. 86-87.

49. Les 34 activités de recherche sont subventionnées à partir de fonds provenant de la Canadian Arthritis and Rhumatism Society, du Conseil national de recherche, du Defence Research Board, de la compagnie Charles Frosst, du ministère de la Santé, du National Cancer Institute, de la compagnie Poulenc, du fonds Rhéaume, de la corporation Schering et de l'armée américaine (PVCFMUM, 1953-11-10, p. 177).

50. *Ibid.*, 1954-11-09, p. 223.

51. Voir A. Yanacopoulo, *op. cit.*, p. 239-240. Sur le départ de Selye de l'Université de Montréal, voir *ibid.*, p. 299-306.

52. Dès 1946, le docteur Selye, chargé du cours d'endocrinologie, fait paraître un traité sur les glandes endocrines (PVCFMUM, 1946-06-18, p. 9).

53. A. Yanacopoulo, *op. cit.*, p. 209.

54. PVCFMUM, 1958-03-20, «Contrat intervenu entre l'Université de Montréal et l'Institut du Cancer de Montréal», annexe, p. 1.

55. Le docteur Cantero avait aménagé ses locaux dans une cage d'ascenseur désaffecté.

56. R. Daoust, «Antonio Cantero 1902-1977», *Délibérations de la Société royale du Canada,* t. XVII, 1979, p. 71.

57. «L'Institut est donc à l'origine, une véritable école de formation et d'autoformation: préparation de communications et répétitions publiques, apprentissage et maîtrise de la langue française, discussion «houleuse» des textes et rédaction de multiples versions des articles, etc. Pour leur part, les premiers collaborateurs du docteur Cantero s'initient à la recherche sur le cancer et poursuivent, parallèlement à leurs activités de recherche, leur formation universitaire et scientifique.» (M. Fournier, «Entre l'hôpital et l'université: l'Institut du cancer de Montréal», dans M. Fournier *et al.* (dir.), *Sciences et médecine au Québec. Perspectives sociohistoriques,* p. 176.)

58. PVCFMUM, 1957-01-22, p. 22.

59. *Ibid.*, p. 2.

60. *Id.*

61. L'Institut national du cancer du Canada avait été mis sur pied en 1937. La première société américaine vouée à la lutte contre le cancer est l'*American Cancer Society* fondée à New York en 1913. Réorganisée en 1936, elle deviendra, en 1945, *The American Cancer Society.* Le budget de cette société qui était de 10 000 $ en 1933 augmentera vingt ans plus tard à 19 750 000 $. Sur les

développements de la recherche sur le cancer, voir G. T. Pack et M. A. Irving, «A half century of effort to control cancer. An appraisal of the problem and an estimation of accomplishments», dans L. Davis (dir.), *Surgery, Gynecology & Obstetrics weith International Abstracts of Surgery*, Chicago, The Franklin H. Martin Memorial Foundation, 1955, p. 59-161.

62. M. Fournier, *op. cit.*, p. 180.

63. *Id.*

64. *Ibid.*, p. 185.

65. «Mais dans un contexte où le statut social du professeur d'université est plus élevé que celui de chercheur et où l'université cherche à monopoliser des activités d'enseignement et de recherche en sciences, l'affiliation de l'I.C.M. à l'Université de Montréal est elle-même une source de tensions: celle-ci suscite en effet des insatisfactions chez les chercheurs; de plus, elle fait naître une inquiétude au sein de l'ensemble de l'organisme, celle d'être absorbé par l'université.» (*Ibid.*)

66. PVCFMUM, 1950-12-12, p. 69.

67. M. Fournier, *op. cit.*, p. 191.

68. R. Simard, «L'institut du cancer de Montréal en pleine expansion», *Infomed*, Faculté de médecine, vol. 3, n° 2, oct. 1979, p. 2.

69. *Id.*

70. Voir M. G. Bourassa et C. Goulet, «L'évolution de la recherche à l'Institut de cardiologie de Montréal», *L'Union médicale du Canada*, 1978, p. 1129.

71. *Id.*

72. «À la demande de monsieur le doyen, le secrétaire fait lecture de la lettre de monsieur P. David, directeur de l'Institut de cardiologie, expliquant les circonstances de la nomination du docteur Pierre Grondin, comme chef de l'Institut de cardiologie de Montréal.» (PVCFMUM, 1964-06-13, p. 48.)

73. *Ibid.*, 1954-01-26, p. 192.

74. Voir M. G. Bourassa et C. Goulet, *op. cit.*, p. 1132.

75. PVCFMUM, 1961-11-07, «L'Institut de cardiologie et l'Hôpital universitaire», annexe, p. 4.

76. *Ibid.*, p. 5-6.

77. *Ibid.*, p. 6.

78. *Ibid.*, p. 6.

79. Concernant ces statistiques, voir M. G. Bourassa et C. Goulet, *op. cit.*, p. 1129.

80. M. Fournier, *op. cit.*, p. 192-193.

81. L. Chartrand *et al.*, *op. cit.*, p. 374.

82. M. G. Bourassa et C. Goulet, *op. cit.*, p. 1132.

83. *Id.*

84. Voir «Le Centre de recherche de l'Institut de cardiologie de Montréal», *Infomed*, Faculté de médecine, vol. 13, n° 5, juin 1990, p. 5.

85. Jacques Genest fondera en 1959 le Club de recherches cliniques du Québec. «En 1965, le Collège de Médecins et Chirurgiens de la Province de Québec a créé un prix afin de promouvoir le goût de la recherche chez les étudiants en

médecine de la Province de Québec: ce prix de $600.00 porte le nom de "Prix Jacques Genest" en l'honneur de cet éminent chercheur canadien.» (PVCF-MUM, 1965-02-25, p. 288.) En reconnaissance de ses travaux, l'Université McGill lui décernera en 1979 un doctorat *honoris causa*.

86. L. Chartrand *et al., op. cit.*, p. 346-347.

87. *Ibid.*, p. 376.

88. «Si nous avions plus de professeurs de carrière et si ceux qui existent étaient moins surchargés, nous pourrions recevoir d'autres octrois.» (PVCF-MUM, 1953-11-10, p. 178.) L. Chartrand *et al.* notent qu'entre 1950 et le début des années 1970, «les chercheurs de McGill réussissent à obtenir une partie considérable des sommes mises à la disposition des universités canadiennes, à la fois par les organismes du gouvernement fédéral, les provinces et les fondations privées. Au cours des années 1960, malgré le développement d'autres institutions canadiennes, McGill obtient à elle seule le cinquième des sommes allouées par le Conseil canadien de la recherche médicale.» (*Op cit.*, p. 351.)

89. PVCFMUM, 1954-11-08, p. 271.

90. PVEFMUM, 1949-01-11, p. 130.

91. Ces fonds proviennent de diverses sources: le Conseil national de recherche, le ministère de la Santé, la Markle Foundation, le National Cancer Institute, les fondations Rougier-Armandie et Joseph Rhéaume, la Canadian Arthritis, la Canadian Life Insurance, les compagnies pharmaceutiques Geigy, Poulenc, Pfizer, la U.S. Army et les laboratoires Walace et Warner Chilcott (PVCF-MUM, 1957-12-17, p. 57). En 1951, la fondation Rhéaume avait offert à la faculté de médecine une allocation de recherche de 31 350 $.

92. L. Chartrand *et al, op. cit.*, p. 379.

93. PVCFMUM, 1957-03-12, p. 32.

94. Le doyen fait lecture d'une «lettre du docteur G. H. Ettinger, secrétaire du comité spécial de la recherche médicale, nommé par le Conseil privé pour la recherche, en relation avec une subvention éventuelle du fédéral pour l'expansion de la recherche. Cette lettre demande au doyen les prévisions des dépenses de construction ayant trait aux départements de sciences de base des Facultés de médecine, ainsi que les prévisions relatives à un accroissement des recherches dans les hôpitaux affiliés. La subvention du fédéral porterait sur les nouveaux locaux, sur l'aménagement et l'outillage. Elle pourvoirait à une augmentation du nombre des chercheurs. Elle demande au surplus aux Facultés d'estimer quelle somme globale serait nécessaire au doyen pour financer personnellement certains projets de recherche, pour permettre aux chercheurs de faire des voyages d'études, etc.» (*Ibid.*, 1958-05-20, p. 73.)

95. Girard Roy et Associés inc., *Plan d'orientation. Faculté de médecine. Université de Montréal*, Rapport 7, «Position stratégique en recherche», juin 1986, annexe D.

96. G. de Lamirande, «État de la recherche de la faculté», *Infomed*, Faculté de médecine, vol. 1, n° 2, oct. 1977, p. 4.

97. *Mémoire présenté à l'Honorable Ministre de la Santé de la province de Québec, monsieur Éric Kierans, par la faculté de médecine de l'Université de Montréal*, déc. 1965, p. 6.

98. *Rapport du comité chargé d'étudier l'organisation des laboratoires de recherche des départements cliniques*, mai 1955, p. 2. AUM, P22K2.2-5565.

99. *Id.*

100. PVCFMUM, 1953-05-19, p. 162.1.

101. *Ibid.*, p. 162.3.

102. *Ibid.*, 1966-06-21, p. 145-147.

103. Liaison Committee on Medical Education representing the American Medical Association and the Association of American Medical Colleges, *Report of survey visit. University of Montreal Faculty of Medicine*, 16-18 nov. 1965, p. 8.

104. *Ibid.*, p. 9.

105. M. Lamontagne, *op. cit.*, p. 76.

106. «Les porte-parole de la République des sciences dans l'après-guerre ont continué d'exprimer la pensée officielle, de mettre l'accent sur les sciences et les recherches fondamentales, de négliger les problèmes technologiques et l'importance de la recherche accomplie dans l'industrie.» (M. Lamontagne, *op. cit.*, p. 90.)

107. *Université de Montréal. Annuaire général, 1965-66*, p. 197.

108. *Ibid.*, *1946-47*, p. 84.

109. *Id.*

110. PVCFMUM, 1945-09-07, p. 1085.

111. *Ibid.*, 1945-09-26, p. 9.

112. *Ibid.*, 1945-09-07, p. 1088.

113. La thèse de Léger s'intitule «Contribution à l'étude des phénomènes d'hypersensibilité» et celle de Dontigny s'intitule «Contribution à l'étude de l'hypertension d'originale hormonale». Ces thèses indiquent bien l'orientation que donnait Selye aux travaux à l'IMCE.

114. PVCFMUM, 1945-12-11, p. 1107.

115. *Ibid.*, 1949-01-19, p. 146.

116. La première maîtrise en microbiologie et immunologie est décernée en 1954 et le premier Ph.D. en 1955.

117. PVCFMUM, 1952-09-16, p. 141 - 142.

118. «Mademoiselle Marthe Demers, candidate au titre de Philosophiae Doctor (Ph.D.) en physiologie, a soumis une thèse dont le titre était "Métabolisme de l'adénosine triphosphate au cours de la sénescence".» (*Ibid.*, 1954-05-24, p. 250.)

119. Seulement deux maîtrises ont été décernées entre 1948 et 1957 par le département de médecine et de chirurgie expérimentales.

120. PVCFMUM, 1957-12-17, p. 61.

121. Premiers diplômes de maîtrise en diététique en 1958, en anatomie et en pharmacologie en 1959, en cancérologie en 1962 et en médecine en 1963. Les premiers Ph.D. sont décernés en pathologie en 1962 et en pharmacologie en 1964.

122. R. Duchesne, *op. cit.*, p. 119.

123. PVCFMUM, 1958-11-25, p. 98.

124. *Université de Montréal. Annuaire général, 1965-66*, p. 207.

125. L. Maheu *et al.* ont analysé le développement des études avancées en biologie pour la période 1954-1964: «Manifestement libéré des premières contraintes liées à l'émergence et au recrutement, le milieu universitaire s'avère en mesure d'axer son développement sur l'implantation de programmes d'études supérieures. En biologie, entre 1945 et 1964, le nombre de diplômes de 2$^e$ et 3$^e$ cycle s'accroît considérablement et passe de 8 (entre 1920 et 1945) à 123. Proportionnellement, cet accroissement est aussi significatif: ces diplômes supérieurs représentent près de 40 % des diplômes décernés dans cette discipline.» (L. Maheu *et al.*, «La science au Québec francophone: aperçus sur son institutionnalisation et sur les conditions d'accès à sa pratique», *The Canadien Review of Sociology and Anthropology*, vol. XXI, n° 3, p. 256.)

# CHAPITRE VII

# De l'enseignement médical aux sciences de la santé. Une période de réformes et d'expansion (1967-1987)

L'arrivée au pouvoir de Paul Sauvé, à la suite du décès de Duplessis en 1959, marqua le début du processus de réformes le plus important qu'ait connu le Québec dans le domaine de l'éducation. À cet égard, l'un des premiers gestes de Sauvé avait consisté à hausser les subventions accordées par l'État, à modifier leur mode d'attribution jusque-là discrétionnaire et à entreprendre des négociations auprès du gouvernement fédéral en vue de récupérer les sommes destinées à l'enseignement supérieur. Son successeur, A. Barette, présentera «plusieurs lois pour accroître les subventions aux universités, aux collèges classiques, aux commissions scolaires et pour améliorer la situation des enseignants[1]». Ces premières mesures visant à réformer le système d'éducation québécois étaient un prélude aux importantes mesures législatives qui seront décrétées en 1961 par le gouvernement libéral de Jean Lesage, mesures largement favorisées par le nouveau ministre de l'Éducation, Paul Gérin-Lajoie. Parmi les mesures annoncées — qui composeront la «grande charte de l'éducation» — mentionnons la création de la Commission royale d'enquête sur l'enseignement (commission Parent[2]), la mise sur pied d'un plan quinquennal de financement des universités et l'octroi de bourses pour la formation universitaire du personnel enseignant. Le rapport Parent proposait une direction nouvelle de l'éducation, tant sur le plan administratif que sur le plan structurel et logistique. Celui-ci recommandait la création d'une nouvelle structure d'enseignement postsecondaire plus accessible, les collèges d'enseignement général et professionnel (CEGEP), mise en place en 1967. Avec la création des cégeps disparaissait l'une des structures traditionnelles du système d'éducation québécois, le collège classique. Ces nouvelles institutions offriront à la fois un cours d'enseignement professionnel de trois ans et un cours préparatoire de deux ans donnant accès aux études universitaires. Mentionnons aussi qu'en 1968, le gouvernement institue le Conseil des universités qui a pour mandat de veiller au développement et au financement des institutions universitaires.

Autre composante de la Révolution tranquille, l'État québécois multiplie ses interventions en matière sociale[3]. La mise en œuvre du programme d'assurance-hospitalisation en 1961, qui institua la gratuité des soins hospitaliers, et du programme d'assurance-maladie en 1970 accentuera la prise en charge par l'État du domaine de la santé. Ces programmes constitueront néanmoins des acquis majeurs vers une démocratisation des soins de santé. La Commission d'enquête sur la santé et le bien-être social, créée en 1966 (commission Castonguay), avait permis de diriger les réformes vers des voies audacieuses qui concrétisent pour l'ensemble des citoyens, durant la décennie 1970, l'émergence d'un État-providence. Par suite des recommandations de cette commission, le gouvernement libéral transformera le ministère de la Santé en ministère des Affaires sociales, redéfinira les institutions de soins de santé, leurs responsabilités et leur organisation, créera des centres locaux de santé communautaire (CLSC) — mesure de décentralisation des soins de santé — et mettra sur pied un régime universel d'assurance-maladie. Durant les décennies 1960 et 1970, le paysage éducationnel et médical du Québec avait subi des changements importants.

Les conséquences de ces réformes sur les universités québécoises seront importantes. La grande accessibilité aux études collégiales a pour effet d'accroître substantiellement les demandes d'admission dans les universités. Alors que le nombre des étudiants à la fin des années 1960 s'élève à peine à 70 000, il dépassera les 150 000 au début des années 1980[4]. Du reste, dès la mise en place des cégeps, 65 % des étudiants optent pour le cours général donnant accès à l'université. En conséquence, de 1967 à 1970, les universités produiront plus de diplômés qu'au cours des dix années précédentes[5]. Cette prise en charge de l'éducation supérieure par l'État, de même que l'augmentation des clientèles, intensifieront les pressions pour une plus grande uniformité et un meilleur contrôle des programmes. Les universités devront aussi se conformer à certaines normes définies par le nouveau ministère de l'Éducation. Mais en retour, elles bénéficieront d'une garantie de financement par le biais d'importantes subventions gouvernementales annuelles.

## Les réponses de la faculté de médecine aux réformes de l'enseignement supérieur

La réorganisation de l'enseignement supérieur en territoire québécois modifia sensiblement le profil de la FMUM. Tout en favorisant l'expansion et la diversification de la clientèle, les autorités de la faculté ont répondu à ces réformes en enclenchant un important processus de modernisation des programmes d'après de nouvelles approches pédagogiques. De même, certaines réformes dans le domaine de la santé ont eu un effet direct sur les secteurs pédagogiques, administratifs et financiers de la faculté.

Sans entrer dans le détail de ces réformes, mentionnons que si la FMUM se voyait désormais assurée d'une allocation annuelle importante, elle se retrouvait en contrepartie soumise, pour son financement, à deux nouvelles structures de contrôle: le ministère de l'Éducation, pour son financement interne, et le ministère des Affaires sociales qui contrôlait les institutions hospitalières. De plus, ces deux ministères devenaient conjointement responsables des contrats d'affiliation avec les hôpitaux d'enseignement et de la détermination des quotas pour les internes et les résidents. La FMUM sera par ailleurs contrainte de modifier ses critères d'admission en fonction de la restructuration des études préuniversitaires.

Inquiète du rajeunissement des candidats admissibles aux études médicales, la faculté décide en 1969 d'établir une discrimination entre les candidats détenteurs d'un baccalauréat admis à l'étude de la médecine et les détenteurs d'un diplôme collégial en sciences de la santé. Les premiers étaient intégrés au programme d'études de quatre ans, alors que les seconds devaient s'inscrire dans un programme d'études de cinq ans. Durant l'année scolaire 1969-1970, le programme traditionnel de quatre ans accueille 143 étudiants parmi lesquels 130 possèdent leur baccalauréat de l'Université de Montréal, alors que le nouveau programme de cinq ans accueille 133 étudiants dont 110 viennent des cégeps. La grande majorité des étudiants admis sont de la région métropolitaine. Il faut noter que la faculté de médecine de l'Université Laval et la nouvelle faculté de médecine de Sherbrooke offraient alors un programme de quatre années d'études. À partir de 1970, tous les étudiants admis à la FMUM en première année devront faire un programme de cinq ans[6].

La mise sur pied des cégeps en 1967 se traduira par une augmentation sensible des demandes d'admission à la faculté de médecine et exercera des pressions afin que soit haussé le nombre des étudiants admis au doctorat en médecine. Si, déjà en 1969, la faculté avait reçu 671 demandes d'admission, cinq ans plus tard elles ont presque triplé avec 1850 demandes. Elles diminueront par la suite pour se stabiliser autour de 1500 demandes.

Quant aux capacités d'admission entre 1970 et 1980, elles varieront entre 190 et 200[7]. Déjà en 1970 avaient été admis en première année d'études médicales — en fonction de leurs résultats scolaires, de leur performance lors de l'entrevue et de leur résultat au test d'aptitudes universitaires (TAEU[8]) — 205 élèves parmi lesquels 90 % ont entre 18 et 20 ans. Le nombre total d'étudiants à la faculté était alors de 950 et demeurera plutôt stable durant la décennie: en 1978, la faculté comptait 965 étudiants en médecine. L'augmentation de la clientèle étudiante dans les facultés de médecine québécoises entre 1969 et 1978 aura une incidence importante sur le ratio population/médecin: en 1969, le Québec compte 1 médecin pour 706 habitants et vient au troisième rang au Canada, derrière la Colombie-Britannique (650 pour 1) et l'Ontario (669 pour 1); dix ans plus tard, le ratio population/médecin s'élève au Québec à 609, toujours derrière la Colombie-Britannique (528) et l'Ontario (529)[9].

Outre la valorisation grandissante de la carrière médicale auprès de la classe moyenne québécoise, il est certain que l'établissement du programme général gratuit en sciences de la santé dans les cégeps a largement contribué à améliorer le nombre et la qualité des candidats en médecine. En 1974, le recteur de l'université, voulant souligner la qualité du processus d'évaluation des candidats à l'admission aux études médicales, mentionnait non sans ironie aux membres du comité d'agrément que généralement «*the best students apply to go in medicine, so medicine gets the best students*[10]». Certes, la faculté pouvait désormais exercer une sévère sélection des candidats. L'avènement des cégeps aura par ailleurs pour conséquences à court terme de limiter la diversité des candidats et de rajeunir la clientèle étudiante au sein de la faculté. Entre 1970 et 1980, la proportion des étudiants de moins de 19 ans était assez forte. Elle déclinera sensiblement par la suite en faveur de candidats d'au moins 19 ans[11]. Les critères de sélection par ordre d'importance se lisent comme suit: dossier des études secondaires (IV-V), collégiales et universitaires s'il y a lieu, test psychométrique et entrevue. La FMUM recevait toujours un pourcentage élevé de candidatures de la région de Montréal: en 1976, 66 % des demandes venaient de la région de Montréal, 17 % de la région de Québec, 6 % de la région de Sherbrooke, 5 % des autres provinces canadiennes et 5 % de l'étranger.

Résultat tangible d'une démocratisation de l'enseignement et d'une redéfinition du rôle social de la femme dans la société québécoise — redéfinition qui se manifeste notamment par une représentation accrue des femmes dans les professions libérales —, le pourcentage d'admissions des femmes à l'étude en médecine s'accroîtra de façon notable et continue. Alors qu'en 1970, les femmes admises au programme de médecine constituaient 36 % du total des admissions avec 74 étudiantes, huit ans plus tard, cette proportion a grimpé à 43 % avec 97 inscriptions. Cette tendance s'accentuera, nous le verrons plus loin, durant la décennie 1980. La FMUM était à cet égard, à l'instar des autres facultés québécoises[12], un chef de file en territoire canadien puisque la moyenne des femmes admises en médecine dans les autres provinces canadiennes tournait autour de 33 %. Quoique légèrement décalée par rapport au taux d'admission, la croissance de la proportion des femmes diplômées à la FMUM sera également forte durant la décennie 1970, dépassant les 40 % au début de 1980[13]. La FMUM conservait une importante avance sur la moyenne nationale, et ce même si, pour l'ensemble du territoire canadien, la représentation féminine annuelle parmi les nouveaux diplômés en médecine avait presque triplé durant la décennie 1970, passant de 12 à 31 %[14].

## D'importantes réformes apportées au programme de médecine

L'admission d'une classe différente d'étudiants formés dans les nouveaux cégeps, l'accroissement des demandes d'admission de même que les pressions exercées sur la faculté, afin qu'elle augmente le nombre de ses étudiants, sont certes des facteurs qui ont mené à une refonte de son programme à partir de 1970. Dès 1968, l'organisation, en collaboration avec la faculté des sciences, d'une session préparatoire à l'étude de la médecine pour les étudiants en provenance des cégeps avait été envisagée. On projetait donc d'instaurer une sorte de propédeutique comprenant des cours de chimie organique, de chimie médicale, de génétique et de statistique[15]. Cette idée fut abandonnée au profit de l'établissement d'un nouveau programme. Les autorités de la faculté désiraient par ailleurs, pour faire suite aux réformes déjà entreprises en 1969, diminuer l'encombrement des cours et corriger certaines déficiences dans l'enseignement des sciences cliniques, de la médecine préventive, des sciences du comportement et de la génétique.

Rappelons que le programme traditionnel était divisé en deux phases, chacune d'une durée de deux ans. La première, répartie sur la première et la deuxième année, portait sur les sciences fondamentales enseignées à la faculté, alors que la seconde, répartie entre la fin de la deuxième année et de la quatrième année, était essentiellement axée sur les sciences cliniques enseignées dans les hôpitaux affiliés.

Le nouveau programme modifiait sensiblement cette structure didactique. Il prévoyait la division de la formation médicale en trois phases distinctes réparties sur cinq ans. La première phase d'une durée de trois semestres portait sur les sciences fondamentales. Elle avait pour but d'assurer à l'étudiant une formation complémentaire en biologie cellulaire et en sciences du comportement, et de l'initier «aux sciences fondamentales de la médecine de façon à pouvoir aborder l'étude intégrée des différents systèmes[16]». Des cours de statistiques, de sciences du comportement, de biologie moléculaire et cellulaire, de génétique médicale et d'embryologie humaine, d'anatomie macroscopique, d'histologie, de pathologie générale et d'immunologie, de pharmacologie générale, de médecine préventive, sociale et communautaire ainsi que trois cours optionnels constituaient les matières d'introduction à l'étude de la médecine. La distribution des heures allouées aux cours théoriques (464) et pratiques (425) durant cette première phase est à peu près égale. Durant la décennie 1970, ce programme de cours ne subira que de légères modifications.

La seconde phase, d'une durée de trois semestres, avait été conçue dans le but de permettre à l'étudiant d'acquérir les connaissances fondamentales liées à la morphologie et au fonctionnement des différents systèmes de l'organisme — neurologique, locomoteur, digestif, cardiovasculaire et pulmonaire, endocrinologique, etc. — à l'état normal et pathologique. Or un tel enseignement, d'après une division fonctionnelle de l'organisme humain, devait faciliter l'intégration de ces connaissances, lors de séances cliniques, à des notions «jugées essentielles à la reconnaissance des principaux syndromes cliniques[17]». Cette deuxième phase d'étude permettait à l'étudiant d'établir un premier contact avec le malade et, éventuellement, de s'initier «à l'examen subjectif et objectif de chaque système[18]»: nerveux, psychique, cardiovasculaire, respiratoire, rénal et urinaire, locomoteur, hématologique, infectieux, digestif et nutritif, endocrinien et reproductif[19]. Encore une fois, le partage des heures d'études — plus nombreuses que dans la première phase — entre les leçons théoriques (517 heures) et les exercices pratiques (547 heures) est à peu près égal. Cette seconde étape dans le programme des études médicales constituait en quelque sorte une période transitoire entre la première phase (acquisition théorique et pratique de connaissances fondamentales) et la troisième phase (stages cliniques intensifs).

La troisième et dernière phase, d'une durée de 21 mois, portait essentiellement sur l'enseignement clinique et se déroulait au sein des hôpitaux affiliés. L'étudiant devait y faire deux séries de stages réparties en deux sessions; ces stages, appelés pré-externat *(junior clerkship)* et externat *(senior clerkship)*, avaient une durée respective de neuf et douze mois. Ils correspondaient à la quatrième et à la cinquième année d'études. Le pré-externat était constitué de leçons théoriques dans une proportion de 25 % (195 heures) et d'exercices pratiques dans une proportion de 75 % (765 heures). L'accent était mis sur la séméiologie et l'élaboration du diagnostic différentiel, alors que l'étudiant procédait à des observations médicales sous le contrôle du professeur dans les départements de médecine, de chirurgie, d'obstétrique-gynécologie, de psychiatrie et de pédiatrie durant six mois et dans un département de son choix durant les trois mois suivants. Y sont alors étudiées et observées les maladies liées aux différents systèmes abordés durant la phase précédente.

Contrairement au pré-externat, l'externat, qui s'étend de juillet à juin, ne comprend aucune leçon théorique et est exclusivement consacré aux exercices cliniques pratiques (2160 heures). L'externe fait alors un stage dans les cinq grandes disciplines cliniques: chirurgie, médecine, obstétrique-gynécologie, pédiatrie et psychiatrie. Les séances d'enseignement clinique au cours desquelles l'accent est mis sur le diagnostic, le pronostic et le traitement devaient en principe permettre à l'étudiant d'accomplir lui-même de tels actes médicaux. Ce stage accorde plus d'autonomie à l'étudiant, alors que celui-ci est intégré à l'équipe hospitalière et se voit confier la responsabilité de l'observation médicale des dossiers. L'étudiant participe de plus aux activités de la clinique externe et effectue des stages de garde. Pour la durée de son stage, l'externe recevait une allocation de 2400 $ provenant du ministère de la Santé.

Jusqu'en 1973-1974, la phase de transition qui permettait aux étudiants inscrits sous l'ancien régime de terminer leurs études se déroulera parallèlement au nouveau programme mis en vigueur à partir de la session 1970-1971. La première cohorte du nouveau programme sera diplômée en 1974-1975, année où celui-ci devient le seul en vigueur pour l'obtention du diplôme de médecine. Ce programme, élaboré en grande partie durant les années 1968 et 1969, et dont la forme se comparait avantageusement aux grandes orientations didactiques américaines, avait le mérite de fournir à l'élève un apprentissage équilibré des matières médicales fondamentales à partir d'un dosage de l'enseignement théorique et pratique, de même qu'il permettait d'initier plus précocement l'étudiant aux sciences cliniques. De plus, un meilleur équilibre avait été recherché dans la distribution de l'enseignement théorique et pratique, équilibre que la faculté, nous l'avons vu, n'avait jamais vraiment réussi à assurer précédemment. Enfin, s'ajoutait comme objectif pédagogique «l'acquisition d'attitudes et d'habitudes de pensée et de travail qui accompagneront l'étudiant durant toute la durée de sa carrière médicale[20]», et ce grâce à une juste dose d'encadrement et d'autonomie. Les organismes américains d'agrément avaient certainement joué un rôle important dans l'orientation didactique prise par l'enseignement clinique. Cette structure d'enseignement répondait grosso modo à ce qui prévalait dans la plupart des grandes facultés médicales d'Amérique.

Certaines phases du nouveau programme nécessitaient quelques ajustements, soit en raison de problèmes de fonctionnement interne, soit parce que certains objectifs étaient devenus désuets. Par exemple, l'introduction d'une expérience clinique dès les premières années d'études (phase II) requérait plus de locaux, de matériel de laboratoire et de professeurs au sein des hôpitaux affiliés. Il fallait en conséquence améliorer la coordination du programme clinique et multiplier les relations entre la faculté et les hôpitaux. Quant au programme de cinq ans, il avait été mis en place principalement en raison des préjugés de plusieurs membres de la faculté qui craignaient que les jeunes étudiants diplômés des cégeps[21], considérés comme moins bien préparés que leurs prédécesseurs, n'aient ni la maturité ni les connaissances nécessaires pour entreprendre, dès leur entrée à la faculté, des études médicales normales. C'est pourquoi le programme de la phase I avait été en grande partie élaboré selon le principe d'une année de propédeutique. Or les craintes des autorités quant aux connaissances des cégépiens ne se sont jamais vérifiées et l'on se rendit bientôt compte qu'ils formaient un groupe d'élèves fort disciplinés possédant les bases scientifiques nécessaires aux études médicales. Aussi décida-t-on, cinq ans après l'entrée en vigueur de ce nouveau programme, de considérer désormais la phase I comme une phase régulière des études médicales et de modifier en conséquence les matières enseignées. Au programme de l'année scolaire 1974-1975, le cours de médecine préventive est amputé de 15 heures au profit du nouveau cours de méthodologie statistique et épidémiologique, résultant de la fusion des cours de statistiques et d'épidémiologie, qui est augmenté de 45 heures de travaux pratiques. Le cours d'anatomie macroscopique est amputé de 120 heures et celui de biologie cellulaire de 20 heures au profit de l'ajout de 49 heures consacrées à l'introduction à l'hématologie et de 60 heures d'initiation au système de santé québécois[22].

De plus, une telle réorientation exigeait un consensus de la part de tous les membres de la faculté qui devaient coordonner leurs efforts afin de tenir compte des nouvelles méthodes et techniques d'enseignement. Or il semble que l'organisation structurelle de l'enseignement au programme de médecine ne répondait guère à une telle concertation, si l'on en croit les évaluateurs du comité d'agrément de l'AMA, de l'AMC et de l'AAMC qui la jugeaient assez sévèrement:

> *The ills of the programme are not in any way the result of the poor quality or lack of enthusiasm of the teaching staff and students, The resources are there and of very high quality. Both groups and the Dean are well aware of these weaknesses and efforts are being made to correct them. These efforts are somewhat less productive than expected because a lack of an appropriate and structural organization fot the undergraduate teaching functions of the School. The team thinks that it is a major problem and that it should be solved as soon as possible*[23].

De fait, si la structure administrative du programme possédait la qualité d'être relativement démocratique en associant plusieurs membres de chaque département concerné, elle s'avérait pourtant assez lourde et relativement fermée. Chaque phase du programme était gérée par un coordonnateur, un comité de la phase concernée et des «comités pour chacun des cours prodigués dans chacune des phases». Ainsi la phase I était administrée par un comité composé du coordonnateur, du professeur responsable de l'organisation de chaque cours et de deux représentants étudiants, ainsi que par des comités composés du titulaire, d'un secrétaire, de quelques professeurs et de deux étudiants. Les comités de chacune des phases évaluaient le programme, suggéraient des modifications et étudiaient les remarques et critiques formulées par les étudiants et les professeurs. S'il y avait parfois des contacts entre les responsables de chaque phase — par exemple, les coordonnateurs des phases I et III étaient invités aux assemblées du comité de la phase II —, ils étaient, semble-t-il, fort ténus et n'assuraient guère une concertation étroite entre les parties. C'est du moins ce que laissent entendre les autorités concernées lors d'une auto-évaluation du programme, qui soulignaient que les communications et la coordination entre les administrateurs des différentes sections du programme pouvaient être largement améliorées[24]. Elles relevaient par ailleurs que le transfert des responsabilités des départements vers les comités des cours «*is not always easily accepted*[25]». Si ces problèmes de coordination affectaient l'ensemble des activités didactiques, ils étaient particulièrement évidents dans le cas des activités cliniques liées aux stages de préexternat et d'externat. Le coordonnateur de la phase III soulignait, en 1974, «*the poor articulation between Phase II and Phase III*[26]».

## De l'autocritique des dirigeants à l'autonomie des étudiants

La création d'un comité «supradépartemental» du programme et l'ouverture d'un poste de vice-doyen des études de médecine, proposées par les évaluateurs du comité d'agrément[27], constituaient des solutions administratives intéressantes qui furent bientôt adoptées par les autorités de la faculté. Dès 1977, un comité du programme médical est mis sur pied. Situé au sommet de la pyramide d'organisation de l'enseignement, il chapeautait les comités de coordination des trois phases du programme de médecine. Le comité était composé du doyen P. Bois, du vice-doyen G. Lamarche, des professeurs P. Biron, J.-E. Desmarchais, J. Lescop et J. Letendre ainsi que des étudiants et étudiantes M. Fleurant, M. Lamoureux et M. Breton. Ce nouveau comité «permanent du Conseil de la Faculté de médecine» se voyait confier un large et ambitieux mandat: concevoir et harmoniser les changements au programme, en établir les objectifs et les procédures d'évaluation, définir les règlements pédagogiques[28], promouvoir le développement de méthodes pédagogiques nouvelles et finalement transformer le programme médical en une «entité dynamique, toujours adaptée aux exigences de la société, aux objectifs de la faculté, aux besoins des étudiants et aux progrès de la médecine[29]». Les âmes dirigeantes de ce comité seront certainement dans les années qui suivent le docteur G. Lamarche, nouveau vice-doyen de la faculté attaché aux études de médecine, le doyen P. Bois ainsi que le docteur J. E. Desmarchais. Au début des années 1980, le doyen pouvait de plus compter, outre ses quatre adjoints, sur cinq vice-doyens qui assumaient chacun une responsabilité délimitée: Lamirande (recherche médicale et études supérieures), P.-P. Julien (internat et résidence), G. Lamarche (études médicales), J. Leduc (gestion) et G. Vaillancourt (éducation médicale continue). En plus des tâches de structuration et de coordination de l'enseignement, le comité du programme de médecine organisera de nombreuses séances de travail pédagogique auprès des corps enseignant et étudiant. Fait significatif qui illustre l'homogénéité grandissante des intervenants en matière d'enseignement médical, la plupart des recommandations du comité d'agrément seront mises en œuvre avec célérité.

Alors que depuis les années 1920, la faculté s'efforçait avec plus ou moins de bonheur de répondre aux critiques et aux suggestions de l'AMA et, plus tard, du LCME — se trouvant en quelque sorte inféodée à ces organismes —, voilà que ce sont ses propres membres qui, par l'intermédiaire de comités internes d'évaluation, indiqueront les principales lacunes de la faculté et traceront les voies vers les solutions de rechange. En 1977, plus du tiers des professeurs de la faculté participaient activement à l'élaboration et à l'évaluation des programmes d'études. L'année suivante, le doyen P. Bois en souligne à nouveau l'importance:

> Le temps est sans doute venu d'évaluer nos activités sous divers aspects et l'on peut dire que que le thème principal des préoccupations de la Faculté dans l'avenir immédiat en est un d'évaluation. Ce thème s'applique aussi bien aux programmes des études qu'aux étudiants qui y sont inscrits, aux ressources que les centres hospitaliers mettent à la disposition de l'Université qu'aux besoins de la communauté. Il est en effet essentiel et urgent de connaître ce qui doit être amélioré et comment, et ce qui doit faire l'objet d'un choix et pourquoi[30].

L'autocritique des responsables de la faculté devint telle que, lors du rapport d'agrément de 1980, les membres du comité se contentent dans une large mesure de citer intégralement les rapports d'auto-évaluation de la faculté et se bornent à proposer les solutions déjà avancées par la faculté. Le climat d'ensemble s'était largement modifié au profit d'une stratégie critique qui alliait à la fois une philosophie d'éducation médicale relativement libérale et un pragmatisme de plus en plus efficace. Cette modification fondamentale a sensiblement marqué les conditions d'adaptation de la faculté face aux défis constants engendrés par l'évolution des structures et des savoirs médicaux. La faculté de médecine possédait désormais les ressources humaines et financières et l'attitude critique nécessaires pour délimiter les problèmes et mettre en pratique de façon constante et récurrente les solutions adéquates.

En 1976, l'Opération sciences de la santé (OSS), qui avait étudié pendant trois ans les problèmes liés à la formation médicale en territoire québécois, déposait un rapport plutôt sévère[31]. Les auteurs adressaient deux reproches principaux aux facultés de médecine: elles négligeaient, en raison de l'énorme quantité d'informations à transmettre, les activités de formation intellectuelle et de réflexion et définissaient fort mal les objectifs de formation des programmes adoptés[32]. Le docteur G. Saucier, président de l'OSS, déclarait que «le premier cycle en médecine n'est pas mauvais, mais pas excellent non plus». Les autorités de la FMUM étaient les premières à reconnaître de telles lacunes. Les modifications apportées au nouveau programme durant la décennie 1970 avaient sensiblement amélioré l'enseignement de la médecine. Mais il demeurait encore imparfait tant dans son application qu'au chapitre de son orientation. En prévision de la prochaine visite d'agrément du LCME, les autorités de la faculté de médecine décident, le 9 mars 1979, de procéder à une évaluation «de ses réalisations, de ses déficiences et de ses perspectives d'avenir[33]». Lors d'une réunion tenue le 12 avril 1979, on décide de mettre sur pied un comité de travail intensif regroupant des représentants de toutes les constituantes de la faculté et les hôpitaux affiliés.

Ce comité, dirigé par le docteur Lamarche, avait pour mission de repérer les principales lacunes du programme d'études médicales et de proposer les correctifs nécessaires. Étaient recensés les problèmes liés au contenu des cours, aux méthodes d'enseignement et, plus généralement, aux méthodes de coordination et d'organisation du programme.

L'enseignement de certaines matières présentes dans les phases I et II — physiologie normale, pathophysiologie, diagnostic médical — était considéré comme déficient, alors que les cours de biologie moléculaire et cellulaire semblaient manquer de pertinence. De plus, le programme avait été établi selon une structure relativement rigide qui laissait peu de place aux cours optionnels. Sur le plan didactique, l'on s'accordait à souligner l'importance trop grande accordée aux notes de cours et aux examens, ce qui avait pour effet d'inhiber le processus d'auto-apprentissage et d'auto-évaluation des étudiants. D'autres problèmes restaient à corriger: certains cours n'avaient toujours que peu de liens entre eux; l'absence d'objectifs spécifiques et généraux pour chacun des cours rendait les contenus aléatoires et peu conformes à la philosophie du nouveau programme; les contacts avec les patients ne se faisaient qu'à une phase avancée du programme[34]. De même, durant la phase III, l'on se plaignait que les étudiants recevaient trop de cours formels durant leur stage *rotatoire* à l'hôpital. En l'absence de responsabilités accrues, l'apprentissage pratique des étudiants auprès des patients restait inefficace[35]. Certes, il fallait agir avec prudence afin d'assurer le bien-être des patients, mais sur le plan méthodologique, l'on reconnaissait que l'enseignement pratiqué à l'hôpital, malgré les progrès accomplis, n'encourageait pas encore adéquatement «l'intégration des connaissances avec l'acquisition des habiletés[36]».

Les membres du comité du programme de médecine décidèrent de définir certains principes pédagogiques devant orienter les principales modifications à apporter au programme. Ainsi, il leur paraissait essentiel que le programme soit conçu de façon à favoriser, chez l'étudiant, l'acquisition progressive de certaines habitudes d'auto-éducation et d'auto-évaluation, de même que devait naître chez lui l'habitude de consulter la littérature médicale. Certaines positions de principe élaborées par le comité s'inspiraient directement des recommandations du comité d'agrément de 1975: «L'auto-enseignement doit être encouragé. L'évaluation des étudiants doit avoir accompli une fonction didactique en l'orientant vers la solution de problèmes et l'auto-évaluation[37].»

Une telle coïncidence des objectifs s'explique en partie par le fait que l'un des anciens membres du comité d'agrément qui avait fait cette recommandation, le docteur Lamarche, avait été engagé par la faculté le 1er mai 1976 comme vice-doyen associé responsable du programme médecine sous l'autorité de J. Mathieu, vice-doyen des études[38]. On comprend que les réformes entreprises aient suivi d'aussi près les recommandations du comité d'agrément. Chaque élément du programme devait par ailleurs être défini précisément à partir d'une identification des objectifs poursuivis. Une meilleure utilisation des ressources cliniques était aussi largement souhaitée. Enfin, le comité reconnaissait que dorénavant les problèmes créés par les nombreuses transformations du programme devaient être évalués avant que celui-ci soit modifié. Poursuivant deux objectifs fondamentaux, le nouveau programme appuyé sur ces principes pédagogiques visait à créer *«a polyvalent physician capable of pursuing a post-M.D. program of studies in one of the many medical disciplines. At the end of the M.D. program, the graduate should be able to prevent and/or resolve current problems presented by the patient while taking into consideration the patient's familial and social environment[39].»*

Il s'agissait là d'une formule de compromis qui favorisait à la fois la formation des omnipraticiens et le développement des études supérieures et de la recherche: «Le défi le plus difficile à relever est encore celui d'intégrer plus adéquatement l'enseignement de la médecine comme science à celui de la médecine comme service à la communauté[40]», mentionnait le doyen P. Bois. Les recommandations du comité du programme allaient donc dans le sens de cet ambitieux objectif. Il fallait favoriser l'intégration des sciences cliniques aux aspects fondamentaux de la médecine de même qu'aux techniques d'investigation les plus récentes et, en conséquence, établir une interaction soutenue entre ces deux secteurs séparés géographiquement.

L'une des principales recommandations du comité — inspirée encore une fois du rapport d'agrément de 1975 préconisant un «contact étudiant-patient plus précoce[41]» — prévoyait la mise sur pied d'une période d'immersion en milieu clinique de six à huit semaines séparée en deux stages à la fin de la première année d'étude. Une expérience faite à l'été 1978 par le groupe de pédagogie médicale, jugée fructueuse, permit aux six étudiants sélectionnés de partager la vie professionnelle des omnipraticiens en cabinet privé, à l'hôpital, en garde d'urgence et en clinique externe et «de se familiariser avec les techniques d'investigation et avec la salle d'opération[42]». Aux yeux des autorités, une telle pratique comblait «cette déficience majeure d'un contact clinique beaucoup trop tardif dans le programme actuel[43]». L'année suivante, une seconde expérience positive permit l'insertion d'un tel stage d'immersion au programme. Mais comme la durée des études médicales, toujours fixée à cinq ans, singularisait la faculté de médecine par rapport à la plupart des facultés nord-américaines, il était impossible de la prolonger de six semaines. Cette période fut plutôt insérée à l'intérieur des heures prévues pour les études de première et deuxième année[44]. Faute de places disponibles pour les stages, il fallut attendre l'année scolaire 1981-1982 avant que l'immersion clinique ne soit accessible aux 189 étudiants de première année[45].

Le département de psychiatrie offrait aussi une série de cours en sciences du comportement. Deux cours obligatoires avaient été ajoutés dans le bloc de première année du programme de médecine. Ces cours visaient principalement à développer chez l'étudiant «la capacité de communiquer avec le patient et son entourage» et à faciliter «l'interaction du médecin avec tous les genres de malades souffrant de tous les types de maladies[46]». Cet apprentissage impliquait donc l'acquisition de connaissances psychosociales, et d'une «*mentalité* où le processus de communication devient central plutôt que périphérique à l'exercice de la médecine», et enfin «le développement d'un ensemble d'*habiletés*, telles que l'habitude de l'écoute, l'habitude de l'empathie, l'habitude d'obtenir du patient les informations psychosociales clés qui contribueront à établir chez le médecin une bonne *capacité relationnelle*[47]». Les étudiants devaient effectuer, durant la période estivale, des stages supervisés par des thérapeutes auprès d'une famille, et auprès «d'une personne en état de besoin d'aide[48]». On voulait ainsi mettre l'étudiant en contact précoce et direct avec le malade et lui faire expérimenter l'auto-enseignement et l'auto-évaluation[49]. Les autorités de la faculté tenaient de plus en plus compte des aspects socio-psychologiques et relationnels — expérience d'intégration à une équipe, apprentissage contrôlé du contact avec le patient, augmentation de la confiance en soi, importance de la dimension humaine de la médecine, etc. — jugés désormais nécessaires à la pratique de la médecine générale.

Les professeurs pouvaient par ailleurs compter sur l'Unité de recherche et de développement en éducation médicale (URDEM) qui avait été mise sur pied en janvier 1982 par le conseil de la faculté[50]. Désireux d'améliorer la qualité de l'enseignement dispensé à la faculté, les membres du conseil avaient alors confié à cet organisme le mandat, toujours actuel, «d'introduire les notions de pédagogie médicale dans l'élaboration des programmes et dans l'intervention des professeurs auprès des étudiants[51]». Cette unité de recherche s'inspirait de structures similaires existant dans les facultés de médecine américaines[52]. Elle consacrait le tiers de ses activités aux techniques d'enseignement et le reste aux processus d'apprentissage. Le professeur était censé «apprendre les bases scientifiques de la pédagogie médicale, utiliser ces connaissances dans ses tâches quotidiennes d'enseignant et adopter des attitudes qui placent l'étudiant au premier plan dans le processus d'apprentissage[53]». L'URDEM assurait aussi les ressources bibliographiques en pédagogie médicale, facilitait la participation à des congrès et dirigeait quelques projets de recherche en ce domaine. On le constate, la faculté entendait ne négliger aucune avenue susceptible d'accroître l'efficacité de son enseignement. Mais si les fins poursuivies par la faculté en matière de formation et d'apprentissage sont nobles et fort pertinentes, on peut néanmoins s'interroger sur le bien-fondé de certaines orientations psycho-pédagogiques qui nous semblent répondre aux pressions des spécialistes en science de l'éducation et en technique de communication ou de croissance personnelle.

D'autres mesures touchant les stages d'externat — fusion des stages de préexternat et d'externat[54] par la mise en place d'un stage rotatoire de dix semaines dans chacune des cinq disciplines cliniques de base (chirurgie, médecine, obstétrique-gynécologie, pédiatrie, psychiatrie) en quatrième année; stage rotatoire obligatoire de quatre semaines en radiologie, pathologie, anesthésie-réanimation, médecine familiale et santé communautaire); stage rotatoire optionnel de seize semaines; etc.

— contribuèrent, d'une part, à développer chez l'étudiant diverses habiletés cliniques et, d'autre part, à lui permettre d'acquérir une expérience susceptible de l'orienter ultérieurement vers un domaine lié à ses goûts et à ses aptitudes. Les deux objectifs fondamentaux de la faculté étaient ainsi respectés: former des médecins polyvalents capables de répondre adéquatement aux demandes variées de soins en pratique privée et recruter de meilleurs candidats aux études de deuxième et troisième cycle.

Au début des années 1980, les choix de carrière des diplômés en médecine se partageaient à peu près également entre les généralistes et les spécialistes. Pourtant, le contexte sociomédical du Québec se caractérise par un manque plus grand de spécialistes et de chercheurs que d'omnipraticiens. Le Québec comptait alors proportionnellement plus d'étudiants en médecine au prorata de la population (40/100 000) que l'Ontario (30/100 000). Il existait en territoire québécois trois autres universités qui offraient une formation médicale: McGill, Laval et Sherbrooke. Pour la seule année 1982-1983, les quatre facultés de médecine du Québec décernèrent 594 diplômes de médecine. Sur l'ensemble du territoire canadien, entre 1973 et 1983, la province de Québec avait octroyé le tiers des diplômes de médecine.

## Vers un centre d'excellence en sciences de la santé

En 1975, l'Université de Montréal avait décidé que les sciences de la santé constitueraient l'un de ses cinq axes prioritaires de développement. Une commission universitaire des sciences de la santé avait alors été mise sur pied pour coordonner leurs activités. Or cette commission mit un certain temps à entrer en fonction en raison de la difficulté qu'elle éprouvait à définir son véritable rôle et à préciser ses futures orientations. Tout au long de la décennie 1980 seront discutées différentes options à privilégier: développement de la médecine familiale, accroissement des activités de recherche, formation accrue de spécialistes, coordination des secteurs connexes, etc. Les objectifs prioritaires de la faculté restaient toutefois difficiles à établir.

L'étendue des services offerts par la FMUM était devenue telle qu'il était difficile de prendre une position nette en faveur de certaines options fondamentales. Au début des années 1980, la faculté constituait un corps d'enseignement quasi unique en son genre, doté d'une structure complexe composée de nombreux partenaires et répondant à des objectifs généraux qui dépassaient largement la simple coordination du programme de médecine. Constituée de 19 départements — administration de la santé, anatomie, anesthésie-réanimation, biochimie, chirurgie, épidémiologie, médecine, médecine du travail et d'hygiène du milieu, médecine sociale et préventive, microbiologie-immunologie, nutrition, obstétrique-gynécologie, opthalmologie, pathologie, pédiatrie, pharmacologie, physiologie, psychiatrie, radiologie — d'un Institut de génie biomédical, de deux écoles — École d'orthophonie et d'audiologie, École de réadaptation —, la faculté assumait et assume toujours la responsabilité de nombreux cours de service offerts en arts et sciences (30 cours), en médecine dentaire (11), en optométrie (6), en pharmacie (11) et en sciences infirmières. Elle offrait, outre le doctorat en médecine, des baccalauréats ès sciences en nutrition, en alimentation, en ergothérapie, en orthophonie-audiologie, en physiothérapie et un certificat en gestion d'hôpital. Quelques-uns de ses départements élargissaient leur fonction d'enseignement, tel le département de microbiologie-immunologie qui, sous la direction du docteur S. Sonea et de ses collaborateurs, créa en 1968 une orientation en microbiologie-immunologie pour les étudiants en sciences biologiques[55]. La faculté administrait par ailleurs, sous l'autorité de la faculté des études supérieures, des programmes de maîtrise ès sciences, de Ph.D., de maîtrise en orthophonie-audiologie, des programmes d'enseignement médical continu destiné aux médecins généralistes et aux spécialistes, ainsi que des diplômes d'études spécialisées (DES)[56].

Durant la décennie 1970, le processus de disciplinarisation modifia certains secteurs d'enseignement. L'anesthésie, discipline jusqu'alors intégrée au département de chirurgie, devint un département autonome en 1972. Trois ans plus tard, l'ophtalmologie devint elle aussi une spécialité autonome. Le nouveau département de nutrition, deuxième au Canada après celui de l'Université de Toronto, créé la même année, remplaçait l'Institut de diététique et de nutrition. Toujours en 1975, année féconde en transformations de toutes sortes, s'ajoutent les départements d'administration de la santé et d'épidémiologie à la suite de la dissolution de l'École de santé publique liée à l'université depuis 1945. Trois ans plus tard, la section d'orthophonie est détachée de l'École de réadaptation et se voit conférer le statut de département. Toujours en 1978, l'Institut de génie biomédical, soutenu conjointement par l'École polytechnique et la faculté de médecine, se consacre à l'enseignement supérieur et à la recherche dans des domaines interdisciplinaires liant les sciences de la santé et les sciences de l'ingénierie[57]. Cet institut consolidait le programme de génie biomédical conjoint de l'École polytechnique et de la FMUM qui avait été créé en 1970[58].

Mais encore, la faculté acceptera de participer activement à certains projets de développement international parrainé par l'ACDI. En 1976-1977, elle s'engageait dans un projet de coopération subventionné conjointement par le gouvernement tunisien et l'ACDI «afin de prêter son concours à l'organisation et à l'orientation de la Faculté de médecine de Sousse[59]». La FMUM acceptait de fournir les services professionnels et techniques nécessaires à l'épanouissement de cette nouvelle faculté maghrébine. Plusieurs professeurs de la faculté y donnèrent de nombreux cours, y créèrent de nouveaux départements et participèrent au développement de l'enseignement clinique. Autre volet de la coopération canadienne à Sousse, la FMUM s'engageait à offrir un service d'accueil, de formation et de perfectionnement de stagiaires tunisiens. Durant les années 1980, la faculté orientera son action vers le développement du département de médecine communautaire de la faculté de médecine de Sousse et la formation de chercheurs tunisiens au niveau du troisième cycle en santé communautaire. La FMUM avait alors concrétisé un projet cher à l'ancien doyen Bois qui désirait «faire de la Faculté de médecine un centre international de formation pour la francophonie[60]».

Depuis lors, la FMUM est unie par des liens semblables avec plusieurs établissements d'enseignement supérieur de recherche, notamment au Bénin, au Sénégal, au Tchad, en Chine, en Haïti[61] et au Nicaragua, le tout étant supervisé depuis mars 1989 par l'Unité de santé internationale. Ainsi, la FMUM a été jumelée au Norman Bethune International Peace Hospital de Shijiazhuang situé dans la province de Jilin au nord-est de la Chine, afin de favoriser les échanges entre les chercheurs et y implanter une unité de recherche clinique. Par ailleurs, le Centro de Investigaciones y de Estudios de Salud (CIES) de Managua recevra l'appui de la FMUM en ce qui regarde les programmes de maîtrise en épidémiologie et en administration de la santé, qui seront révisés en collaboration avec les professeurs de la faculté de médecine. Son appui au développement des politiques de santé publique internationale se traduit aussi par une participation à la mise en œuvre, en collaboration avec d'autres départements de la famille des arts et sciences, d'un programme de santé familiale. Ce programme pluridisciplinaire (démographie, communication, administration de la santé et santé communautaire) «vise à former des cadres des pays de la francophonie qui seront appelés à concevoir, implanter et évaluer des programmes de santé familiale dans leur pays[62]».

Une telle diversification des activités débordait largement les objectifs d'une simple faculté de médecine et répondait de plus en plus aux exigences d'un «centre d'excellence en sciences de la santé», comme l'indiquaient avec fierté les dirigeants de la faculté en 1980. Or le lecteur a pu le constater, un tel centre engendrait des besoins immenses en personnel, en locaux, en organisation et en coordination. À cet égard, la FMUM remplissait une mission plus étendue que les facultés de médecine de Laval et de Sherbrooke, et même que la plupart des facultés américaines: «Notre charge globale d'enseignement et de formation à tous les niveaux, par comparaison aux autres facultés de médecine canadiennes ou même nord-américaines, est l'une des plus lourdes qui existe actuellement[63]», notait le doyen en 1978. Pour coordonner ces nombreuses activités pédagogiques, la faculté disposait, au début de la décennie 1980, de 318 professeurs à temps plein, de 606 professeurs à temps partiel et de 195 assistants. Les départements des sciences fondamentales possédaient 96 professeurs à temps plein contre 222 pour les départements des sciences cliniques. Or, loin de constituer un corps professoral homogène, les professeurs de la faculté étaient affiliés à deux unités syndicales et avaient des conventions collectives différentes. Le Syndicat général des professeurs de l'Université de Montréal (SGPUM) regroupait les professeurs de la faculté, généralement associés aux départements des sciences fondamentales, alors que l'Association des médecins cliniciens enseignants du Québec (AMCEQ) représentait les professeurs temps plein géographique (PTG) associés aux départements cliniques. Mais encore, ces deux unions ne regroupaient que le tiers des professeurs de la faculté puisque les professeurs à temps partiel n'étaient pas syndiqués. Il y avait donc trois catégories de professeurs soumis à des conventions de travail différentes[64].

Les principaux problèmes de la faculté en cette décennie 1980 étaient surtout liés à la structuration et à la coordination de ses innombrables activités internes. Celles-ci devaient, dans la mesure du possible s'harmoniser avec les grands objectifs généraux dictés le plus souvent par des impératifs externes — structure québécoise des soins de santé, besoins de la population, diktat des autorités politiques, règlement de la Corporation professionnelle des médecins, développement du savoir médical selon un système trop souvent axé sur la compétition et les profits à court terme, etc. — tout en respectant les objectifs particuliers des départements, écoles ou instituts de la faculté. De là, les rôles essentiels de médiation et de conciliation que jouaient le doyen et les vice-doyens. Heureusement, le bureau du doyen disposait depuis peu d'une imposante équipe de 45 hommes et femmes qui y travaillaient à temps plein ou à temps partiel. On y retrouvait aussi 5 secrétaires de direction, 21 secrétaires, une archiviste, un administrateur, etc. Sous la direction du doyen P. Bois et des vice-doyens Lamirande, Julien, Lamarche, Leduc et Vaillancourt, la faculté sera à cet égard assez bien pourvue. De plus, les membres des nombreux comités seront chargés d'indiquer les principaux problèmes et de proposer au conseil ou au doyen les solutions appropriées. Quatorze comités siégaient en permanence: comité d'admission; comité de promotion; comité du programme; comité des programmes d'internat-résidence; comité d'admission facultaire pour l'internat-résidence; comité de promotion pour l'internat-résidence; comité des coordinateurs de l'enseignement; comité de l'éducation médicale continue; comité de la bibliothèque; comités paritaires pour le programme de médecine, pour les études supérieures et pour l'internat-résidence; comité central de la recherche médicale et des études supérieures; comité responsable du programme d'initiation aux études supérieures; comité responsable du programme des stagiaires d'été; comité d'application des normes médicales pour l'expérimentation chez l'humain[65].

Pourtant, malgré la présence de ces comités chargés d'assurer une consultation adéquate entre l'ensemble des membres de la faculté, la structure décisionnelle de cette dernière était assez réduite. La faculté ne détenait pas la marge d'autonomie légale nécessaire à une représentation adéquate de ses membres. Encore en 1980, alors que tous les chefs de département étaient membres d'office du conseil de la faculté, seulement six d'entre eux détenaient un droit de vote. Certains départements n'avaient jamais été représentés par un membre votant. La FMUM ne possédait pas, comme l'École polytechnique et l'École des hautes études commerciales, de statut distinct. Elle était tenue de se soumettre aux règlements définis pour toutes les facultés de l'université. Si une telle structure administrative, étroitement encadrée par la charte de l'université, répondait assez efficacement aux besoins des autres facultés, elle était jugée plutôt mal adaptée aux besoins d'une grande faculté en expansion. Les membres du conseil soulignaient aussi que cette charte entraînait une sous-représentation de la faculté au sein de l'administration centrale de l'université:

> *The faculty does not have by-laws which are specific to itself but must follow the University Statutes; these statutes, unfortunately, are more applicable to the smaller faculties or to autonomous departments than they are to the faculty of Medicine. The representation of the members of the faculty on the larger university bodies is insufficient as established in the University Statutes. The composition of the Faculty Council, as established by the Statutes, is also inappropriate for the faculty of medicine. The faculty has had some difficulties in convincing the other University bodies that its representation is inadequate[66]...*

Les membres du conseil firent pression en vue d'obtenir une plus grande autonomie. Il ne s'agissait pourtant pas d'une guerre ouverte. Les relations entre l'administration générale de l'université et les autorités de la faculté de médecine étaient généralement bonnes si ce n'est quelques points de discorde concernant le budget et le programme d'enseignement de la faculté[67].

Le 19 octobre 1987, ayant obtenu certaines modifications aux statuts de l'université, la faculté de médecine se verra reconnaître un caractère distinct. Désormais, le conseil de la faculté sera composé de 52 membres votants dont les membres d'office (doyen, vice-doyens, secrétaire, directeurs de département), des membres élus et quatre étudiants. De plus, le conseil sera assisté par un comité exécutif de quatorze membres, un comité de direction, un comité de nomination et un comité de promotion, composés respectivement de sept membres[68].

# La formation postdoctorale et les hôpitaux affiliés: une phase de consolidation

Alors qu'auparavant les études prédoctorales accordaient la prépondérance aux cours théoriques et n'offraient que relativement peu d'expérience clinique, le Collège des médecins et chirurgiens de la province de Québec (CMCPQ) pouvait légitimement exiger une année d'internat axé sur les principales disciplines cliniques. Mais, avec l'instauration de programmes d'études orientés vers une formation clinique plus précoce — les élèves passant la presque totalité de leurs deux dernières années d'études dans les hôpitaux d'enseignement —, l'année d'internat de rotation n'était plus essentielle. En 1970, le stage d'internat devint facultatif et les détenteurs d'un doctorat en médecine avaient désormais la possibilité de s'inscrire directement au programme de résidence en médecine familiale ou en médecine spécialisée. L'année d'internat multidisciplinaire demeurait cependant en vigueur et constituait une charnière entre l'enseignement prédoctoral et l'enseignement de spécialisation. Les étudiants qui ne désiraient pas s'astreindre au programme de médecine familiale de deux ans pouvaient toujours obtenir le droit d'exercer la médecine après un an d'internat[69].

Le CMCPQ avait par ailleurs décidé de confier aux facultés de médecine, toujours à partir de juillet 1970, les programmes de formation postdoctorale — internat, résidence — dans les hôpitaux d'enseignement agréés. Dans le cas des résidences, il s'agissait d'une première en Amérique du Nord. Le Collège souhaitait que le candidat «puisse acquérir une plus grande expérience en médecine de famille ou en spécialités sous le contrôle de cliniciens responsables». Jusque-là, le candidat à l'internat ou aux spécialités devait s'inscrire directement à l'hôpital agréé de son choix qui veillait à l'organisation de l'enseignement sous l'autorité du Collège[70]. Même si la participation des professeurs de la faculté était largement mise à contribution, les décisions concernant l'organisation du programme de formation des internes et des résidents relevaient du centre hospitalier. L'établissement des règlements pédagogiques, des règles d'admission, d'inscription et d'évaluation des internes et des résidents était désormais transféré du Collège vers l'université. Les facultés de médecine obtenaient certes un élargissement souhaité de leur champ de compétence, mais elles se retrouvaient avec une structure de formation postdoctorale qui nécessitait de sérieux remaniements.

Les facultés de médecine s'efforceront d'améliorer graduellement la qualité de la formation postdoctorale, mais les progrès seront lents. Encore en 1975, l'OSS qualifiait cette structure de «fouillis» et soulignait que «l'espoir de voir des candidats compléter leur formation par une pratique à peine supervisée et affublée du nom d'internat est un mirage dangereux [...] les stages cliniques forment une image kaléidoscopique très hétérogène: la grande majorité se situe à l'hôpital, les périodes de stage sont variables, le monitorat peut être omniprésent ou nul, les objectifs sont rarement précisés, le statut des stagiaires est souvent nébuleux...» Bref, concluaient les membres de l'OSS, «[nous sommes devant] un cafouillis inextricable, une complexité désarmante, une désorganisation exemplaire[71]». Le jugement était sévère. Il n'était guère plus élogieux en ce qui regarde le programme de résidence: «En général, les programmes universitaires de résidence ressemblent plus à des descriptions de stages qu'à une définition claire d'un programme avec des objectifs opérationnels. La formation scientifique et les cours formels sont peu abondants ou non indiqués et les ressources professorales sont diffuses et confondues aux ressources hospitalières[72].» Une partie de ces critiques acerbes s'adressait alors certainement à la FMUM. Celle-ci mettra en œuvre une série de réformes qui modifieront la structure et la coordination des programmes d'études postdoctorales à la fin des années 1970. Du reste, le jugement des pairs à l'endroit de la FMUM, qui pourtant ne s'étaient jamais gênés pour adresser de sévères récriminations aux facultés négligentes, était nettement plus nuancé.

Le rapport de 1975 du comité d'agrément des programmes de résidence et d'internat de la CPMQ et du CRMCC à l'endroit de la FMUM mentionnait qu'une ambiguïté régnait quant aux responsabilités, qu'il y avait de façon générale un écart entre la formulation théorique des programmes et leur application quotidienne, que le système de rémunération des professeurs PTG était incohérent et que les programmes d'internat et de médecine familiale demeuraient négligés par les autorités universitaires et hospitalières. De plus, certaines lacunes — faible disponibilité de patients prévus à des fins didactiques à l'Hôpital Saint-

Luc, difficultés de régie interne à Notre-Dame, problèmes en ce qui a trait au développement des espaces de recherche — restaient à combler. Mais dans l'ensemble, les études postdoctorales de la faculté leur apparaissaient «en très bonne voie de progrès» et ils reconnaissaient qu'il y avait «de nettes et réelles améliorations sur la situation qui prévalait en 1969[73]».

Jusqu'au début des années 1980, d'importants correctifs apportés à la structure administrative et didactique de ces programmes — objectifs pédagogiques précis, ressources professorales accrues, développement et uniformisation des unités d'enseignement, utilisation d'une meilleure technique éducative, sophistication de l'évaluation, etc. — amélioreront sensiblement la qualité de la formation postdoctorale à la FMUM[74]. Cependant, de telles réformes ne pouvaient s'avérer efficaces que dans la mesure où l'on harmonisait les relations hospitalo-universitaires. Les nouvelles responsabilités de la faculté en matière d'internat et de résidence à partir de 1970[75] impliquaient la passation d'un contrat ferme entre les parties, contrat qui devait délimiter les droits, devoirs et fonctions de chacune des parties. Les accords antérieurs, vagues et peu contraignants quant aux responsabilités des hôpitaux dans l'enseignement clinique, n'étaient guère susceptibles de favoriser une étroite collaboration des parties dans le processus de coordination des programmes d'enseignement clinique.

La signature de nouveaux contrats d'affiliation en 1970, rendus caducs trois ans plus tard et renégociés en 1974, établissait des relations plus harmonieuses entre la faculté et ses hôpitaux affiliés. Mais ces ententes, jugées «trop vagues», laissèrent en suspens bien des points de discorde, notamment en ce qui regarde l'autorité universitaire en matière d'enseignement, autorité qui, jugeait-on du côté de la faculté, n'était pas «suffisamment affirmée et reconnue[76]». Certaines responsabilités spécifiques des deux parties devaient être plus précisément définies de façon à empêcher les tensions inutiles qui nuisaient à la fois au développement des hôpitaux concernés et à l'amélioration de l'enseignement clinique de la faculté. Encore en 1975, des négociations avaient cours entre les deux ministères concernés, la faculté et les hôpitaux affiliés dans le but d'élaborer un contrat type d'affiliation qui répondrait «parfaitement aux exigences et besoins de l'Université dans la rencontre de ses responsabilités d'enseignement[77]». Un tel contrat était souhaitable si l'on en juge par le rapport du comité d'agrément qui notait, après avoir visité treize hôpitaux affiliés à l'Université de Montréal, «qu'une lutte pour le partage de certains pouvoirs décisionnels entre l'Université et le centre hospitalier d'enseignement se jouait de façon très variable, timidement dans la majorité des cas, et avec une certaine agressivité dans un ou deux milieux hospitaliers[78]». Le personnel de direction des institutions hospitalières ne demandait pas mieux que de conclure une entente formelle où seraient définies les responsabilités de chacun.

Le ton utilisé par le comité d'agrément illustre en partie les problèmes de préséance et d'autorité qui entravaient les relations entre les parties:

> De toute urgence, des contrats d'affiliation doivent être négociés et signés par l'Université et ses hôpitaux. Ces contrats doivent répondre aux besoins de l'Université et de ses professeurs et étudiants[79].

Certes, il fallait répondre à ces besoins, mais qu'en était-il des besoins spécifiques des institutions hospitalières affiliées? Les objectifs poursuivis ne pouvaient être à sens unique. S'il était important d'assurer un bon enseignement et d'encourager l'essor des activités de recherche, il fallait aussi, du point de vue des autorités hospitalières, assurer les «meilleurs services possible à la population». Les autorités de la faculté ont toujours fait leur une telle exigence et n'ont jamais contesté le respect de cette obligation. Il n'empêche que le juste équilibre entre ces deux champs de priorité demeurait difficile à créer, ce qui entraînait certains problèmes de partage des responsabilités. Les autorités hospitalières feront part aux membres visiteurs du comité d'agrément en 1974 de leur enthousiasme face à l'enseignement dispensé en leur sein. Toutefois, note le comité, même si le problème n'est pas aussi aigu qu'il y a cinq ans, «*they still feel isolated from the University*[80]».

Le contrat type élaboré en 1974 et approuvé par le ministère des Affaires sociales et le ministère de l'Éducation accordait aux parties en présence une représentation équitable au sein de plusieurs comités paritaires: comité de l'enseignement, comité de la recherche, comité de coordination de l'enseignement, comité départemental de la faculté et comité de liaison. Le comité de l'enseignement, intégré au centre hospitalier, était composé du directeur général de l'hôpital, de deux personnes désignées par l'université, de trois personnes désignées par l'hôpital et de «toutes autres personnes désignées conjointement par l'université et le centre hospitalier[81]». Ce comité avait pour fonctions de coordonner l'enseignement de chaque discipline, d'assurer l'application des programmes d'enseignement et la bonne tenue des dossiers, et de maintenir un inventaire permanent du matériel didactique[82]. Afin d'établir une meilleure coordination de l'enseignement clinique, les deux parties s'engageraient «à se communiquer l'une à l'autre tout événement, renseignement ou projet susceptible d'affecter les conditions de l'enseignement et de la recherche dans le domaine des sciences de la santé [et] à planifier conjointement les conditions et modalités de l'enseignement[83]». Bien d'autres clauses du contrat assuraient une consultation réciproque susceptible de dénouer les tensions entre les deux institutions. En 1976, tous les hôpitaux affiliés à la faculté avaient paraphé une telle entente. Par ailleurs, la nomination de coordonnateurs[84] de l'enseignement universitaire dans les hôpitaux et instituts affiliés à l'Université de Montréal permettra d'améliorer sensiblement la planification de l'enseignement clinique. Situation avantageuse pour la faculté, ces coordonnateurs «[perceived] *their primary affiliation and loyalty as being with the university and saw their role in the hospital as that of ensuring the university's clinical education programs function effectively*[85]».

La faculté de médecine considérait que tout ce qui touchait à l'enseignement en milieu hospitalier devait relever davantage de son autorité que de celle des institutions concernées. Ainsi, les membres des bureaux de direction des centres hospitaliers affiliés se plaignaient que les engagements des professeurs à plein temps se faisaient trop souvent sans consultation. Mais malgré ces différends pouvant être résolus par les comités de liaison regroupant des représentants des deux parties, il y eut, à partir de la décennie 1970, une amélioration notable des relations entre la faculté et ses institutions affiliées. Il est par ailleurs certain que l'abandon du projet d'hôpital ou de centre médical universitaire a eu pour conséquence de libérer les énergies vers une utilisation maximale des ressources hospitalières existantes et vers la recherche de solutions de remplacement à long terme, susceptibles de favoriser le développement et la coordination de l'enseignement clinique. À cet égard, les facultés de médecine désiraient que les autorités gouvernementales reconnaissent aux hôpitaux d'enseignement un statut spécial qui leur aurait permis de délimiter la durée de séjour des patients, de choisir les types de patients, de procéder à l'aménagement des salles de cours, des bureaux pour les membres de la faculté et des laboratoires de recherche. Les autorités de la FMUM entendaient bien obtenir certains de ces avantages. Du reste, elles répondirent avec célérité aux pressions exercées par les organismes d'éducation médicale qui espéraient voir augmenter de façon importante le personnel enseignant en milieu clinique. Entre 1975 et 1977, vingt-trois nouveaux PTG furent embauchés par la faculté.

Au début des années 1980, la faculté exploitait les ressources de cinq hôpitaux généraux montréalais: Hôpital Notre-Dame, Hôpital du Sacré-Cœur, Hôpital Saint-Luc, Hôtel-Dieu de Montréal, Hôpital Maisonneuve-Rosemont. S'ajoutaient un hôpital pédiatrique (Hôpital Sainte-Justine), deux hôpitaux psychiatriques (L.-H.-Lafontaine et Rivière-des-Prairies) ainsi que cinq autres institutions aux vocations diverses: Institut de cardiologie de Montréal, institut Philippe-Pinel, Centre hospitalier de Verdun, Cité de la Santé de Laval et l'Institut de réadaptation de Montréal. L'Hôpital Notre-Dame et l'Hôtel-Dieu accueillaient à eux seuls plus de 50 % des étudiants en externat. Avec des taux d'occupation qui variaient généralement entre 80 et 90 %, ces hôpitaux offraient de larges possibilités d'enseignement clinique. Rappelons que depuis l'entrée en vigueur du régime universel d'assurance-maladie, tous les patients admis à l'hôpital étaient considérés comme des patients privés. Cependant, l'augmentation des malades chroniques hospitalisés dans ces hôpitaux et l'accroissement des admissions d'urgence consécutives à la croissance démographique dans la région de Montréal affecteront quelque peu la qualité du matériel clinique disponible. En revanche, certaines voies demeuraient à explorer du côté des patients externes, des CLSC et même des soins à domicile. Un comité de la faculté formé pour évaluer les disponibilités cliniques soulignait que l'enseignement clinique *«should be less and less centered on bed-side teaching in a hospital setting*[86]*»*. Le milieu hospitalier demeurera néanmoins le lieu privilégié de l'enseignement clinique.

Mais si les relations entre la faculté et les institutions hospitalières se sont améliorées, eu égard aux décennies précédentes, elles étaient encore loin d'être parfaitement harmonieuses. Comme le soulignait rétrospectivement le vice-doyen A. Proulx en 1989, il existait alors une «incompréhension mutuelle entre les milieux cliniques, où étudiants et résidents font leurs stages et le campus universitaire où ils passent la majeure partie de leurs trois premières années d'étude[87]». Cette situation potentiellement conflictuelle exigeait tôt ou tard une solution.

En 1977, un comité des hôpitaux affiliés à l'Université de Montréal s'organise et précède de peu la création de la Commission de la santé et des services sociaux de la région du Montréal métropolitain (CSSSRMM). Ce comité s'était fixé comme objectif de scruter les plans d'organisation et les projets de développement de tous les centres hospitaliers affiliés à une université. Cette étude permettra de constater que plusieurs centres hospitaliers soumettaient parfois des projets de développement analogues impliquant la mise sur pied de services ultraspécialisés dans le même domaine. Du reste, deux groupes se dégagea: les hôpitaux affiliés à l'Université de Montréal et ceux affiliés à l'Université McGill. Il fallait prévoir non seulement une harmonisation des perspectives de développement de ces deux groupes, mais aussi et surtout concilier les orientations des hôpitaux affiliés et de leur faculté de médecine. C'est dans cette perspective qu'au printemps 1980, le doyen P. Bois, de concert avec six directeurs généraux d'hôpitaux, décide de créer le Bureau de coordination des centres hospitaliers d'enseignement affiliés à l'Université de Montréal, dans le but «d'assurer la concertation des centres hospitaliers affiliés à l'Université de Montréal, entre eux et avec la Faculté de médecine, quant à l'utilisation optimale des ressources et à la poursuite des objectifs d'enseignement et de recherche, eu égard aux services à rendre à la population dans un contexte de rationalisation des ressources et en complémentarité avec le Conseil régional[88]».

Ce bureau de concertation réunissait des représentants de la faculté et les directeurs généraux des institutions affiliées. La coprésidence sera assumée par le doyen de la faculté et l'un des directeurs médicaux des institutions affiliées. Se joindront par la suite des représentants des facultés de pharmacie et des soins infirmiers. En 1982 est mis sur pied un vice-décanat chargé d'améliorer les communications entre la direction de la faculté et les quatorze centres hospitaliers affiliés. L'on décida de nommer un vice-doyen provenant du milieu clinique, afin de «mieux faire connaître à la direction de la faculté les problèmes des centres hospitaliers affiliés et [de] revaloriser au sein du corps professoral le profil du médecin clinicien-enseignant (PTG et de clinique)[89]». Le vice-doyen représentera par ailleurs la faculté au sein de la CSSSRMM. Cet organisme jouera un rôle central dans la distribution des ressources et l'organisation des soins, rôle qu'aura un effet important sur l'enseignement et la recherche. Lentement se mettait en place une nouvelle structure de coordination de l'enseignement et de la recherche cliniques. De nouvelles ententes étaient à prévoir entre la faculté et les institutions de santé.

Une nouvelle étape est bientôt franchie lorsqu'en 1986, à la suite d'une diminution graduelle du nombre d'étudiants et de résidents et conséquemment à une politique de concentration des programmes de formation, le comité de planification stratégique propose, avec l'approbation de la majorité des directeurs des départements cliniques et du conseil de la faculté, d'instituer deux catégories d'institutions affiliées: les centres hospitaliers universitaires multidisciplinaires (CHUM) comprenant six hôpitaux (Notre-Dame, Maisonneuve-Rosemont,

Sacré-Cœur, Saint-Luc, Sainte-Justine, Hôtel-Dieu de Montréal) et les centres hospitaliers universitaires à vocation spécifique (CHUVS) comprenant huit centres hospitaliers: Côte-des-Neiges (gériatrie), Verdun (médecine familiale), Cité de la Santé de Laval (médecine familiale), L.-H.-Lafontaine (psychiatrie), Rivière-des-Prairies (pédopsychiatrie), Institut Philippe-Pinel (psychiatrie, criminologie), Institut de cardiologie (cardiologie, radiologie, anesthésie), Institut de réadaptation. Apparemment bien accueillie par les membres de la commission Rochon, qui proposaient de réduire de 48 à 15 le nombre des centres hospitaliers universitaires[90], cette initiative visait, entre autres objectifs, à obtenir pour les institutions du premier groupe un financement particulier qui favorisera les activités d'enseignement et de recherche. Elle avait aussi pour avantage, selon le vice-doyen Proulx, «d'atténuer les rivalités et le maraudage grandissant entre les centres hospitaliers affiliés» et de faciliter une approche complémentaire de leurs missions respectives[91]. En 1989, le vice-doyen des affaires hospitalières et régionales mentionnait à ce propos:

> C'est dans cette perspective d'une reconnaissance plus claire de la fonction des centres hospitaliers universitaires que la Faculté doit continuer d'appuyer les efforts de ses centres affiliés pour obtenir le financement additionnel nécessaire à la poursuite de l'excellence dans les soins, l'enseignement et la recherche[92].

Ce projet de redéfinition des relations entre la faculté et les institutions hospitalières concernées mis en œuvre, il fallait encore une fois procéder à la préparation et à la ratification de nouveaux contrats d'affiliation qui viseront notamment à assouplir et à rendre plus fonctionnelles les relations entre les parties. Une telle entente avait été acceptée officieusement en 1986, peu après le dépôt du plan d'orientation, par les représentants des facultés de médecine, des sciences infirmières et de pharmacie ainsi que par des représentants des centres hospitaliers. Les contrats d'affiliation, ratifiés en 1987, mettaient en place certaines structures déjà prévues dans les contrats types antérieurs puisqu'ils exigeaient la mise sur pied d'un comité de coordination universitaire de l'enseignement et d'un comité de coordination universitaire de la recherche dans les centres hospitaliers.

## Une faculté avec d'importants moyens financiers

L'augmentation des fonds alloués à la faculté a largement facilité l'atteinte de ses objectifs. Entre 1976 et 1979, le budget total de la faculté, incluant les fonds de recherche, a grimpé de 25 à 37 millions, lui permettant ainsi d'engager de nouveaux professeurs et d'intensifier ses activités de recherche. Les salaires du personnel enseignant et non enseignant sont payés par l'université qui est financée à 90 % par le gouvernement provincial[93]. En 1978-1979, plus de 20 millions sont alloués aux activités d'enseignement alors que 15 millions sont consacrés à la recherche. La progression des fonds alloués à la recherche est plus importante, passant de 9 à 15 millions en trois ans, alors que les fonds destinés à l'enseignement n'augmentent que de 15 à 20 millions. Si le financement des programmes d'enseignement est moindre, il reste en revanche plus stable.

Fait significatif, lors d'une journée consacrée à la recherche à la FMUM, le 4 novembre 1983, les membres participants soulignaient «que les problèmes de la recherche sur le campus ne sont pas d'ordre financier, mais découlent des difficultés de recrutement[94]». La faculté avait bénéficié de l'augmentation des subventions de recherche du gouvernement provincial et, dans une moindre mesure, du gouvernement fédéral. Entre 1977 et 1983, le gouvernement fédéral avait doublé le montant de ses subventions de recherche. De près de 60 millions en 1977, les sommes octroyées se chiffrent à 120 millions en 1983. Ce sont néanmoins les gouvernements provinciaux qui ont proportionnellement le plus accru leur aide entre ces mêmes années. Sur le territoire canadien, les subventions de recherche provinciales ont sextuplé, grimpant de 100 millions à plus de 600 millions. Toujours pour cette période, le Québec venait au troisième

rang des grandes régions canadiennes pour ses efforts de soutien, après l'Ouest et les provinces maritimes[95]. La majorité des
fonds de recherche provenaient généralement des organismes
gouvernementaux fédéraux et provinciaux tels que le CRMC
ou la Fédération de la recherche en santé au Québec (FRSQ)[96],
même s'il était toujours possible d'obtenir des fonds privés de
recherche. Depuis le début des années 1970, la proportion des
crédits alloués aux chercheurs des départements de sciences
fondamentales par rapport à ceux attribués aux chercheurs des
hôpitaux et instituts affiliés s'était inversée, de sorte que pour
l'année scolaire 1982-1983, 69 % des budgets de recherche étaient
alloués à ces derniers contre seulement 31 % aux départements
de sciences fondamentales[97]. Mentionnons qu'en 1973, les crédits
de recherche étaient également partagés entre les deux secteurs.
Mais si cette modification en faveur des hôpitaux et instituts
n'était guère inquiétante, il en était autrement de la faible
moyenne de 48 % des professeurs en poste qui voyaient leur
recherche subventionnée[98]. Il y avait eu cependant pour la même
période une nette diminution des bourses de recherche accordées
à des médecins, celles-ci ayant chuté de 80 % à 31 %.

Les activités de recherche demeuraient néanmoins importantes. Entre 1980 et 1985, plus de 4600 articles scientifiques
seront publiés dans des revues à politique éditoriale par les professeurs de la FMUM. Il faut aussi noter que, contrairement aux
années 1960, les chercheurs de carrière connaissaient une très
nette amélioration de leur situation financière, grâce à des fonds
de recherche adéquats qui leur assuraient à la fois un salaire
conforme à leur scolarité et une meilleure sécurité d'emploi.
Toutefois, encore au début des années 1980, ces acquis demeuraient fragiles, et bien des chercheurs dépendaient exclusivement de l'acceptation des fonds de recherche externes.
L'université avait toujours refusé de leur fournir une garantie
de salaire à la suite de l'épuisement de leurs fonds de recherche.
D'importantes restrictions au budget de l'université durant la
décennie 1980 avaient été occasionnées par la récession qui affec-
tait l'économie canadienne. Les autorités de la faculté s'étaient
toutefois fixé pour objectifs de faciliter l'intégration des
chercheurs boursiers et des chercheurs de carrière au corps pro-

fessoral, d'encourager leur recrutement et d'étendre les programmes de stagiaires d'été en recherche[99].

À partir des années 1981 et 1982, années qui marquent le début d'une crise économique importante, la faculté verra s'atténuer la forte croissance dont elle avait bénéficié depuis 1967 et sera même contrainte de gérer une décroissance en réduisant ses dépenses de 10 %. Les dépenses de la faculté pour la période de 1983-1984 à 1988-1989 ne subissent une variation nette que de 7 %, passant de 27 300 000 $ à 35 700 000 $[100]. Et encore faut-il souligner que cette augmentation s'est surtout produite durant les années 1987-1988 et 1988-1989, alors que la faculté profitera du douteux système du ministère de l'Enseignement supérieur et de la Science qui avait décidé de financer les universités en fonction des clientèles étudiantes. Phénomène important, qui touche la plupart des universités québécoises, l'augmentation de la part budgétaire accordée au corps professoral se traduit par une augmentation significative de 128 % des dépenses liées aux professeurs à temps partiel (professeurs de clinique, chargés de clinique et chargés de cours), contre une diminution de 7 % des dépenses liées aux professeurs à temps plein[101]. Cette baisse correspond à la diminution du nombre de professeurs à plein temps ou à mi temps — 390 en 1983-1984 contre 372 en 1988-1989 — et à l'augmentation des postes à temps partiel engendrée par la création en 1983-1984 d'une nouvelle catégorie de professeurs, les «chargés de clinique», dont les effectifs passent de 171 en 1983-1984 à 499, 5 ans plus tard[102].

Mais si la faculté de médecine s'est retrouvée devant une croissance financière moins forte que ne l'espéraient ses dirigeants, la contraignant ainsi à reporter certains projets de réaménagement du pavillon principal, elle a pu néanmoins conserver une position financière fort avantageuse comparativement aux autres facultés de l'université. L'augmentation de sa clientèle dans les sciences de la santé favorisa sa stabilité financière, alors que des budgets spéciaux lui furent accordés pour financer de nouveaux certificats conjoints avec la faculté d'éducation permanente (administration de la santé, médecine du travail et santé communautaire) et pour promouvoir certains

programmes en expansion tels que la médecine familiale, l'orthophonie-audiologie et le génie biologique[103]. Mais encore, certains projets de réaménagement ont pu être réalisés dans les
départements de biochimie, de pharmacologie et de physiologie, et des budgets spéciaux ont été obtenus pour remplacer
certains équipements scientifiques ou acheter du matériel informatique[104].

Depuis le début des années 1970, la faculté de médecine
avait accru sensiblement le nombre de ses diplômés en médecine.
Alors qu'en 1973, elle se situait au quatrième rang au Canada
(124 diplômés), derrière Toronto (205), Laval (138) et McGill
(134), quatre ans plus tard, elle se retrouve bonne deuxième
(183 diplômés), derrière Toronto (245)[105], position qu'elle conservera par la suite. Entre 1973 et 1983, la FMUM dépasse de
loin ses rivales avec une augmentation du nombre des diplômés
de 56 %, contre seulement 12 % pour Laval, 13 % pour McGill
et 18 % pour Toronto. La part de la faculté dans l'ensemble des
diplômes de M.D. décernés au Canada s'était élevée de 9,3 à
10,8 %. De même, sa contribution aux diplômes de M.D. au
Québec avait progressé de 27 à 33 %[106]. Cette importante hausse
s'est faite parallèlement aux efforts entrepris pour améliorer la
qualité du programme et pour développer les secteurs connexes
à la pratique médicale. Depuis 1972, année de la fondation du
Conseil médical du Canada[107], les diplômés de la FMUM avaient
la possibilité de se soumettre aux examens de ce conseil portant sur toutes les disciplines médicales, ce qui leur donnait le
droit d'exercer la médecine dans l'ensemble du territoire canadien. Le taux de succès des étudiants de la faculté à ces examens
était plutôt moyen en 1975, avec 70 %, mais deux ans plus tard,
il s'élevait à 92 %.

Le nombre d'étudiants inscrits au deuxième et troisième
cycle a grimpé de 136 en 1969-1970 à 424 en 1982-1983. La distribution des étudiants à l'intérieur des programmes s'était aussi
modifiée et on enregistrait une diminution de 50 % des inscriptions en sciences fondamentales et un accroissement significatif
des inscriptions dans les programmes de sciences cliniques et
surtout dans les programmes de maîtrises professionnelles.

La tendance expansionniste de la faculté n'aura pas connu véritablement de trève durant la décennie 1980, bien au contraire. Au début de 1990, la faculté comptait près de 3000 étudiants au sein des 22 départements et écoles regroupés en 3 secteurs: sciences fondamentales, sciences cliniques et sciences de la santé. Ce dernier domaine, qui constituait jusqu'aux années 1970 un secteur plutôt périphérique à la faculté, est devenu en l'espace de deux décennies l'une de ses constituantes fondamentales, tant par le nombre d'étudiants et les revenus engendrés que par sa contribution aux objectifs généraux de la faculté. Cet expansionnisme se reflète aussi dans la nouvelle topographie des activités de la faculté qui, concrétisant une tendance amorcée depuis les années 1970, s'effectuaient en grande partie en dehors du campus universitaire au profit des centres hospitaliers. En 1989, seuls les départements d'anatomie, de pharmacologie et de physiologie ont des activités presque exclusivement limitées au campus, alors que trois autres — biochimie, microbiologie et immunologie — ont des activités à la fois sur le campus et dans les hôpitaux, ces derniers lieux étant consacrés à la formation de résidents. Quant aux sciences cliniques — anesthésie, chirurgie, médecine, médecine familiale, obstétrique-gynécologie, opthalmologie, pédiatrie, psychiatrie et radiologie —, l'ensemble de leurs activités se déroulaient au sein des centres hospitaliers universitaires. Cependant, le doyen démissionnaire mentionnait dans son rapport de 1989 l'urgence de construire «des espaces nouveaux et beaucoup mieux adaptés à la médecine moderne» et suggérait la mise sur pied d'un projet de construction d'un pavillon de recherche biomédicale pour les années 1990[108].

## Notes

1. P. A. Linteau *et al.*, *Histoire du Québec contemporain*, p. 659.
2. «Au cours de leurs travaux, qui s'échelonnent de 1961 à 1966, les commissions reçoivent 300 mémoires et visitent plusieurs institutions scolaires au Canada, aux États-Unis et en Europe.» (*Ibid.*, p. 660.)

3. Voir à ce propos F. Lesemann, *Du pain et des services. La réforme de la santé et des services sociaux au Québec*, «Les transformations de l'organisation socio-sanitaire au Québec au cours des années soixante (1960-1970)», p. 19-49; M. Renaud, «Les réformes québécoises de la santé ou les aventures d'un État "narcissique"», dans L. Bozzini *et al.*, *Médecine et société. Les années 1980*, p. 513-544.

4. Voir, à ce propos, F. Lesemann, *op. cit.*, p. 19-49; M. Renaud, *op. cit.*, p. 513-544.

5. F. Lesemann, *op. cit.*

6. Au début des années 1970, il y eut aux États-Unis un courant de pensée qui favorisait la réduction de la durée des études. En 1970, furent établis aux États-Unis des programmes d'études médicales de trois ans dans 27 % des facultés de médecine. Neuf ans plus tard, seulement 6 % des facultés conservaient un tel programme (G. Lamarche, «Le curriculum médical de trois ans», *Infomed*, Faculté de médecine, vol. 2, n° 7, mars 1979, p. 3).

7. *Statistiques de l'admission 1975-1978*, Université de Montréal, Bureau des admissions. La capacité d'accueil des autres facultés de médecine au Québec en 1977 était de 160 à Laval, 160 à McGill et 110 à Sherbrooke.

8. Ces tests d'aptitudes universitaires qui étaient régis par le ministère de l'Éducation ont été abolis en 1975 sous la pression des associations étudiantes qui les jugeaient discriminatoires.

9. G. Lamarche, «Nombre d'habitants pour chaque médecin par province et au Canada (1968-1978)», *Infomed*, Faculté de médecine, vol. 4, n° 3, nov.-déc. 1980, p. 3.

10. Liaison Committee on Medical Education of the American Medical Association, Association of Canadian Medical Colleges and the Association of American Medical Colleges, *Report of the survey of La faculté de médecine de l'Université de Montréal*, Montréal, 3-6 mars 1975, p. 15.

11. En 1984, près de 56 % des candidats admis à la FMUM ont moins de 20 ans, alors qu'un peu moins de 20 % des candidats ont entre 20 et 22 ans. La majorité des candidats admis en 1984 avaient moins de 20 ans pour toutes les facultés de médecine francophones du Québec. McGill accueillait davantage de candidats ayant entre 20 et 22 ans, suivant à ce titre la tendance canadienne (Girard, Roy et Associés inc., *L'environnement intermédiaire: statistiques comparatives des facultés de médecine au Québec*, Rapport n° 4, 1986, p. 15).

12. En 1980 et 1981, la FMUMG «accueillait en proportion autant de femmes que d'hommes; en 1982, la surreprésentation féminine apparaît nettement mais pour une année seulement et le mouvement se renverse en 1983 et 1984» (*ibid.*, p. 13).

13. Soulignons que la proportion des femmes dans les effectifs universitaires québécois durant les années 1960 et 1970 avait connu une importante progression, passant de 14 % en 1960 à 50 % en 1983 (P. A. Linteau *et al.*, *op. cit.*, p. 666).

14. En 1970, le nombre de femmes diplômées en médecine au Canada ne s'élève qu'à 129 alors que dix ans plus tard, il se chiffrera à 544 (ACMC/AFMC.

FORUM, vol. XXIV, n° 5, août-sept. 1991, p. 2). En 1977, la faculté de médecine de Paris accueillait déjà 50 % de femmes (J. Poirier et J. L. Poirier (dir.), *Médecine et philosophie à la fin du XIX<sup>e</sup> siècle*, p. 25).

15. Il était mentionné dans le rapport du comité d'accréditation de 1969 qu'au premier semestre des cours de chimie organique, de chimie médicale, de génétique et de statistiques devaient être donnés «*in collaboration with faculty of Sciences and designed as an extension of CEGEP education*» (*Report of the survey of La faculté de médecine de l'Université de Montréal*, 1969, p. 7).

16. AFMUM, 1970-1971, p. 22.

17. *Ibid.*, p. 23.

18. *Ibid.*, 1979-1980, p. 6-29.

19. *Ibid.*, 1972-1973, p. 25.

20. *Ibid.*, 1979-1980, p. 6-29.

21. La moyenne d'âge des étudiants des cégeps était de 19 ans contre 21 ans pour leurs prédécesseurs.

22. AFMUM, 1973-1974, p. 23.

23. LCME *et al.*, *op. cit.*, 1975, p. 11.

24. «*Demarcation between Phase I and Phase III is not always evident. Communication between the two phases could be improved. [...] Real integration does not exist yet, although a certain degree of coordination has been acheived.*» (*Ibid.*, «Auto-évaluation du curriculum», annexe IV, p. 4b.)

25. *Id.*

26. *Ibid.*, p. 5a.

27. «*A supra-departmental faculty curriculum committee should be created with the responsibility of designing, evaluating and constantly revising the curriculum [...] Membership of the committee should include the phase coordinators, basic, behavioural and clinical sciences representatives and students.*» (*Ibid.*, p. 11.)

28. Le développement des méthodes d'enseignement devient durant la décennie 1970 une préoccupation croissante des autorités universitaires. En 1976, l'Université de Montréal créait un fonds spécial de 150 000 $ pour subventionner des projets de développement pédagogique en cours et pour permettre le perfectionnement pédagogique des professeurs. Est alors mis sur pied le Comité universitaire pour le développement pédagogique. Toujours en 1976, des représentants de quatre universités québécoises fondent le Club de pédagogie médicale du Québec (*Infomed*, Faculté de médecine, vol. 3, n° 1, sept. 1979, p. 2).

29. G. Lamarche, «Examens du Conseil médical du Canada», *Infomed*, Faculté de médecine, vol. 1, n° 3, nov. 1977, p. 3.

30. P. Bois, «En perspective», *Infomed*, Faculté de médecine, vol. 1, n° 9, mai 1978, p. 1.

31. Ministère de l'Éducation et ministère des Affaires sociales, *Rapport de l'opération sciences de la santé*, Québec, avril 1976.

32. Voir à ce propos, Y. Villedieu, *Demain la santé*, p. 203-207.

33. G. Lamarche, «La faculté: réalisation et perspective d'avenir», *Infomed*, Faculté de médecine, vol. 2, n° 8, nov. 1979, p. 1.

34. Committee on the Accreditation of Canadian Medical Schools and the Liaison Committee on Medical Schools, *Report of the survey of the faculté de médecine de l'Université de Montréal*, «Preliminary report of the curriculum committee», Montréal, 24-27 mars, 1980, p. 61.

35. Dès les premières années du programme de préexternat, soit entre 1973 et 1975, l'on se rend compte des lacunes importantes de cette phase. Les étudiants devaient se rendre pendant l'avant-midi à l'hôpital pour assister à une présentation clinique, mais ils n'avaient que peu de contact avec le patient et, en conséquence, fort peu d'occasions d'acquérir une quelconque dextérité clinique. Durant l'après-midi, les étudiants se regroupaient dans l'une des salles de l'hôpital pour une autre séance d'enseignement qui, le plus souvent, reprenait l'un des systèmes enseignés durant la phase du II du programme. La réforme du préexternat peu après ce constat illustre la célérité avec laquelle on entendait désormais corriger certaines lacunes de l'enseignement.

36. Committee on the Accreditation of Canadian Medical Schools and the Liaison Committee on Medical Schools, *op. cit.*, p. 61.

37. LCME *et al., op. cit.*, 1975, p. 41.

38. Le docteur Lamarche sera nommé en septembre 1977 vice-doyen des études. En 1982, le vice-doyen des études devient responsable des trois secteurs de l'enseignement: programme de M.D., enseignement postdoctoral et formation continue. Il est alors assisté de trois adjoints.

39. Committee on the Accreditation of Canadian Medical Schools and the Liaison Committee on Medical Schools, *op. cit.*, 1980, p. 62.

40. P. Bois, «Souhaits du doyen», *Infomed*, Faculté de médecine, vol. 1, n° 4, déc. 1977, p. 1.

41. LCME *et al., op. cit.*, 1975, p. 41.

42. J. E. Desmarchais, «Expérience pédagogique: stage spécial d'immersion clinique», *Infomed*, Faculté de médecine, vol. 2, n° 2, oct. 1978, p. 1. L'une des stagiaires rendit compte de son expérience de la façon suivante: «On ressent ce contact si recherché avec la réalité. On perd ses illusions. On perçoit une vraie image de la pratique médicale, par ses contacts si particuliers avec les gens (patients et coéquipiers), avec son pouvoir de guérir, et aussi son impuissance devant plusieurs maux, avec ses défis continuels et son passionnant centre d'intérêt, l'être humain.» (C. Valois, «Devenir médecin», *Infomed*, Faculté de médecine, vol. 2, n° 2, oct. 1978, p. 2.) Il était mentionné à ce propos dans le rapport d'agrément que les étudiants avaient eu le loisir *«to live the life of the patient»* et de s'insérer dans *«the physician's world»* (Committee on the Accreditation of Canadian Medical Schools and the Liaison Committee on Medical Schools, *op. cit.*, 1980, p. 64).

43. *Infomed*, Faculté de médecine, vol. 3, n° 6, mars 1980, p. 6.

44. J. E. Desmarchais, «Stages d'immersion clinique 1979», *Infomed*, Faculté de médecine, vol. 3, n° 4, janv. 1980, p. 2.

45. J. Monday, «Immersion clinique (MMD 1117): une première. Année universitaire 1981-1982», *Infomed*, Faculté de médecine, vol. 5, n° 5, mai-juin 1982, p. 5-6.

46. J. F. Saucier, «Les sciences du comportement», *Infomed,* Faculté de médecine, vol. 2, n° 1, sept. 1978, p. 4.

47. *Id.* En italique dans le texte.

48. *Id.*

49. J. Monday, «Immersion clinique (MMD 1117): une première...», *op. cit.,* p. 6.

50. L'Université Laval avait été la première au Québec à se doter en 1973 d'un bureau de pédagogie médicale.

51. *Université de Montréal. Faculté de médecine. Rapport du Doyen 1985-1989,* Montréal, Université de Montréal, 1989, p. 38.

52. Déjà, vers la fin des années 1950, des programmes de recherche en pédagogie médicale avaient été mis sur pied dans certaines facultés médicales des États-Unis (Buffalo, Virginie, Illinois, Stanford) (J. E. Desmarchais, «L'Unité de recherche et de développement en éducation médicale. L'URDEM», *Infomed,* Faculté de médecine, vol. 5, n° 3, janv.-fév. 1982, p. 5).

53. *Id.*

54. Les stages d'externat junior et senior furent fusionnés, semble-t-il, en 1981. Certains correctifs apportés au programme d'externat, notamment en ce qui regarde l'externat junior, faisaient suite à une auto-évaluation du programme par la faculté. On y notait, entre autres lacunes, les problèmes liés au pré-externat: trop grand nombre d'étudiants en même temps dans un même hôpital; mauvais ratio étudiants/professeurs; présence trop importante de cours magistraux en médecine et chirurgie; faible implication des étudiants; etc. (LCME *et al., op. cit.,* «Auto-évaluation du curriculum», annexe IV, 1975, p. 5a).

55. Selon le docteur Montplaisir, près de 900 étudiants ont choisi cette orientation entre 1968 et 1992 (*Le département de microbiologie et immunologie. Notice historique,* Faculté de médecine, Université de Montréal).

56. AFMUM, 1981-1982, p. 6-3.

57. *Ibid.,* p. 6-1.

58. Le programme de génie biomédical faisait suite aux efforts d'organisation des activités de recherche qui avaient pris naissance au département de physiologie en 1964 et qui étaient étroitement liées jusqu'en 1970 aux sciences neurologiques et à la physiologie cardiovasculaire. Le diplôme en génie biomédical avait été approuvé par le ministère de l'Éducation en 1972. (Voir F. Roberge, «Institut de génie biomédical», *Infomed,* Faculté de médecine, vol. 2, n° 4, déc. 1978, p. 2.)

59. AFMUM, 1980-1981, p. 6-1.

60. G. Lamarche, «Le décanat de M. Pierre Bois — 1970-1981», *Infomed,* Faculté de médecine, vol. 4, n° 6, mai-juin 1981, p. 4.

61. Sur les liens qui unissent la FMUM et la faculté de médecine et de pharmacie de l'université d'État d'Haïti, voir A. Gattereau *et al.,* «Projet d'appui pédagogique à la faculté de médecine et de pharmacie de l'Université d'État d'Haïti», *Infomed,* Faculté de médecine, vol. 14, n° 4, mars-avril 1991, p. 5-7.

62. AFMUM,1992-1993, p. 6-7.

63. P. Bois, «En perspective», *Infomed*, Faculté de médecine, vol. 1, n° 9, mai 1978, p. 1.

64. Committee on the Accreditation of Canadian Medical Schools and the Liaison Committee on Medical Schools, *op. cit.*, «Auto-évaluation de la faculté», 1980, p. 20.

65. S'ajouteront en 1986 et 1988 quatre nouveaux comités statutaires: comité du budget, comité du statut du corps professoral, comité facultaire de la recherche et comité d'attribution du Fonds de développement de la faculté de médecine.

66. «*These points are usually resolved by producing documents and giving detailed explanations.*» (Committee on the Accreditation of Canadian Medical Schools and the Liaison Committee on Medical Schools, *op. cit.*, 1980, p. 21.) Du reste, l'on reconnaissait que la faculté de médecine profitait abondamment des unités de service offertes par l'université telles que les services audiovisuels, les services de références, les services pédagogiques ou les services d'imprimerie, tous gérés par l'administration centrale.

67. *Ibid.*, p. 9.

68. AFMUM, 1990-1991, p. 6-1 et 6-2.

69. Voir R. Dufresne *et al.*, «Les études médicales au Québec», *Bulletin du Collège des médecins et chirurgiens de la Province de Québec*, vol. VIII, juin 1968.

70. Rappelons toutefois que depuis 1948, le CMCPQ (CPMQ) avait le pouvoir de «faire abroger, modifier et exécuter des règlements en vue de décerner des certificats de spécialités aux médecins». S'ajouteront aussi plus tard les exigences du code des professions (*ibid.*, 1986-1987, p. 6-5).

71. Rapport de l'OSS, cité par Y. Villedieu, *op. cit.*, p. 205.

72. *Ibid.*, p. 206.

73. CPMQ/CRMCC, *Rapport de la visite conjointe d'agrément des programmes de résidence et de la visite d'agrément des programmes d'internat, de médecine familiale et d'enseignement continu*, 1975, Cahier 1, p. 6.

74. Voir à ce propos, J. E Desmarchais, «L'évaluation clinique: un défi?» et G. Lamarche, «L'évaluation et les examens», *Infomed*, Faculté de médecine, vol. 1, n° 7, mars 1978, p. 2-3. De plus, une série d'articles sur les méthodes pédagogiques et sur «la technologie éducationnelle dans l'enseignement de la médecine» paraîtront en 1978 dans l'*Infomed* sous la plume du docteur P. Rivest.

75. Voir à ce propos le chapitre suivant.

76. LCME *et al.*, *op. cit.*, 1975, p. 39.

77. *Id.*

78. CPMQ/CRMCC, *op. cit.*, p. 9.

79. *Id.*

80. *Ibid.*, p. 16.

81. LCME *et al.*, *op. cit.*, «Contrat-type d'affiliation entre l'Université de Montréal et un centre hospitalier» (21 juin 1974), 1975, annexe I, p. 4.

82. *Ibid.*, p. 4-5.

83. *Ibid.*, p. 9.

84. «*Both the coodinators and hospital administrators expressed themselves as generally well pleased with the improvement in the quality of the clinical education programs that has occured since the coordinator positions were established.*» (Committee on the Accreditation of Canadian Medical Schools and the Liaison Committee on Medical Schools, *op. cit.*, 1980, p. 46.)

85. *Id.*

86. *Ibid.*, p. 44.

87. A. Proulx, «Affaires hospitalières et régionales», *Université de Montréal. Faculté de médecine. Rapport du Doyen 1985-1989*, Montréal, Université de Montréal, 1989, p. 30.

88. L. Beaudry, «Bureau de coordination des centres hospitaliers d'enseignement affiliés à l'Université de Montréal», *Infomed*, Faculté de médecine, vol. 8, n° 3, janv.-fév. 1985, p. 6.

89. A. Proulx, *op. cit.*, p. 30.

90. *Id.*

91. *Id.*

92. *Id.*

93. En 1977, selon le doyen, 94 % du budget de la faculté, excluant les fonds de recherche qui ne font pas partie du budget habituel de la faculté, est affecté aux salaires et bénéfices marginaux (*Infomed*, Faculté de médecine, vol. 1, n° 5, janv. 1978, p. 2).

94. F. Thibert, «Journée de la recherche de la faculté de médecine», *Infomed*, Faculté de médecine, vol. 7, n° 4, mars-avril 1984, p. 3.

95. *L'environnement intermédiaire: statistiques comparatives des facultés de médecine au Québec*, Rapport n° 4, 1986, p. 66, 68, 70.

96. Le FRSQ s'était donné pour mandat principal la prise en charge des centres de recherche et instituts affiliés aux universités.

97. F. Thibert, *op. cit.*, p. 2.

98. Y. Gauthier, «Assemblée de faculté du 8 décembre 1983. Allocution du doyen», *Infomed*, Faculté de médecine, vol. 7, n° 4, mars-avril 1984, p. 3.

99. F. Thibert, «Journée de la recherche de la faculté de médecine», *Infomed*, Faculté de médecine, vol. 7, n° 2, nov.-déc.1983, p. 2.

100. J. Leduc, «Budget facultaire», dans *Rapport du Doyen..., op. cit.*, p. 12.

101. *Id.*

102. J. Leduc, «Corps professoral», dans *Rapport du Doyen..., op. cit.*, p. 12.

103. *Id.*

104. «Après plusieurs années de contraintes financières majeures, la faculté a dû se contenter de budgets constants et ne jouit d'additions budgétaires que dans certains secteurs considérés comme prioritaires.» (Y. Gauthier, «Résumé et recommandations», dans *Rapport du Doyen..., op. cit.*, p. 43.)

105. Sur ces chiffres et les suivants, voir Girard, Roy et Associés inc., *Plan d'orientation. Faculté de médecine. Université de Montréal*, «Position stratégique au niveau des cycles d'études», Rapport 6, 1986, annexe C.

106. Le nombre annuel de diplômés s'était sensiblement accru entre 1973 et 1983, grimpant de 453 à 594, soit une augmentation de 31 %.

107. Le CMC, fondé par une loi du parlement fédéral, avait pour fonction d'assurer la qualité de la pratique médicale au Canada. Il était obligatoire dans la plupart des provinces, mais pas au Québec (G. Lamarche, «Examens du Conseil médical du Canada», *Infomed,* Faculté de médecine, vol. 1, n° 2, oct. 1977, p. 4).
108. Y. Gauthier, *op. cit.,* p. 44.

# CHAPITRE VIII

# Une faculté de médecine tournée vers l'an 2000 (1987-1993)

## La recherche et les études de deuxième et troisième cycle: la poursuite de l'excellence

Durant les années 1980, les études de premier cycle subirent de légères modifications qui tenaient pour la plupart à une concrétisation et à un raffinement des politiques énoncées précédemment. Mais le respect de ces politiques se heurtait comme toujours aux pressions constantes exercées sur le programme par l'accumulation des connaissances biomédicales. Jusqu'en 1987, outre la création du nouvel externat de 80 semaines, les modifications au programme répondirent surtout à la nécessité de mettre à jour le contenu des matières. Le vice-doyen J. Lord en soulignait toutefois les dangers:

> Un programme de médecine doit être en révision constante en fonction des développements des connaissances et des nouvelles disciplines. Au cours des huit dernières années, de nouveaux cours ont été introduits: cycle de vie, cours disciplinaire de physiologie, bioéthique, oncologie et médecine familiale, ainsi que des stages en gériatrie et en médecine des malades ambulants. Mais ce processus d'additions constantes conduit inévitablement, après un certain

temps, à une forme d'hypertrophie ou de densité exagérée des contenus (d'où la nécessité de modifier l'approche)[1].

De plus, la commission Archambault sur la formation médicale[2] et le Conseil des universités souhaitaient que la FMUM réduise son programme de cinq à quatre ans[3]. Ces pressions découlaient certes d'une volonté d'assurer une plus grande uniformisation des programmes médicaux québécois, mais elles s'exerçaient surtout en fonction de la réforme imminente du programme de formation des médecins «de première ligne», réforme qui privilégiait l'ajout d'une année d'internat. La réduction du programme de médecine de la faculté de cinq à quatre ans constituait «une occasion rêvée pour une réforme en profondeur de son contenu et de toute l'approche pédagogique[4]».

La faculté de médecine avait mis sur pied en 1985 un comité d'orientation composé de vingt personnes et présidé par le vice-doyen de la planification, le docteur G. Lamarche[5]. Ce processus de «planification stratégique» devait permettre au comité d'évaluer les forces et les faiblesses de la faculté et de dégager les moyens d'atteindre de nouveaux objectifs généraux jugés prioritaires. Les membres du comité désiraient stabiliser la clientèle de premier cycle, augmenter le nombre d'étudiants aux grades supérieurs et accroître significativement les fonds de recherche. De fait, l'objectif majeur proposé par le comité d'orientation consistait à mettre en œuvre des options générales susceptibles d'améliorer la position de la faculté sur le plan tant national qu'international.

Cet objectif formulé par le comité découlait d'une analyse serrée de la compétitivité de la FMUM par rapport aux autres facultés canadiennes. Or si la faculté se défendait très bien pour ce qui est de l'enseignement de premier cycle, elle se trouvait menacée en ce qui regarde l'enseignement supérieur et la recherche. Les subventions du CRMC versées entre 1982 et 1986 indiquent que McGill et Toronto connaissaient une poussée importante, alors que la FMUM avait tendance à plafonner. Les autorités de la faculté s'en inquiétaient:

Les subventions du CRMC adjugées sur concours entre 1982-1983 et 1985-1986 indiquent que McGill et Toronto poursuivent leur poussée à un rythme accéléré alors que Montréal plafonne en 1984-1985. Ce plafonnement n'étant pas observé pour la faculté de médecine de B. C. la tendance indique que cette dernière surclassera la faculté de médecine de Montréal en 1985-1986 ou 1986-1987[6].

Nous avons déjà souligné qu'en 1983, la province de Québec se classait au troisième rang au Canada quant à ses efforts de soutien à la recherche, devancée par l'Ouest et les Maritimes. Les auteurs d'un rapport sur les statistiques comparatives des facultés de médecine notaient aussi en 1986: «Si cette poussée se poursuit, l'Ouest canadien prendra le leadership en recherche médicale au Canada[7].» De plus, les facultés de médecine francophones, à la lumière des données statistiques, se trouvaient quelque peu désavantagées en matière de subventions provenant des fondations nationales à but non lucratif[8]. On craignait donc à juste titre que la faculté de médecine de l'Université de Colombie-Britannique en vienne à déclasser la FMUM et qu'éventuellement les facultés de médecine de McGill, Toronto et Colombie-Britannique deviennent les trois facultés canadiennes prépondérantes — McGill pour l'Est du Canada, Toronto pour le Canada central et Colombie-Britannique pour l'Ouest canadien — au détriment de la FMUM qui risquait aussi «de se retrouver dans la catégorie des facultés dites "régionales"[9]». De plus, les facultés de l'Université de Colombie-Britannique et de McGill montraient une nette tendance à accroître leur capacité d'enseignement aux deuxième et troisième cycles, alors que les tendances de la FMUM allaient dans le sens inverse. Les membres du comité d'orientation jugeaient que même le maintien du *statu quo* en matière de recherche et d'études supérieures ne pouvait qu'affaiblir la situation de la faculté[10]. Il fallait donc, pour maintenir et même améliorer sa position nationale et internationale, opter pour une redéfinition de ses objectifs en fonction du développement des cycles d'études supérieures et de la recherche.

Cette option, qui sera finalement adoptée par le conseil de la faculté en septembre 1987, s'inscrivait dans le prolongement du nouveau programme adopté par l'Université de Montréal à la suite de certaines recommandations du rapport *La poursuite de l'excellence,* rédigé par un groupe de travail présidé par Robert Lacroix et publié en juillet 1985[11]. L'université souhaitait que sa faculté de médecine élabore un plan d'action concernant des études supérieures et la recherche avec comme objectif principal «la meilleure intégration possible de tous les éléments nécessaires pour atteindre une performance de qualité supérieure[12]». L'université ne pouvait espérer se maintenir au niveau des grandes universités canadiennes sans «que sa Faculté de médecine occupe une position au moins aussi favorable». Selon toute vraisemblance, renchérissaient les membres du comité d'orientation de la faculté de médecine, «l'atteinte des objectifs de l'Université sera largement tributaire des orientations de la Faculté de médecine[13]». Ils ajoutaient, non sans une certaine pointe de défi à l'endroit des autorités universitaires, que «sa contribution sera d'autant plus grande que la philosophie de l'Université sera d'offrir des incitatifs aux meilleurs et de limiter son expansion dans les secteurs moins prioritaires[14]».

## Le développement des études supérieures et les nouveaux objectifs de la recherche

Le plan d'orientation de la FMUM, qui visait à doter la faculté d'un statut national voire international, mettait fortement l'accent sur l'accroissement de la compétitivité en matière d'obtention des subventions de recherche, notamment du CRMC, et l'augmentation des clientèles étudiantes des deuxième et troisième cycles. Objectifs pour le moins ambitieux, l'on souhaitait, d'ici 1992, doubler le montant des subventions et des bourses de recherche et augmenter de 100 % le nombre des inscriptions aux études supérieures.

Depuis le début des années 1980, la faculté de médecine, qui avait participé à la création de sept nouveaux programmes d'études supérieures — génie biomédical, biologie moléculaire, santé communautaire, biochimie clinique, toxicologie, administration sociale, environnement et prévention —, se situait déjà au deuxième rang au Canada, derrière Toronto, pour le nombre de diplômés de deuxième cycle. Cette avantageuse position tenait à ce qu'elle offrait des programmes de deuxième cycle dans des secteurs qui n'appartenaient pas directement à la médecine. Les admissions en sciences fondamentales en 1985 par rapport aux sciences cliniques s'inscrivaient dans un rapport de 3 pour 1 alors que, dans l'ensemble du territoire canadien, elles approchaient la proportion de 5 pour 1[15].

Le programme de troisième cycle avait connu un accroissement de sa clientèle à partir de 1977, mais la FMUM se trouvait toujours, durant les années 1980, derrière Toronto et McGill. En 1982-1983, la faculté avec ses quatorze diplômés ne décernait que 8,7 % des diplômes de Ph.D. (161) issus des programmes de médecine au Canada, contre 18 % pour la faculté de médecine de McGill[16]. Les autorités de la faculté, en accord avec le rapport Lacroix, craignaient qu'à partir de 1985 l'écart ne se creuse avec McGill et que la faculté de l'Université de Colombie-Britannique ne la rattrape. Cette situation instable de la faculté découlait en partie de sa relative faiblesse en matière de recherche. Heureusement, certaines mesures adoptées par la faculté, l'accroissement des fonds destinés aux travaux de recherche et l'augmentaiton des inscriptions aux études supérieures amélioreront quelque peu la situation. Entre 1985 et 1989, le nombre d'inscriptions aux études de troisième cycle passe de 148 à 198, alors que les inscriptions au deuxième cycle grimpent de 425 à 600. Sur une plus longue période, la progression est encore plus importante: entre 1981 et 1989, les inscriptions en maîtrise ont grimpé de 299 à 600 et de 108 à 198 au Ph.D.

Pour l'ensemble des programmes d'études supérieures, le nombre total d'inscriptions entre 1985 et 1989 progresse sensiblement avec une hausse de 39 %, passant de 573 à 798 inscriptions (*voir* tableau 2). De 1981 à 1989, la faculté avait presque doublé le nombre de ses inscrits aux études supérieures, qui grimpe de 407 à 798 pour une augmentation de 96 %. À cet égard, les départements d'administration des services de santé (127 inscrits), de santé communautaire (125) et de microbiologie-immunologie (94) maintenaient un excellent rang en ce qui regarde le nombre d'inscriptions aux études supérieures. Ce sont cependant les départements de physiologie et de pharmacologie qui avaient connu les plus fortes hausses, avec respectivement 88 % et 70 %, suivis du département de santé communautaire (56 %), de l'administration des services de santé (54 %) et des sciences neurologiques (46 %). Toujours pour la même période (*voir* tableau 3), le nombre d'étudiants inscrits aux études supérieures passera de 438 à 802, pour une augmentation de 83 % répartie de la façon suivante: sciences fondamentales (166 à 294, soit une hausse de 77 %), sciences de la santé (219 à 402, une hausse de 84 %) et sciences cliniques (53 à 106, une hausse de 100 %)[17].

TABLEAU 2

### Études supérieures: inscriptions

| | M.Sc. | | Ph.D. | | Total | | % |
| | 1985 | 1989 | 1985 | 1989 | 1985 | 1989 | 1985-1989 |
|---|---|---|---|---|---|---|---|
| Administration des services de santé | 82 | 127 | – | – | 82 | 127 | +54 % |
| Anatomie | 1 | 5 | 3 | 2 | 4 | 7 | +75 % |
| Biochimie | 36 | 24 | 22 | 31 | 58 | 55 | -5 % |
| Biopathologie cellulaire | – | 9 | – | 1 | – | 10 | – |
| Génie biomédical (M.Sc.A.) | 7 | 7 | 1 | 1 | 8 | 8 | – |
| Hygiène du travail et de l'environnement | 7 | 8 | – | – | 7 | 8 | +14 % |
| Microbiologie et immunologie | 52 | 71 | 21 | 23 | 73 | 94 | +28 % |
| Nutrition | 33 | 42 | 4 | 9 | 37 | 51 | +38 % |
| Pathologie | 6 | 3 | 1 | 1 | 7 | 4 | -43 % |
| Pharmacologie | 16 | 32 | 14 | 19 | 30 | 51 | +70 % |
| Physiologie | 9 | 18 | 8 | 14 | 17 | 32 | +88 % |
| Santé communautaire | 52 | 86 | 28 | 39 | 80 | 125 | +56 % |
| Sciences biomédicales | – | 21 | – | 6 | – | 27 | – |
| Sciences cliniques | 50 | 55 | 28 | 21 | 78 | 76 | -3 % |
| Sciences neurologiques | 20 | 27 | 17 | 27 | 37 | 54 | +46 % |
| MA en orthophonie et audiologie (M.O.A.) | 54 | 65 | – | – | 54 | 65 | +17 % |
| Virologie | – | – | 1 | 4 | 1 | 4 | +33 % |
| TOTAL | 425 | 600 | 148 | 198 | 573 | 798 | +39 % |

*Sources*: Université de Montréal, faculté de médecine, rapport du doyen 1985-1989, tableau X, p. 27.

TABLEAU 3

## Nombre d'étudiants gradués 1985-1989

| | | |
|---|---|---|
| Sciences fondamentales | 166 à 294 | 77 % |
| Sciences de la santé | 219 à 402 | 84 % |
| Sciences cliniques | 53 à 106 | 100 % |
| | 438 à 802 | +83 % |

*Sources*: Université de Montréal, faculté de médecine, Rapport du doyen 1985-1989, tableau X, p. 26

De tels résultats, fort encourageants, accompagnaient l'accroissement des subventions de recherche grâce en partie à la création du Fonds de développement de la recherche universitaire (FDR) au début des années 1980. Le total des fonds de recherche octroyés à la faculté entre 1980-1981 et 1984-1985 grimpe de 20 640 132 $ à 38 115 138 $, soit un accroissement impressionnant de 85 %. Entre 1983-1984 et 1987-1988, les subventions augmenteront de 34 % (passant de 35 561 000 $ à 47 711 000 $), alors que les bourses de recherche grimperont de 5 392 000 $ à 7 519 000 $ pour une croissance de 39 % en dollars réels. Fait intéressant, les subventions versées par les deux plus importants organismes en 1987-1988, le FRSQ (14 872 974 $) et le CRMC (14 736 084 $) étaient presque à égalité[18]. Certes, ces importantes augmentations auguraient bien. Pourtant, elles demeuraient trompeuses. Primo, alors que les données de la période 1980-1985 indiquent une croissance brute importante des subventions de recherche, les résultats sont moins spectaculaires si l'on tient compte de la situation des autres facultés de médecine canadiennes. Secundo, replacées dans le contexte des audacieux objectifs que la faculté s'était fixée en matière de recherche et d'enseignement supérieur, les augmentations survenues entre 1985 et 1987 étaient jugées encore insuffisantes.

Certes, du strict point de vue d'une analyse historique de longue durée, le rendement de la FMUM en matière de recherche médicale n'avait jamais connu une telle poussée. En termes bruts, la FMUM se classait, depuis 1978-1979, deuxième au Canada pour les dépenses affectées à la recherche biomédicale

(35 millions), derrière Toronto (49 millions), mais devant McGill (32 millions) et Western Ontario (27 millions)[19]. Mais, en regard d'un contexte où la compétition est féroce entre les facultés, les résultats demeuraient insuffisants. La part des sommes versées par les organismes subventionnaires pratiquant une évaluation des projets par rapport aux organismes locaux — université, industrie, dons de fondations, etc. — constitue certainement un critère pertinent pour juger du rendement de la faculté sur le plan provincial et national. Telle est du moins la position critique qu'adoptaient les autorités de la faculté sur ses succès en matière d'obtention de subventions de recherche. En 1986, le vice-doyen de la planification, le docteur Lamarche, soulignait que «les principaux bailleurs de fonds ont une politique d'attribution basée sur la compétence et la qualité, évaluée par le jugement des pairs. D'autres organismes, tels que les fondations locales, les universités, l'industrie, les dons personnels n'ont pas une telle politique et les sommes qu'ils octroient ne traduisent pas l'excellence comme celles octroyées par les organismes à politique "éditoriale"[20].» Une telle attitude traduit le souci d'apprécier à sa juste valeur le rendement de la faculté dans le contexte canadien, de même qu'elle exprimait le désir d'une meilleure intégration de la recherche à la faculté.

De fait, l'analyse des subventions obtenues du CRMC entre 1981-1982 et 1984-1985 montre que, d'une part, la faculté avait atteint un plafond en 1983-1984 et que, d'autre part, elle se trouvait en perte de vitesse par rapport à la faculté de médecine de l'Université de Colombie-Britannique. Si la FMUM conservait le troisième rang des facultés canadiennes, derrière Toronto et McGill, pour l'importance des sommes reçues du CRMC, de 1981 à 1985, l'augmentation de ses subventions n'avait été que de 64 % contre 90 % pour la faculté de médecine de l'Université de Colombie-Britannique. La menace de se retrouver au quatrième rang qui planait sur la FMUM était sérieuse. En outre, de telles comparaisons synchroniques entre facultés révèlent que la faculté perdait aussi du terrain en matière de relève. Il fallait que les chercheurs boursiers, les chercheurs scientifiques du CRMC et les chercheurs de carrière de la faculté augmentent en nombre si l'on voulait éviter une stagnation ou même une diminution des fonds de recherche. Or une comparaison avec la FMUMG à propos des fonds obtenus en 1985 pour l'engagement de tels chercheurs fait ressortir la situation de faiblesse de la FMUM:

> Les sommes octroyées par les chercheurs de carrière et scientifiques sont de 280 200 $ et de 1 165 800 $ à Montréal et McGill respectivement et pour les chercheurs boursiers en 1984-1985 de 533 000 $ (556 300 en 1982-1983) et de 1 222 100 $ (1 222 200 en 1982-1983). Il va sans dire que la relève et le rajeunissement passent par ces voies. Il n'est pas surprenant que le nombre de demandes présentées et acceptées ait atteint un plateau ou même diminué depuis trois ans. Il semble que l'Université de Montréal ait manqué d'agressivité dans son recrutement ou encore qu'elle ne puisse offrir l'avenue de la permanence (*Tenure Track*) comme le peut l'Université McGill et que son recrutement doit se limiter presque exclusivement à la francophonie. Il se peut aussi que les candidats soient soumis [*sic*] trop tôt dans leur carrière, ce qui pourrait être évité par l'utilisation d'un fonds universitaire de développement de la recherche. Il est prévisible que les prévisions sur l'avenir soient plutôt moroses. Il est en effet extrêmement difficile de changer rapidement une tendance déjà inscrite dans la réalité[21].

Le pessimisme du docteur Lamarche n'était qu'apparent et il visait à secouer certaines autorités réticentes à s'engager sur la voie d'une nouvelle réforme. Déjà des solutions étaient envisagées afin d'améliorer la situation de la faculté en matière de recherche et d'enseignement supérieur.

Un comité spécial formé en 1985 dans le cadre général des travaux de planification stratégique de la faculté mit en lumière les principales lacunes à corriger[22]. Outre la nécessité d'augmenter la part des subventions versées par les grands organismes subventionnaires et de diversifier les sources de financement, notamment par des fonds venant des industries privées, la faculté devait s'employer à engager des professeurs susceptibles de mettre en branle d'importantes activités de recherche. À la suite d'une analyse des caractéristiques du corps professoral en matière de recherche, on constata que les professeurs de carrière et les chercheurs boursiers obtenaient les parts les plus importantes des subventions de recherche, alors que les sommes allouées aux professeurs de clinique et aux professeurs «demi-temps géographiques» (DTG) étaient jugées très faibles[23]. Il fallait améliorer la coordination des axes de recherche et veiller à empêcher leur dispersion. Mais si l'espace disponible dans les centres hospitaliers était généralement adéquat, les contraintes d'espace, au sein des unités départementales situées sur le campus, limitaient sérieusement les possibilités de développement[24]. Quant aux subsides externes en vue de financer l'achat des nouveaux équipements de recherche, la faculté était assez bien pourvue sur ce plan, mais il fallait aussi remplacer les vieux équipements, ce qui impliquait des sommes considérables. De plus, un vieux problème subsistait au sein de la faculté: il n'y avait toujours pas ou peu de contact entre les chercheurs des départements des sciences fondamentales et les chercheurs des centres ou instituts de recherche[25].

Le rapport du comité de planification de la recherche proposait en 1987 une série de mesures susceptibles de corriger ces problèmes et d'améliorer le rendement de la recherche:

1- embaucher de nouveaux professeurs possédant une formation qui leur permettra de développer un programme autonome de recherche et d'intégrer la recherche à leurs autres activités professorales;

2- délaisser la nomination de professeurs DTG;

3- soutenir par un fonds universitaire les jeunes chercheurs de la faculté afin que ceux-ci obtiennent l'expérience nécessaire pour affronter la concurrence pancanadienne et incorporer graduellement les chercheurs boursiers au corps professoral régulier;

4- maintenir les axes de recherche bien établis;

5- évaluer les axes de recherche moins bien établis et faire des recommandations en vue d'effectuer des regroupements ou des développements;

6- développer de nouveaux axes en fonction des besoins pressants tels que la gériatrie, l'épidémiologie, la réadaptation et la médecine familiale;

7- favoriser la création d'importantes équipes de recherche unidisciplinaires ou pluridisciplinaires;

8- maintenir à un niveau compétitif tous les centres de recherche du réseau, planifier les regroupements nécessaires et évaluer le nombre d'hôpitaux universitaires possédant des centres de recherche susceptibles de développement[26].

Afin d'appliquer le plus rapidement possible ces mesures correctrices, le conseil de la faculté décida, à la suite de la recommandation du comité de planification de la recherche, de créer en 1988 un comité facultaire de la recherche. Ce comité temporaire devait être responsable de l'application des mesures mentionnées ci-haut. Mais déjà depuis 1986, la faculté avait recommandé la formation de nouveaux groupes de recherche — groupe de recherche en immunobiologie, groupe de recherche sur le système nerveux autonome, groupe de recherche sur les neurotransmetteurs, groupe de recherche en biologie moléculaire de l'évolution[27] — afin de contrecarrer la dispersion des chercheurs, de favoriser le partage des informations scientifiques, de renforcer leur situation concurrentielle en matière de subventions par des projets en collaboration et d'assurer l'encadrement des étudiants inscrits aux études supérieures. Il fallait aussi augmenter les fonds octroyés à la recherche. Au printemps 1987 est créé le Fonds de développement de la FMUM largement axé sur la contribution financière des anciens diplômés de la faculté. L'objectif de la campagne de souscription était de recueillir trois millions de dollars en cinq ans. Dix-huit mois après le début de la campagne, plus d'un million de dollars avait été amassé[28].

Ces initiatives pour encourager la recherche médicale ont en partie porté fruit puisque déjà le bilan financier en 1990-1991 s'était nettement amélioré avec un budget de 74 567 887 $[29]. Depuis trois ans, les fonds alloués à la recherche médicale se sont accrus de façon très appréciable de 56 % grâce à l'octroi de

sommes importantes par deux principaux organismes subventionnaires, le CRMC et le FRSQ. Ceux-ci verseront une
somme à peu près égale, soit respectivement 20 755 262 $ et
19 575 952 $, correspondant à plus de la moitié des sommes
totales perçues par la faculté. Le ministère de la Santé (MSBES)
du Québec avait alloué près de 3 millions, alors que l'Université
de Montréal avait accordé plus de 1,5 million. Suivront l'Institut
national du cancer du Canada (INCC) et le Fonds pour la formation de chercheurs et l'aide à la recherche du Québec (FCAR)
qui octroieront, dans l'ordre, 1 298 978 $ et 845 764 $.

Ce sont les travaux de recherche en milieu hospitalier, axés
en grande partie sur la recherche fondamentale, qui reçoivent
la plus grande part, soit 52 millions, comparativement à 22,5 millions pour les départements de la faculté de médecine. C'est
évidemment le département de médecine qui se taillait la plus
grande part de l'enveloppe avec plus de 35 millions[30], suivi par
les départements de biochimie, de microbiologie-immunologie
et de pédiatrie qui obtiendront chacun plus de 4 millions[31]. Les
départements d'anesthésie-réanimation, de médecine familiale,
de radiologie et d'ophtalmologie demeurent les moins bien nantis avec des fonds de recherche oscillant entre 200 000 et 300 000 $.

Quant aux centres hospitaliers, l'Institut de recherches cliniques de Montréal obtient plus du tiers des fonds alloués à ce
secteur avec une enveloppe de près de 18 millions, suivi de
l'Hôpital Sainte-Justine et de l'Institut de cardiologie de
Montréal, près de 6 millions, et de l'Hôpital Notre-Dame, plus
de 4 millions. Trois des cinq instituts affiliés à l'Université de
Montréal — Institut de recherches cliniques de Montréal,
Institut de cardiologie de Montréal etInstitut du cancer de
Montréal — obtiennent plus de la moitié des fonds destinés
aux centres hospitaliers. Ils jouaient toujours, plus de trente ans
après leur création, un rôle majeur en matière de recherche
médicale à la faculté de médecine. Mais ils ne constituaient plus
les uniques pôles de recherche puisque sept autres centres et
groupes de recherche ornaient le paysage scientifique de la faculté. Reflet de l'importance de leurs travaux, le groupe de
recherche sur le système nerveux autonome (GRSNA) et le
Groupe de recherche en transport membranaire (GRTM) avaient

obtenu chacun plus de 2 millions. Ils étaient suivis du Centre de recherche en sciences neurologiques (CRSN) et du Groupe de recherche interdisciplinaire en santé (GRIS[32]), qui avaient reçu chacun des subventions dépassant 1 million, du Groupe de recherche en modélisation biomédicale (CRMB) avec 855 210 $, du Groupe de recherche en reproduction humaine (GRRH) et du Groupe de recherche en immunobiologie (GRIBUM) avec 89 694 $. Il est à noter que les instituts de recherche et les groupes ou centres de recherche accaparaient près de 50 % de l'ensemble des fonds de recherche accordés à la faculté de médecine. Au sein des grandes structures de recherche se retrouvaient par ailleurs des sous-unités telles que le Groupe de recherche en hypertension intégré à l'IRCM. Voilà qui répondait en partie aux vœux du vice-doyen de la recherche médicale qui, dans le but d'augmenter la performance de la faculté en matière de fonds de recherche, recommandait le regroupement des chercheurs au sein d'équipes unifiées.

Ces efforts pour stimuler la recherche biomédicale avaient permis à la faculté de conserver son troisième rang canadien en ce qui regarde les subventions de recherche. En ce début de la décennie 1990, les axes de recherche sont tellement variés et nombreux que nous ne pouvons ici tous les énumérer. Qu'il suffise de mentionner que, pour le seul Hôpital Notre-Dame, on en compte 15 — cardiovasculaire et anesthésie, chirurgie, ORL, immunologie, médecine familiale, métabolisme-endocrinologie-néphrologie, microbiologie, neurochirurgie, neurologie, obstétrique-gynécologie, ophtalmologie, pneumologie, psychiatrie, rhumatologie, transplantation — sous-divisés en quelque 75 volets de recherche. Si les subventions de recherches obtenues en 1990-1991 sont pour le moins encourageantes avec plus de 74 millions de dollars comparativement à 61 millions l'année précédente, elles ne peuvent néanmoins satisfaire entièrement les exigences d'une faculté qui cherche à améliorer sensiblement ses performances en matière d'enseignement supérieur et de recherche. Aussi envisage-t-on pour l'année 1991-1992 un «accroissement substantiel» des fonds, grâce surtout à la mise sur pied de projets liés aux domaines de la médecine et de l'informatique, subventionnés par des «fonds à capital-risque». Une première série d'actions publiques émises en 1991 avait généré l'imposante somme de 46 millions distribuée aux chercheurs des facultés de médecine, de médecine dentaire et de médecine vétérinaire. Optimistes, les autorités du vice-décanat de la recherche envisageaient de recueillir pour l'année 1992, grâce à ces nouveaux projets à capital-risque, plus de 140 millions de dollars[33]. De telles sommes permettront sans doute, vu le potentiel énorme de la FMUM, de faciliter le virage vers une reconnaissance internationale accrue de la recherche médicale à l'Université de Montréal.

## L'instauration d'un plan de pratique: une réforme jugée essentielle

Depuis les débuts de la décennie 1980, le mode de rémunération des professeurs PTG soulevait de nombreuses critiques, tant de la part des membres de la faculté que de celle des organismes d'agrément. Rappelons que le PTG était un professeur (plein temps géographique) clinicien engagé par l'université pour poursuivre une carrière universitaire dans une institution hospitalière affiliée. Or si, théoriquement, il devait exercer «ses activités cliniques en fonction de la réalisation de sa charge de travail universitaire[34]», bien souvent ses activités cliniques rémunérées par la RAMQ l'emportaient sur ses activités pédagogiques. Certes, depuis la fondation de la FMUM, la rémunération cumulée des actes cliniques et des activités pédagogiques chez les professeurs était une pratique courante et généralement acceptée. Mais, au fil des ans, avec l'instauration d'échelles salariales jugées convenables par le corps professoral, plusieurs membres de la faculté désapprouvaient cette double rémunération considérée comme nuisible à la qualité de l'enseignement et au développement de la faculté.

Les auteurs des rapports du LCME en 1980 et 1987 jugeaient eux aussi essentielle l'adoption d'un système de rémunération qui stimule la valorisation des activités universitaires, comme cela se faisait dans la majorité des facultés nord-américaines.

On reprochait à certains professeurs PTG d'accomplir un trop grand nombre d'actes cliniques rémunérés au détriment de leurs activités pédagogiques[35] et on déplorait la faible contribution de ce type de professeurs aux activités de recherche et d'études supérieures[36]. De plus, les restrictions financières de l'université avaient retardé le renouvellement des postes de PTG laissés vacants. Il en résulta un vieillissement de ce corps professoral dont l'âge moyen était de 52 ans en 1986. Deux solutions étaient envisagées: adopter un plan de pratique qui restreindrait les activités cliniques non pédagogiques rémunérées et renouveler rapidement le corps professoral des départements cliniques «en mettant l'accent sur la formation en recherche de jeunes chercheurs[37]». Tous ne partageaient pas ces objectifs. On comprend que les résistances aient été nombreuses de la part des intéressés.

Même si, depuis 1980, des négociations étaient en cours afin de convaincre l'Association des médecins cliniciens enseignants du Québec d'accepter la modification du statut du PTG et de son mode de rémunération, c'est le vice-doyen G. Lamarche qui, à partir d'un article critique sur la rémunération des PTG publié en 1982 dans l'*Infomed*, lança ouvertement le débat au sein de la faculté[38]. Il reçut l'appui de plusieurs collègues de même que celui du doyen Gauthier qui s'efforça de négocier l'instauration d'un plan de pratique. Ce plan comprenait deux grands principes généraux: inciter les professeurs PTG à consacrer plus de temps à des tâches universitaires d'enseignement et de recherche en limitant le nombre d'actes cliniques et utiliser en partie les revenus des activités cliniques dans les hôpitaux universitaires à des fins de développement pédagogique[39]. Le plan de pratique requérait l'imposition d'une échelle salariale. Cela ne se fera pas sans difficultés. Malgré le fait que l'échelle proposée «ne s'appliquerait qu'aux nouvelles nominations et respecterait les acquis des professeurs PTG actuellement en fonction», la négociation sera longue et difficile. Le 7 décembre 1988, l'université et l'AMCEQ signeront enfin une convention collective prévoyant la mise en vigueur d'un plan de pratique et d'un nouveau système de rémunération «modulée». Cette nouvelle forme de rémunération comportait deux avantages. D'une part, elle permettrait une plus grande adéquation entre le traitement universitaire des professeurs PTG et leurs tâches d'enseignement, de recherche et de gestion et assurerait plus de souplesse dans l'utilisation des ressources de la faculté pour le recrutement du corps professoral. D'autre part, les excédents des revenus tirés des actes cliniques pouvaient servir à la rémunération des activités d'enseignement clinique, à l'octroi de bourses de formation en recherche et en enseignement, à l'acquisition de matériel didactique et scientifique ainsi qu'à l'aide à la diffusion des travaux du corps professoral[40].

## L'augmentation et la diversification de la clientèle

En 1987, la FMUM était encore, au chapitre de la clientèle au programme de médecine, la seconde plus importante faculté de médecine canadienne, après celle de l'Université de Toronto, et la sixième en Amérique du Nord.

TABLEAU 4

### Rang des facultés selon le nombre d'étudiants inscrits au programme de médecine (1984)

| | |
|---|---:|
| University of Illinois College of Medicine | 1357 |
| Indiana University School of Medicine | 1199 |
| University of Minnesota Medical School | 1066 |
| Wayne State University School of Medicine | 1019 |
| University of Toronto Medical School | 990 |
| Faculté de médecine de l'Université de Montréal | 952 |

N'eût été du contingentement à la baisse imposé par le gouvernement du Québec en 1982, elle aurait certainement occupé le quatrième rang en Amérique[41]. En effet, la clientèle inscrite au programme de médecine avait diminué de 1017 en 1981 à 952 en 1984. Par ailleurs, le nombre maximal d'admissions annuelles avait été abaissé de 200 à 163 entre 1983 et 1986. Cette diminution des admissions, non exclusive au Québec, était aussi appliquée dans les autres provinces canadiennes et elle a eu pour effet de stabiliser le nombre de diplômés. Cependant, le nombre de diplômés en médecine en territoire canadien avait connu une légère progression jusqu'en 1985, pour ensuite redescendre, à partir de 1989, au niveau de 1976 (1708 diplômés en 1991 contre 1714 en 1976). La FMUM s'inscrivait dans cette tendance pancanadienne. La stabilisation des diplômes de médecine octroyés par la FMUM est d'autant plus significative qu'entre 1982 et 1991, les demandes d'admission avaient subi une augmentation relativement importante de 37 %, grimpant de 1522 à 2081.

La proportion des admissions diminue de 13 à 8,4 %. Il était donc de plus en plus difficile pour un candidat de se faire admettre au programme de médecine de la faculté (*voir* graphique 6). La FMUM suivait toutefois une tendance qui caractérisait toutes les facultés québécoises. L'accroissement des demandes aux études de médecine à la FMUM est en partie le résultat de certaines politiques d'admission. L'acceptation d'un nombre plus important de candidats ne provenant pas des cégeps et l'absence de restrictions, quant à l'âge et au sexe, ont eu un net effet à la hausse sur le bassin des candidats. Mais le principal facteur demeure la progression substantielle des femmes inscrites aux études post-secondaires. Elles ont largement contribué à grossir les rangs des candidats potentiels, comme l'indique l'accroissement considérable des demandes d'admission des femmes depuis dix ans: 677 femmes avaient fait une demande d'admission en 1978 contre 1112 en 1991, pour une croissance de 64 %.

La progression du pourcentage d'admissions des femmes par rapport aux hommes est constante. À cet égard, l'année 1982 marque un tournant important à la FMUM puisque, pour la

GRAPHIQUE 6

## Courbe des demandes d'admission et des demandes refusées au programme de médecine à l'UdM (1975-1991)

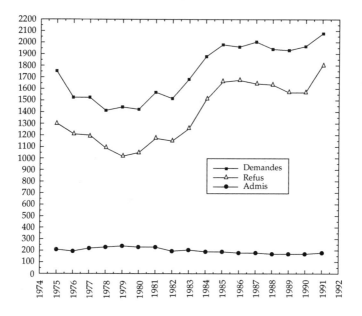

*Sources*: Bureau du registraire, Université de Montréal.

première fois depuis les débuts de la faculté, les admissions des femmes au programme de médecine ont été supérieures à celles des hommes. Ce renversement se maintiendra jusqu'à aujourd'hui. Le nombre d'hommes inscrits en première année diminuera progressivement de 1982 à 1986 (90 à 68) pour ensuite se stabiliser dans les années 1990 autour de 70. Depuis déjà quelques années, les membres du comité d'admission sélectionnaient, en proportion des candidatures féminines et masculines, un pourcentage beaucoup plus élevé de candidates que de candidats. Qu'on en juge par les chiffres suivants: entre 1978 et 1981, le pourcentage des admissions par sexe au prorata des demandes est légèrement en faveur des femmes avec un taux de succès de 19 % contre 14 % chez les hommes. Toutefois, ce pourcentage devient nettement plus avantageux pour les candidates à partir de 1982, alors que seulement 10,6 % des demandes d'admission des hommes sont acceptées comparativement à près de 15 % pour celles des femmes. En conséquence, même si les candidates sont moins nombreuses (677) que les candidats (845), plus de femmes sont admises (100, soit 52,6 %) que d'hommes (90, soit 47,4 %). L'année suivante, l'écart en faveur des candidatures féminines s'agrandit puisque leur proportion par rapport au nombre total des admissions est de 56,7 % contre 43,3 % chez les hommes.

Mais alors que cet écart s'était agrandi à la faculté à partir de 1982, il faudra attendre l'année 1985 avant que le nombre de candidates (1036) dépasse pour la première fois le nombre de candidats (948) (*voir* graphique 7). Là aussi, cette tendance demeurera jusqu'à aujourd'hui irréversible. En 1991, les admissions féminines composent 60 % des admissions totales au programme de médecine. La FMUM s'inscrivait dans une tendance générale au Québec puisqu'en 1984, «toutes les facultés québécoises sauf McGill admettaient proportionnellement plus de femmes que d'hommes[42]». Cependant, ce phénomène demeurait plutôt exclusif au Québec, la moyenne canadienne des admissions des candidates ne s'élevant qu'à 40 %. Encore en 1991, le pourcentage des femmes admises dans l'ensemble des facultés canadiennes demeuraient en dessous de 50 %. La tendance de la FMUM amorcée au début des années 1980 vers une représentation dominante de la classe féminine aura évidemment pour conséquence de provoquer un autre renversement pour ce qui est de la différenciation sexuelle des diplômés[43]. En 1991, il y eut à la FMUM, 101 diplômées contre 57 diplômés. Autre élément de distinction par rapport aux facultés médicales anglophones, cette proportion (64 % de femmes contre 36 % d'hommes) est nettement plus élevée que la moyenne des facultés anglophones du Canada qui possèdent 60 % de diplômés de sexe masculin contre 40 % de sexe féminin[44]. Soulignons que la moyenne des diplômées pour l'ensemble des facultés francophones du Québec s'élevait à 62 % contre 38 % pour les diplômés[45]. Ces facultés ont largement contribué à accroître le pourcentage des femmes dans la profession médicale cana-

GRAPHIQUE 7

**Admissions au programme de médecine de l'UdM
(1978-1991)**

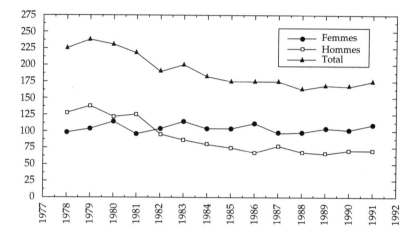

*Sources*: Bureau du registraire, Université de Montréal.

dienne. La FMUM et la faculté de médecine de Sherbrooke ont joué à cet égard un rôle de chef de file.

# Les études de premier cycle:
# une nouvelle approche pédagogique

Le plan d'orientation adopté par la faculté, loin de se limiter aux études supérieures et à la recherche, abordait différentes facettes de son fonctionnement général. Il envisageait des modifications à son financement général — subventions gouvernementales pour des programmes spéciaux, fonds de développement de la faculté, appel à l'industrie privée —, suggérait le développement d'une politique de marketing, afin d'accroître sa visibilité, et proposait une décentralisation des structures facultaire et universitaire. Mais en plus, fidèle aux politiques préconisées durant les deux décennies antérieures, il préconisait une nouvelle orientation de sa politique pédagogique pour le programme de médecine.

Largement inspirée d'un rapport préparé par l'Association américaine des facultés de médecine, intitulé *General Professional Education of the Physician*[46], la faculté émettait en 1988 une directive selon laquelle le programme proposerait à l'avenir «une formation générale comportant un ensemble de connaissances essentielles» et un «développement des compétences ou habiletés qui sont communes à toutes les disciplines ou à tous les champs d'activités de la médecine».

Ce n'est pourtant pas parce que l'enseignement était considéré, selon les critères standard, comme peu satisfaisant. Bien au contraire. Un rapport produit par le docteur J. Gourman, intitulé *The Gourman Report: A rating of Graduate and Professional programs in American & International Universities* attribuait des cotes de classement aux facultés de médecine nord-américaines: très fort (4,59-4,99), fort (4,01-4,58), bon (3,59-3,58) et acceptable (3,01-3,58). La FMUM s'était vu attribuer l'excellente cote de 4,80[47]. De plus, elle avait obtenu en 1987 un agrément complet de cinq ans du Comité de liaison nord-américain.

Mais cette fois-ci, les autorités de la faculté désiraient non seulement s'adapter aux progrès accélérés de la recherche et de la technologie biomédicales, mais aussi en devancer les effets, en mettant sur pied un programme qui répondra «encore aux exigences d'une formation générale pour la médecine du 21e siècle[48]». Elles n'entendaient donc pas se limiter à une simple amélioration des contenus et des exercices pratiques:

> Dans un contexte d'explosion des connaissances, cette approche met l'accent davantage sur la formation que sur l'information: l'étudiant ne peut plus tout apprendre, mais on doit l'aider à apprendre par lui-même. On doit le préparer à apprendre tout au long de sa vie professionnelle et non pas simplement lui enseigner les connaissances et les techniques de l'heure. Le programme des études médicales doit donc favoriser un apprentissage actif, autonome, au cours duquel l'étudiant acquiert cette capacité d'iden-

tifier, de formuler, de résoudre les problèmes de santé, de maîtriser et d'utiliser les concepts et les principes fondamentaux, de recueillir et d'évaluer les données de façon rigoureuse et critique. Une tête bien faite, plutôt qu'une tête bien pleine[49].

Sur ces objectifs généraux se greffaient des objectifs pédagogiques spécifiques qui devront permettre aux étudiants d'acquérir la maîtrise du raisonnement clinique, l'autonomie de l'apprentissage, la pratique de l'analyse critique et du raisonnement scientifique, de même qu'ils devront favoriser les aptitudes à la communication et au travail d'équipe et assurer le développement personnel «incluant la discipline et l'humanisme[50]». Or, pour atteindre ces ambitieux objectifs pédagogiques, il fallait s'orienter vers de nouvelles méthodologies et de nouvelles stratégies d'enseignement. Aussi proposa-t-on de réduire les heures d'enseignement magistral pour favoriser le travail individuel des étudiants et le travail de groupe. L'on entendait par ailleurs privilégier une «approche par problème plutôt que par discipline» de façon à «permettre à l'étudiant d'identifier lui-même ses besoins d'apprentissage[51]». À ces méthodes variées d'apprentissage, issues des grands courants psycho-pédagogiques américains, s'ajoutaient aussi de nouvelles méthodes pragmatiques d'apprentissage offertes par l'informatique et les techniques audiovisuelles de pointe. La plupart des départements de la faculté adopteront ces nouvelles orientations. Tel sera le cas par exemple du département de microbiologie et d'immunologie qui encouragera «l'auto-apprentissage, l'imagination créatrice et la réflexion déductive[52]».

La réforme du programme de doctorat en médecine fera l'objet de diverses consultations auprès des membres de la faculté. En 1988, le conseil de la faculté demandait au comité du programme de préparer un projet de réforme des études médicales, projet qui aboutira à la rédaction d'un Livre blanc qui sera envoyé en mai 1989 aux directions départementales et aux responsables de l'enseignement. Peu après, un autre groupe de travail sera chargé d'établir le contenu détaillé et les modalités d'application du nouveau programme en tenant compte des critiques et des suggestions des intéressés. À la suite de ces travaux, le Livre rouge sur la réforme, publié en mai 1990, sera envoyé aux 1755 professeurs de la faculté. Évidemment, une réforme de cette ampleur ne pouvait se faire sans éveiller de nombreuses appréhensions. De tous les aspects du projet, les plus controversés concernent l'accroissement de la tâche professorale, la modification des méthodologies d'apprentissage et la diminution du temps alloué aux sciences fondamentales qui passait de 45 à 25 semaines durant la phase I.

En septembre 1990, le conseil décide de reporter le projet d'un an afin de poursuivre les consultations, mais approuve, le 13 décembre suivant, les grandes orientations contenues dans le Livre rouge. Au début de l'année suivante, la FMUM confie à un groupe d'aide pédagogique au programme (GAPP) le mandat d'apporter le soutien nécessaire aux professeurs et aux comités responsables de la planification et de l'application du nouveau programme[53]. Celui-ci entrera finalement en vigueur à la session d'automne 1993.

Cette ambitieuse réorientation de la pédagogie médicale tenait à l'importance qu'avait conservée l'omnipratique de la médecine dans notre société québécoise. D'aucuns savent que le champ d'activité de l'omnipraticien est intimement lié à l'amélioration, la conservation et la promotion de la santé. De tels objectifs présents en filigrane dans toute consultation individuelle impliquent une redéfinition constante des problèmes de santé, une investigation clinique poussée et polyvalente du praticien ainsi qu'une approche globale de la maladie et de la santé. De tels a priori ont eu nécessairement un effet important sur la formation d'individus appelés à s'adapter à l'évolution des objectifs sociomédicaux, aux modifications des représentations de la maladie et aux perpétuelles transformations des pratiques cliniques. Les responsabilités des facultés médicales à cet égard sont évidentes. Le milieu de formation du futur praticien doit lui fournir l'occasion d'être sensibilisé «à l'importance des lieux d'exercice, aux modalités organisationnelles, à l'influence des milieux et régions de pratique et à la nécessité de développer ses capacités d'auto-apprentissage[54]». Le programme de médecine familiale, détaché du département de médecine sociale et préventive en 1986 pour devenir un département autonome, répondra de plus en plus adéquatement à ces objectifs.

## Les études médicales postdoctorales

Rappelons que sous le programme de formation qui conduisait au diplôme de M.D., les étudiants, pour obtenir leur droit de pratique, avaient jusqu'en 1988 trois possibilités: faire une année d'internat pour se diriger vers la pratique générale, faire une résidence en spécialités ou faire une résidence en médecine familiale. Depuis la décennie 1970, il existait aussi trois types d'internat: multidisciplinaire, rotatoire et unidisciplinaire. Ceux-ci permettaient, après un stage clinique d'un an, l'obtention d'un permis de pratique délivré par la CPMQ, permis qui autorisait le candidat à exercer en tant qu'omnipraticien[55]. Or le programme de résidence en médecine familiale instauré dès 1970 était lui aussi destiné aux détenteurs d'un diplôme de M.D. qui optaient pour la médecine générale (omnipraticiens, médecins de famille, généralistes). La première année de ce programme de spécialisation de deux ans n'était constitué que d'une simple année d'internat. La seconde année comportait un «stage multidisciplinaire intégré» au sein d'un département de médecine générale. Le candidat pouvait alors procéder à des observations «globales et prolongées des malades» tout en acquérant des «notions de médecine préventive, sociale ou communautaire».

Une telle formule présentait l'avantage de faciliter aux résidents qui le désiraient le passage des spécialités vers l'omnipratique et vice versa. Quant à ceux qui optaient pour l'internat d'un an, ils conservaient la possibilité de se réorienter vers les résidences en spécialités ou en médecine familiale. Le recrutement des candidats, notamment des indécis, en était ainsi facilité. Mais en revanche, outre les bénéfices en matière d'expérience et de savoir, le programme de deux ans ne procurait au candidat aucun privilège particulier ni aucun avantage pécuniaire.

Mais il répondait à une demande. Les quatre facultés de médecine du Québec offraient un tel programme et celui de résidence en médecine familiale attirait de nombreux candidats. Les liens entre l'internat multidisciplinaire et la résidence en médecine familiale étaient si étroits que la faculté confia au département de médecine sociale en 1975 la tâche d'en assurer la coordination[56].

Durant la décennie 1970 se répandit l'idée, tant au Collège des médecins et chirurgiens de la province de Québec (CMCQ) que parmi certains intervenants dans le milieu de l'internat, d'instaurer un seul programme d'internat de deux ans débouchant sur le permis d'exercice en omnipratique. À la FMUM, c'est le docteur J. Mathieu, devenu vice-doyen, qui insista pour instaurer un tel programme au sein de la faculté. Quant au doyen de l'époque, le docteur Bois, il désirait combler le vide laissé par la disparition de l'École de santé publique. On fit appel au docteur G. Desrosiers pour organiser le département de médecine sociale et préventive[57]. Le docteur Desrosiers accepta cette offre, mais il posa comme condition la mise en œuvre d'un programme de médecine familiale au sein du nouveau département. Durant le mois de juillet 1973, des rencontres entre les docteurs Desrosiers et Mathieu aboutirent à l'idée qui le département de médecine sociale serait responsable de l'internat multidisciplinaire et du programme de médecine familiale. Le département de médecine sociale et préventive devait donc à la fois coordonner la formation d'omnipraticiens par le programme d'internat multidisciplinaire et la formation de médecins de famille par le programmme de médecine familiale. Or, comme le fera remarquer le docteur Desrosiers, «les diplômés de ces deux programmes différents sont appelés à accomplir les mêmes fonctions dans les mêmes lieux de pratique[58]».

Il fallait par ailleurs entamer des négociations avec les milieux hospitaliers — Maisonneuve-Rosemont, Notre-Dame, Sacré-Cœur et Christ-Roi de Verdun — susceptibles d'accueillir le nouveau programme de résidence de médecine familiale[59]. En 1974, l'hôpital de Verdun est affilié à l'université pour la mise en place d'une unité de médecine familiale et pour l'organisation d'un cours théorique destiné aux résidents et internes se dirigeant vers cette pratique. L'hôpital obtiendra aussi, non sans résistances de la part du conseil de la faculté, la responsabilité de l'internat multidisciplinaire. Les membres du département de médecine sociale et familiale notaient alors avec perspicacité que ce type d'internat était «appelé au cours des années à venir à se fondre dans le programme de médecine familiale[60]». L'avenir leur donnera raison. D'autres unités furent implantées à Maisonneuve-Rosemont (1974), à l'Hôpital du Sacré-Cœur (1975[61]) et à la Cité de la Santé de Laval (1977). Déjà en 1979, devant l'importance prise par cette section en ce qui regarde le nombre de professeurs et d'étudiants, l'on envisageait sérieusement de créer un département de médecine familiale[62]. Il faudra toutefois, pour diverses raisons financières et conjoncturelles, attendre encore sept ans avant que ce projet ne devienne réalité.

En conséquence, le département de médecine sociale et préventive se retrouvait dans une curieuse position; il devait à la fois coordonner un enseignement en médecine communautaire et en médecine familiale, disciplines qui recouvraient des réalités fort différentes. La première s'intéressait aux populations et faisait appel aux disciplines telles que la statistique, l'épidémiologie et les sciences sociales, tandis que la seconde s'intéressait surtout aux individus et faisait largement appel aux disciplines traditionnelles en médecine clinique. Le docteur Desrosiers reconnaissait certes la possibilité d'une collaboration entre les deux disciplines, mais il ne manquait pas de souligner que «leurs méthodes différentes rendent laborieuse, pour ne pas dire artificielle, leur fusion dans la même unité administrative[63]». La création du département de médecine familiale en 1986 leur permettra d'évoluer selon leurs orientations respectives et complémentaires.

### L'abolition de l'internat et le programme de résidence en médecine familiale

Alors que les inscriptions à ce programme, durant les premières années de la décennie 1980, étaient de plus en plus nombreuses, plusieurs recommandations des comités d'étude sur la formation médicale — rapport de la CPMQ (1982), de l'OPQ (1983), du CEFM (1985) — allaient dans le sens d'une abolition de l'internat multidisciplinaire au profit de l'adoption d'un programme intégré et obligatoire de deux ans en médecine familiale pour tous les futurs diplômés en médecine[64].

> Tous les organismes estiment que l'internat actuel ne prépare pas à l'exercice de l'omnipratique, qu'il doit être réorganisé pour devenir une période de formation post-M.D. en omnipratique. Tous conviennent que le contenu de cette formation gagnerait à s'inspirer des programmes existants en médecine de famille[65].

L'on s'interrogeait aussi à la FMUM sur l'opportunité de conserver deux programmes qui préparaient à la carrière de la pratique familiale. Le comité des soins de première ligne, qui avait été formé en 1983, se penchait sur les objectifs et le contenu d'un programme de deux années conduisant «au permis d'exercice en omnipratique[66]». Fait assez rare, l'ensemble des parties concernées, la CPMQ, l'OPQ, la FMOQ, l'APMFQ, le CMFC, les doyens des facultés et les directeurs des départements de médecine du Québec acceptaient unanimement que le programme de médecine familiale devienne la seule voie d'accès à l'omnipratique[67]. Déjà en 1985, le programme de médecine familiale occupait, en ce qui a trait au nombre d'étudiants pour l'ensemble des facultés de médecine du Québec, le deuxième rang, suivant de très près la résidence en médecine interne. Le rapport Archambault, «considérant l'impérieuse nécessité de donner au futur omnipraticien la formation post-doctorale dont il a besoin pour assumer pleinement ses responsabilités et répondre plus adéquatement aux besoins de santé de la population québécoise[68]», recommandait fortement l'abolition de l'internat au profit de l'instauration d'un programme universitaire de médecine familiale d'une durée de 24 mois.

Finalement, par suite du décret adopté le 25 juin 1987 par le gouvernement du Québec intitulé *Règlement sur les conditions et modalités de délivrance des permis*, le programme d'internat fut aboli à compter du 1er juillet 1988. Cette structure traditionnelle privilégiée de l'enseignement médical, tant à la FMUM que dans les autres facultés québécoises, canadiennes, américaines ou européennes, sera remplacée par un programme spécialisé obligatoire de deux ans en médecine familiale pour tous les candidats à l'exercice de la médecine, sous l'autorité de la faculté des études supérieures[69]. La FMUM était déjà prête à assumer cette responsabilité puisque, deux ans auparavant, elle avait décidé d'abolir la section de médecine familiale du département de médecine sociale et préventive pour en faire un département ayant le même statut que les autres grandes disciplines cliniques. Pour faire suite aux recommandations du rapport Archambault, le développement du programme de médecine familiale avait été planifié et l'on prévoyait accueillir éventuellement 180 résidents. Dès sa fondation, le département de médecine familiale comptait 84 étudiants attachés à quatre centres hospitaliers offrant des milieux appropriés d'enseignement clinique en médecine générale. En raison de l'abolition de l'internat, les postes de résidence autorisée en médecine familiale au Québec avaient été haussés de 240 en 1987-1988 à 335 le 1er juillet 1988. En conséquence, les admissions à ce département à la FMUM grimperont de 56 à 98 étudiants en 1988-1989 et le nombre total des inscrits passera de 91 à 142[70].

La réforme des études postdoctorales ne s'est pourtant pas effectuée sans heurts. Les finissants en médecine adressaient deux reproches aux autorités. En premier lieu, ils soulignaient l'insécurité de plusieurs face à l'obligation de faire un choix de carrière en spécialité ou en médecine familiale alors que, dans bien des cas, ils n'avaient pas été exposés à l'ensemble des disciplines[71]. En second lieu, ils se plaignaient d'avoir perdu la possibilité de compléter leur formation dans le milieu universitaire ou l'hôpital de leur choix puisque, d'une part, les postes de médecine familiale étaient maintenant contingentés et que, d'autre part, le gouvernement du Québec avait décidé de lier un certain nombre de postes de résidence en spécialités à l'obligation d'aller pratiquer en région pendant quatre ans. J. Lescop résume les événements qui ont précédé la mise en vigueur du nouveau programme d'études postdoctorales:

Il n'en fallait pas plus pour que les étudiants en médecine des quatre facultés québécoises décident de faire la grève, grève qui a impliqué pendant quelques jours tous les étudiants des facultés de médecine [...]. À Montréal, cette grève s'est traduite par plus de 800 étudiants qui ont boycotté les cours, occupés les locaux de la direction de la Faculté et du département de médecine familiale [...]. Des concessions ont dû être faites: le nombre de postes en spécialités liés à contrat a été diminué par le Gouvernement, le département de médecine familiale a accepté de façon exceptionnelle d'augmenter sa capacité d'accueil de cinq résidents et la Faculté s'est engagée, pour une année, à garantir un poste de résidence en spécialités ou en médecine familiale à tous ses gradués[*sic*][72].

Finalement, les craintes se sont résorbées et, dès l'année scolaire 1988-1989, les résidents en médecine familiale ont été accueillis dans l'un des cinq centres hospitaliers offrant dans l'ensemble dix milieux de formation clinique en médecine familiale. Le nouveau programme dispensera aux résidents une formation en gériatrie, en médecine d'urgence et en médecine du travail, tout en contribuant fortement à intensifier la recherche dans les domaines des fondements théoriques, des applications cliniques et des innovations pédagogiques d'une médecine axée sur «le concept biopsychosocial de la santé et de la maladie[73]». Grâce au travail de J. Lescop et de son successeur, B. Millette, directeur du département depuis 1990, la médecine familiale connaîtra jusqu'à aujourd'hui une importante expansion.

## Le contingentement des spécialités

Nous avons vu qu'à partir de 1970, outre l'internat et la résidence en médecine générale, la FMUM s'était vu confier le programme de résidence en spécialités qui conduisait à l'obtention d'un certificat de spécialiste reconnu par le CMCPQ[74]. Constitués de séances d'enseignement clinique, de stages cliniques et de leçons théoriques, ces programmes se déroulaient au sein des centres hospitaliers agréés. Bientôt, les autorités concernées se rendirent compte que bien des difficultés étaient soulevées par la structuration, le contrôle et la coordination de ces nombreux programmes. Certaines facultés n'exerçaient qu'un faible contrôle sur les activités d'enseignement et les stages hospitaliers. L'on se plaignait aussi que les programmes de spécialisation ne correspondaient guère aux règlements et procédures des programmes d'études supérieures des autres universités. Il fallait aussi empêcher les dédoublements de programme, optimiser les coûts de formation et répondre aux besoins de main-d'œuvre. C'est ainsi que différents correctifs seront apportés durant les décennies 1970 et 1980, grâce notamment aux recommandations de divers comités d'études mis sur pied pour coordonner les activités de ces programmes.

Parmi ceux-ci, mentionnons le comité de rationalisation des programmes de formation postdoctorale en médecine, créé au début des années 1980 par le conseil des universités, qui publiera son rapport en 1982 (rapport Scott), et le comité mixte d'études sur la rationalisation des programmes de spécialisation médicale (COCERAP) formé par des représentants des facultés de médecine et de la CPMQ. L'une des nombreuses tâches de ce dernier comité qui déposera son rapport en 1984 consistait à évaluer les programmes de formation dans le domaine des spécialités en fonction de la qualité des programmes, de leur achalandage, de leur interdépendance et des besoins de la population en effectifs médicaux[75]. Il suggéra certaines modifications quant au nombre de milieux de formation, au taux de réussite aux examens, à la durée d'étude et aux modes d'évaluation. Il soulignait particulièrement l'importance d'établir une concertation interfacultaire de façon à «favoriser une politique d'ensemble pour la province[76]» et à éliminer les dédoublements inutiles. Les auteurs du rapport s'inquiétaient «des déséquilibres de répartition de main-d'œuvre» qui découlaient du contingentement puisque, selon eux, «l'attraction du marché ne [pouvait] être compensée dans le cadre d'un contingentement strict[77]». Ils appuyaient en conséquence toute démarche visant à «répondre le plus adéquatement possible aux besoins en main-d'œuvre spécialisée de la société québécoise[78]».

Cette recommandation était en fait une critique de la politique de contingentement des postes rétribués d'internat et de

résidence mise en vigueur en 1977 par les autorités gouvernementales, politique qui irritait au plus haut point les responsables du milieu médical[79]. En février 1982, un décret du
gouvernement du Québec concernant la détermination des
postes d'internes et de résidents en médecine pour l'année
scolaire 1982-1983 énonçait clairement les objectifs du MAS:
augmenter la proportion d'omnipraticiens et de spécialistes à
60/40 et contrôler la croissance des effectifs médicaux en dimi-
nuant le nombre de médecins étrangers et des autres provinces.
En 1984, le nombre d'admissions en spécialités à la FMUM ne
s'élevait plus qu'à 99. Il sera réduit à nouveau l'année suivante
à 90 admissions pour 619 demandes, soit un pourcentage
d'acceptation de seulement 14 %[80].

Le comité Archambault émit une série de recommandations qui allaient généralement dans le même sens que celles
du rapport du CORERAP en ce qui regarde les études postdoctorales et le programme de résidence en spécialités. Un an
plus tard, le ministère de la Santé et des Services sociaux décidera
néanmoins de contingenter de façon encore plus stricte les
admissions dans les spécialités en fixant par décret annuel le
nombre maximal de postes rétribués en résidence. La gestion
de ce contingentement était naturellement laissée aux facultés
de médecine. Un comité des vice-doyens des études postdoctorales des facultés de médecine de la province est alors mis
sur pied afin de coordonner la réduction des postes en résidence. Les répercussions de cette politique de contingentement
aux programmes de spécialités et les difficultés soulevées par
son application n'ont pas manqué de déplaire souverainement
aux responsables des facultés de médecine, des centres hospitaliers et de la CPMQ.

> *The future trends as to the composite size of the programs will
> be determined by government decisions. [...] We are worried by
> this policy of restriction by the governement and we foresee a
> lack of specialists in the near future in: internal medicine, gen-
> eral surgery, obstetrics and gynecology, cardiology, orthope-
> dics*[81].

Les autorités invoquaient aussi l'argument que la diminution des résidents aurait un effet négatif sur la formation des étudiants de quatrième et cinquième année. En effet, ceux-ci dispensaient certains cours et assistaient les professeurs dans la supervision de l'externat[82]. Mais le processus était déjà enclenché. Entre 1984-1985 et 1988-1989, la diminution des admissions des résidents fut de 20 %, chutant de 208 à 167 étudiants[83]. À partir de 1989, le ministère de la Santé acceptera d'élever le plafond des admissions en spécialités mais, en contrepartie, il désirait augmenter le nombre des postes de spécialistes «désignés». Ces postes contraignaient les candidats à exercer leur profession pendant quatre ans en régions désignées[84]. Cette mesure, fort louable, visait à combler la pénurie de spécialistes en régions éloignées. Malheureusement, la profession médicale s'est montrée plutôt réticente à cette mesure, et les facultés médicales n'ont guère fait la promotion de ces postes assez peu populaires auprès de la clientèle étudiante. Celle-ci préférait opter pour une formation spécialisée, non contingentée, en médecine familiale[85]. La baisse forcée des admissions dans les spécialités médicales et chirurgicales sera suivie d'une hausse des inscriptions en médecine familiale à la FMUM. Nous avons déjà mentionné que le programme de médecine familiale pour l'ensemble des facultés de médecine québécoises se classait au deuxième rang en ce qui concerne le nombre de stagiaires (261 inscrits), après la médecine interne (288 inscrits). Suivaient la chirurgie générale avec 200 stagiaires, la psychiatrie avec 149, la pédiatrie avec 119, l'anesthésie-réanimation avec 115 et l'obstétrique-gynécologie avec 106. Curieusement, il n'y avait aucun stagiaire en gériatrie, en pharmacologie clinique, en soins intensifs, en pathologie générale ou en pathologie pédiatrique[86]. Ces spécialités risquaient certainement de faire face à une pénurie. Il est à souligner que les facultés de médecine de Montréal et de McGill formaient à elles seules plus des trois quarts des spécialistes en territoire québécois, comptant 1537 des 2175 stagiaires[87].

Malgré la politique de contingentement, la faculté avait continué à améliorer ses programmes spécialisés en collaboration avec la faculté des études supérieures. En 1992-1993, la

FMUM offrait, sous l'autorité de la faculté des études supérieures, 36 diplômes d'études spécialisées (DES) — anatomopathologie, anesthésie, biochimie médicale, chirurgie (8 options), médecine (14 options), médecine familiale, médecine familiale et d'urgence, médecine nucléaire, microbiologie médicale et infectiologie, obstétrique-gynécologie, ophtalmologie, pédiatrie, psychiatrie, radiologie diagnostique, radio-oncologie, soins intensifs — ouvrant sur les examens des corporations professionnelles[88]. La diminution des résidents à la suite de la politique de contingentement aura tout le moins eu pour effet de rationaliser les milieux de formation. L'on décida de réduire «le nombre de milieux hospitaliers impliqués dans chacun des programmes afin d'assurer une meilleure pyramide d'enseignement». Cette démarche n'eut pas l'heur de plaire aux milieux hospitaliers concernés puisque le vice-doyen des études médicales postdoctorales, L. Laplante, mentionne que cette réduction avait «fait l'objet de résistances normales dans les milieux hospitaliers concernés». Mais, ajoute-t-il, «elle paraît moins drastique que la réduction du nombre de centres hospitaliers universitaires[89]». De plus, pour certains programmes de formation postdoctorale, la faculté offrira des stages en régions éloignées afin d'exposer plus adéquatement le futur praticien aux problèmes spécifiques de ces milieux[90]. Au début des années 1990, des progrès importants avaient été accomplis en matière de formation postdoctorale, progrès qui allaient généralement dans le sens des recommandations du rapport du COCERAP et du rapport Archambault[91]: réduction du nombre de milieux de formation, meilleur équilibre entre les besoins et la formation de futurs spécialistes, recherche de concertation sur les problèmes liés aux politiques de contingentement, suspension des admissions dans certains programmes, amélioration des méthodes d'évaluation, recherche d'une concertation interfacultaire et d'une complémentarité accrue entre les facultés médicales québécoises.

Aux charges d'enseignement déjà lourdes de la faculté de médecine au niveau des études de premier cycle, des études supérieures et des études postdoctorales s'ajoutaient les activités d'enseignement aux médecins et aux professionnels de la santé en exercice. Nous avons déjà souligné que l'une des missions sociales de la faculté consistait, depuis des années, à offrir aux médecins en exercice un complément de formation indispensable au maintien de leur compétence et susceptible de favoriser de meilleurs soins aux patients. À partir des années 1980, l'établissement d'un programme plus varié et mieux coordonné a surtout été le fruit de la création du Service de formation médicale continue (SFMC). Celui-ci avait pour principales fonctions de diversifier les activités éducatives à l'aide de colloques, de stages, de rédaction d'ouvrages, de cours télévisés ou encore de cours assistés par ordinateur. Il offrait le soutien logistique nécessaire et s'efforçait de «promouvoir les méthodes d'identification des besoins des médecins en exercice[92]». Le directeur de ce service qui existe toujours est un adjoint du vice-doyen des études médicales postdoctorales.

## Notes

1. J. Lord, «Études de premier cycle», dans *Université de Montréal. Faculté de médecine. Rapport du Doyen 1985-1939,* Montréal, Université de Montréal, 1989, p. 17.
2. A. Archambault *et al., Rapport du Comité d'étude sur la formation médicale,* Conseil des Universités, 1985. En 1983, le président du Conseil des universités du Québec, à la demande du ministre de l'Éducation, avait créé un comité sur la formation en médecine. Ce comité avait pour mandat de procéder à une évaluation des programmes de formation en médecine au Québec en tenant compte des conditions d'admissibilité, des programmes d'études de M.D., d'études supérieures et de formation postdoctorale.
3. La durée du programme n'était pas au cœur de ces recommandations puisqu'il n'y avait que dix-huit semaines de différence entre celui-ci et le programme de quatre ans le plus court (Laval) (*id.,* p. 55).
4. «Le passage du programme de cinq à quatre ans constitue une occasion rêvée pour une réforme en profondeur de son contenu et de toute l'approche pédagogique.» (*Id.*)
5. Girard, Roy et Associés inc., *Plan d'orientation. Faculté de médecine. Université de Montréal,* «Position stratégique au niveau des cycles d'études», Rapport 6, 1986, p. 42.
6. *Ibid.,* p. 57.
7. Girard, Roy et Associés inc., *L'environnement intermédiaire: statistiques comparatives des facultés de médecine au Québec,* Rapport 4, 1986, p. 66, 68, 70.

8. *Ibid.,* p. 71.

9. *Ibid.,* p. 58.

10. «Malgré la performance favorable de notre faculté au Canada, on remarque la croissance plus rapide des facultés de médecine des universités McGill, de Toronto et de B. C. Si la tendance se maintient, ces trois dernières facultés deviendraient les pôles canadiens en recherche alors que notre Faculté se verrait graduellement évincée de sa position historique pour se retrouver dans le groupe des facultés dites "intermédiaires" quant à la recherche.» *(Plan d'orientation..., op. cit.,* p. 57.)

11. *La poursuite de l'excellence,* rapport du groupe de travail sur les priorités présenté au Comité de la planification de l'Université de Montréal, juillet 1985.

12. *Plan d'orientation..., op. cit.,* p. 44.

13. *Ibid.,* p. 45.

14. *Id.* Le rapport soulignait que «la performance de la Faculté est supérieure à celle de l'ensemble de l'Université et ce, autant en enseignement qu'en recherche. En fait, la Faculté, par rapport aux autres facultés de médecine du Canada, détient une position plus favorable que l'Université de Montréal par rapport aux données canadiennes. Si on déduisait de part et d'autre les données relatives aux facultés de médecine, la positon de l'Université chuterait considérablement. Il nous semble donc logique que notre Faculté joue un rôle déterminant dans les stratégies que devra privilégier l'Université pour l'avenir.» *(Ibid.,* p. 42.)

15. Girard, Roy et Associés inc., *Plan d'orientation..., op. cit.,* p. 42.

16. La faculté de médecine de l'Université de Toronto suivait McGill avec 17,4 % *(ibid.,* annexe J).

17. *Rapport du doyen..., op. cit.,* p. 26.

18. Suivaient l'Institut national du cancer avec 1 494 515 $ et le ministère de la Santé et du Bien-être social du Canada avec 1 009 433 $.

19. L'Université Laval se classait au 10ᵉ rang avec 13 millions et Sherbrooke au 14ᵉ rang avec 8 millions.

20. G. Lamarche, «Problématique de la recherche et des études supérieures de la faculté de médecine», dans Girard, Roy et Associés inc., *Plan d'orientation..., op. cit.,* juin 1986, annexe A, p. 1.

21. *Ibid.,* p. 3.

22. «Ce comité spécial fut formé [...] dans le but spécifique d'analyser les caractéristiques du corps professoral concernant la recherche et les caractéristiques de la recherche elle-même.» *(Rapport du doyen..., op. cit.,* p. 27.)

23. *Plan d'orientation..., op. cit.,* p. 104-105.

24. «*Research space does present problems, particularly for the departmental units that are housed on the campus. Some departments are filled to capacity. The Faculty needs to critically assess the space situation and proceed to a reallocation in certain circumstances [...]. The space available in most of the hospital centers is considered adequate for the present; in a few instances there is a critical shortage of space.*» *(Auto-*

*évaluation de la Faculté de médecine. Self study analysis. 1987,* Faculté de médecine, Université de Montréal, p. 41.)

25. *Plan d'orientation..., op. cit.,* p. 44.

26. *Rapport du doyen..., op. cit.,* p. 28.

27. Depuis 1981, avaient aussi été créés le Réseau interhospitalier de cancérologie à l'Université de Montréal (RICUM), le Groupe de recherche en reproduction humaine (GRRH), le Groupe de recherche en hépatologie (GRH), le Groupe de recherche en transport membranaire (GRTM) et le Groupe de recherche interdisciplinaire en santé (GRIS).

28. *Infomed,* Faculté de médecine, vol. 12, n° 3, fév.-mars 1989, p. 1.

29. Les chiffres présentés ici sont tirés du document «Activités de recherche médicale», Faculté de Médecine, Université de Montréal, mai 1992.

30. En 1978-1979, le département de médecine bénéficiait d'une somme de 3 172 000 $ en allocations et en bourses de recherche. En l'espace de onze ans, le département avait accru de dix fois son budget; augmentation qui demeure considérable même si l'on tient compte de l'augmentation de l'indice du coût de la vie. Statistiques tirées de Liaison Committee on Medical Education. *Database. Clinical Departments,* 1978-1979.

31. Les subventions de recherche du département de microbiologie et d'immunologie dépasseront les cinq millions de dollars en 1992.

32. Le GRIS avait été officiellement reconnu en 1983 et avait pour but de «développer au Québec des recherches de types épidémiologique, opérationnel, organisationnel et évaluatif portant sur le système de santé québécois». En 1990, il regroupait une douzaine de chercheurs de diverses disciplines rattachées aux départements d'administration de la santé, de la médecine sociale et préventive et de médecine familiale de la FMUM. Sur le GRIS, voir «Groupe de recherche interdisciplinaire en santé», *Infomed,* Faculté de médecine, vol. 13, n° 4, avril-mai 1990, p. 8-10.

33. Outre les 46 millions provenant de l'émission d'actions des sociétés d'investissement Medvedent et Lomedic, «d'autres projets ont été constitués de la même façon. Il s'agit des projets Polychol (2 850 000 $) et Fibrose kystique du Québec (2 751 000 $). Un nouveau projet est en cours impliquant plusieurs chercheurs de notre faculté. Cet apport de capital pour subventionner la recherche peut ramener un influx de 15 000 000 $ en 1992.» («Activités de recherche médicale», Faculté de Médecine, Université de Montréal, mai 1992.)

34. Y. Gauthier, «Des propositions qui répondent aux objectifs facultaires», *Infomed,* Faculté de médecine, vol. 8, n° 2, nov. 1984, p. 2.

35. Une clause de la convention collective permettait aux professeurs PTG de consacrer deux demi-journées par semaine à d'autres activités professionnelles. Or, mentionne le doyen en 1984, cette clause «nous paraît dépassée» (*ibid.,* p. 3).

36. «Il est clair, par ailleurs, que dans certains départements, particulièrement en médecine, le temps consacré aux activités cliniques demeure trop important, aux dépens des activités strictement académiques. La contribution des

professeurs PTG à la recherche et aux études supérieures demeure faible.»
(Y. Gauthier, «Allocution du doyen au conseil de la faculté», *Infomed*, Faculté
de médecine, vol. 9, nº 2, oct.-nov. 1985, p. 4.)

37. *Id.*

38. G. Lamarche, «Réflexions sur l'exercice de la médecine dans un centre
hospitalier universitaire», *Infomed*, Faculté de médecine, vol. 6, nº 2, nov.-déc.
1982, p. 2-5. Cet article, qui remettait en question les pratiques des professeurs
cliniciens, suscita de nombreuses réponses positives et négatives qui témoi-
gnaient de l'importance de la question.

39. Voir Y. Gauthier, «Proposition pour un plan de pratique», *Infomed*, Faculté
de médecine, vol. 9, nº 1, sep. 1985, p. 2, et «Enfin, un plan de pratique»,
*Infomed*, Faculté de médecine, vol. 12, nº 2, déc. 1988, p. 1.

40. *Id.*

41. Les autorités gouvernementales estimaient qu'il y avait un surplus de
médecins exerçant au Québec.

42. Girard, Roy et Associés inc., *L'environnement intermédiaire...*, op. cit., p. 12.

43. En 1984, la FMUM comptait aux différents niveaux d'études en médecine
une proportion de 52,6 % de femmes alors que l'Université McGill n'en comptait que 34,7 % (*ibid.*, p. 23).

44. ACMC/AFMC. FORUM, vol. XXIV, nº 5, août/sep. 1991, p. 1. Voir aussi
à ce propos E. Ryten, «Why do Canada's French language faculties of medicine
enrol a far higher percentage of women than do Canada's English language
faculties of medicine?, *ibid.*, vol. XXI, nº 3, avril/mai 1988.

45. *Ibid*, vol. XXIV, nº 5, août/sep. 1991, p. 1.

46. Lors de son allocution annuelle, le doyen mentionnait que «la réforme du
programme devra être compatible avec la philosophie du rapport GPEP»
(*Infomed*, vol. 11, nº 1, sep.-oct. 1987, p. 3).

47. La FMUM se classait 4e au Canada, derrière McGill (4,90), Toronto (4,89),
Colombie-Britannique (4,85). Parmi les facultés internationales, la FMUM se
retrouvait au 15e rang et McGill au 5e rang (G. Lamarche, «Le rapport
Gourman», *Infomed*, Faculté de médecine, vol. 11, nº 3, mai-juin 1988, p. 3-4).

48. P. Jean, «Chronique de la réforme du programme de doctorat en médecine.
La formation fondamentale du médecin pour une médecine des années 2000»,
*Infomed*, Faculté de médecine, vol. 14, nº 1, sep.-oct. 1990, p. 1. Soulignons que
de telles réflexions étaient largement alimentées par un rapport des autorités
médicales américaines intitulé *Physicians for the 21th Century — General
Professional Education of the Physician: «In the general professional education of
the physician, medical faculties should emphasize the acquisition and developement
of skills, values, and attitudes by students at least to the same extent that they do
their acquisition of knowledge. To do this, medical faculties must limit the amount
of actual information that students are expected to memorize.»*

49. P. Jean, «Chronique de la réforme du programme de doctorat en médecine»,
*Infomed*, Faculté de médecine, vol. 13, nº 4, avril-mai 1990, p. 1.

50. J. Lord, «Études de premier cycle», *op. cit.*, p. 17.

51. *Id.*

52. *Le département de microbiologie et immunologie. Notice historique*, Faculté de médecine, Université de Montréal, s.d.

53. Sur les péripéties entourant l'adoption du nouveau programme, voir «Chronique de la réforme du programme de doctorat en médecine», *Infomed*, Faculté de médecine, Université de Montréal, avril-mai 1990; juin 1990; sept.-oct. 1990; nov.-déc. 1990; janv.-fév. 1991; sept.-oct. 1991; mars-avril 1991.

54. Girard, Roy et Associés inc., *L'environnement intermédiaire: la formation en médecine au Québec*, Rapport 3, 1986, p. 17.

55. Voir le chapitre VII.

56. G. Desrosiers, *Rapport annuel présenté à l'assemblée générale du département de médecine sociale et préventive*, 1976-09-28, p. 5.

57. Voir le chapitre VII.

58. Cité par Z. M. de Araujo Hartz, *L'évolution des structures et des contenus de l'enseignement en matière de santé publique à la faculté de médecine de l'Université de Montréal*, Mémoire de maîtrise en santé communautaire, Université de Montréal, 1989, p. 80.

59. Réunions du 17 et du 26 juil. 1973 du département de médecine sociale et préventive.

60. Réunion du 11 oct. 1974 du département de médecine sociale et préventive.

61. Réunion du 9 avril 1975 du département de médecine sociale et préventive.

62. «Le doyen et le Comité consultatif ont accepté de donner suite à une recommandation faite, il y a trois ans, de créer un Département de médecine familiale autonome étant donné l'importance qu'a prise la section au cours des dernières années en terme de professeurs et d'étudiants.» (*Rapport du directeur du département le 21 août 1979 présenté à l'assemblée départementale*, Département de médecine sociale et préventive.)

63. Cité par Z. M. de Araujo Hartz, *op. cit.*, p. 80.

64. Déjà en avril 1976, le rapport final de l'Opération sciences de la santé (OSS) recommandait de réorienter l'année d'internat pour l'intégrer à un programme conduisant à un permis d'exercice en médecine familiale. Le 16 juin 1982, la CPMQ proposait que les candidats qui se destinent à l'omnipratique effectuent 24 mois de stage dans un programme universitaire en omnipratique. L'Office des professions recommandait en 1983 l'abolition de l'internat et l'instauration d'une période de formation postdoctorale «pour l'obtention du permis et l'exercice de l'omnipratique». Quant au COCERAP, il recommandait en 1985 «que l'internat sous ses formes actuelles soit aboli et remplacé dans le cas de l'omnipratique, par la première année d'un programme de formation postdoctorale en médecine de famille; que la formation du futur omnipraticien soit réalisée à l'intérieur d'un programme universitaire de médecine familiale d'une durée de vingt-quatre mois (deux ans), agréé par la C.P.M.Q.» (Girard, Roy et Associés inc., *L'environnement intermédiaire...*, *op. cit.*, p. 23, 19, 20, 30).

65. A. Archambault *et al.*, *op. cit.*, p. 78.

66. Y. Gauthier, «Éditorial du doyen», *Infomed*, Faculté de médecine, vol. 7, nº 1, sept.-oct. 1983, p. 1.

67. Les doyens des facultés de médecine exprimaient, en décembre 1983, une opinion favorable mais plus nuancée. Certes, ils reconnaisaient que «l'internat tel que "vécu" actuellement ne permet pas aux détenteurs de M.D. d'acquérir la formation requise à l'exercice de l'omnipratique» et que «la proposition de la C.P.M.Q. à l'effet que ces programmes de formation soient d'une durée de deux ans et que le permis d'exercice en omnipratique ne soit accordé qu'aux candidats ayant complété et réussi ces programmes apparaît réaliste», mais certains d'entre eux souhaitaient «conserver une plus grande flexibilité quant à d'autres cheminements possibles de formation» (Girard, Roy et Associés inc., *op. cit.*, p. 21). Quant aux directeurs de département, ils s'entendaient «pour favoriser les programmes de médecine familiale et abolir le plus tôt possible l'internat multidisciplinaire comme programme conduisant à l'exercice de la médecine générale» (Conférence des directeurs de départements de médecine du Québec, *Mémoire sur la médecine interne*, 1984, cité par Girard, Roy et Associés inc., *op. cit.*, p. 21).

68. A. Archambault *et al.*, *op. cit.*, p. 95-96.

69. Les futurs médecins de famille, pour obtenir un permis d'exercice, devaient dorénavant faire «des stages dans un programme universitaire de formation postdoctorale en omnipratique ou médecine de famille d'une durée de deux ans» (J. Lescop, «L'instauration d'un programme de médecine familiale pour tous les futurs médecins de famille du Québec vue par les artisans, les départements de médecine familiale», *Infomed*, Faculté de médecine, vol. 12, nº 2, déc. 1988-jan. 1989, p. 7).

70. Entre 1984 et 1989, le nombre d'étudiants inscrits en médecine familiale passera de 70 à 142 (L. Laplante, «Études médicales postdoctorales», dans *Rapport du doyen...*, *op. cit.*, p. 21.

71. Sur ce point et les suivants, voir le compte rendu des événements relatés par J. Lescop, *op. cit.*, p. 7-10.

72. *Ibid.*, p. 9.

73. J. Lescop, «La médecine familiale à l'Université de Montréal», *Infomed*, Faculté de médecine, vol. 9, nº 4, mai 1986, p. 4.

74. AFMUM, 1971-1972, p. 71.

75. Girard, Roy et Associés inc., *L'environnement intermédiaire...*, *op. cit.*, p. 3.

76. *Ibid.*, p. 5.

77. *Ibid.*, p. 36.

78. *Id.*

79. Rappelons que c'est en 1974 que le ministère des Affaires sociales décide de limiter les admissions à l'internat et à la résidence au nombre de 2100 pour toutes les universités du Québec. Cette politique visait surtout à limiter le nombre d'étrangers qui représentaient alors 29 % des internes et 52 % des résidents. La politique de contingentement ne s'appliquait au début que pour les médecins étrangers, Mais, dès 1977, cette politique s'appliquera en fonction d'une réduction des effectifs médicaux au Québec. Entre 1977 et 1979,

une directive émanant du ministère des Affaires sociales sera émise annuellement. En 1977, le nombre de postes rémunérés d'internes et de résidents
s'élève à 1800 (voir L. E. Laplante, «Le contingentement des résidents», *Infomed*,
Faculté de médecine, vol. 8, n° 5, mai-juin 1985, p. 1-6).

80. *Ibid.*, p. 4.

81. *Auto-évaluation de la faculté. Self-study analysis*, Université de Montréal,
Faculté de médecine, 1987, p. 38.

82. «*According to our estimate, 30 % of all the teaching is probably done by residents. This may drop because of the restrictions imposed by the governement on the
number of residents in specialty programs.*» (*Ibid.*, p. 37.)

83. Autour des années 1987, la limite imposée à la FMUM tournait autour de
90 admissions annuelles.

84. L. Laplante, dans *Rapport du doyen...*, *op. cit.*, p. 22.

85. «[...] la très grande majorité des étudiants ne veulent pas prendre ces
postes, et n'étant pas acceptés dans des postes réguliers, ils s'orientent vers
une formation en médecine familiale, ce qui augmente indûment le nombre
d'étudiants en médecine familiale au détriment des spécialités (en 1989, c'est
la première fois qu'un tel phénomène est observé).» (*Id.*)

86. Girard, Roy et Associés inc., *L'environnement intermédiaire...*, *op. cit.*, Rapport
n° 4, 1986, p. 44.

87. *Ibid.*, p. 45-46.

88. AFMUM,1992-1993.

89. L. Laplante dans *Rapport du doyen...*, *op. cit.*, p. 23.

90. *Id.*

91. Girard, Roy et Associés inc., *L'environnement intermédiaire...*, *op. cit.*, p. 44,
58-59.

92. AFMUM,1992-1993, p. 5-6.

# Conclusion

La consolidation d'une école de médecine francophone à Montréal au XIXᵉ siècle répondait certes aux besoins créés par les progrès du savoir médical, et particulièrement de la médecine anatomo-clinique. Les leçons cliniques devenaient des compléments essentiels aux processus de rationalisation du normal et du pathologique. La structuration des pratiques hospitalières rejoignait, quant elle ne les engendrait pas, les nouveaux horizons de l'investigation clinique et chirurgicale. La constitution des savoirs et leur transmission subissaient, comme en bien d'autres domaines, les assauts «de la raison» que nous avait léguée en héritage le fabuleux siècle des Lumières. Celui-ci ne rayonnait évidemment pas avec un égal éclat dans tous les pays d'Occident. Mais l'Amérique, à cet égard, n'était pas si mal pourvue, malgré les charges d'un clergé qui hésitait entre une tolérance paternaliste et une attaque virulente des idéologies «païennes».

L'enseignement médical au Québec francophone possédait toutefois l'avantage de se mouvoir avec quelque aisance dans un monde où les sciences n'étaient encore qu'une sorte de complément à la formation de l'honnête homme. Loin de constituer une approche qui aurait permis de former un homme de science susceptible de faire d'importantes découvertes, les cours de chimie, d'anatomie, de pathologie ou de physiologie visaient essentiellement à préparer l'étudiant aux techniques fondamentales et minimales du diagnostic, de l'accouchement ou de la chirurgie. L'enseignement donné à l'École de médecine et de chirurgie de Montréal, jusqu'à sa fusion avec sa concurrente de Laval, répondait fort adéquatement aux critères fonctionnels et pragmatiques d'une pratique médicale dispensée à une population encore largement rurale, «dur au mal», et partageant une représentation plutôt fonctionnelle du corps malade. En ce sens, la tradition clinique française, adoptée et transmise par les professeurs de l'École avec un enthousiasme non dénué d'une francophilie nationaliste, s'accordait fort bien à ce contexte. Tellement bien que, nous l'avons montré, l'ensemble des disciplines scientifiques, y compris les sciences de laboratoire, devront se plier, jusque tard au XX$^e$ siècle, à la sacro-sainte domination de la clinique. Cette idéologie utilitariste où une nouveauté médicale était jaugée par son efficacité diagnostique ou thérapeutique — tels ces engouements pour la radiologie, l'électrothérapie ou la sérothérapie — négligeait les processus biochimiques fondamentaux, qui constituaient pourtant, à l'aube du XX$^e$ siècle, la voie royale d'une meilleure connaissance de la maladie.

Il faut attendre les années 1940 avant que ne se développe un intérêt soutenu pour les sciences biomédicales. Il n'est pas question de reprendre ici l'idée que les médecins francophones marquaient un retard par rapport au développement de la médecine occidentale. Il n'y avait rien d'antiscientifique, même jusqu'à la Deuxième Guerre mondiale, à privilégier une approche clinique au détriment d'une approche axée sur les sciences fondamentales. Nous avons par ailleurs montré que si les pratiques scientifiques sont alors rares, elles ne sont pas absentes des préoccupations des membres de la faculté de médecine de l'Université de Montréal. Au pire, chez certains, une conception étroite de la maladie et de ses voies d'accès et un brin de conservatisme; au mieux, chez d'autres, une volonté, trop souvent atténuée par l'indigence financière de l'institution, de concilier les sciences fondamentales aux sciences cliniques, comme ce sera le cas lors de la naissance des instituts. Du reste, une certaine réalité sociale — absence de politiques scientifiques, débouchés peu nombreux pour les chercheurs, besoins croissants des institutions hospitalières, etc. — orientait l'enseignement de la faculté vers les besoins les plus immédiats et surtout les plus susceptibles d'accroître le prestige de la profession.

Durant l'entre-deux-guerres, la faculté de médecine se trouve coincée entre les exigences des autorités médicales américaines et les pressions culturelles et idéologiques d'une société «distincte» dont les élites, représentées en grande partie par les professions libérales, sont encore très largement attirées par les modèles institutionnels de la mère patrie. Les exigences pédagogiques, scientifiques et institutionnelles de la profession médicale américaine, en constante évolution, qui annonçaient en quelque sorte une période novatrice dans le domaine de l'enseignement médical, se heurtèrent souvent à la relative stabilité de nos institutions. L'isolement de la France en raison de la Seconde Guerre mondiale et le déménagement sur le mont Royal dans un grand édifice universitaire modifieront sensiblement la situation.

La période comprise entre les années 1942 et 1970 — qui débute par le grand déménagement sur le nouveau campus et se termine par la création des cégeps —, est marquée par la première grande phase de réformes pédagogiques et administratives au sein de la faculté. Malgré l'énergie déployée à fonder un hôpital universitaire et en dépit des importantes difficultés financières qui ont caractérisé ces années, les modifications apportées aux programmes d'études, l'augmentation du budget de l'université alloué à l'engagement de professeurs à temps plein dans les départements cliniques et l'émergence d'un noyau de professeurs susceptibles d'améliorer et d'étendre les activités de recherche ont certes contribué à parfaire la qualité de l'enseignement médical dispensé à la faculté. De même, l'instauration de l'apprentissage clinique (clerkship) dans les hôpitaux affiliés à l'université, le renforcement des relations entre le doyen de la faculté et les autorités administratives de l'université, l'octroi de bourses aux jeunes médecins désireux de se spécialiser, l'organisation d'un enseignement postscolaire, l'établissement de relations étroites entre la faculté et les collèges d'où provenaient la majorité des candidats, l'amélioration des procédures d'admission et le renforcement des mesures de sélection et, enfin, la formation d'un comité permanent du programme, en vue d'améliorer la structuration du programme scolaire, constituaient des mesures essentielles à la définition d'un enseignement médical moderne.

Force motrice de ces changements, il faut souligner l'émergence d'une attitude plus conciliante des membres de la faculté qui acceptèrent avec de moins en moins de réticences certaines transformations radicales. Des conditions financières plus favorables durant les décennies 1950 et 1960, bien qu'encore relativement limitées — la faculté partait de loin —, et la possibilité d'aménager des laboratoires convenables ont certainement favorisé l'engagement et le regroupement de chercheurs qualifiés au sein de la faculté. Les cas des docteurs Frappier, Selye, Simard, Genest, David et Cantero en sont des exemples importants dans la mesure où, sans être ni les premiers ni les seuls à se consacrer à la recherche biomédicale à l'Université de Montréal, ils sont néanmoins les premiers à avoir consolidé leurs activités scientifiques disciplinaires — microbiologie, endocrinologie, cancérologie, cardiologie — à l'intérieur d'une structure institutionnelle plus ou moins dépendante du cadre universitaire. Ces instituts permettront une certaine stabilisation du cadre de recherche.

Toutefois, comme le soulignent Maheu et ses collaborateurs, l'intensification de l'activité scientifique «est aussi fonction de luttes qui se déroulent non seulement dans le champ intellectuel et scientifique, mais aussi dans le domaine politique et plus largement, dans celui des rapports sociaux[1]». De fait, les cinq instituts fondés au cours de cette période obéissaient à des logiques distinctes de fonctionnement et d'organisation, lesquelles dépendaient en grande partie de l'influence de leurs fondateurs et du rôle social que la société ou l'institution universitaire attendaient d'eux. Alors que l'Institut de microbiologie, l'Institut du cancer, l'Institut de cardiologie et l'Institut de recherches cliniques avaient été mis sur pied en fonction de demandes sociales externes — production et recherche de vaccins, dépistage et recherche thérapeutique du cancer, demande de soins cardiovasculaires et de soins cliniques — l'Institut de médecine et de chirurgie expérimentale avait été créé surtout en fonction de préoccupations fondamentales sur l'endocrinologie et, initialement, ne répondait pas à une demande externe, mais plutôt à des besoins didactiques et scientifiques internes. Mais si les enjeux et les motivations différaient, il demeure que ces cinq piliers de la recherche à la faculté de médecine de l'Université de Montréal ont joué un rôle majeur dans la valorisation sociale de la fonction de la pensée scientifique.

À partir des années 1960, la promotion de la recherche, l'organisation et la création de laboratoires de recherche de même que la coordination des demandes de fonds deviendront des préoccupations essentielles des dirigeants de la faculté. Si l'on en juge par l'augmentation sensible des subventions de recherche entre 1960 et 1970, leurs initiatives ont donné des résultats tangibles. S'ajouta aussi l'importante structuration des activités d'enseignement supérieur — maîtrise et doctorat — largement axées sur la recherche médicale.

La consolidation de l'Institut de microbiologie, la création ou l'affiliation de nouveaux instituts, la mise sur pied de l'Institut de recherches cliniques et le développement des études supérieures — programmes de maîtrise et de doctorat — constituent des facteurs internes qui ont largement favorisé le développement de la recherche au sein de la faculté de médecine. D'autres facteurs externes — mise en œuvre d'une politique scientifique fédérale et provinciale, accroissement des fonds alloués à la recherche biomédicale, intérêt grandissant des jeunes étudiants à l'endroit d'une carrière scientifique — ont aussi contribué à l'éclosion d'une stratégie d'encouragement à la recherche au sein de la faculté de médecine[2]. Enfin, si, comme le mentionnent Maheu et ses collaborateurs, «la multiplication de départements universitaires, la création de laboratoires ou de centres de recherche, l'augmentation du nombre de chercheurs et d'étudiants inscrits aux programme de 3e cycle, l'obtention d'appuis financiers, l'acquisition d'appareils techniques perfectionnés, etc., apparaissent dans la littérature du développement des activités scientifiques comme autant de conditions requises pour la constitution d'une science organisée ou d'une science lourde (*big science*)[3]», alors il faut considérer que la faculté de médecine de l'Université de Montréal a largement participé à ce mouvement durant les années 1950 et 1960.

La période comprise entre 1967 et 1987 est caractérisée par une orientation encore plus marquée vers les grands courants pédagogiques nord-américains et vers l'atteinte de hautes performances en recherche scientifique. Mais, en même temps, les solutions originales aux défis lancés par la complexification des structures de soins et des programmes d'enseignement médicaux sont de plus en plus définies après une consultation des membres. Fallait-il mettre l'accent sur la formation d'omnipraticiens, sur la formation de spécialistes, sur le développement de la recherche fondamentale ou clinique, sur le développement de l'enseignement hospitalier? Fallait-il donner priorité à certains secteurs liés aux services à la communauté? Fallait-il réduire l'enseignement connexe et les cours de service destinés aux autres disciplines médicales, transformer les modalités d'association avec les établissements affiliés, réformer les structures administratives et le cadre des liens qui unissent la faculté à l'université? Des réponses fournies par les membres dépendaient les futures orientations de la faculté.

À cet égard, les autorités universitaires et les responsables de la faculté, évitant les réformes brusques et radicales, ont généralement agi avec prudence. Point d'entreprises flamboyantes comme la construction de nouveaux édifices ou l'érection d'un grand complexe hospitalo-universitaire, point de réorientations radicales des objectifs généraux ou des structures départementales. Plutôt, un travail constant et soutenu de réformes définies en fonction d'un processus d'autocritique et de consultations étroites de ses membres. Aussi faut-il souligner les remarquables efforts pour sensibiliser les professeurs aux nouvelles orientations et aux nouvelles techniques pédagogiques qui se développaient en territoire nord-américain. La mise en place de programmes de formation et de perfectionnement pédagogique des professeurs, de services spécifiques pour améliorer l'intervention didactique, de même que la mise en œuvre de certaines recherches appliquées en éducation médicale, ont probablement amélioré chez certains professeurs la qualité de leur enseignement. Ils ont aussi facilité la structuration du programme. Pour la première fois à la faculté, la formation de l'étudiant ne se limitait plus seulement aux aspects cognitifs (connaissances fondamentales et cliniques) et aux aspects psychomoteurs (observation médicale, discussion du diagnostic, plan de traitement, etc.), mais l'on considérait comme essentiel l'accent mis sur les aspects socio-affectifs de la pratique médicale tels que la relation patient-médecin (sympathie, tact, respect, intérêt pour sa famille, etc.), l'auto-évaluation, l'auto-enseignement, le respect des autres professionnels, etc. De plus, l'on avait insisté sur la formation de chercheurs dans tous les domaines de la santé où intervenait la faculté. Les progrès importants réalisés à la faculté de médecine à partir de la décennie 1980 ont non seulement permis d'atteindre les objectifs généraux et spécifiques d'un programme de médecine varié et complexe, mais ils ont aussi favorisé l'expansion de ses programmes connexes. La tâche n'était pas terminée. Au début de la dernière décennie du XX$^e$ siècle, une nouvelle réforme du programme de médecine se tramait en coulisse.

Depuis déjà une vingtaine d'années, l'idée d'une nouvelle médecine globale moins fragmentée et davantage axée sur la prévention, sur une problématique ouverte de la santé, sur la polyvalence «psycho-médicale» du praticien et sur une approche humaniste de la maladie avait progressivement pénétré le milieu médical québécois. Mais, le plus souvent, de tels objectifs, du reste loin de faire l'unanimité, s'adaptaient mal aux structures médicales axées sur l'acte thérapeutique individuel et s'accordaient mal avec la formation dispensée dans les facultés médicales. Il fallait cependant une certaine part d'audace des autorités médicales pour réorienter la formation médicale en fonction de nouveaux objectifs découlant pour la plupart d'une approche humaniste trop souvent malmenée par nos sociétés néolibérales. Le vice-doyen des études de premier cycle était à cet égard explicite:

> Les moyens d'intervention mis à la disposition de la médecine sont de plus en plus puissants. Ce qui était médecine-fiction il y a dix ans à peine, est aujourd'hui réalité. Que l'on pense seulement aux greffes de gènes normaux utilisés maintenant pour corriger des défauts génétiques. Ces progrès toutefois soulèvent de nombreuses questions qui débordent le domaine purement biomédi-

cal. Le médecin ne peut demeurer étranger à l'ensemble des valeurs humaines, aux valeurs de la société dans laquelle il vit. La médecine du siècle prochain exige du futur médecin une formation fondamentale intégrée qui fait appel à la fois aux sciences de la nature et aux sciences humaines. Une telle formation ouverte sur plusieurs disciplines favorisera une approche humaniste, sensible à l'ensemble des besoins de l'individu et de la société[4].

Privilégiant le retour de l'art médical sans pour autant repousser la science médicale; favorisant le valorisation du patient-sujet, sans pour autant rejeter les recours aux techniques médicales de pointe; et encourageant les activités de recherches clinique et fondamentale, tout en privilégiant une réflexion éthique sur les nouveaux enjeux bio-médicaux, les auteurs de la réforme de la faculté de médecine de l'Université de Montréal ont voulu répondre avec pertinence aux critiques de plus en plus vives suscitées par la déshumanisation des soins et ont souhaité intervenir pour éviter la domination de l'acte médical technocratique axé essentiellement sur l'efficacité scientifique.

## Notes

1. L. Maheu *et al.*, «La science au Québec francophone: aperçus...», p. 249.
2. «[...] l'émergence de structures d'enseignement scientifique, la définition du rôle de scientifique et l'implication plus ou moins grande de l'État sont autant de données qui, selon leur présence ou leur absence, contribuent à façonner un champ scientifique et à en orienter les enjeux» (C. Richard, cité par *ibid.*, p. 250).
3. *Ibid.*, p. 257.
4. P. Jean, «Chronique de la réforme du programme de doctorat en médecine. La formation fondamentale du médecin pour une médecine des années 2000», *Infomed*, Faculté de médecine, vol. 14, n° 1, sept.-oct. 1990, p. 1.

# La faculté de médecine de l'Université de Montréal 1993

**Doyen**: Serge Carrière
**Secrétaire**: Andrée Forget
**Vice-doyens**
Alcide Chapdelaine, développement
Marielle Gascon-Barré, recherche et études supérieures
Jean Leduc, affaires professorales
Claude L. Morin, études de premier cycle
Jean-Paul Perreault, études médicales postdoctorales
Raynald Pineault, santé publique

| Corps facultaires | Président |
|---|---|
| Conseil de la Faculté | Le doyen |
| Comité exécutif | Le doyen |
| Comité du programme, études médicales | Louise Samson |
| Comité d'admission | Jean Wilkins |
| Bureau d'évaluation | Claude L. Morin |
| Éducation médicale continue | Robert Thivierge |
| Recherche et développement en éducation médicale | Pierre Delorme |
| Santé internationale | Pierre Fournier |
| Coordination des hôpitaux affiliés | Richard Klein |

| Étudiants réguliers, premier cycle | 1497 (74,0% femmes) |
|---|---|
| Médecine | 795 (59,1%) |
| Ergothérapie | 216 (90,7%) |
| Nutrition | 170 (94,0%) |
| Orthophonie et audiologie | 141 (93,6%) |
| Physiothérapie | 175 (77,7%) |

| Résidents (D.E.S.) | 650 (53,2%) |
|---|---|
| Médecine familiale | 139 (66,1%) |
| Spécialités | 511 (49,7%) |

| Étudiants aux grades supérieurs | 934 (58,2%) |
|---|---|
| Maîtrise | 614 (64,6%) |
| Doctorat | 320 (45,9%) |

## TOTAL DES ÉTUDIANTS RÉGULIERS: 3081 (49,6%)

| Diplômes décernés (1992) | 729 |
|---|---|
| M.D. | 172 |
| B. Sc. ergothérapie | 73 |
| B. Sc. nutrition | 42 |
| B. Sc. physiothérapie | 49 |
| M. Sc. | 176 |
| D.E.S. | 178 |
| Ph. D. | 39 |

| Personnel enseignant | 1718 |
|---|---|
| Titulaires | 162 |
| Agrégés | 137 |
| Adjoints | 43 |
| Chargés d'enseignement | 1 |
| Professeurs de clinique | 740 |
| Chargés d'enseignement de clinique | 635 |

| **Personnel** | **205** |
|---|---|
| Bureau | 98 |
| Cadres et professionnels | 45 |
| Métier et services | 62 |

| **Les bibliothèques, fonds documentaire** | **2556,693** |
|---|---|
| Bibliothèque de la santé | 193,400 |
| Bibliothèque paramédicale | 72,293 |

| **Les budgets** | **200 M$** |
|---|---|
| Fonctionnement | 50 M$ |
| Subventions de recherche | 150 M$ |

### Unités de recherche

Centre de recherche en sciences neurologiques (CRSN)
Centre interuniversitaire en toxicologie (CIRTOX)
Chaire Hans Selye
Chaire Philippe Pinel de psychiatrie légale et
    d'éthique biomédicale
Groupe de recherche en biologie moléculaire
    de l'évolution (GRBME)
Groupe de recherche en hépatologie (GRH)
Groupe de recherche en immunologie de
    l'Université de Montréal (GRIBUM)
Groupe de recherche en modélisation biomédiale (GRMB)
Groupe de recherche en reproduction humaine (GRRH)
Groupe de recherche en transport membranaire (GRTM)
Groupe de recherche interdisciplinaire en santé (GRIS)
Groupe de recherche sur le système
    nerveux autonome (GRSNA)
Groupe de recherche sur le système nerveux central (GRSNC)
Groupe multidisciplinaire en hypertension (GMRH)
Réseau interhospitalier de cancérologie
    de l'Université de Montréal (RICUM)

**Hôpitaux et instituts affiliés**

Centre hospitalier Côte-des-Neiges
Centre hospitalier de Verdun
Cité de la santé de Laval
Hôpital du Sacré-Cœur de Montréal
Hôpital Louis-H. Lafontaine
Hôpital Maisonneuve-Rosemont
Hôpital Notre-Dame
Hôpital Rivière-des-Prairies
Hôpital Sainte-Justine
Hôpital Saint-Luc
Hôtel-Dieu de Montréal
Institut de cardiologie de Montréal
Institut de recherches cliniques de Montréal (IRCM)
Institut de réadaptation de Montréal (IRM)
Institut du cancer de Montréal
Institut Philippe Pinel de Montréal

DR GUY LAMARCHE,
11 février 1993

# Bibliographie générale

ABBOTT, M., *History of the Medicine in the Province of Quebec*, Montréal, McGill University Press, 1931.

ACKERKNECHT, E. H., *La médecine hospitalière à Paris*, Paris, Payot, 1979.

AGNEW, G. H., *Canadian Hospitals, 1920 to 1970, a Dramatic Half Century*, Toronto, University of Toronto Press, 1974.

ALLARD, M. et al., *L'Hôtel-Dieu de Montréal 1642-1973*, Montréal, Hurtubise HMH, 1973.

ANCTIL, P. et G. CALDWELL, *Juifs et réalités juives au Québec*, Québec, Institut québécois de recherche sur la culture, 1984.

ARAUJO HARTZ, Z. M. (de), *L'évolution des structures et des contenus de l'enseignement en matière de santé publique à la faculté de médecine de l'Université de Montréal*, mémoire de maîtrise en santé communautaire, Université de Montréal, 1989.

ARCHAMBAULT, A. et al., *Rapport du Comité d'étude sur la formation médicale*, Conseil des universités, 1985.

BARIÉTY, M. et C. COURY, *Histoire de la médecine*, Paris, Fayard, 1963.

BEAULNES, A. et al., *Le Centre médical universitaire. Un passé, une nécessité*, Montréal, Les Éditions du Jour, 1965.

BENSLEY, E. H., *McGill Medical Luminaries*, Montréal, coll. Osler Library, McGill University, 1990.

BERNIER, J., *La médecine au Québec, naissance et évolution d'une profession*, Québec, Les Presses de l'Université Laval, 1989.

— «La standardisation des études médicales et la consolidation de la profession dans la deuxième moitié du XIX^e siècle», *Revue d'histoire de l'Amérique française*, 1983, p. 51-66.

BLUMENTHAL, H., *American and French Culture, 1800-1900: Interchange in Art, Science, Literature, and Society*, Baton Rouge, Louisiana State University Press, 1975.

BOISSONNAULT, C. M., *Histoire de la faculté de médecine de Laval*, Québec, Presses Universitaires Laval, 1953.

BOZZINI, L., M. RENAUD, D. GAUCHER, J. LLAMBAS-WOLFF *et al.*, *Médecine et société. Les années 1980*, Montréal, Les Éditions coopératives Saint-Martin, 1981.

BRODEUR, L., *Les débuts de la spécialisation de la gynécologie au Québec 1880-1920. Médicalisation de la femme et consolidation de la profession médicale*, mémoire de maîtrise, Département d'histoire, Université de Montréal, 1991.

BROWN, E. R., «Public health and imperialism», *Monthly Review*, septembre 1977, p. 21-34.

BROWN, E. R., *Rockefeller Medicine Men: Capitalism and Medical Care in America*, Berkeley, 1979.

CANNIFF, W., *The Medical Profession in Upper Canada 1783-1850*, Toronto, The Hannah Institute for the History of Medicine, 1980.

CHARTRAND, L., R. DUCHESNE et Y. GINGRAS, *Histoire des sciences au Québec*, Montréal, Boréal, 1987.

CUSHING, H., *The Life of Sir William Osler*, t. I, Oxford, Clarendon Press, 1925.

DAVIS, L., *Fellowship of Surgeons: A History of the American College of Surgeons*, Springfield, Thomas Publishers, 1960.

DEITRICK, J. E. et R. C. BERSON (dir.), *Medical Schools in United States at Mid-Century*, York, Maple Press Company, 1953.

DESROSIERS, G., B. GAUMER et O. KEEL, *Étude de l'évolution des structures et du contenu de l'enseignement universitaire spécialisé de santé publique au Québec et de ses déterminants de la fin du XIXᵉ siècle à 1970*, Université de Montréal, rapport de recherche, 1987.

DESROSIERS, G., B. GAUMER et O. KEEL, «L'évolution des structures de l'enseignement universitaire spécialisé de santé publique au Québec: 1899-1970», *Bulletin canadien d'histoire de la médecine*, vol. 6, nᵒ 1, été 1989.

DUCHESNE, R., *La science et le pouvoir au Québec (1920-1965)*, Québec, Éditeur officiel du Québec, 1978.

FAURE, M., *Histoire des cours de l'Institut Pasteur*, Institut Pasteur, n.d.

FLEXNER, A., *Medical Education in the U.S. and Canada, a Report to the Carnegie Foundation for the Advancement of Teaching*, New York, The Heritage Press, 1925.

FOUCAULT, M., *Naissance de la clinique*, Paris, Gallimard, 1963.

FOUCAULT, M. *et al.*, *Les machines à guérir. Aux origines de l'hôpital moderne*, Bruxelles, Pierre Mardaga, 1979.

FOURNIER , M., Y. GINGRAS et O. KEEL (dir.), *Sciences et médecine au Québec. Perspectives sociohistoriques*, Québec, Institut québécois de recherche sur la culture, 1987.

FRAPPIER, A., *Un rêve. Une lutte. Autobiographie*, Sillery, PUQ, 1992,

FRENCH, R. D., *Antivivisection and Medical Science in Victorian Society*, Princeton, Princeton University Press, 1975.

GAGNON, R., «Les discours sur l'enseignement pratique au Canada français: 1850-1900», dans M. FOURNIER, Y. GINGRAS et O. KEEL (dir.), *Sciences et médecine au Québec. Perspectives sociohistoriques*, Québec, Institut québécois de recherche sur la culture, 1987, p. 19-39.

GALARNEAU, C., *Les collèges classiques au Canada français*, Montréal, Fides, 1978.

GEISON, G. L., «Scientific change, emerging specialties and research schools», *History of Science*, vol. XIX, 1981, p. 20-40.

— *Michael Foster and the Cambridge School of Physiology*, Princeton, Princeton University Press, 1978.

GINGRAS, Y., *Les origines de la recherche scientifique au Canada. Le cas des physiciens*, Montréal, Boréal, 1991.

GOULET, D., *Des miasmes aux germes. L'impact de la bactériologie sur la pratique médicale au Québec (1870-1930)*, thèse de Ph.D., Département d'histoire, Université de Montréal, 1992.

GOULET, D. et O. KEEL, «L'introduction de la médecine pasteurienne au Québec: de la théorie des germes aux pratiques bactériologiques», *Revue d'histoire de l'Amérique française* (à paraître).

— «Généalogie des représentations et attitudes face aux épidémies au Québec depuis le XIX^e siècle», *Anthropologie et Société*, (L'univers du sida), vol. 15, n^{os} 2-3, 1991.

— «L'introduction du listérisme au Québec: entre les miasmes et les germes», *Actes du XXXIIᵉ congrès international d'histoire de la médecine*, Bruxelles, Fierens éditeur, 1991.

— «L'introduction de la médecine pasteurienne au Québec», *Actes du XXXIᵉ congrès international de médecine*, Bologne, Monduzzi Editore, 1988.

GOULET, D., F. HUDON et O. KEEL, *Histoire de l'Hôpital Notre-Dame (1880-1980)*, Montréal, VLB éditeur, coll. «Études québécoises», à paraître.

GOULET, D. et A. PARADIS, *Trois siècles d'histoire médicale au Québec. Chronologie des institutions et des pratiques (1639-1939)*, Montréal, VLB éditeur, coll. «Études québécoises», 1992.

GOULET, D. et G. ROUSSEAU, «L'émergence de l'électrothérapie au Québec, 1890-1910», *Bulletin d'histoire de l'électricité*, Paris, juin 1987.

GRMEK, M., *La première révolution scientifique*, Paris, Payot, 1990.

HALLER, J. S., *American Medicine in Transition, 1840-1910*, Urbana, Chicago, Londres, University's Illinois Press, 1981.

HEAGERTY, J., *Four Centuries of Medical History in Canada*, t. 2, Toronto, The MacMillan Company of Canada Limited, 1928.

HEARN Milner, E., *Bishop's Medical Faculty Montreal 1871-1905*, Sherbrooke, R. Prince Imp. inc., 1985.

HOWELL, W. B., F. J. *Shepherd-Surgeon, his Life and Times*, Toronto et Vancouver, J. M. Dent and Sons Ltd., 1934.

KEEL, O., «The politics of health and the institutionalisation of clinical practices in Europe in the second half of the eighteenth century», dans W. F. BYNUM et R. PORTER (dir.), *William Hunter and the Eighteenth Century Medical World*, Cambridge, Cambridge University Press, 1985.

— «La place et la fonction des modèles étrangers dans la constitution de la problématique hospitalière de l'École de Paris», *History and Philosophy of the Life Sciences*, vol. VI, 1984.

— «Les conditions de la décomposition "analytique" de l'organisme: Haller, Hunter, Bichat», *Les études philosophiques*, 1982.

— *La généalogie de l'histopathologie*, Paris, Vrin, 1979.

— *Cabanis et la généalogie de la médecine clinique*, thèse de doctorat, Département de philosophie, Université McGill, 1977.

KING, L. S., *Medical Thinking. A Historical Preface*, Princeton, Princeton University Press, 1982.

LAMONTAGNE , M. (sous la présidence de), *Une politique scientifique canadienne. Rapport du Comité sénatorial de la politique scientfique*, Ottawa, Information Canada, vol. I, 1971.

LAVALLÉE, A., *Québec contre Montréal. La querelle universitaire 1876-1891*, Montréal, Les Presses de l'Université de Montréal, 1974.

— «Les religieuses hospitalières de Saint-Joseph et l'École de médecine et de chirurgie dans la querelle universitaire (1843-1891)», *L'Hôtel-Dieu de Montréal 1642-1973*, Montréal, Hurtubise - HMH, 1973.

La Commission royale d'enquête sur l'avancement des arts, lettres et sciences au Canada, *Les arts, lettres et sciences au Canada 1949-1951*, Ottawa, 1951.

LESEMANN, F., *Du pain et des services. La réforme de la santé et des services sociaux au Québec*, «Les transformations de l'organisation socio-sanitaire au Québec au cours des années soixante (1960-1970)», Montréal, Les Éditions coopératives Albert Saint-Martin, 1981.

LESSARD, R., *Se soigner au Canada aux XVII^e et XVIII^e siècles*, Ottawa, Musée canadien des civilisations, coll. «Mercure», 1989.

LICHTENTHAELER, C., *Histoire de la médecine*, Paris, Fayard, 1978.

LINTEAU, P. A., *Histoire de Montréal depuis la Confédération*, Montréal, Boréal, 1992.

LINTEAU, P. A., R. DUROCHER et J. C. ROBERT, *Histoire du Québec contemporain. De la Confédération à la crise*, Montréal, Boréal Express, 1979.

LINTEAU, P. A., R. DUROCHER, J. C. ROBERT et F. RICARD, *Histoire du Québec contemporain*, Montréal, Boréal Compact, 1989.

LUDMERER, K. M., *Learning to Heal. The Development of American Medical Education*, New York, Basic Books Inc., 1985.

MACDERMOT, H. E., *One Hundred Years of Medicine in Canada*, Toronto/Montréal, McClelland and Stewart Ltd., 1967.

MAHEU, L. *et al.*, «La science au Québec francophone: aperçus sur son institutionnalisation et sur les conditions d'accès à sa pratique», *The Canadien Review of Sociology and Anthropology*, vol. XXI, n° 3.

MALTAIS, R., *Le Centre médical de l'Université de Sherbrooke. Une esquisse de son histoire 1961/1979*, Sherbrooke, Les Éditions de l'Université de Sherbrooke, 1980.

MARC, B., «Des principes antiseptiques de Lister au traitement antiseptique de Carrel», communication présentée au XXXIIᵉ congrès international d'histoire de la médecine, Anvers, septembre 1990.

MAULITZ, R. C., *Morbid Appearances. The Anatomy of Pathology in the Early Nineteenth Century*, Cambridge, Cambridge University Press, 1987.

— «"Physician versus bacteriologist": The ideology of science in clinical medicine», dans M. J. VOGEL et C. E. ROSENBERG (dir.), *The Therapeutic Revolution: Essays in the Social History of American Medicine,* University of Pennsylvania Press, 1979.

— «The education of the american physician in pathology», dans R. Numbers (dir.), *The Education of the American Physicians,* Los Angeles, University of California Press, 1979.

MEUNIER, P., *La chirurgie à l'Hôtel-Dieu de Montréal au XIXᵉ siècle,* Montréal, Les Presses de l'Université de Montréal, 1989.

MORANGE, M. (dir.), *L'Institut Pasteur. Contributions à son histoire,* Paris, Éditions La Découverte, coll. «Histoire des sciences», 1991.

MOULIN, A. M., *Le dernier langage de la médecine. Histoire de l'immunologie de Pasteur au Sida,* Paris, PUF, 1991.

PACK, G. T., et M. A. IRVING, «A half century of effort to control cancer. An appraisal of the problem and an estimation of accomplishments», dans L. DAVIS (dir.), *Surgery, Gynecology & Obstetrics weith International Abstracts of Surgery,* Chicago, The Franklin H. Martin Memorial Foundation, 1955.

POIRIER, J. et J. L. POIRIER (dir.), *Médecine et philosophie à la fin du XIXᵉ siècle,* Cahier de l'Institut de recherche universitaire d'histoire de la connaissance, des idées et des mentalités, Université de Paris — Val de Marne, 1978, p. 25-26.

REISER, S., *Medicine and the Reign of Technology,* Cambridge, Londres et New York, Cambridge University Press, 1978.

RICHARD Brown, E., «La santé publique et l'impérialisme: les premiers programmes Rockefeller aux États-Unis et dans le monde», dans L. BOZZINI, *Médecine et société dans les années*

*1980*, Montréal, Les Éditions coopératives Albert Saint-Martin, 1981.

ROLAND, C. G., «The early years of antiseptic surgery in Canada», *Journal of the History of Medicine and Allied Sciences*, octobre 1967, p. 380-391.

ROSENBERG, C. E., *The Care of Strangers. The Rise of America's Hospital System*, New York, Basic Books, 1987.

ROTHSTEIN, W. G., *American Medical Schools and the Practice of American Medicine*, New York, Oxford, Oxford University Press, 1987.

ROUSSEAU, F., *La croix et le scalpel. Histoire des Augustines et de l'Hôtel-Dieu de Québec*, Sillery, Septentrion, 1990.

RUMILLY, R., *Histoire de la province de Québec*, t. II, IV, VI, VII, Montréal, Fides, 1972.

SALOMON-BAYET, C., (dir.), *Pasteur et la révolution pastorienne*, Paris, Payot, 1986.

SCLATER LEWIS, D., *Royal Victoria Hospital 1887-1947*, Montréal, McGill University Press, 1969.

SEGALL, H. N., «Introduction of the stethoscope and clinical auscultation in Canada», *Journal of the History of Medicine*, vol. XXII, 1967.

STARR, P., *The Social Transformation of American Medicine*, New York, Basic Books, 1982.

TRAVILL, A. A., *Medicine at Queen's 1854-1920*, Kingston, Faculty of Medicine, Queen's University, 1988.

TUNIS, B., *The Medical Profession in Lower Canada: Its Evolution as a Social Group, 1788-1838*, mémoire de maîtrise, Département d'histoire, Carleton University, 1979.

VILLEDIEU, Y., *Demain la santé*, Montréal, Les dossiers de Québec Science, 1976.

VON DRIGALSKI, W., *L'Homme contre les microbes. Les maladies contagieuses dans l'histoire et la vie des hommes*, Paris, Librairie Plon, 1955.

WANGENSTEEN, O. H. et S. D. WANGENSTEEN, *The Rise of Surgery. From Empiric Craft to Scientific Discipline*, Minneapolis, University of Minnesota Press, 1978.

WEISZ, G., «Origines géographiques et lieux de pratique des diplômés en médecine au Québec de 1834 à 1939», dans

M. FOURNIER, Y. GINGRAS et O. KEEL (dir.), *Sciences et médecine au Québec. Perspectives sociohistoriques*, Québec, Institut québécois de recherche sur la culture, 1987.

YANACOPOULO, A., *Hans Selye ou la cathédrale du stress*, Montréal, Le jour, 1992.

# Liste des sigles utilisés

| | |
|---|---|
| AEMC/FMULM | Annuaire de l'École de médecine et de chirurgie/Faculté de médecine de l'Université Laval à Montréal |
| AFMC | Association des facultés de médecine du Canada |
| AFMUM | Annuaire de la faculté de médecine de l'Université de Montréal |
| AAMC | American Association of Medical Colleges. |
| AMA | American Medical Association |
| AMC | Association médicale canadienne |
| AMCEQ | Association des médecins cliniciens enseignants du Québec |
| ANQ | Archives nationales du Québec |
| APMFQ | Association des professeurs de médecine de famille du Québec |
| AUM | Archives de l'Université de Montréal |
| BCG | Bacille Calmette-Guérin |
| CEFM | Comité d'étude sur la formation médicale. |
| CEGEP | Collège d'enseignement général et professionnel |
| CLSC | Centre local de services communautaires |
| CMA | Canadian Medical Association |
| CMC | Conseil médical du Canada |
| CMCPQ | Collège des médecins et chirurgiens de la province de Québec |
| CMFC | Collège des médecins de famille du Canada |

| | |
|---|---|
| CNRC | Conseil national de recherche du Canada |
| COCERAP | Comité conjoint d'étude sur la rationalisation des programmes de spécialisation médicale |
| CPMQ | Corporation professionnelle des médecins du Québec |
| CRMC | Conseil de recherches médicales du Canada |
| CRMCC | Collège royal des médecins et chirurgiens du Canada |
| CSSSRMM | Commission de la santé et des services sociaux de la région du Montréal métropolitain |
| DES | Diplôme d'études spécialisées |
| DTG | Demi-temps géographique |
| EMC/FMULM | École de médecine et de chirurgie/Faculté de médecine de l'Université Laval à Montréal |
| EMC/FMUV | École de médecine et de chirurgie/Faculté de médecine de l'université Victoria |
| EMCM | École de médecine et de chirurgie de Montréal |
| EMQ | École de médecine de Québec |
| ETM | École de technologie médicale |
| FMOQ | Fédération des médecins omnipraticiens du Québec |
| FMSULM | Faculté de médecine de la succursale de l'Université Laval à Montréal |
| FMUL | Faculté de médecine de l'Université Laval |
| FMUM | Faculté de médecine de l'Université de Montréal |
| FMUMG | Faculté de médecine de l'Université McGill |
| GRIS | Groupe de recherche interdisciplinaire en santé |
| H-D | Hôtel-Dieu |
| HND | Hôpital Notre-Dame |
| HSJD | Hôpital Saint-Jean-de-Dieu |
| HSP | Hôpital Saint-Paul |
| ICAM | Institut de cardiologie de Montréal |

| | |
|---|---|
| ICM | Institut du cancer de Montréal |
| IDN | Institut de diététique et de nutrition |
| IMCE | Institut de médecine et de chirurgie expérimentales |
| IMHM | Institut de microbiologie et d'hygiène de Montréal |
| IRCM | Institut de recherches cliniques de Montréal |
| IRM | Institut du radium de Montréal |
| LCME | Liaison Committee on Medical Education |
| MAS | Ministère des Affaires sociales |
| M.D. | Diplôme en médecine |
| MGH | Montreal General Hospital |
| MMI | Montreal Medical Institution |
| OPQ | Office des professions du Québec |
| OSS | Opération sciences de la santé |
| PCB | Année prémédicale composée des cours de physique, chimie et biologie |
| PCN | Année prémédicale composée des cours de physique, chimie et sciences naturelles |
| PTG | Plein temps géographique |
| PVBMHND | Procès-verbaux du bureau médical de l'Hôpital Notre-Dame |
| PVCFMUM | Procès-verbaux du conseil de la faculté de médecine de l'Université de Montréal |
| PVCMHND | Procès-verbaux du conseil médical de l'Hôpital Notre-Dame |
| PVEFMUM | Procès-verbaux de l'exécutif de la faculté de médecine de l'Université de Montréal |
| PVEMC/FMULM | Procès-verbaux de l'École de médecine et de chirurgie/Faculté de médecine de l'Université Laval à Montréal |
| PVEMC | Procès-verbaux de l'École de médecine et de chirurgie |
| PVFMULM | Procès-verbaux de la Faculté de médecine de l'Université Laval à Montréal |
| RAHND | Rapport annuel de l'Hôpital Notre-Dame |
| RAMQ | Régie de l'assurance-maladie du Québec |
| SPBC | Statuts de la Province du Bas-Canada |

| | |
|---|---|
| SPC | Statuts de la Province du Canada |
| SPQ | Statuts de la Province de Québec |
| SRC | Statuts refondus du Canada |
| SULM | Succursale de l'Université Laval à Montréal |
| UL | Université Laval |
| URDEM | Unité de recherche et de développement en éducation médicale |

# Liste des présidents et doyens

| EMC | Présidents |
|-----|------------|
| 1843-1846 | C. J. Arnoldi |
| 1846-1848 | ? |
| 1849 | J. G. Bibaud, H. Peltier |
| 1850-1854 | P. Munro |
| 1854-1861 | P. Beaubien |
| 1861-1864 | J. G. Bibaud |
| 1864-1869 | ? |
| 1869-1873 | E. H. Trudel |
| 1873-1878 | P. Munro |
| 1878-1881 | E. H. Trudel |
| 1881-1888 | T. E. d'Odet d'Orsonnens |
| 1888-1891 | W. H. Hingston |

| FMSULM | Doyens |
|--------|--------|
| 1879-1891 | J. P. Rottot |

| EMC/FMULM | |
|-----------|--|
| 1891-1893 | L. B. Durocher |
| 1893-1908 | J. P. Rottot |
| 1908-1918 | E. P. Lachapelle |
| 1918-1920 | L. de Lotbinière-Harwood |

| FMUM | |
|------|--|
| 1920-1934 | L. de Lotbinière-Harwood |
| 1934-1938 | T. Parizeau |
| 1938-1944 | A. Lesage |
| 1944-1950 | E. Dubé |

1950-1962    W. Bonin
1962-1968    L. L. Coutu
1968-1969    E. Robillard
1970         D. G. Vaillancourt (par intérim)
1970-1981    P. Bois
1981-1989    Y. Gauthier
1989-        S. Carrière

# Table

La rédaction de cet ouvrage a été rendue possible
grâce au soutien de:

L'Association canadienne de l'industrie du médicament
La faculté de médecine de l'Université de Montréal
Janssen Pharmaceutica (Canada) Inc.
Merck Frosst Canada Inc.
Wyeth-Ayerst Canada et Wyeth-Ayerst Research Canada

*À paraître dans la même collection*

HISTOIRE DU NATIONALISME QUÉBÉCOIS, sous la direction de Gilles Gougeon

HISTOIRE DE L'HÔPITAL NOTRE-DAME, Denis Goulet, François Hudon et Othmar Kheel

LA CONSTITUTION CANADIENNE ET L'ÉVOLUTION DES RAPPORTS ENTRE LE QUÉBEC ET LE CANADA ANGLAIS, DE 1867 À NOS JOURS, Jacques-Yvan Morin et José Woerhling

CET OUVRAGE
COMPOSÉ EN PALATINO 11 POINTS SUR 13
A ÉTÉ ACHEVÉ D'IMPRIMER
LE VINGT-CINQ MARS MIL NEUF CENT QUATRE-VINGT-TREIZE
PAR LES TRAVAILLEURS ET TRAVAILLEUSES DES PRESSES
DE L'IMPRIMERIE GAGNÉ
À LOUISEVILLE
POUR LE COMPTE DE
VLB ÉDITEUR.

IMPRIMÉ AU QUÉBEC (CANADA)